KB101276

개정된 수가제도와 3주기 인증기준에 맞춘

노인환자 진료를 위한

요양병원 진료지침서

넷째판

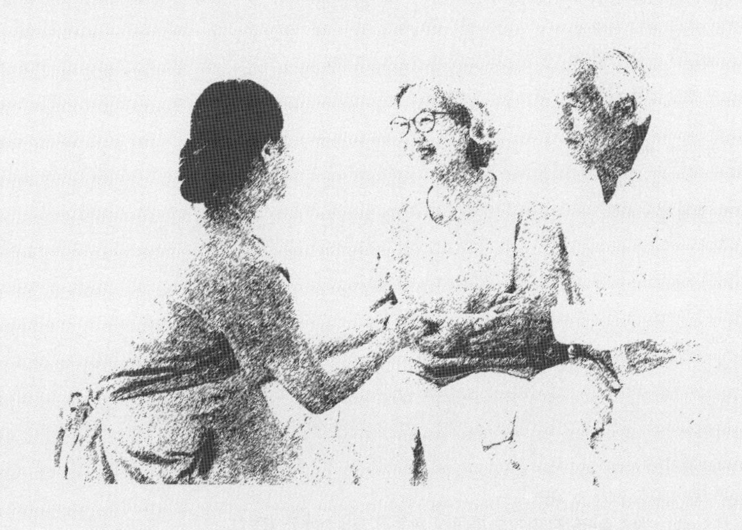

대표저자 가혁 공동저자 원장원
대한요양병원협회 학술이사 / 인천은혜병원 병원장
대한노인병학회 이사장 / 경희의대 가정의학과장

부록

- 인천은혜병원 식사처방지침서와 임상영양관리지침서

별책부록〉 환자평가를 위한 노인포괄평가(CGA) 포켓카드
3주기 요양병원 인증평가 IT 연습용 직군별 질문지

1

요양병원 진료지침서 4판

Volume. 1

첫째판 1쇄 인쇄 | 2011년 1월 10일
첫째판 1쇄 발행 | 2011년 1월 20일
둘째판 1쇄 발행 | 2013년 9월 25일
둘째판 2쇄 발행 | 2014년 4월 15일
셋째판 1쇄 발행 | 2016년 11월 11일
셋째판 2쇄 발행 | 2017년 9월 12일
셋째판 3쇄 발행 | 2018년 8월 21일
넷째판 1쇄 발행 | 2021년 1월 8일
넷째판 2쇄 발행 | 2023년 8월 24일

지 은 이 가혁, 원장원
발 행 인 장주연
출 판 기 획 이성재
책 임 편 집 배진수
편집디자인 주은미
표지디자인 김재욱
일 러 스 트 이호현
제 작 담 당 황인우
발 행 처 군자출판사(주)
등록 제4-139호(1991. 6. 24)
본사 (10881) **파주출판단지** 경기도 파주시 회동길 338(서패동 474-1)
전화 (031) 943-1888 팩스 (031) 955-9545
홈페이지 | www.koonja.co.kr

ISBN 979-11-5955-632-6
979-11-5955-631-9 (세트)
정가 37,500원
세트 75,000원

노인환자 진료를 위한

요양병원 진료지침서

넷째판

저자소개

가 혁 賈赫

현재

인천은혜요양병원 병원장
대한요양병원협회 학술이사
대한노인병학회 홍보/정보통신이사
의료기관평가인증원 자원조사위원
의료기관평가인증원 3주기 요양병원 인증기준 분과위원
대한노인병학회 학술지 AGMR 부편집장(Associate Editor)
질병관리청 노인검진분야 인지기능 전문기술분과위원
대한가정의학회 노인의학특별위원회
인천광역시 서구 노인장기요양등급판정위원회 소위원장
미래복지요양센터 계약의사

교육활동

인하대학교 의과대학 노인의학 강사
인하대학교 대학원 노인전문간호사 과정 강사
아주대학교 보건대학원 강사
대한간호조무사협회 전문강사
대만(Kaohsiung Veterans General Hospital)
고령의학과 강사
노인연구정보센터 강사
대한의사협회 노인요양시설 촉탁의사교육사업 강사

학력 및 학술 활동

2001 인하대학교 의과대학 졸업
2002–2005 인하대병원 가정의학과 전공의 및 전임의
2005–2006 포천중문의대 대체의학대학원 객원연구원
2006 인하대학교 대학원 의학석사(가정의학 전공)
2008 인하대학교 대학원 의학박사(가정의학 전공)

저자소개

원장원 元章源

현재

경희의대 가정의학과 과장, 어르신진료센터장
대한노인병학회 이사장
대한근감소증학회 학술이사
보건복지부 장기요양심판위원회 위원

학력 및 학술 활동

1987 서울대학교 의학사
1994 서울대학교 보건대학원 보건학석사
2000 고려대학교 의학박사(예방의학 전공)
1996–현재 경희대 교수
2004–2005 미국 University of Washington 노인내과 연수
2013 서울 세계노년노인학대회 조직위 사무차장 역임
2016–2020 한국노인노쇠코호트(KFACS) 사업단장

넷째판 머리말

우리나라는 2017년에 전체 인구의 14%가 노인 인구인 고령사회(Aged Society)가 되면서 OECD 국가 중 가장 빠른 속도로 초고령화 사회로 나아가고 있습니다. 이러한 현상은 특히 장기적 돌봄과 치료를 필요로 하는 노인들에 대한 국가의 재정적 부담을 가중시켜, 정부에서는 2025년을 목표로 지역사회돌봄 정책 사업을 추진 중입니다. 그 여파는 요양병원에도 미쳐, 2019년 11월에 개편된 수가제도에 따라 장기입원환자나 경증의 환자에 대해서는 지속적인 입원이 불리하게 되었습니다. 게다가 2020년에 전 세계를 덮친 코로나19 감염병 사태는 특히 감염병에 취약한 노인환자가 대부분을 차지하는 요양병원에 대한 보다 엄격한 감염관리체계로의 개편을 요구하게 되었습니다. 그러나 오히려 코로나19 사태를 통해 의사, 간호사 등의 의료진을 갖춘 우리나라의 요양병원 시스템이 대부분 요양시설에 의존하는 외국에 비해 방역체계를 포함한 대부분의 분야에서 양질의 서비스를 제공하고 있음이 증명되고 있습니다.

4판의 주요 특징은 다음과 같습니다.

1. 분량의 증가에 따라 두 권으로 분철함으로써 가독성 및 편리함을 높이고자 하였습니다.
2. 요양병원 실무에 중요도가 높은 내용은 추가하고, 쓰임새가 적은 챕터는 과감히 삭제함으로써 '선택과 집중'을 하였습니다.
3. 2019년 11월에 개편된 수가 및 환자평가표를 포함하여 2020년 11월 현재의 법률 및 제도를 반영하였습니다.
4. 2021년부터 시행 예정인 3주기 요양병원 인증기준의 내용을 반영하였습니다.
5. 요양병원에서의 다양한 사람들(환자, 보호자, 직원)과의 의사소통 관련 챕터를 추가함으로써, 요양병원 직원으로서 원활한 인간관계를 함양할 수 있도록 하였습니다. 사람을 상대하는 직업인에게 사람과의 원활한 관계는 필수 덕목이기 때문입니다.

2010년에 처음 시작하여, 본 책을 집필한 지 올해로 꼭 10년이 되었습니다. 요양병원 직원분들과 노인진료에 관심이 있으신 분들께 조금이나마 도움이 되고자 시작했던 일이 많은 분들의 관심과 격려로 4판의 출간을 눈 앞에 두고 있다는 사실이 마음을 벅차게 합니다. 10년을 한결같이 함께 해주신 군자출판사 장주연 사장님을 비롯한 모든 직원 여러분들과, 특히 많은 요구 사항과 한정된 기간으로 인해 정신적 압박과 육체적 노고가 많으셨을 주은미 편집 디자이너와 이예제, 안경희 편집자께 감사의 말씀을 남깁니다.

2020년 한해, 여러가지 힘든 일들이 있음에도 불구하고 언제나 옆에서 나를 지켜주는 아내 박지선과 이제는 알아서 잘 자라고 있는 승민, 효경이, 그리고 부모님께도 고맙다는 말씀을 드립니다.

오랜만의 비가 내리는 2020년 11월 1일

가 혁

첫째판 머리말

2010년 여름 무더위의 유난스러움에 대한 기억은 작은 성과물을 향한 열정의 부산스러움에 의해 묻혀져 가고 있습니다. 어느덧 본격적인 노인병 의사가 된 지 4년이 되었고, 그간 우리나라 사회 및 의료 환경에도 많은 변화가 있었습니다. 그 변화의 핵심에는 급격한 노령화 및 그에 따른 노인병, 노인환자, 노인 관련 시설 등의 급증이 있었음은 누구도 부인할 수 없습니다. 최근 몇 년간 우리나라 요양병원의 증가는 가히 폭발적이었으며 그와 더불어 요양병원에서 근무하는 의사, 간호사, 간병인 등의 인력도 상당한 규모에 이르게 되었습니다.

하지만 이러한 양적 증가에도 불구하고 아직 우리나라 요양병원에 근무하는 의료인들에게 실무적인 지침이 될 만한 서적이 마땅히 없다는 현실을 절감하고 있던 차, 마침 요양병원 환자 평가 및 진료 지침에 관한 강의들과 요양병원 진료의 노하우 등에 관한 개인적인 문의 등을 통해 인연을 맺게 된 여러 요양병원 봉직의 및 원장님들의 권유가 본 책을 집필하게 된 직접적인 계기가 되었습니다.

몸소 노인환자들을 접하고 있는 일차 의료인의 입장에서 가능한 한 실제 업무에 도움이 될 만한 내용들을 선정하기 까지 많은 고심을 하였고 인천은혜병원 간호국을 비롯한 여러 분야의 분들로부터 자문 및 의견을 취합하여 본 지침서를 완성할 수 있었습니다. 특히 요양병원에서 꼭 알아두어야 할 심평원의 심사 및 보험 기준과 요양병원형 포괄수가제에 입각한 환자평가표, 그리고 요양병원에서 많이 작성하게 되는 다양한 평가 도구들 및 서류 등의 작성요령에 대해서도 정리해 보았습니다.

우선 집필 과정에서 큰 관심과 격려를 보내 주신 서천 재단 김영기 대표이사님과 김현석 행정원장님, 인천은혜병원 창립 멤버이시자 인자한 카리스마로 저희들을 이끄시는 김상국 병원장님, 참신한 의견 및 다양한 자료들을 제공해 주신 인천은혜병원 및 인천시립노인치매요양병원 간호사 여러 분들께 무한한 감사를 표합니다. 그리고 바쁘신 중에도 제 원고에 대한 감수 및 일부 내용을 직접 집필해 주신 원장원 교수님, 막연했던 마음을 직접 실행에 옮기도록 모티브를 주신 시흥병원 홍정용 선생님께도 고마움을 전합니다. 또한 세심함과 정성으로 본 책의 출간을 위해 처음부터 끝까지 애써 주신 군자출판사 여러분께 고개 숙여 고맙다는 말씀을 드립니다.

끝으로, 원고 작업한다는 핑계로 초등학교 입학 직전임에도 많은 시간 함께 해 주지 못한 승민이와 하루가 다르게 여자 아이가 되어가는 효경이, 그리고 나의 분신이자 언제나 힘이 되어 주는 아내 지선에게 항상 사랑하고 있다는 말을 하고 싶습니다.

2011년 겨울 문턱에

가 혁

넷째판 격려사

요양병원의 역사가 1994년 의료법에 종별로 명시된 이래 26년이란 세월이 흘렀습니다. 한국의 요양병원이 한국노인의료와 복지의 한 축을 묵묵히 감당해 왔고, 지금도 많은 긍정적인 역할을 하고 있지만 아직 제대로 인정을 받지 못하고 있습니다. 많은 제도적인 규제와 수가구조가 오히려 요양병원이 병원으로서 역할을 할 수 없게 만든 부분도 많이 있습니다. 이러한 힘들고 어려운 상황에서 노인의료를 제대로 하고 근거있는 진료지침을 마련하기위해 현장에서 많은 경험과 학문적인 바탕을 토대로 요양병원 진료지침서가 가혁 원장님을 통해 2010년 처음 발간되었을 때 사막의 오아시스와 같은 희망의 빛으로 보였습니다. 많은 요양병원 종사자들 특히 의사와 간호사들이 이론적인 학문이 아닌 현장의 실천적인 학문과 경험을 바탕으로 한 본 지침서를 통해 노인의료의 질을 한 단계 끌어 올렸다고 생각합니다.

2017년에 고령사회로 진입하고 커뮤니티케어가 시작되면서 요양병원의 새로운 역할에 대한 기대와 위상정립이 요구되는 시점에서 현장의 진료에도 여력이 없을 것인데 이번에 진료지침서 4판을 개정하였습니다.

특히 3주기 요양병원의 인증평가 기준과 이에 대한 대응방법, 2019년 11월 개정된 요양병원의 수가개정내용, 그리고 앞으로 나아가야 할 방향인 존엄케어에 대해 최신의 많은 경향과 자료를 정리해서 개정안에 담았습니다.

이 한 권의 책만 보더라도 의료와 간호, 그리고 행정 등의 요양병원의 전반을 다 알 수 있어 요양병원에 근무하는 의료진과 종사자들이 꼭 보아야 할 필수 교과서가 되었습니다. 개정판을 만들기 위해 노력하신 그 노고에 진심으로 감사드리고 요양병원진료지침서가 노인의료서비스의 발전에 나침판과 같은 역할이 되길 바랍니다. 감사합니다.

2020년 11월

대한요양병원협회장 손덕현

첫째판 격려사

인천은혜병원 가혁 진료부장님의 저서 "노인요양병원 진료 지침서"의 발간을 맞이하여 격려의 말씀을 드리게 된 것을 매우 기쁘게 생각합니다.

우리 인천은혜병원은 1993년 당시 불모지와 다름없던 노인병 전문 치료를 위해 국내 최초로 노인전문병원으로 개원하였습니다. 이로써 많은 의료인들이 노인 진료 및 노인병원에 대한 관심을 갖게 한 선구자로서 노인의학 발전에 기여하였다고 자부하며, 이에 안주하지 않고 현재도 최고의 의료서비스를 제공하고자 노력하고 있습니다.

인천은혜병원 개원, 즉 우리나라에서 처음으로 노인요양병원이 도입된 지 17년이 지난 2011년 현재 우리나라는 세계적으로 유례를 찾기 어려울 정도로 급속한 고령화가 진행되고 있습니다. 노인인구의 증가 속도에 따라 지난 4년 동안 우리나라의 치매환자도 2.7배로 늘어났으며 만성질환으로 전문 치료를 받아야 할 노인 또한 급속도로 증가하는 시점에 이르렀습니다. 이에 노인요양병원 의료인을 위한 체계화된 진료 지침서의 발간은 그 의미가 매우 크다고 할 수 있을 것입니다.

가혁 선생님께서는 집필 과정에서 원고를 앞에 두고 살아온 지난날을 조용히 반추할 수 있는 시간을 가질 수 있었을 것이라 생각되며, 글이 잘되고 못됨을 떠나 더없이 귀중한 체험이었을 것이라고 믿습니다. 노인요양병원을 운영해 오고 있는 한 사람으로서 한없는 기쁨과 무한한 긍지를 느끼며, 다시 한번 축하의 말씀을 드립니다. 그동안 직원들의 노력으로 병원이 많은 발전을 해 온 만큼, 앞으로도 김상국 병원장님을 중심으로 의료진과 직원 여러분들의 저력과 열정으로 좋은 결과가 맺어질 수 있도록 진료부장님의 가교 역할과 활동을 기대합니다.

끝으로, 우리나라 노인요양병원의 발전에 기여할 수 있도록 더욱 많은 연구와 배전의 노력을 기울여 주시기를 당부 드리며, 진료부장님께 아낌없는 후원과 격려의 박수를 다시 한 번 보내 드립니다. 감사합니다.

2011년 1월

사회복지법인 서천재단 대표이사 김영기

이 책의 구성 및 활용법

요양병원 환자의 진료 시에 반드시 알아두어야 할 질병과 증상들에 대해 근거에 입각한 최신지견을 바탕으로 핵심적 내용만을 요약하고자 하였다.

02

각 장 첫머리의 "Q (Question or Quotation) BOX"에는 그 장의 내용과 관련하여 필자가 질문 받았던 내용이나 증례, 연관된 인용문 등을 제시함으로써 독자로 하여금 흥미를 유발하고 학습 동기를 부여하고자 하였다. "Q BOX"에서 제시한 문제들의 해결을 위해 본문을 읽다 보면 자연스레 각 장의 핵심을 짚을 수 있게 된다.

가능한 한 많은 사진과 그림들을 제시하여 지루하지 않게 구성하려 노력했고, 특히 요약 정리가 필요한 내용들은 기술적(記述的) 설명보다는 표로 제작함으로써 한 눈에 알아볼 수 있게 구성하였다.

본 책은 총 10개의 PART와 76개의 장으로 구성하였으며, 각 PART의 활용 방법은 다음과 같다.

PART I, II 요양병원의 개념과 관련 제도 소개

우리나라 요양병원의 현황과 요양병원 운영을 위해 필수적인 각종 수가체계, 법률 문제, 감염관리, 그리고 보호자와 직원들간의 원활한 의사소통 방법에 대해 다루었다.

PART III 3주기 요양병원 인증평가 대비

2021년부터 새로 시작되는 요양병원 3주기 인증평가를 대비할 수 있도록 각 조사기준 별 준비 방법을 소개하였다.

PART IV~VI 노인증후군과 노인성 질병

노인에서 흔한 노인증후군과 치매, 기타 노인성질병들에 대한 접근방법을 제시하였고, 진단 기준도 소개하였다.

PART VII, VIII 요양병원에서의 노인환자 진료 팁

의사들이 노인환자를 포괄적으로 진찰하는 요령과 의무기록 작성법, 각종 검사의 종류, 처방 요령 등을 제시하였다.

PART IX 요양병원에서의 노인간호

환자평가표를 비롯한 각종 간호 사정 도구들 및 요양병원에 입원한 노인환자 간호 시의 업무와 관련된 다양한 서류들을 소개하였으므로 실제 간호 업무 과정에서 활용하면 유용할 것이다.

PART X 요양병원에서의 중증 환자 관리

요양병원에 입원 중인 중증 환자들에게 생길 수 있는 다양한 문제들과 윤리적 문제, 사망진단서 등 각종 진단, 소견서 작성요령에 대해 다루었다.

Contents

Contents

VII 노인환자 진료의 원칙 665

VIII 요양병원 입원환자 진료의 팁 827

Contents

I

우리나라 요양병원에 대한 이해

01 우리나라 요양병원의 현황

- 요양병원은 왜 있어야 하며 다른 병원과의 차이점은 무엇인가요?
- 요양원과의 차이점은 무엇인가요?

1. 요양병원의 정의

요양병원이란 의사, 치과의사 또는 한의사가 주로 입원환자를 대상으로 의료행위를 하는 병원급 의료기관의 한 형태로서, 30개 이상의 요양병상(장기입원이 필요한 환자를 대상으로 의료행위를 하기 위하여 설치한 병상)을 갖추어야 한다(의료법 제3조제2항제3호 및 제3조의2). 의료법에서는 장애인복지법에 따른 의료재활시설 중 요건을 갖춘 의료기관도 넓은 의미의 요양병원으로 규정하고 있으나, 이 책에서 정의한 요양병원은 의료재활시설을 제외한 요양병원을 의미한다. 특히 기존에 요양병원으로 분류되었던 '정신병원'은 2020년 3월 4일부터 별개의 의료기관으로 구분되었다.

요양병원은 병원의 기능과 요양기관의 기능이 복합적으로 갖추어진 곳으로서, 현재 우리나라의 요양병원은 크게 다음과 같은 네 가지의 형태로 운영되고 있다.

> 복합기능병원(치매 등 만성 질병의 장기적 치료) / 재활중심병원 / 아급성기 치료 중심병원 / 호스피스완화의료 중심병원

2. 우리나라 요양병원의 역사

우리나라의 요양병원은 1993년에 인천은혜요양병원 건립을 시발점으로 하여 점차 늘기 시작하다가, 2000년대 들어 노인 인구의 급격한 증가 및 그에 따른 노인성 질환 증가로 인해 기하급수적으로 늘어 2020년 4월 현재 1,472개의 요양병원이 등록되어 있다. 한편, 요양병원의 이익과 질을 도모하고자 2003년에 설립된 대한요양병원협회는 자체적인 교육 시스템을 통해 요양병원 의료인의 자질 함양 기회를 제공하고 있다.

다음은 OECD 주요 국가에서 65세 이상 인구 1,000명당 병원 병상 수와 시설 침상 수를 비교한 것으로, 우리나라의 병원 병상 수가 단연 1위이다. 2018년 현재 우리나라의 요양병원 병상 수는 302,929개이며, 노인인구는 약 768만 5천명으로 노인 1,000명당 39.4개의 요양병원 병상이 확보된 셈이다.

표 1-1. OECD 주요국의 장기요양병상 수 단위: 병상 수/65세 이상 인구 1,000명, %

구분	2009년			2014년		
	전체	병원 병상 수	시설 침상 수	전체	병원 병상 수	시설 침상 수
OECD평균	51.5	4.9	46.6	51.0	4.4	46.6
우리나라	34.3	17.0	17.3	57.2	33.5	23.7
일본	37.2	12.1	25.1	35.6	10.7	24.9
프랑스	55.7	4.5	51.2	56.8	2.7	54.1
네덜란드	69.4	0.0	69.4	65.5	0.0	65.5
스웨덴	82.8	1.3	81.5	67.1	0.9	66.2
호주	-	-	57.6	-	-	53.5
캐나다	60.2	4.0	56.2	54.0	3.3*	50.7**
미국	43.9	1.9	42.0	36.8	1.4	35.4

* 2013년 기준, ** 2012년 기준, 출처 : OECD(2016b).

다음의 표는 전체 의료기관 대비 요양병원 환자수의 비율을 보여주는데, 요양병원 환자의 비율이 지속적으로 증가하고 있다.

표 1-2. 전체 의료기관 대비 요양병원 환자수 (단위: 명)

구분	전체	요양병원	비율
2014	9,105,050	267,349	2.9%
2015	9,289,026	278,419	3.0%
2016	9,668,108	299,253	3.1%
2017	9,490,057	332,401	3.5%

※ 출처 : 통계청 국가통계포털, 의료서비스이용현황 : 의료기관종별 환자 수(건강보험심사평가원)

그 밖의 요양병원 관련 주요 지표들은 다음에 열거한 표와 같다.

표 1-3. 요양병원 인력 수

년도	인력 수
2009	29,918
2010	34,671
2011	39,272
2012	37,086
2013	47,314
2014	55,772
2015	66,855
2016	79,845
2017	88,823
2018	96,345

※ 출처 : 국민건강보험공단, 건강보험통계 / 종별 인력현황 I, II

〈직역별 인원현황〉

표 1-4. 요양병원 직역별 인원현황 : 년도별

구분	의사	간호사	간호조무사	물리치료사	작업치료사	영양사	사회복지사
2005	547	1,961	744	487	70	168	132
2006	824	3,257	1,436	1,041	197	401	206
2007	1,428	5,331	3,025	1,804	383	679	324
2008	1,768	6,538	4,493	1,930	518	837	350
2009	2,108	7,699	5,983	2,293	689	984	466
2010	2,533	8,711	7,636	2,873	965	1,120	695
2011	2,916	9,405	8,921	3,327	1,180	1,671	796
2012	3,364	9,780	9,753	3,971	1,452	1,966	980
2013	3,871	12,460	14,458	4,713	1,700	2,235	1,209
2014	4,331	14,635	17,892	5,399	2,153	2,476	1,322
2015	4,709	18,612	23,124	5,756	2,374	2,592	1,539
2016	5,048	21,777	28,244	6,168	2,772	2,676	1,678
2017	5,721	24,436	29,861	6,628	2,962	2,836	1,987
2018	5,959	27,021	31,821	7,644	3,572	2,932	2,219

※ 출처 : 통계청 국가통계포털, 건강보험통계 : 요양기관 현황(건강보험심사평가원)

표 1-5. 요양병원 직역별 인원현황 : 인력구분별

구분	의사인력			간호인력		필요인력						기타인력			
	의사	치과의사	한의사	간호사	간호조무사	약사	의무기록사	방사선사	임상병리사	사회복지사	물리치료사	작업치료사	영양사	조리사	기타
2005	495	0	52	1,961	744	94	97	150	149	132	487	70	168	201	1,303
2006	824	0	95	3,257	1,436	135	151	286	257	206	1,041	197	401	394	3,582
2007	1,428	0	224	5,331	3,025	209	230	443	362	324	1,804	383	679	725	5,327
2008	1,768	0	374	6,538	4,493	249	242	473	343	350	1,930	518	837	966	5,967
2009	2,108	0	511	7,699	5,983	283	294	541	381	466	2,293	689	984	1,188	6,498
2010	2,533	1	650	8,711	7,636	317	365	609	407	695	2,873	965	1,120	1,418	6,371
2011	2,916	1	836	9,405	8,921	648	398	641	423	796	3,327	1,180	1,671	2,324	5,758
2012	3,364	2	1,052	9,780	9,753	463	408	611	396	980	3,971	1,452	1,966	2,762	93
2013	3,871	5	1,244	12,460	14,458	516	532	684	436	1,209	4,713	1,700	2,235	3,204	6
2014	4,331	7	1,424	14,635	17,892	539	712	789	481	1,322	5,399	2,153	2,476	3,556	10
2015	4,709	8	1,542	18,612	23,124	570	865	906	537	1,539	5,756	2,374	2,592	3,589	29
2016	5,048	15	1,655	21,777	28,244	591	1,174	1,177	650	1,678	6,168	2,772	2,676	3,595	2,504
2017	5,721	20	1,801	24,436	29,861	1,479	1,266	1,284	702	1,987	6,628	2,962	2,836	3,723	3,640
2018	5,959	17	1,834	27,021	31,821	1,493	1,398	1,366	718	2,219	7,023	3,572	2,932	3,780	5,198

※ 출처 : 통계청 국가통계포털, 건강보험통계 : 요양기관 현황(건강보험심사평가원)

※ 참고 : 기타인력에 정신보건인력은 제외되었음

※ 참고 : 의무기록사는 보건의료정보관리사로 정식명칭이 변경되었음

표 1-6. **요양병원 직역별 인원현황 : 기관수 및 인력종류별**

구분	병원수	총인력	의사인력	간호인력	필요인력	기타인력
2005	203	6,103	547	2,705	1,109	1,742
2006	361	12,167	824	4,693	2,076	4,574
2007	591	20,270	1,428	8,356	3,372	7,114
2008	690	24,674	1,768	11,031	3,587	8,288
2009	777	29,407	2,108	13,682	4,258	9,359
2010	867	34,020	2,533	16,347	5,266	9,874
2011	988	38,408	2,916	18,326	6,233	10,933
2012	1,103	35,999	3,364	19,533	6,829	6,273
2013	1,232	46,024	3,871	26,918	8,090	7,145
2014	1,337	54,295	4,331	32,527	9,242	8,195
2015	1,372	65,202	4,709	41,736	10,173	8,584
2016	1,428	78,054	5,048	50,021	11,438	11,547
2017	1,529	86,525	5,721	54,297	13,346	13,161
2018	1,560	96,345	5,959	58,842	14,217	15,482

※ 출처 : 통계청 국가통계포털, 건강보험통계 : 요양기관 현황(건강보험심사평가원)

표 1-7. **연도별 요양병원 총의료비용** (단위: 억 원)

구분	전체	요양병원	비율
2014	548,006	37,892	6.9%
2015	587,158	42,475	7.2%
2016	650,840	47,607	7.3%
2017	706,046	53,497	7.6%
2018	778,168	56,895	7.3%

※ 출처 : 심평원, 2018년 진료비 주요통계 : 입원외래별 요양기관 종별 주요지표

표 1-8. 지역 별 요양병원 개설 현황(2020년 4월 현재)

지 역	2008 (637)	2011. 1 (878)	2013.7 (1,174)	2016.8 (1,410)	2020.4 (1,472)
서 울	55	75	96	107	123
부 산	83	113	165	194	171
인 천	26	37	47	66	68
대 구	32	40	56	61	69
광 주	13	20	29	53	60
대 전	27	38	47	52	51
울 산	25	31	38	44	42
경 기	116	171	239	281	317
충 북	20	29	35	43	43
충 남	41	47	61	76	72
전 북	49	61	76	82	84
전 남	25	42	59	72	83
경 북	58	78	97	113	115
경 남	46	70	89	120	127
강 원	14	20	26	31	32
제 주	7	6	8	8	10
세 종			6	7	5
계	637	878	1,174	1,410	1,472

세종시는 2012년 7월 이후 충남에서 분리됨. Adapted from 대한요양병원협회

표 1-9. **요양병원에 근무하는 전문의의 수[전체 75,551명 중 요양병원 4,084명 근무] (2015년 4/4분기 현재)**

전문 과목	전체	요양병원	전문 과목	전체	요양병원
가정의학과	5,729	927	이비인후과	3,540	24
내과	13,873	697	영상의학과	3,311	15
외과	5,739	607	응급의학과	1,255	12
재활의학과	1,712	431	성형외과	1,635	11
산부인과	5,561	283	안과	2,980	9
신경과	1,572	233	피부과	1,926	8
정형외과	5,562	198	진단검사의학과	763	8
신경외과	2,557	175	결핵과	80	8
정신건강의학과	3,144	167	예방의학과	173	5
소아청소년과	5,282	86	방사선종양학과	268	4
마취통증의학과	4,015	69	병리과	776	4
흉부외과	1,037	56	직업환경의학과	423	2
비뇨기과	2,437	45	핵의학과	201	0

Adapted from 건강보험심사평가원

그림 1-1. **1993년에 설립된 최초의 요양병원. 인천은혜요양병원**

3. 요양병원이 필요한 이유

다음에 제시한 노인의료의 특성이 답으로 제시될 수 있겠다.

1) 노인의료의 특성 = 노인환자의 특성

a. 합병증을 가지고 있는 비율이 높음.
b. 병인이 다요인적(multi-causative)
c. 질병의 발생이 생활 방식과 밀접한 관계를 지니고 있는 경우가 대부분
d. 환자의 질환 별로 특성화되고 장기적이며 반복적이지만 서비스 강도는 낮은 치료 요구
e. 신체적 약화나 질병, 장애 등으로 인해 도움이 필요
f. 건강과 질병의 한계가 불분명(c.f. 젊은이 : 발병→치료→치유→거의 완전한 상태로 복귀)
g. 죽음을 앞둔 시기: 인생의 충실한 완결을 위한 종합적인 원조가 필요
h. 치료뿐만 아니라 간호, 상담, 사회복지 등이 필요
i. 잔존기능의 재개발과 생활력의 회복을 위한 재활 등 전인적 의료가 제공되어야 함.
j. 관리를 받지 않으면 급진적으로 기능이 퇴행, 합병증, 부작용 등의 발현이 높음.

4. 요양병원의 역할

'요양(療養)'의 사전적 뜻은 '휴양하면서 조리하여 병을 치료함'이다. 즉 요양병원이라는 공간은 의학적 치료가 전제되어야겠지만 그와 더불어 현재 앓고 있는 만성 질환 및 일상생활수행능력(ADL; activities of daily living) 저하 등의 취약한 여건에 처한 환자들을 안전하게 돌보아주고 더 이상 악화되지 않도록 예방적 조치를 취해줌으로써 병의 치료와 삶의 질 향상을 도모함이 그 존재 목적이다. 즉 요양병원의 역할은 환자의 증상을 적극적으로 치료하고 회복시켜서 조기 퇴원을 시키는 것이 미덕이 아니라, 일반적으로 장기입원이 전제가 되며 가능한 한 입원 당시 환자의 상태를 오래도록 유지시켜주는 것이 그 존재 이유라고 할 수 있겠다.

요양병원의 역할

■ 목표
- 기능의 유지와 재활을 통한 사회 복귀
- 재입원 및 요양시설 입소 최소화
- 노인증후군 및 만성 질환 합병증, 의인성 질환 관리
- 장기요양 관리대책 수립 제공

■ 주요 관리대상 질환의 중장기 관리
- 고관절 골절, 상지 및 척추 골절의 급성기 후 관리
- 뇌졸중
- 심장 및 폐 질환
- 수술 후 치료
- 욕창 및 혈관성 궤양
- 폐렴
- 초, 중기 치매 및 문제행동의 치료와 관리 등

■ [의학 치료 + 기능 재활]의 2가지 역할 수행
■ 수발, 복지 및 거주 공간 등 제공

Adapted from 조항석

5. 요양병원이 왜 필요하며 일반 병원과는 무엇이 다른가?

일반 병원에 입원한 환자의 경우는 대부분 급성기 증상의 치료가 주된 입원 목적이 되므로 의료진은 되도록 빨리 그 환자의 정확한 진단명을 찾고자 여러 가지 이학적 검사 및 영상학적, 임상적 검사 등을 시행하고 그 결과에 따라 세분화된 치료(약물치료, 수술적 치료 등)가 이루어지며, 환자의 경과에 따라 짧게는 2, 3일에서 수개월 이내에 퇴원을 시키게 된다. 그러나 주로 퇴행성, 만성 질환을 다루는 요양병원은 다음과 같은 점에서 일반 병원과 차이가 있다.

표 1-10. **일반 병원과 요양병원의 차이**

	일반 병원(급성 의료)	요양병원(만성 의료)
목표	완치, 적극적 치료	증상/질환 관리, 기능감퇴 예방
주요 지표	증상/질환	기능 상태
대처	증상/질환에 대한 즉각적 개입	환자 상태의 장기적, 지속적 관찰
서비스 제공	기관별로 독립적 제공	서비스의 연계, 조정, 통합
환자의 역할	수동적, 순응	환자의 결정 중시, 자기관리 중시
치료 제공자	전문인력, 의료인 중심	가족, 환자 중심
의료기술 수준	높음	낮음
비용상승 요인	강도가 중요	기간이 중요

Adapted from 조항석

6. 요양병원과 노인요양시설의 차이는 무엇인가?

우리나라는 2008년 7월부터 노인장기요양보험제도가 시행되고 있다. 노인장기요양보험제도 시행의 요점은 기존의 건강보험제도와는 별개로 ADL이 저하되어 자립이 불가능한 노인이나 그에 상응하는 자들이 가정방문서비스나 주(야)간 보호센터, 노인요양시설 등의 시설 입소 시에 경제적인 지원을 해주는 제도이다. 그렇다면 요양병원과 노인요양시설의 차이는 어떠한 것들이 있을까? 아래에 요약해 보았다.

표 1-11. 요양병원과 노인요양시설의 차이

구분	요양병원	노인요양시설
관련법	의료법, 노인복지법(노인전문병원)	노인장기요양보험법
재 원	건강보험	노인장기요양보험
실 시	2008년 1월1일(요양병원형 일당정액제)	2008년 7월 1일(등급별 일당 정액제)
입원대상	의료서비스가 요구되는 요양환자 - 노인성 질환, 만성 질환 및 외과적 수술 후 회복기간에 있는 자로 의학적 치료 및 요양을 필요로 하는 자	65세 이상 노인 또는 65세 미만의 자로서 노인성 질환자 - 6개월 이상 동안 혼자서 일상생활을 수행하기 어렵다고 인정되는 자로 신체 · 가사활동의 지원 또는 간병 등의 서비스를 필요로 하는 자
명 칭	요양병원, 노인전문병원 등 예) OO 요양병원, OO 노인전문병원	노인요양시설, 노인요양공동생활가정 예) OO 요양원, OO 노인전문센터
입원 기준	없음(그러나, 질병이나 장애가 발생한 자가 본인 및 의사의 판단에 따라 입원)	노인장기요양등급판정 도구
인력기준	의사 : 연평균 1일 입원환자 40인마다 1인 약사 : 1인 이상의 약사 또는 한약사를 둠 - 200병상 이하의 경우, 주당 16시간 이상의 시간제 근무 약사 고용 간호사 및 간호조무사 : 연평균 1일 입원환자 6인마다 1인 - 간호조무사는 간호사 정원의 3분의 2 범위 내에서 둘 수 있음 ※ 노인전문병원 : 물리치료사, 사회복지사 병원 당 1인 이상	의사 (한의사) 또는 촉탁의 : 필요수 간호사 및 간호조무사 : 입소자 25명당 1명 이상 간병인(요양보호사) : 입소자 2.5명당 1명 물리치료사 또는 작업치료사 : 1명 이상 (입소자 100명 초과할 때마다 1명 추가) 사회복지사 : 1명 이상 (입소자 100명 초과할 때마다 1명 추가) 영양사 : 1명(입소자 50명 이상인 경우에 한함) 조리원 : 필요수
시설기준	* 병실면적(2017년 2월 4일 이후 개설허가 병원) - 1인실 : 10 ㎡ 이상(기존 병원은 6.3 ㎡) - 2인실 이상 : 환자 1인당 6.3 ㎡ 이상(기존 병원은 4.3 ㎡) * 식당, 휴게실, 욕실 및 화장실 등 편의시설 구비 : 거동이 불편한 환자가 장기간 입원에 불편함 고려 * 환자후송 등에 관하여 다른 의료기관과 협약을 맺거나 자체 시설 및 인력 등을 확보 장례식장을 설치 가능(장사 등에 관한 법률 제 29조)	* 병실면적 : 입소자 1명당 6.6 ㎡이상 - 병상 수 : 1실 당 정원 4명 이하 * 기능회복이나 기능감퇴 방지시설 및 장비 구비 * 휠체어 등이 이동 가능한 공간을 확보(복도, 화장실, 침실 등) * 욕실바닥 : 미끄럼 방지 처리, 수직의 손잡이 기둥 설치 * 복도, 화장실, 침실 : 문턱제거, 손잡이 시설부착, 바닥미끄럼 방지 등 * 적당한 난방 및 통풍장치 구비 * 외부출입구에 적정한 잠금장치(배회환자의 실종 등을 예방)

출처 : 대한요양병원협회, 요양병원 언론보도 모니터링, 2020

표 1-12. **장기요양 서비스의 범주 별 대상자 및 제공 시설(급성기 병원 → 요양병원 → 요양시설)**

서비스의 강도 및 전문성	급성기 진료서비스 (Acute medical service)	급성기 후 진료서비스 (Post-acute medical service)	장기요양서비스		가사 보조 서비스	사회적 지지 서비스
			고도의 요양 서비스 (Nursing care + Rehabilitative care + Medical care)	전문요양 서비스 (Personal care + Nursing care)		
목표	질병 치료	질병의 회복과 재활	악화속도 완화	기능 유지	신체독립성 유지	정신사회적
주 대상	급성기 질환자	조기퇴원환자 중 회복치료 필요한 자	회복불가능자 중 의료, 간호, 재활 서비스 필요자. 장기재원 환자	ADL 저하자	ADL 유지, IADL은 저하된 자	사회적 안녕 유지
이상적인 제공 장소 - 입소 시설	급성기	요양병원 요양형병상 (30일)	장기요양시설 호스피스시설	장기요양시설	요양거주시설	노인거주 시설
이상적인 제공 장소 - 지역 사회 서비스	외래/왕진	가정간호 지역사회 재활	지역사회재활 가정간호 호스피스 신체수발	가정간호	재가복지 신체수발	재가복지 서비스
현재 제공장소	급성기 병원	전문요양시설, 요양병원, 노인전문병원/치매요양병원		요양시설		미미함

Adapted from 조항석

7. 요양병원의 일상적 풍경

요양병원은 병원으로서의 기능과 더불어 장기요양시설로서의 기능도 중요하다. 따라서 대부분의 환자들의 ADL이 저하되어 있음을 고려하여 기본적인 일상생활을 하는 데에 불편이 없도록 해야 하며 안전사고 예방을 위해 밝은 조명이나 미끄럼 방지 장치 등의 구비가 기본적으로 요구된다. 보호자들을 위한 공간(면담할 수 있는 별개의 공간, 같이 식사할 수 있는 공간, 산책할 수 있는 공간 등)의 확보도 중요하다. 특히 2014년의 요양병원 화재사망사고와 2015년의 MERS 감염사태 이후로는 요양병원에 대한 시설 및 소방 관련 법률이 개정되어 스프링클러와 출입문 자동개폐장치의 설치가 의무화되고 시설안전 담당자의 당직도 의무화되었으며, 입원실 면적과 병상간 이격거리 기준 등이 강화되었다.

요양병원 소방 관련 법령들

■ 소방시설 설치유지 및 안전관리에 관한 법률 시행령(2015년 07월 01일 시행)

1) 스프링클러 설치해야 하는 특정소방대상물 : 시설 바닥면적의 합계가 600 m^2 이상인 것은 모든 층
2) 간이스프링클러 : 600 m^2 미만
3) 자동화재탐지설비 : 모든 요양병원
4) 자동화재속보설비 : 모든 요양병원
5) 소화기 비치 간격 : 소형소화기 20 m, 대형소화기 30 m
6) 방열복 및 공기호흡기 : 지하층을 포함하는 층수가 5층 이상인 병원
7) 시각경보기 - 의료시설
8) 가스누출경보기 - 의료시설

■ 의료법 시행규칙 제38조(의료인 등의 정원) (2015년 5월 29일 시행)

① 법 제36조제5호에 따른 의료기관의 종류에 따른 의료인의 정원 기준에 관한 사항은 별표 5와 같다.
7. 요양병원에는 시설 안전관리를 담당하는 당직근무자를 1명 이상 둔다.

〈인천은혜요양병원의 예〉

그림 1-2. **보호자와 함께 식사할 수 있는 로비**

그림 1-3. **실외 산책로 및 담소를 나눌 수 있는 공간**

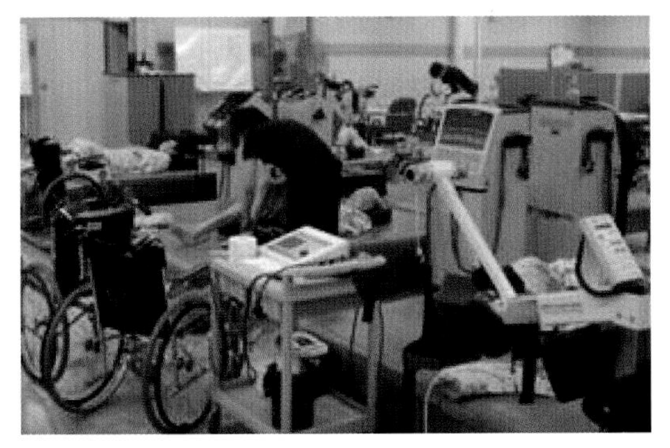

그림 1-4. **균형 운동 및 관절 운동을 위한 물리치료실**

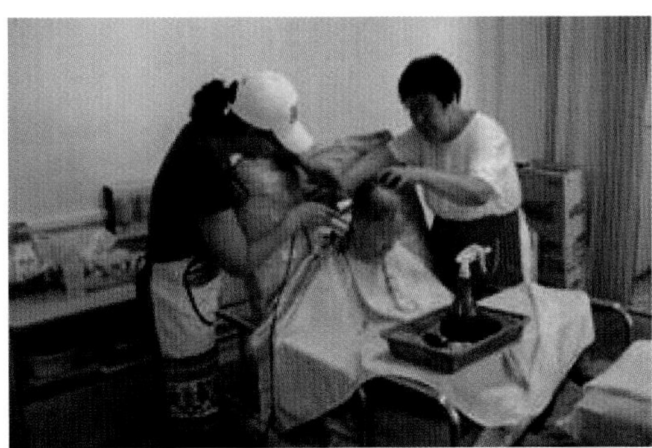

그림 1-5. **환자들의 이발을 해 주시는 자원봉사자들.**
이발 서비스에도 보험 적용이 되어야 하지 않을까?

입원환자의 대부분을 차지하는 치매, 뇌졸중 환자들의 인지기능 향상과 사회적 관계 형성 및 삶의 흥미 유발 등을 위하여 각 요양병원들은 사회복지사 주도하에 미술치료, 음악치료, 치료 레크리에이션, 웃음치료 등의 다양한 그룹치료 활동 등을 운영하기도 한다.

재활치료를 위한 물리치료실 및 작업치료실의 설치도 필수적이라 하겠다.

표 1-13. 요양병원 입원 환자의 하루 일과표(인천은혜병원의 예)

<table>
<tr><th></th><th></th><th>월</th><th>화</th><th>수</th><th>목</th><th>금</th><th>토</th><th>일</th></tr>
<tr><td rowspan="7">오전</td><td></td><td colspan="7">기상 · 화장실 유도</td></tr>
<tr><td>06:30</td><td colspan="7">개인위생 및 침상정리</td></tr>
<tr><td>07:30</td><td colspan="7">아침식사 및 투약 · 이닦기 · 화장실 유도</td></tr>
<tr><td>08:30</td><td colspan="7">아침을 열며-인사, 체조, 오늘은 며칠, 오늘의 새 소식</td></tr>
<tr><td>10:00</td><td colspan="7">아침회진</td></tr>
<tr><td>11:00</td><td colspan="7">물리치료 및 운동치료 · 수욕요법 · 산책 및 운동 · TV시청</td></tr>
<tr><td>12:00</td><td colspan="7">점심식사 및 투약 · 이닦기 · 화장실 유도</td></tr>
<tr><td rowspan="6">오후</td><td>13:00</td><td colspan="7">물리치료 및 운동치료 · 수욕요법 · 산책 및 운동</td></tr>
<tr><td>14:00
15:00</td><td>회상요법</td><td>치료
레크리에이션</td><td>인지요법
작업요법
요리요법
작문요법</td><td>음악요법</td><td>미술요법</td><td>가족과 함께</td><td>종교활동</td></tr>
<tr><td>17:00</td><td colspan="7">저녁회진 · 물리치료 및 운동치료 · 수욕요법 · 산책 및 운동</td></tr>
<tr><td>19:00</td><td colspan="7">저녁식사 및 투약 · 이닦기 · 화장실 유도</td></tr>
<tr><td>21:00</td><td colspan="7">TV시청</td></tr>
<tr><td></td><td colspan="7">취침</td></tr>
</table>

8. 요양병원의 4가지 형태

우리나라 요양병원을 기능에 따라 분류하면 크게 다음과 같은 4가지 형태로 나눌 수 있다.

1) 복합적 치료를 제공하는 요양병원 : 가장 많은 형태로서, 노쇠하거나 인지기능이 저하되어 일상생활에 대한 보조가 필요한 노인들에게 의료와 요양 서비스를 제공.
2) 재활 위주의 요양병원 : 본격적이고 전문적인 장기재활치료를 제공.
3) 호스피스-완화의료형 요양병원 : 주로 암성 말기환자들에게 완화의료적 서비스와 일부 치료 서비스를 제공.

4) 중증 아급성기 의료 요양병원 : 주로 급성기 병원에서 치료 받은 후 아급성기 치료를 요하거나, 지속적으로 인공호흡기 치료 등의 중증 환자 서비스를 제공

그림 1-6. **장기적인 요양.** 치료를 제공하는 가장 흔한 형태의 요양병원(인천은혜요양병원)

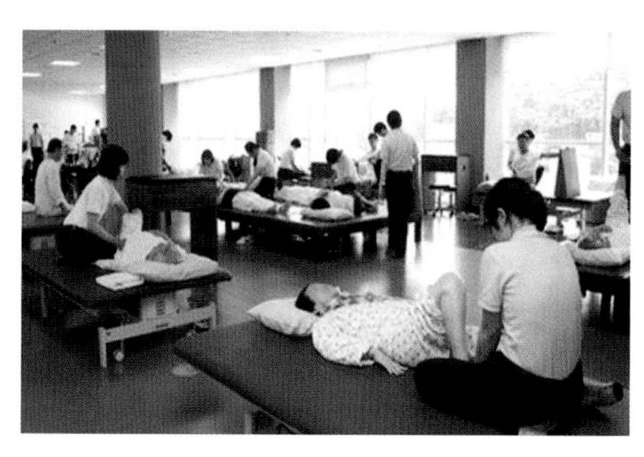

그림 1-7. **전문재활서비스를 제공하는 요양병원**(경기도 분당 보바스기념병원)

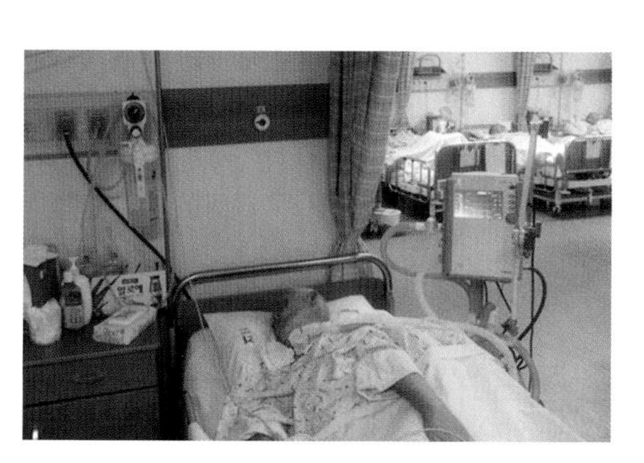

그림 1-9. **인공호흡기 치료 등의 중증.** 아급성기 의료서비스를 제공(인천 도화요양병원)

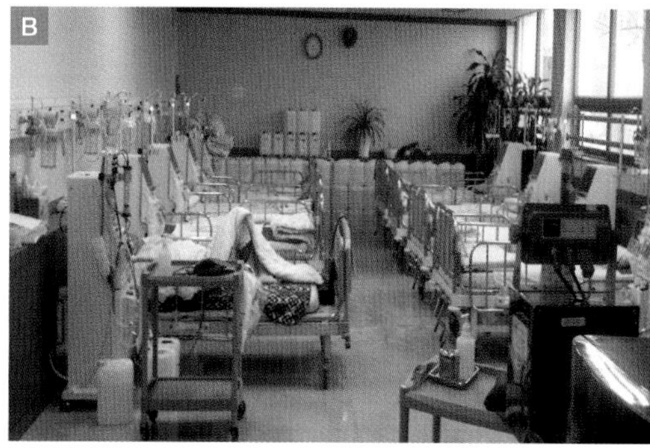

그림 1-8. **호스피스-완화의료서비스를 제공(부천 가은병원).** (A) 암 환자들을 위한 쿠킹클래스, (B) 말기신부전 환자들을 위한 신장투석실

9. 요양병원의 사회 기여

세계적으로도 유래 없는 급격한 노령화를 겪고 있는 우리나라에서 만성, 퇴행성 질환을 앓고 있는 노인환자들에게 저비용으로 지속적인 의료서비스를 제공하고 있는 요양병원은 그 존재만으로도 노인복지에 기여하는 바가 크다.

빅 5 병원 vs 1296개 요양병원 급여비 '비슷'

작년 지급액 2조 2903억~2조 4110억이고 전체 점유율도 6.0%-6.3%

2014.09.27 06:44 입력

지난 해 빅 5 병원에 지급된 급여비가 요양병원 총액과 비슷한 것으로 나타났다. 규모나 위상을 배제한 순수 의료기관 수로만 보면 5대 1296이다.

국민건강보험공단의 2013년 건강보험 주요 통계에 따르면 지난 해 삼성서울병원, 서울대병원, 서울성모병원, 서울아산병원, 세브란스병원 등 빅5 병원 급여비는 2조2903억 원을 기록했다.

이는 국내 전체 요양병원들에게 지급된 급여비와 거의 맞먹는 액수다. 실제 지난해 전국 1296개 요양병원의 급여비는 2조4110억 원이었다.

전체 급여비 총액에서 빅5 병원이 차지한 비율은 6.0%, 전체 요양병원이 차지한 비율은 6.3%로 대동소이했다.

2013년 급여비 지출현황

구분	급여비	점유율	증감률
빅 5 병원	2조2903억 원	6.0%	9.2%
요양병원	2조4110억 원	6.3%	22.4%

출처: 데일리메디

그림 1-10. **대형병원과 요양병원의 급여비를 비교한 신문기사**

10. 요양병원의 의료적 문제점

우리나라 요양병원은 노인의료서비스를 위한 공급기반 확충에는 상당한 기여를 하였으나, 급격한 수적 증가는 의료의 질적 편차를 포함하여 다음과 같은 몇 가지 문제점들을 야기하고 있다.

1) 일부 요양병원은 요양 위주의 기능에서 벗어나지 못하고 있다. 그 결과 요양시설과 요양병원 사이의 역할 구분이 애매하다는 연구 보고도 나오고 있다. 그 원인으로는 의료법과 노인복지법 각각에서 언급된 두 기관에서 다루는 대상의 기준이 모호하며, 요양병원의 전국적인 급증으로 인한 요양시설과의 경쟁 관계 등이 제기된다.

2) 위와 반대로 급성기 병원의 접근 방식을 벗어나지 못한 경우도 많다. 즉, 급성기 병원에서 시행하는 전문 과목별 진찰과 검사 결과에 의존하는 시스템만 적용하고, 아급성기 혹은 만성기에 필요한 포괄적 다학제적 개념의 진료시스템을 적용하고 있지 못하다.
3) 요양병원의 정확한 기능에 대한 사회적 합의점을 찾지 못하고 표류하고 있다.
4) 일부 요양병원의 의료서비스의 질적 수준이 매우 떨어진다는 지적들이 나온다.

11. 우리나라 요양병원의 미래

우리나라의 요양병원 제도는 세계적으로도 매우 독특한 형태이며, 급격히 고령화되는 사회에서 일차노인의료서비스에 매우 중요한 역할을 하고 있음을 아무도 부인할 수 없다. 그러나 앞에서 지적한 바와 같은 문제점들을 인지하고 해결하려는 노력이 없으면 긍정적인 미래를 아무도 보장하기 어렵다. 우선 노인의학적 측면에서 노인병의 특성을 감안한 시스템의 구축이 필요하며, 노인의료와 노인복지의 가교 역할을 하여 요양병원의 존재 의미를 스스로 부여할 수 있어야 한다.

다음은 보건사회연구원의 선우덕 박사가 제안한 미래의 요양병원 및 요양시설 유형이다.

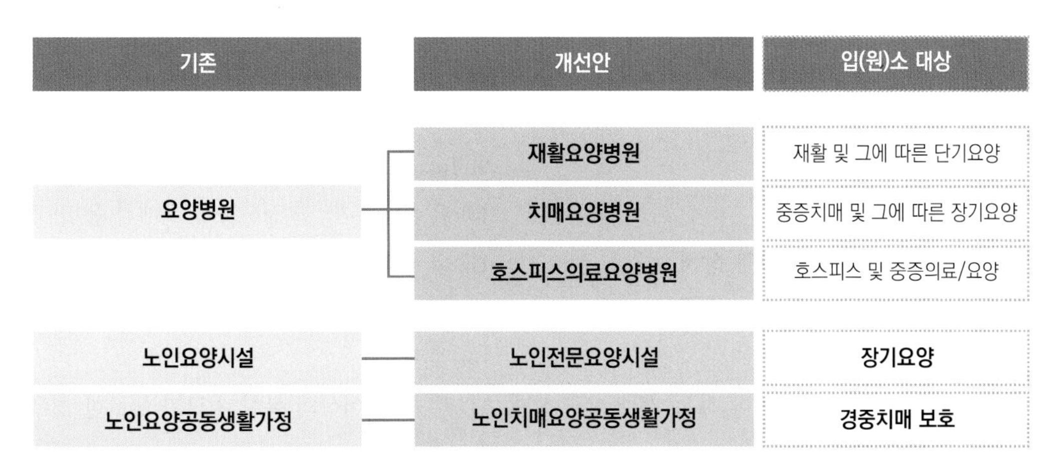

그림 1-11. **미래의 요양병원 및 요양시설.** Adapted by 선우덕

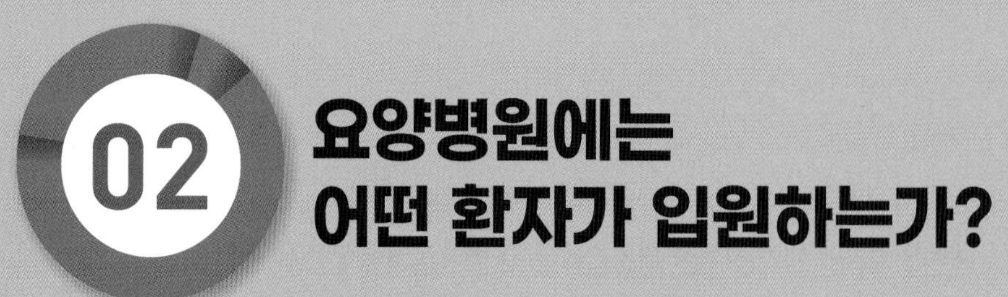

02 요양병원에는 어떤 환자가 입원하는가?

- 요양병원 입원은 언제 고려하며, 법적으로 입원 허용 대상과 입원 금지 대상은 어떻게 정의되어 있나요?

1. 요양병원 입원을 고려해야 할 경우

1) 3단계 이상의 심한 욕창
2) 화상
3) 혼수 상태
4) 집중 치료가 필요한 감염 상처
5) 과도한 비만
6) 전염성 질환
7) 자주 흡인하거나 돌보아야 하는 기관 삽관 상태
8) 인공호흡기 의존
9) Total care가 필요한 경우
10) 육체적 문제 및 정신과적 문제가 동반
11) 술, 약물 남용
12) 혈관 주사제가 필요한 경우
13) 경관급식
14) 두 가지 이상의 복합 치료가 필요한 경우

2. 의료법 시행규칙 제36조 : 요양병원의 입원 대상

1) 노인성 질환자
2) 만성 질환자
3) 외과적 수술 후 또는 상해 후 회복기간에 있는 자.

- 제외되는 질환자

① 전염성 질환자(보건복지부장관 고시)
② 정신질환자(노인성 치매환자는 입원 가능)

의료법 시행규칙 제36조(시행일: 2016.12.24.)

①법 제36조 제3호에 따른 요양병원의 입원 대상은 다음 각 호의 어느 하나에 해당하는 자로서 주로 요양이 필요한 자로 한다. (개정 2010.1.29.)

1. 노인성 질환자
2. 만성 질환자
3. 외과적 수술 후 또는 상해 후 회복기간에 있는 자

②제1항에도 불구하고 감염병의 예방 및 관리에 관한 법률 제41조 제1항에 따라 질병관리청장이 고시한 감염병에 걸린 같은 법 제2조 제13호부터 제15호까지에 따른 감염병환자, 감염병의사환자 또는 병원체보유자(이하 "감염병환자 등"이라 한다) 및 같은 법 제42조 제1항 각 호의 어느 하나에 해당하는 감염병환자 등은 요양병원의 입원 대상으로 하지 아니한다.(개정 2015.12.23.)

감염병의 예방 및 관리에 관한 법률 제 42조 제1항에 제시된 감염병-요양병원 금지 감염병(2020년 9월 29일 기준)

1. 제1급감염병

2. 제2급감염병 중 결핵, 홍역, 콜레라, 장티푸스, 파라티푸스, 세균성이질, 장출혈성대장균감염증, A형간염, 수막구균감염증, 폴리오, 성홍열 또는 질병관리청장이 정하는 감염병

3. 삭제 〈2018.3.27〉

4. 제3급감염병 중 질병관리청장이 정하는 감염병

5. 세계보건기구 감시대상 감염병

3. 요양병원에서의 의사의 역할

1) 급성기 치료, 노인증후군 치료
2) 아급성기 치료
3) 노인 재활
4) 낮 병동 운영
5) 장기요양 입원 환자 관리
6) 전문 외래 클리닉
7) 간병인 교육
8) 노인의학적 평가
9) 노인전문 협동진료 팀의 중심
10) 방문진료(요양시설 계약의사 역할 포함)

4. 실제 요양병원 입원환자의 구성(보험 청구용 주상병명 기준)

요양병원에 입원한 환자 구성비를 살펴보면, 2008년에는 의료고도 및 의료중도 환자비율이 27.5%, 42.1%로 높았으나 2013년에는 치매 관련 환자가 포함되어 있는 인지장애군이 31.5%를 차지하면서 상대적으로 중증 환자 구성 비율이 감소하였다.

2008년부터 2013년 6년간 요양병원 동일 환자분류군 연속입원 에피소드를 구축하여 평균 재원일수를 분석한 결과, 인지장애군이 105.9일로 가장 길었고, 의료고도 88.7일, 의료중도 86.7일, 의료경도 86.5일, 문제행동군 77.6일, 의료최고도 63.2일, 신체기능저하군 54.6일 순으로 나타났다.

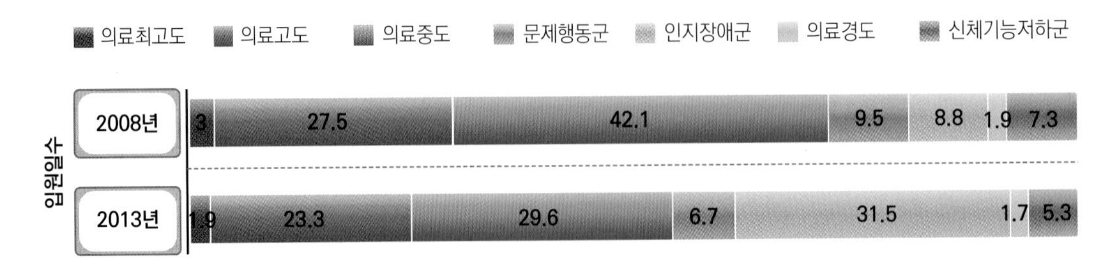

그림 2-1. **요양병원 환자분류군 구성비 변화.** 출처: 한국보건의료연구원(2017)

표 2-1. 요양병원 환자분류군별 평균재원일수

구분	명세서(건)	재원일수(일)
의료최고도	76,922	63.2
의료고도	591,825	88.7
의료중도	951,922	86.7
문제행동군	258,445	77.6
인지장애군	402,442	105.9
의료경도	39,619	86.5
신체기능저하군	184,820	54.6

출처: 한국보건의료연구원(2017)

표 2-2. 요양병원 입원 다빈도 질환

구분	명세서(건)	재원일수(일)
1	상세불명의 알츠하이머병 치매	상세불명의 **알츠하이머병 치매**
2	상세불명의 **폐렴**	상세불명의 **뇌경색증**
3	상세불명의 뇌경색증	**뇌혈관 질환**의 후유증
4	상세불명의 **패혈증**	상세불명의 **치매**
5	상세불명의 치매	본태성고혈압
6	뇌혈관 질환의 후유증	**파킨슨병**
7	본태성고혈압	**편마비**
8	편마비	**대뇌출혈**
9	기타 **패혈증**	인슐린-비의존 당뇨병
10	대뇌출혈	**혈관성 치매**

Adapted from 건강보험심사평가원

♧ 2009년에 다빈도 질환이었던 폐렴, 패혈증이 2012년에는 사라짐 ← 보험 불인정 영향!

♧ 혈관성 치매 비율이 증가 ← 치매약 인정 코드

♧ 파킨슨병 증가 ← 희귀난치성질환 혜택

5. 요양병원에 입원하게 되는 실제적인 이유들

요양병원에 입원한 환자들의 질환 명은 대부분 치매(알츠하이머형, 혈관성) 혹은 뇌졸중 및 그 합병증이며, 그밖에 말기암 등의 말기 질환이다. 그렇다면 모든 치매, 모든 뇌졸중, 모든 말기 질환이 요양병원으로의 입원을 요하는가? 그렇지 않다. 오히려 상당수의 경우는 가정 등에서 보호자나 요양보호사의 돌봄으로 충분하다. 그렇다면 결국 보호자들이 요양병원을 찾게 되는 결정적인 계기는 무엇일까? 요양병원 근무 의사의 입장에서 경험을 바탕으로 나열해 보면 다음과 같다.

1) 환자의 일상생활수행능력(ADL; activities of daily living)의 저하

a. ADL의 저하가 시설 입소율을 높인다는 것은 이미 알려진 사실이다.
b. 맞벌이 부부 증가, 독거노인 증가로 인해 돌봐줄 간병인이 필요
c. 노인장기요양보험제도에 의한 요양보호사 방문서비스만으로는 부족한 분들
d. 요양원에 입소할 수 있는 기준은 안 되는 분들
e. 요양원보다는 병원을 선호하는 분들
f. 일반 병원에 입원하려면 개인 간병인을 이용해야 함.

2) 치매환자의 BPSD(Behavioral and Psychological Symptoms of Dementia)

a. 치매에 의해 인지기능 저하 및 ADL 저하만 있다면, 가정에서 가족들과 함께 지내는 것은 큰 문제가 없다.
b. 배회, 공격성, 수면장애 및 야간 이상행동, 망상 등의 BPSD 증상이 심해지면서 보호자들은 환자를 모시기가 힘들어지고, 결국은 요양병원 입원을 고려한다.
c. 실제로 치매환자의 입원 사유로는 BPSD가 주된 것으로 알려져 있다.
d. 즉각적인 의학적 처치가 불가능한 요양원 입소도 적절치 못할 수 있다.
e. 보호자가(비용 문제 등으로) 요양원에 입소하기를 원하는 경우라면, 약물 조정을 위해 일정 기간(1개월 정도)만 요양병원에 입원하여 환자에게 맞는 유지 용량이 정해진 후 요양원으로 전원 시키는 것도 한 가지 방법이다.

3) 치매로 오인된 섬망

a. 요양병원에 치매 증상으로 내원하는 환자들 중 상당수가 섬망이다.

b. 섬망의 증상이 경미하다면 원인을 파악한 후, 원인을 제거하는 등의 비약물적 요법 및 외래에서 처방한 적절한 약물 요법만으로 충분할 수도 있지만, 그 증상이 잘 조절되지 않고 환자 및 주변 사람들에게 위해가 가해질 우려가 있다면 입원을 고려한다.

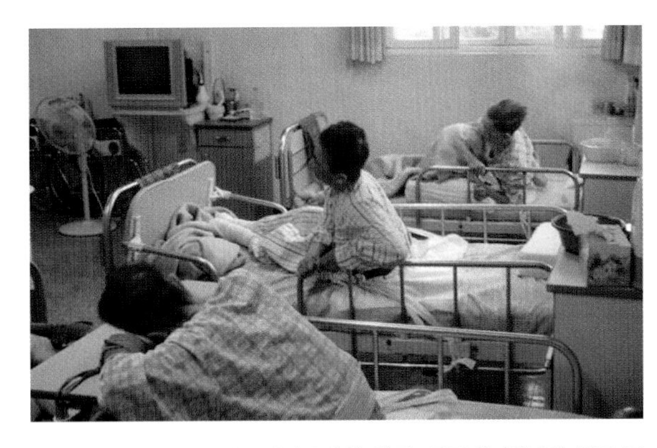

그림 2-2. 치매의 행동심리증상인 환각, 공격성, 반복적 행동 등은 요양병원의 주된 입원 동기가 되며 종종 소란스러움을 일으킨다. 따라서 인지기능이 온전하고 예민한 성격의 소유자가 급성기 질병 치료 및 심신의 안정을 위해 요양병원에 입원하려 한다면 재고(再考)가 필요하다.

03 요양병원에서 알아야 할 법적(法的) 문제들

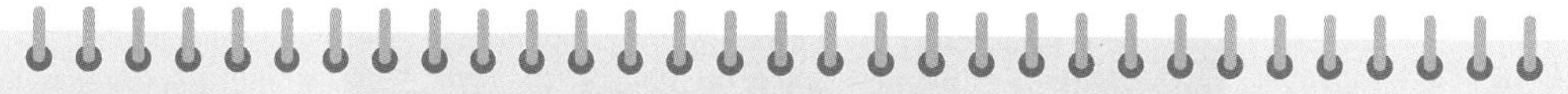

- 요양병원 개설 시에 알아야 할 관련법령들에는 어떤 것들이 있나요?
  우선 의료법을 숙지하셔야 하고, 의료기사 등에 관한 법률, 개인정보보호법, 산업안전보건법, 약사법, 마약류관리에 관한 법률 등도 아셔야 합니다. 그 외 형법과 의료분쟁 관련 판례 등도 참고하세요.

본 장에서는 요양병원의 개설자, 의료인, 의료기사, 기타 종사자들이 반드시 알아야 할 관련 법령들을 제시하고 각 법령 별로 관련된 실제 판례들을 제시하였다.

1. 요양병원 운영 관련

1) 의료기관의 개설

의료법 제33조(개설 등)

②다음 각 호의 어느 하나에 해당하는 자가 아니면 의료기관을 개설할 수 없다. 이 경우 의사는 종합병원·병원·요양병원 또는 의원을, 치과의사는 치과병원 또는 치과의원을, 한의사는 한방병원·요양병원 또는 한의원을, 조산사는 조산원만을 개설할 수 있다.(개정 2009.1.30.)

1. 의사, 치과의사, 한의사 또는 조산사
2. 국가나 지방자치단체
3. 의료업을 목적으로 설립된 법인(이하 "의료법인"이라 한다)
4. 「민법」이나 특별법에 따라 설립된 비영리법인
5. 「공공기관의 운영에 관한 법률」에 따른 준정부기관, 「지방의료원의 설립 및 운영에 관한 법률」에 따른 지방의료원, 「한국보훈복지의료공단법」에 따른 한국보훈복지의료공단

● **편법적인 비영리법인 의료기관 개설**

[2015년 7월 14일 의협신문 기사]

비영리법인을 설립해 의료기관을 개설할 수 있도록 정한 소비자생활협동조합법을 악용해 의료기관을 개설하는 불법의료생협에 대해 법원이 유죄를 선고했다.
A씨는 고등학교 동창 등 지인들의 명의를 빌려 발기인을 형식적으로 구성해 정관을 작성한 것처럼 가장하고 명의를 빌리거나 의료기관 개설 시 의료비 할인을 약속하며 1만원을 받는 등의 방식으로 320명의 조합원 명의를 만들었다. 출자금 납입총액 3161만원의 대부분을 스스로 납부하였음에도 조합원 명의자들이 실제로 출자한 것처럼 꾸며 형식적으로 창립총회를 주최하고, 의료생협 설립인가를 받아 의사 1명, 물리치료사 3명, 방사선사 2명, 간호조무사 2명 등 직원 8명을 고용하고 의료기관을 개설 신고했다.
재판부는 "A씨가 해당 의료생협 출자금 납입총액의 82%에 해당하는 2500여만 원을 납부했고 의원 개설과 경영에 관한 비용 대부분을 개인적으로 부담하면서도 조합원들에게 그 비용에 대한 부담을 요구하거나 추가 출자금의 납입을 청구한 적이 없다"며 "탈법적 수단을 악용해 의료기관을 개설한 명백한 의료법 위반"이라고 판단했다.
이어 "건전한 의료질서를 확립하고 국민건강을 보호하려는 의료법의 입법취지를 벗어나 생협법을 악용해 이른바 사무장병원을 개설하고 요양급여비용을 편취한 것은 죄질이 무겁다"고 강조했다.

2) 사무장(의료기관 개설자가 될 수 없는 자)에게 고용된 의사

의료법 제66조(자격정지 등)

①보건복지부장관은 의료인이 다음 각 호의 어느 하나에 해당하면 1년의 범위에서 면허자격을 정지시킬 수 있다. 이 경우 의료기술과 관련한 판단이 필요한 사항에 관하여는 관계 전문가의 의견을 들어 결정할 수 있다.(개정 2011.8.4.)

2. 의료기관 개설자가 될 수 없는 자에게 고용되어 의료행위를 한 때

◉ 형사처벌
사무장 : 5년 이하의 징역 또는 2천만원 이하의 벌금
의사 : 300만원 이하의 벌금

◉ 행정처분
자격정지 3월
병원 운영기간동안 보험급여비용청구액 전액 환수 : 최근에 사무장도 책임질 수 있도록 법률 개정됨.

♠ 의사가 비의료인과 동업하여 개설한 의료기관에서 근무한 경우에도 사무장 병원 근무에 해당될까?
⇒ 사무장 병원에 해당됨.

♠ 사무장 병원인 것을 모르고 요양병원에 한 달 정도 근무하다가 급여를 다 받지 못하고 절반 정도만 받게 되는 과정에서 그 사실을 알게 된 후 일주일 동안 입원 환자들을 정리하고 퇴사한 경우?
⇒ 수사기관에서 어떻게 답변을 하느냐에 따라 달라질 수 있다. 실제 사례에서는 기소유예 처분을 받고 자격정지 1개월 15일을 받음.

3) 면허증 대여

의료법 제65조(면허취소와 재교부)

①보건복지부장관은 다음 각 호의 어느 하나에 해당할 경우에는 그 면허를 취소할 수 있다.
5. 면허증을 빌려준 경우
◉ 형사처벌 : 5년 이하의 징역이나 2천만원 이하의 벌금
◉ 행정처분 : 면허취소 사유이지만 기소유예를 받는 경우는 4개월 이상, 선고유예를 받는 경우는 6개월 이상 면허정지

♠ 나이와 건강 문제로 진료를 하지 않고 있는 A의사에게 후배 B의사가 찾아와 '파산으로 B명의로 병원을 개설할 수 없으니 A의사의 명의를 빌려 달라'고 부탁하여, A의사 명의로 병원을 개설하고, B의사가 전적으로 진료를 보면서 병원을 운영한 경우?
⇒ 대법원 판례에서 면허증 대여로 보아 면허취소 사유로 봄.

♧ 최근 요양병원에서 실제로는 4-5일 정도 근무하였으나 의사인력 등급 하락을 우려하여 병원장의 부탁을 받고 두 달 간 근무한 것으로 신고한 경우는 면허증 대여로까지는 볼 수 없다는 이유로 면허취소처분을 취소한 하급심 판례(피고가 항소하지 않아 확정됨)가 있었음.

4) 의료인이 다른 의료인의 명의로 의료기관 개설

의료법 제4조(의료인과 의료기관의 장의 의무)

②의료인은 다른 의료인의 명의로 의료기관을 개설하거나 운영할 수 없다. (신설 2012.2.1.)

의료법 제33조(개설 등)

⑧제2항 제1호의 의료인은 어떠한 명목으로도 둘 이상의 의료기관을 개설·운영할 수 없다.(신설 2009.1. 30., 2012.2.1.)

♠ 의료법인이 아니라 의사 자신의 이름으로 병원을 개설하여 운영하고 있는 A원장이 분원을 설립하여 후배의사 B의 명의로 개설하게 하고, 후배의사 B가 그 병원에서 진료를 하되, 진료 수입은 A원장이 갖고, 후배의사 B에게 월급을 지급하는 경우?

⇒ 과거 판례는 적법한 것으로 판단하였으나, 최근 의료법 개정으로 의료인이라고 할지라도 다른 의료인의 명의로 개설하거나 운영할 수 없고, 어떠한 명목으로도 둘 이상의 의료기관을 개설 운영할 수 없음.

5) 의료기관 업무정지

의료법 제64조(개설허가 취소 등)

①보건복지부장관 또는 시장·군수·구청장은 의료기관이 다음 각 호의 어느 하나에 해당하면 그 의료업을 1년의 범위에서 정지시키거나 개설 허가를 취소하거나 의료기관 폐쇄를 명할 수 있다. 다만, 제8호에 해당하는 경우에는 의료기관 개설 허가를 취소하거나 의료기관 폐쇄를 명하여야 하며...(개정 2013.8.13.)

2. 의료인이나 의료기관 종사자가 무자격자에게 의료행위를 하게 하거나 의료인에게 면허 사항 외의 의료행위를 하게 한 때
3. 제61조에 따른 관계 공무원의 직무 수행을 기피 또는 방해하거나 제59조 또는 제63조에 따른 명령을 위반한 때
8. 의료기관 개설자가 거짓으로 진료비를 청구하여 금고 이상의 형을 선고받고 그 형이 확정된 때

의료법 제67조(과징금 처분)

①보건복지부장관이나 시장·군수·구청장은 의료기관이 제64조제1항 각 호의 어느 하나에 해당할 때에는 대통령령으로 정하는 바에 따라 의료업 정지 처분을 갈음하여 5천만원 이하의 과징금을 부과할 수 있다. 이 경우 과징금은 3회까지만 부과할 수 있다.(개정 2010.1.18.)

[과징금 부과 기준]

등급	연간 총수입액(단위 : 100만원)	1일당 과징금 금액(단위 : 원)
1	50 이하	75,000
2	50 초과 ~ 100 이하	112,500
3	100 초과 ~ 200 이하	150,000
4	200 초과 ~ 300 이하	187,500
5	300 초과 ~ 400 이하	225,000
6	400 초과 ~ 500 이하	287,500
7	500 초과 ~ 600 이하	325,000
8	600 초과 ~ 700 이하	350,000
9	700 초과 ~ 800 이하	375,000
10	800 초과 ~ 900 이하	400,000
11	900 초과 ~ 1,000 이하	425,000
12	1,000 초과 ~ 2,000 이하	437,500
13	2,000 초과 ~ 2,000 이하	450,000
14	3,000 초과 ~ 2,000 이하	462,500
15	4,000 초과 ~ 2,000 이하	475,000
16	5,000 초과 ~ 2,000 이하	487,500
17	6,000 초과 ~ 2,000 이하	500,000
18	7,000 초과 ~ 2,000 이하	512,500
19	8,000 초과 ~ 2,000 이하	525,000
20	9,000 초과	537,500

● **간호인력의 심전도 검사행위는 원칙적으로 불법**

◆ 의료행위는 의료인만이 할 수 있음을 원칙으로 하되, 의료기사 등에 관한 법률에 의하여 임상병리사가 의사 지도하에 진료 또는 의학적 검사에 종사하는 행위는 허용된다…. 그렇다고 하여 의사가 의료행위의 일환으로 심전도 검사를 행하는 것 자체를 배제하는 취지는 아니므로 당직의사의 지도하에 간호사들에 의해 이루어졌는지 여부를 살펴보아야 한다(대법원 2009.06.11. 선고 2009도794 판결[사기, 의료법 위반]).

◆ 최근에는 요양병원에서 간호조무사가 심전도 검사를 시행한 후 요양급여비용을 청구하였다는 이유로 원장에게 의사 면허자격정지 처분된 사안에서, 심전도 검사 업무는 단순한 진료보조업무가 아니고 검사 결과 판독뿐만 아니라 환자 몸에 패치를 부착하거나 작동 버튼을 누르는 것도 의사나 임상병리사가 수행해야 하는 부분이라고 판단.

● **간호인력의 심전도 검사행위는 원칙적으로 불법**

◆ 의료인이더라도 면허자격범위 외의 의료행위를 한 경우에도 무면허 의료행위에 해당.

◆ 간호사는 의사의 진료행위에 대한 진료보조행위를 할 수 있는데, 의사만이 직접 할 수 있는 진료행위는 의사의 위임을 받아 하더라도 무면허 의료행위에 해당할 수 있다(대법원 2007.9.6. 선고 2006도2306판결)

◆ 정맥 주사의 경우 대법원 판례에서는 의사가 스스로 주사를 놓든가 부득이 간호사에게 주사하게 하는 경우에도 주사할 위치와 방법 등에 관한 적절하고 상세한 지시를 함과 함께 스스로 그 장소에 입회할 것을 요구. 그 외 일반적인 주사행위, 드레싱 등은 의사의 구체적인 지시나 지도를 받아 행할 수 있으나, 심한 욕창 등 증상의 객관적인 특성상 위험이 따르거나 부작용 혹은 후유증이 있을 수 있는 경우에는 의사가 직접 시행함이 바람직함.

● **간호사에 의한 욕창 치료가 합법적인 것으로 인정받은 사례**

◆ 법원의 판단 : 간호사가 '진료보조'를 함에 있어서는 모든 행위 하나 하나마다 항상 의사가 현장에 입회하여 일일이 지도, 감독하여야 한다고 할 수 없고, 의사가 진료의 보조행위 현장에 입회할 필요 없이 일반적인 지도, 감독을 하는 것으로 족한 경우도 있을 수 있다 할 것이다. 그런데 여기에 해당하는 보조행위인지 여부는 행위의 유형에 따라 일률적으로 결정할 수는 없고 구체적인 경우에 그 행위의 객관적인 특성상 위험이 따르거나 부작용 혹은 후유증이 있을 수 있는지, 당시의 환자 상태가 어떠한지, 간호사의 자질과 숙련도는 어느 정도인지 등의 여러 사정을 참작하여 개별적으로 결정하여야 한다.

● **의사도 무면허 의료행위자로 처벌받을 수 있다?**

◆ 방사선사가 의사의 지시에 따라 조영제를 환자에게 주사한 후 환자가 사망한 사안에서 의사 및 방사선사에게 각 3개월간의 면허 자격정지처분이 정당하다고 판결. [대법원 2000.04.07. 선고 98두11779판결(의사면허자격정지처분취소)]

⇒ 형사적으로 무면허 의료행위의 공동정범으로 처벌. 즉 행위자와 의사 둘 다 처벌 됨. 실제로는 의사만 기소하고 지시를 받아 행위를 한 방사선사 등은 기소하지 않는 경우가 많음.

* 무면허 의료행위 처벌

⊙ 형사처벌 : 5년 이하의 징역 또는 2천만원 이하의 벌금.

⊙ 행정처분 : 업무정지, 면허정지처분 각 3월

6) 요양병원이 인증평가를 거부하는 경우

의료법 제58조의4(의료기관 인증의 신청)

②요양병원의 장은 보건복지부령으로 정하는 바에 따라 보건복지부장관에게 인증을 신청하여야 한다.

의료법 제63조(시정 명령 등)

보건복지부장관 또는 시장·군수·구청장은 의료기관이 제58조의4 제2항을 위반한 때에는 일정한 기간을 정하여 그 시설·장비 등의 전부 또는 일부의 사용을 제한 또는 금지하거나 위반한 사항을 시정하도록 명할 수 있다.

♠ 요양병원이 보건복지부장관에게 인증을 신청하였으나 그 후 기간 내에 인증조사 절차를 진행하지 않고 계속 연기시키는 경우

⊙ 형사처벌 : 공정거래법 위반, 형법상 공무집행방해 적용 가능.

⊙ 행정처분 : 시정명령, 업무정지 15일

2. 의료인 관련

1) 의료인 결격사유(의료인이 될 수 없음)

의료법 제8조(결격사유 등)

◆ 다음 각 호의 어느 하나에 해당하는 자는 의료인이 될 수 없다.(개정 2007.10.17.)

1. 정신질환자. 다만, 전문의가 의료인으로서 적합하다고 인정하는 사람은 그러하지 아니하다.
2. 마약·대마·향정신성의약품 중독자
3. 금치산자·한정치산자
4. 이 법 또는 「형법」 제233조(허위진단서 등의 작성), 제234조(위조사문서등의 행사), 제269조(낙태), 제270조(의사 등의 낙태, 부동의 낙태), 제317조 제1항(업무상 비밀누설) 및 제347조(허위로 진료비를 청구하여 환자나 진료비를 지급하는 기관이나 단체를 속인 경우만을 말한다), 「보건범죄단속에 관한 특별조치법」, 「지역보건법」, 「후천성면역결핍증 예방법」, 「응급의료에 관한 법률」, 「농어촌 등 보건의료를 위한 특별 조치법」, 「시체해부 및 보존에 관한 법률」, 「혈액관리법」, 「마약류관리에 관한 법률」, 「약사법」, 「모자보건법」, 그밖에 대통령령으로 정하는 의료 관련 법령을 위반하여 금고 이상의 형을 선고받고 그 형의 집행이 종료되지 아니하였거나 집행을 받지 아니하기로 확정되지 아니한 자

♠ 의료인이 「형법」 제233조(허위진단서 등의 작성), 제234조(위조사문서등의 행사), 제269조(낙태), 제270조(의사 등의 낙태, 부동의 낙태), 제317조 제1항(업무상 비밀누설) 및 제347조(허위로 진료비를 청구하여 환자나 진료비를 지급하는 기관이나 단체를 속인 경우만을 말한다)의 죄를 범하여 금고 이상의 형을 선고받고 그 형의 집행이 종료되지 아니하였거나 집행을 받지 아니하기로 확정되지 아니한 경우 의료인의 결격사유에 해당하여 면허취소처분, 집행유예를 받는 경우는 이에 포함되며 벌금형을 받은 경우는 이에서 제외됨.

♠ 347조(사기죄)의 경우, 진료비 허위 청구 외의 일반적인 사기 행위는 여기에서 제외된다. 건강보험 허위청구의 경우, 현지조사 결과 허위청구액이 750만원이 넘거나 허위청구 비율이 10% 이상인 요양기관에 대하여 형사고발 조치

♠ 의료과실을 원인으로 한 업무상과실치사상죄로 실형을 받는다 하더라도 의료인의 결격사유에 해당하는 것은 아니다.

2) 진료방해

의료법 제12조(의료기술 등에 대한 보호)

②누구든지 의료기관의 의료용 시설·기재·약품, 그 밖의 기물 등을 파괴·손상하거나 의료기관을 점거하여 진료를 방해하여서는 아니 되며, 이를 교사하거나 방조하여서는 아니 된다.

♠ [대법원 판례] '진료를 방해할 목적으로 의료기관을 점거한 자'란 진료를 방해할 목적으로 진료실이나 병실에서 유형, 무형의 실력행사와 기타 방법으로 진료행위를 하려고 하는 의료인을 방해한 자도 포함시킴.

⇒ CCTV 설치 및 진료방해 시 경찰 신고

3) 진료거부 금지

의료법 제15조(진료거부 금지 등)

①의료인은 진료나 조산 요청을 받으면 정당한 사유 없이 거부하지 못한다.
②의료인은 응급환자에게 「응급의료에 관한 법률」에서 정하는 바에 따라 최선의 처치를 하여야 한다.

♠ 환자의 상태에 따라 해당 병원에서 치료하기 어려운 경우 즉시 전원조치를 하면 진료거부의 문제가 발생하지 않음.

♠ 환자의 경제적 능력상 진료비 청구가 어려울 것으로 예상되거나, 환자 보호자가 연대보증을 하지 않는다는 이유만으로 진료를 거부하는 경우 본죄에 해당.

♧ 형사처벌 : 1년 이하의 징역 또는 500만원 이하의 벌금

♧ 행정처분 : 자격정지 1월

♠ 의료기관의 능력으로는 적정한 응급의료를 행할 수 없다고 판단시 지체 없이 응급의료가 가능한 다른 의료기관으로 이송하여야 함. 응급으로 판단한 환자 이송시 응급구조사나 의사 또는 간호사가 반드시 동행하고 전원 병원에 해당 환자에 대한 상태 설명 등 인수인계를 확실히 하는 것이 바람직함.

♧ 행정처분 : 자격정지 1월

4) 진료기록부, 간호기록부 기재 내용

의료법 시행규칙 제14조(진료기록부 등의 기재 사항)

①법 제22조 제1항에 따라 진료기록부·조산기록부와 간호기록부(이하 "진료기록부등"이라 한다)에 기록해야 할 의료행위에 관한 사항과 의견은 다음 각 호와 같다.(개정 2013.10.4.)

1. 진료기록부
   가. 진료를 받은 사람의 주소·성명·연락처·주민등록번호 등 인적사항
   나. 주된 증상. 이 경우 의사가 필요하다고 인정하면 주된 증상과 관련한 병력(病歷)·가족력(家族歷)을 추가로 기록할 수 있다.
   다. 진단 결과 또는 진단명
   라. 진료경과(외래환자는 재진환자로서 증상·상태, 치료 내용이 변동되어 의사가 그 변동을 기록할 필요가 있다고 인정하는 환자만 해당한다)
   마. 치료 내용(주사·투약·처치 등)
   바. 진료 일시(日時)

3. 간호기록부
   가. 간호를 받는 사람의 성명
   나. 체온·맥박·호흡·혈압에 관한 사항
   다. 투약에 관한 사항
   라. 섭취 및 배설물에 관한 사항
   마. 처치와 간호에 관한 사항
   바. 간호 일시(日時)

② 의료인은 진료기록부등을 한글로 기록하도록 노력하여야 한다.(신설 2013.10.4.)

5) 진료기록 열람, 사본교부 의무

의료법 제21조(기록 열람 등)

②의료인이나 의료기관 종사자는 다음 각 호의 어느 하나에 해당하면 그 기록을 열람하게 하거나 그 사본을 교부하는 등 그 내용을 확인할 수 있게 하여야 한다. 다만, 의사·치과의사 또는 한의사가 환자의 진료를 위하여 불가피하다고 인정한 경우에는 그러하지 아니하다.(개정 2012.2.1.)

1. 환자의 배우자, 직계 존속·비속 또는 배우자의 직계 존속이 환자 본인의 동의서와 친족관계임을 나타내는 증명서 등을 첨부하는 등 보건복지부령으로 정하는 요건을 갖추어 요청한 경우
2. 환자가 지정하는 대리인이 환자 본인의 동의서와 대리권이 있음을 증명하는 서류를 첨부하는 등 보건복지부령으로 정하는 요건을 갖추어 요청한 경우
3. 환자가 사망하거나 의식이 없는 등 환자의 동의를 받을 수 없어 환자의 배우자, 직계 존속·비속 또는 배우자의 직계 존속이 친족관계임을 나타내는 증명서 등을 첨부하는 등 보건복지부령으로 정하는 요건을 갖추어 요청한 경우

4-14. 국민건강보험법, 의료급여법, 민사소송법, 형사소송법, 산업재해보상보험법, 자동차손해배상보장법 등 관련법령에 근거한 진료기록부 사본 등 교부

의료법 시행규칙 [별표 2의2] (신설 2010.1.29.)

환자의 동의를 받을 수 없는 경우 기록 열람·사본 발급 요청 시 구비서류 (제13조의2 제3항 관련)

구분	구비서류
환자가 사망한 경우	1. 기록 열람이나 사본 발급을 요청하는 자의 신분증 사본 2. 가족관계증명서, 주민등록표 등본 등 친족관계를 확인할 수 있는 서류 3. 가족관계증명서, 제적등본, 사망진단서 등 **사망사실을 확인할 수 있는 서류**
환자가 의식불명 또는 의식불명은 아니지만 **중증의 질환 · 부상으로 자필서명을 할 수 없는 경우**	1. 기록 열람이나 사본 발급을 **요청하는 자의 신분증 사본** 2. 가족관계증명서, 주민등록표 등본 등 **친족관계를 확인할 수 있는 서류** 3. 환자가 의식불명 또는 중증의 질환 · 부상으로 **자필서명을 할 수 없음을 확인할 수 있는 진단서**

♧ 행정처분: 자격정지 15일

6) 의료인의 성범죄 경력 조회 의무

아동·청소년의 성보호에 관한 법률 제56조(아동·청소년 관련기관 등에의 취업제한 등)

①아동·청소년대상 성범죄 또는 성인대상 성범죄(이하 "성범죄"라 한다)로 형 또는 치료감호를 선고받아 확정된 자(제11조 제5항에 따라 벌금형을 선고받은 자는 제외한다)는 그 형 또는 치료감호의 전부 또는 일부의 집행을 종료하거나 집행이 유예·면제된 날부터 10년 동안 가정을 방문하여 아동, 청소년에게 직접교육서비스를 제공하는 업무에 종사할 수 없으며, 다음 각 호에 따른 시설·기관 또는 사업장(이하 "아동·청소년 관련기관 등"이라 한다)을 운영하거나 아동·청소년 관련기관 등에 취업 또는 사실상 노무를 제공할 수 없다. 다만, 제10호 및 제14호 경우에는 경비업무에 종사하는 사람, 제12호의 경우에는 「의료법」 제2조의 의료인에 한한다.(개정 2013.3.23., 2014.1.21., 2016.1.19.)
③의료기관의 장은 그 기관에 취업 중이거나 사실상 노무를 제공 중인 자 또는 취업하려 하거나 사실상 노무를 제공하려는 의료인에 대하여 성범죄의 경력을 확인하여야 한다. 이 경우 본인의 동의를 받아 관계 기관의 장에게 성범죄의 경력 조회를 요청하여야 한다.

[단순위헌, 2013헌마585, 2016.3.31., 의료기관을 개설하거나 위 기관에 취업할 수 없도록 한 '아동·청소년의 성보호에 관한 법률'(2012. 12. 18. 법률 제11572호로 전부개정된 것) 제56조 제1항 제12호(의료기관) 중 '성인대상 성범죄로 형을 선고받아 확정된 자'에 관한 부분은 헌법에 위반된다.]

♧ 의료기관의 장이 의료인 성범죄 경력을 확인하지 않으면 500만원 이하 과태료 부과.

♠ 성범죄 경력이 확인된 경우 해당 직원 해임 의무?

⇒ 의료기관의 장의 해임의무 규정은 없고, 관할 경찰서에서 관할 행정기관의 장으로 통보를

하면 관할 행정기관의 장이 의료기관의 장에게 해임요구를 함.
⇒ 의료기관의 장이 해임요구를 정당한 사유 없이 거부하면 1천만원 이하의 과태료 부과.

■ 아동·청소년의 성보호에 관한 법률 시행규칙 [별지 제10호서식] <개정 2018. 3. 21.>

(앞쪽)

성범죄 경력 조회 동의서

대상자	성　명(외국인의 경우 영문으로 작성)
	주민등록번호(외국인의 경우 외국인등록번호/국적)
	연락처(휴대전화 등)

본인은 ○○기관(시설)(예: 유치원, 어린이집, 아동복지시설, 청소년쉼터, 청소년활동시설, 의료기관 등) 취업자(취업예정자)로서, 「아동·청소년의 성보호에 관한 법률」 제56조 및 같은 법 시행령 제25조에 따른 성범죄경력 조회에 동의합니다.

년　　　월　　　일

동의자　　　　　　(서명 또는 인)

________________경찰서장 귀하

유의사항

1. 개인정보 수집항목: 성명, 주민등록번호(외국인의 경우 외국인등록번호 및 국적)
2. 개인정보 제공 거부에 따른 제한사항: 귀하는 개인정보 제공 동의를 거부할 권리가 있으나, 동의 거부 시에는 취업에 제한을 받을 수 있습니다.
3. 개인정보의 수집·이용 목적: 수집된 개인정보는 성범죄 경력조회 신청 등을 위하여 사용됩니다.
4. 동의자가 2인 이상일 경우에는 뒤쪽에 일괄하여 작성할 수 있습니다.

210㎜×297㎜[백상지(80g/㎡) 또는 중질지(80g/㎡)]

■ 아동·청소년의 성보호에 관한 법률 시행규칙 [별지 제9호서식] <개정 2019. 12. 31.>

범죄경력회보서 발급시스템 (http://crims.police.go.kr)에서도 신청할 수 있습니다.

성범죄 경력 조회 신청서

(앞쪽)

※ 색상이 어두운 난은 신청인이 작성하지 아니하며, [ ]에는 해당되는 곳에 √표를 합니다.

접수번호		접수일	처리기간	즉시
신청인	성 명		주민등록번호	
대상자	성 명(외국인의 경우 영문으로 작성)			
	주민등록번호(외국인의 경우 외국인등록번호/국적)			
운영 또는 취업정보	운영예정 또는 취업(예정)기관명		운영예정 또는 취업(예정)기관 주소 (전화번호:)	
	대표자 성명		대표자 생년월일	
	조회 용도	[ ] 운영하려는 자에 대한 조회	[ ] 취업(예정)자에 대한 조회 (직종:)	

「아동·청소년의 성보호에 관한 법률」 제56조 및 같은 법 시행령 제25조에 따라 성범죄 경력 조회를 요청하오니 그 결과를 회신해 주시기 바랍니다.

년 월 일

신청인 (서명 또는 인, 전자통신망 이용 시 생략 가능)

_______________경찰서장 귀하

신청인 제출서류	1. 지방자치단체의 장, 교육감 또는 교육장이 요청하는 경우: 아동·청소년 관련 시설·기관 또는 사업장을 운영하려는 자의 동의서 1부 2. 아동·청소년 관련 시설·기관 또는 사업장의 장이 요청하는 경우 가. 아동·청소년 관련 시설·기관 또는 사업장의 장임을 증명할 수 있는 자료(인·허가증 사본 등) 1부. 다만, 여성가족부장관이 정하여 고시하는 아동·청소년 관련 시설·기관 또는 사업장은 제외합니다. 나. 아동·청소년 관련 시설·기관 또는 사업장에 취업 중이거나 사실상 노무를 제공 중인 사람 또는 취업하려 하거나 사실상 노무를 제공하려는 사람 본인의 동의서 1부	수수료 없 음
담당 공무원 확인 사항	여성가족부장관이 정하여 고시하는 아동·청소년 관련 시설·기관 또는 사업장의 장임을 증명할 수 있는 자료	

행정정보 공동이용 동의서

본인은 이 건 업무처리와 관련하여 담당 공무원이 「전자정부법」 제36조제1항에 따른 행정정보 공동이용을 통해 아동·청소년 관련 시설·기관 또는 사업장의 장임을 증명하는 자료를 확인하는 것에 동의합니다.

* 동의하지 않는 경우에는 신청인이 해당 자료를 직접 제출해야 합니다.

아동·청소년 관련 시설·기관 또는 사업장의 장 본인 (서명 또는 인)

유의사항

1. 대상자가 외국인인 경우 성명(한글·영문), 외국인등록번호, 국적을 적습니다.
2. 대상자가 2명 이상일 경우에는 뒤쪽에 일괄하여 작성할 수 있습니다.

처리절차

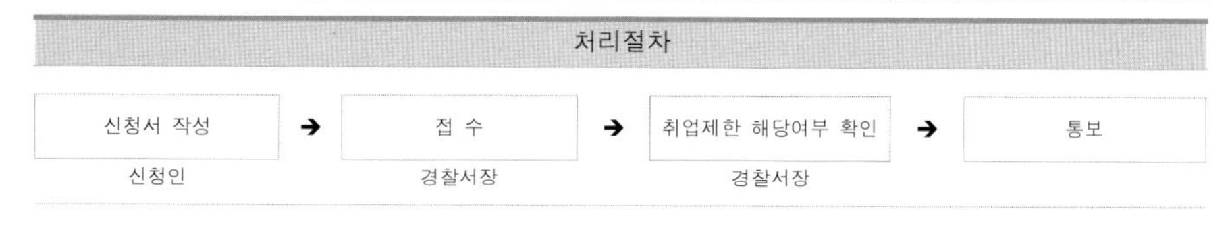

7) 기타 행정처분 사유

(1) 학문적으로 인정되지 아니하는 진료행위 : 자격정지 1월
(2) 비도덕적 진료행위 : 자격정지 1월
(3) 의료기사가 아닌 자에게 의료기사의 업무를 하게 하거나 의료기사에게 그 업무 범위를 벗어나게 한 때 : 자격정지 15일
(4) 허위진단서 등 작성 : 자격정지 3월
(5) 환자비밀누설 : 자격정지 2월

3. 개인정보보호법 관련

1) 개인정보란?

살아 있는 개인에 관한 정보로서 성명, 주민등록번호 및 영상 등을 통하여 개인을 알아볼 수 있는 정보(해당 정보만으로는 특정 개인을 알아볼 수 없더라도 다른 정보와 쉽게 결합하여 알아볼 수 있는 것을 포함한다)를 말한다.

㉨ 환자 얼굴 사진, 이메일 주소, 휴대전화번호, 카카오톡 아이디 등

2) CCTV 관련 유의 사항

(1) 시설안전 및 화재예방, 범죄예방 및 수사, 기타 다른 법령에서 허용된 경우에 "공개된 장소"에 설치, 운영할 수 있음
⇒ 요양병원의 복도, 진료대기실 등에 설치 운용 가능
(2) 목욕실, 화장실, 탈의실 등 사생활을 현저히 침해할 수 있는 장소의 내부는 안 됨.
⇒ 진료실 내부는 '환자의 개별적 동의'가 있어야 CCTV 촬영이 가능함.
(3) CCTV에는 화상기록만 가능하고 음성녹음 기능 사용이 일체 금지됨.
(4) CCTV를 설치, 운영하려면 'CCTV 운영, 관리 방침'을 마련해 두어야 함.
(5) CCTV를 부착하는 경우, 설치, 운영 사실을 출입문 등 이용자가 확인할 수 있는 위치에 안내판을 부착하는 등의 방법으로 반드시 알려야 함
⇒ 안내판에는 설치목적, 장소, 촬영범위, 촬영시간, 관리책임자의 성명과 연락처가 포함되어야 함.

3) 개인정보보호법 관련 Q&A (법무법인 로앰 김연희 변호사 검토)

(1) 단순히 환자 진료 접수 시 환자 본인의 주소, 주민등록번호, 전화번호 등을 파악하는데 반드시 환자의 동의가 필요한가요?

⇒ 의료법상 의무기록 작성, 보관이 의무화되어 있어 법령에 따라 환자의 정보를 받고 기록을 작성하는 것이므로 별도의 동의가 필요 없음.

⇒ 다만, 진료와 무관한 정보(㉧ : 단순골절 환자에 대하여 종교, 학력 정보 등)는 수집하면 안 됨.

환자 접수에 의해 수집된 정보를 이용하여 환자에게 전화를 걸거나 이메일을 보낼 때	
환자의 동의가 필요한 경우 (진료와 무관)	동의가 필요하지 않은 경우 (진료와 관련)
병원 홍보 학술정보 안내	검사 결과 통보 진료예약날짜 통보 의원의 휴업일정 통보 병원 이전 관련 정보 안내

(2) 환자 진료 정보를 다른 병원 의료진에게 알려도 되나요?

⇒ 환자를 이송할 때, 환자의 진료에 필요한 정보제공(예 : 환자를 이송 받는 병원 의료진에 대하여 그 동안의 진료경과, 검사 결과, 환자상태 등에 대하여 알림)은 별도의 동의 없이 가능.

⇒ 그러나, 거꾸로 환자를 이송 받은 병원이 최종 진료결과를 이송한 병원에 알릴 때에는 환자가 이송한 병원에 진료를 받거나 받기로 예정되어 있지 않는 한, 환자의 사전동의를 받아야 함.

환자 비밀누설 관련 법령들

◆ 형법 제317조(업무상비밀누설)

①의사, 한의사, 치과의사 등이나 그 직무상 보조자 또는 차등의 직에 있던 자가 그 직무처리중 지득한 타인의 비밀을 누설한 때에는 3년 이하의 징역이나 금고, 10년 이하의 자격정지 또는 700만원 이하의 벌금에 처한다.(개정 1997.12.13.)

◆ 의료법 제19조(비밀 누설 금지)

의료인은 이 법이나 다른 법령에 특별히 규정된 경우 외에는 의료·조산 또는 간호를 하면서 알게 된 다른 사람의 비밀을 누설하거나 발표하지 못한다.

◆ 의료법 제88조(벌칙): 3년 이하의 징역이나 1천만원 이하의 벌금

◆ 의료법 제91조(양벌규정)

법인의 대표자나 법인 또는 개인의 대리인, 사용인, 그 밖의 종업원이 그 법인 또는 개인의 업무에 관하여 제88조(의료법 제19조 위반에 대한 벌칙)의 위반행위를 하면 그 행위자를 벌하는 외에 그 법인 또는 개인에게도 해당 조문의 벌금형을 과(科)한다. 다만, 법인 또는 개인이 그 위반행위를 방지하기 위하여 해당 업무에 관하여 상당한 주의와 감독을 게을리하지 아니한 경우에는 그러하지 아니하다.(개정 2010.5.27.)

◆ 전원 받은 환자에 대해 검진 결과 HIV 항체 양성 사실을 발견한 의사가 전원 전 의료진에게 "환자가 그 곳으로 찾아 갈 수 있으니 참고하라"며 환자의 상태를 고지해 준 경우?
⇒ 환자의 비밀을 누설한 것으로 판단하여 벌금 20만원 선고 유예.

(3) 제3자가 진료기록부 열람을 요청하는 경우 응해야 하나요?

⇒ 법령에 따라 정보제공 의무가 있는 경우는 환자의 동의가 불필요함.

환자의 동의 없이 제3자의 진료기록부 열람이 가능한 경우

① 응급환자 이송 시 초진기록 송부
② 환자를 요양병원으로 옮길 경우 이송과 동시에 진료기록 사본을 요양병원에 송부
③ 감염병환자 보건소 신고
④ 국민건강보험 요양급여를 청구하기 위한 환자 진료 자료 제출
⑤ 국민건강보험공단이나 심평원에 심사 요청
⑥ 수급권 확인
⑦ 법원의 제출 명령에 따른 진료기록 제출
⑧ 기타 의료법에 따른 열람복사 허용 경우
⑨ 학술 연구 목적으로 진료정보 제공하는 경우에는 개인을 식별할 수 있는 정보를 제외하면 가능

(4) 진료기록부를 어떻게 보관해야 하나요?

⇒ 수기차트 : 보관시설에 잠금장치를 해 두어야 함.

⇒ 전자차트 : 로그인 암호 설정, 백신소프트웨어 설치 등 보안조치 취해야 함.

4) 진단서 관련

⊙ 의료법상 "진단서 등" : 진단서, 검안서, 증명서, 처방전(외래처방전)

(1) 진단서 등 작성

의료법 제17조(진단서 등)

①의료업에 종사하고 직접 진찰하거나 검안(檢案)한 의사, 치과의사, 한의사가 아니면 진단서·검안서·증명서 또는 처방전을 작성하여 환자(환자가 사망한 경우에는 배우자, 직계존비속 또는 배우자의 직계존속을 말한다) 또는 「형사소송법」 제222조 제1항에 따라 검시(檢屍)를 하는 지방검찰청검사(검안서에 한한다)에게 교부하거나 발송(전자처방전에 한한다)하지 못한다. 다만, 진료 중이던 환자가 최종 진료 시부터 48시간 이내에 사망한 경우에는 다시 진료하지 아니하더라도 진단서나 증명서를 내줄 수 있으며, 환자 또는 사망자를 직접 진찰하거나 검안한 의사·치과의사 또는 한의사가 부득이한 사유로 진단서·검안서 또는 증명서를 내줄 수 없으면 같은 의료기관에 종사하는 다른 의사·치과의사 또는 한의사가 환자의 진료기록부 등에 따라 내줄 수 있다. (개정 2009.1.30.)

②의료업에 종사하는 의사·한의사가 아니면 출생·사망 증명서를 내주지 못한다. 다만, 직접 조산한 의사·한의사 또는 조산사가 부득이한 사유로 증명서를 내줄 수 없으면 같은 의료기관에 종사하는 다른 의사·한의사가 진료기록부 등에 따라 증명서를 내줄 수 있다.

③의사·치과의사 또는 한의사는 자신이 진찰하거나 검안한 자에 대한 진단서·검안서 또는 증명서 교부를 요구받은 때에는 정당한 사유 없이 거부하지 못한다.

(2) 허위진단서

형법 제233조(허위진단서등의 작성)

◆ 의사, 한의사, 치과의사 또는 조산사가 진단서, 검안서 또는 생사에 관한 증명서를 허위로 작성한 때에는 3년 이하의 징역이나 금고, 7년 이하의 자격정지 또는 3천만원 이하의 벌금에 처한다.
⇒ 이로 인해 금고 이상의 형을 선고 받고 그 형의 집행이 종료되지 아니하였거나 집행을 받지 아니하기로 확정되지 아니한 자는 의료인 결격 사유로 반드시 면허를 취소하여야 함.

5) 의료분쟁 사례

(1) 욕창 발생 및 사후 처치

◆ 사실 관계
- A는 반혼수와 간질로 B요양병원에 입원
- A는 C요양병원으로 전원하였다가 3일 후 급성기 병원으로 전원하여 농양과 괴사조직 제거시술을 받음

◆ 환자측 주장
- B요양병원에서 체위를 변경시키는 등 적절한 조치를 취하지 아니하여 욕창 발생
- 욕창이 병기상 3기임에도 불구하고 신속한 전원조치를 하지 아니함
- 4천만원 배상 청구

⊙ 법원의 판단

⇒ 병원 의료진은 입원 당일부터 2시간마다 체위 변경하고, 에어 매트리스를 사용하며 관 영양으로 항생제를 투여하고 경련 조절을 위한 약물 치료를 하였음. 즉, 욕창 발생의 예방 관련하여 주의의무를 위반하지 않았음.

⇒ B요양병원에 입원할 당시 환자의 욕창은 3기가 아니라 2기였던 것으로 보임. 한편 2기에서 3기로 전환되었다고 하여 바로 수술을 하여야 하는 것도 불분명. 즉, 병원 의료진이 욕창의 치료와 관련한 주의의무를 위반하였다고 인정하기도 어려움.

⇒ 다만, 욕창 고위험군 환자이므로 환자의 상태를 조금 더 주의 깊게 살펴보았더라면 3기에 이르기 전에 발견할 수 있었을 것으로 판단되는 점을 고려하여 진행 상태에 따른 적절한 치료를 받을 기회를 상실함으로써 입게 된 정신적 손해를 배상할 책임은 일부 인정.

⇒ 위자료 300만원 지급 판결.

(2) 욕창 발생 및 사후 처치

◆ 사실 관계
- A는 중증 치매환자인 B의 간병인. C요양병원에 입원해 있던 B는 밤 시간만 되면 섬망 증세를 보이면서 난폭해짐.
- B가 새벽에 난동을 부리자 C병원 의료진은 휠체어에 가슴과 손목을 묶는 등 억제 조치를 하였음.
- 의료진이 없는 사이에 B가 휠체어를 들고 일어나려고 하였고 이에 B가 넘어질 것을 우려한 A가 발을 휠체어에 묶으려고 하자 B는 발로 A의 얼굴을 가격. A는 뇌진탕, 경부 및 요부 염좌 등 진단.

◆ 간병인 A의 주장
- C병원은 환자 B와 입원 계약을 체결한 대리감독자로서 감독 의무를 소홀히 한 주의의무 위반 : 1,500만원 배상 청구

⊙ 법원의 판단

⇒ 당시 B의 증세와 행동에 비추어 낙상의 위험이 충분히 예상됨에도 발 부위에 대하여 별다른 단속을 하지 않음.

⇒ C병원 의료진은 당시 A에 대하여 B에게 접근하지 말라는 주의사항이나 B가 계속하여 난동을 부릴 경우 필요한 조치내용 등을 고지하지 않음.

⇒ C병원 의료진은 병원 업무지침상 억제대 사용 규정을 위반하여 매 30분마다 B를 방문하여 이상 여부를 확인하거나 강박을 완화하지 아니함.

⇒ C병원의 보호감독의무 위반을 인정하였으나 A도 간병인으로서 B의 난폭한 성향을 잘 알고 있었고, 이를 알고서도 부주의하게 접근한 점을 고려하여 C의 책임을 60%로 제한 : 800만원 지급 판결.

(3) 병원 화장실에서 미끄러져 넘어진 사고

◆ 사실 관계

- A는 거동이 불편한 환자인데 새벽에 혼자 화장실에 갔다가 미끄러져 넘어져 외상성 경막하출혈이 발생.
- A는 혈종 제거술 및 두개골 감압술 등 응급수술을 받았으나 상하지 마비 상태.

◆ 환자측 주장

- 병원이 화장실, 세면장 등에 적절한 미끄럼 방지 조치를 취하고 화장실 바닥을 항상 건조하게 유지하여야 할 의무를 위반하였으므로 민법 제758조에 따라 공작물의 설치 및 보존상의 하자로 인한 손해배상책임이 있음.

◉ 법원의 판단

⇒ 미끄럼 방지 작업 이후 14개월이 경과한 시점의 마찰계수가 위험 상태이고 이 사건 사고 당시 정상인도 미끄러움을 느꼈던 점, 화장실 미끄럼 사고는 정상인의 경우에도 흔히 일어나는 사고로서 거동이 불편한 환자들이 생활하는 병원의 경우에는 보다 엄격한 기준을 적용하는 것이 타당한 점, 이 사건 사고 이후에도 화장실에서 미끄럼 사고가 일어났던 점 등을 고려하면 이 사건이 발생한 화장실 바닥에는 설치, 보존상 하자가 있다고 보아야 함.

⇒ 다만, 미끄러져 넘어진 결과로서는 쉽게 예상하기 어려울 정도로 심각한 점, 미끄럼 방지 공사를 한 것은 사실이고 수시로 청소용역업체 직원들로 하여금 청소를 하게 한 점 등을 고려하여 병원의 책임을 40%로 제한.

(4) 간병인 부재 중 미끄러져 넘어진 치매환자 사례

◆ 사실 관계

- 환자 A(83세 여성)는 다발성 관절염, 퇴행성척추염, 치매 등의 병명으로 입원 중, 병실 내 화장실에 가기 위해 지팡이를 짚고 이동 중 화장실 앞에 남아있는 물기에 미끄러져 넘어져 좌측 대퇴골 전자간 골절

◆ 환자측 주장

- 화장실로 이동시 간병인의 도움을 받지 못하게 된 것에 대한 간병인 관리감독의무 위반.
- 간병인은 병원의 이행보조자이므로 간병인의 책임은 병원의 책임.
- 병원측에서 실질적으로 간병인에 대한 교육 및 관리, 감독을 하였기 때문에 간병인의 불법행위에 대한 사용자 책임을 져야 함.

◆ 병원측 주장
- 간병계약은 환자와 간병인 사이의 별도 합의에 의한 것.
- 간병은 요양병원의 의료서비스 중 간호와는 구별되는 것이므로 병원의 환자에 대한 입원계약상 채무에 간병 의무는 포함되어 있지 아니함.
- 병원측은 간병인들에 대하여 업무에 관한 구체적인 지시에 의한 지휘, 감독을 하지 아니함.

◉ 1심 법원 판단
⇒ 간병인들은 피고 병원의 이행보조자임. 이행보조자의 과실에 대한 책임은 병원이 부담해야 함. 다만, 책임을 40%로 제한 : 5,200만원 지급 판결

◉ 2심 법원 판단
⇒ 병원 책임을 그대로 인정하였으나 책임을 30%로 제한 : 2,895만원 지급 판결

◇ 배상책임보험 가입한 간병인의 책임 관련 최근 판례 기사(단, 시설 안전에 하자가 없어야 책임이 면제될 수 있음!)

간병인의 부주의로 낙상사고가 발생했다. 배상책임보험에 가입돼 있던 간병인의 환자에 대한 배상금은 민간보험사에서 지급했다. 그런데 민간보험사는 사고에 대한 책임이 병원에도 있다며 구상금을 청구하는 소송을 제기했다. 간병인의 과실로 인한 사고에 병원 측 책임이 있을까?
1심 재판부는 병원의 책임을 50% 인정했지만 2심에서는 병원의 책임은 없다고 판단했다.
서울중앙지방법원 제5 민사부는 최근 민간보험사가 K요양병원을 상대로 제기한 구상금 청구 2심 재판에서 1심 판결을 깨고 기각을 선고했다.

민간보험사에 간병인배상책임보험이 가입돼 있는 회사 소속 간병인인 유씨는 2013년 6월부터 K요양병원에서 뇌질환 환자의 간병을 맡았다. 약 4개월이 지난 2013년 10월 유씨는 환자를 병실 침대로 옮기기 위해 환자가 타고 있던 휠체어를 잠시 세워 뒀다. 그 사이 환자는 휠체어에서 내려 걷다가 넘어져 골절상을 입게 됐다. 유 씨의 소속회사는 환자에게 500만원을 지급하는 것으로 손해배상을 합의했다.
보험계약에 따라 간병회사 부담금 30만원을 제외한 나머지 470만원은 민간보험사가 부담했다. 그러자 보험사는 병원에 사고에 대한 책임이 있다며 이미 부담한 배상액에 대한 구상금을 청구한 것이다.
보험사는 "K요양병원이 사건 당시 간병인 유 씨에 대해 사용자의 지위에 있었기 때문에 사용자 책임을 부담해야 하고 사고가 병원 시설물의 설치·관리상의 하자로 인한 것이므로 점유자인 병원의 책임이 있다"고 주장했다.
이에 K요양병원 측은 "간병회사로부터 유 씨를 소개받았을 뿐 관리·감독 권한이 없기 때문에 사용자에 해당하지 않고 사고 병실에 설치·관리상의 하자가 없다"고 반박했다.
1심 재판부는 "K요양병원과 유 씨 사이에 직접적인 고용계약이 없었다고 하더라도 업무내용·근무형태·업무수행과정에서의 역할 등에 비춰보면 병원이 사실상 사용자의 지위에 있다. 또한 뇌질환 환자 등 거동이 불편한 노인들을 보호하는 시설로서 침대-휠체어 간 이동이 빈번해 낙상사고가 발생할 가능성이 커 이를 대비하는 시설을 설치해야 한다"며 보험사 측 손을 들어 병원의 50% 책임을 인정했다.

병원 측은 항소심을 제기했고 2심 재판부는 1심과 생각을 달리했다.
2심 재판부는 "유씨가 업무를 수행하는 과정에서 병원내규를 준수하고 구체적 업무에 관해 교육을 받거나 담당간호사의 지시를 받아야 했던 것으로 보이기는 하지만 이 사정만으로 K요양병원이 유씨의 사용자 지위에 있었다고 단정하기 어렵다"며 "오히려 간병회사에 유씨에 대한 일반적인 지휘·감독 권한이 있는 것으로 보인다"고 밝혔다.
또한 "보험사 측은 사건 병실에 고령 환자가 넘어질 경우를 대비해 그 바닥을 충격흡수가 가능한 재질로 해야 했었다는 취지로 주장하지만, 병실바닥의 재질 등에 관해 시설기준을 요구하고 있는 관련법령 등의 근거를 찾을 수 없다"며 "또한 K요양병원 시설에서 설치·보존의 하자를 인정할만한 근거가 없다"고 설명하며 보험사 측 주장을 기각했다.

출처: 2015.07.29. 닥터스 뉴스

(5) 치매환자 투신사고

◆ 사실 관계
- A는 알츠하이머형 치매진단을 받고 B요양병원에 입원. 지속적 배회, 행동 장애.
- B요양병원 2층 복도 쪽 창문으로 투신하여 다발성 골절 등으로 100% 노동능력 상실

◆ 환자측 주장
- 중증 치매환자임을 인지하고 있었음에도 보호의무를 위반하였다.
- 요양비 포함 2억원 이상 손해배상 청구.

◆ 병원측 주장
- 일반 환자들이 출입하지 않는 복도 끝 쪽 창문을 스스로 열고 투신할 것까지 예상할 수 없었음.

◉ 법원 판단
⇒ 4천만원 지급 임의조정

6) 의료사고 발생 시 대응

(1) 환자, 보호자들과의 성실한 대화와 설명

① 무모한 신체적 대응 자제
② 불명확한 사안에 대한 섣부른 과실 인정 지양
③ 보호자의 부당한 요구에 굴복 지양
④ 흥분한 환자보호자가 있으면 대중과 격리
⑤ 필요한 경우 대화과정 녹음

(2) 법률전문가에 도움 요청

(3) 합의(과실이 분명하고 이를 인정하는 경우)

(4) 환자 측의 불법행위 시 대응

① 증거 확보가 중요: 동영상 녹화, 녹음, 목격자 진술서 확보, 손괴 등 현장에 대한 사후 현장사진, 인터넷 게시물 캡처 등

② 112 신고

③ 시위금지 가처분, 인터넷 게재 금지 가처분, 형사고소(명예훼손, 폭행, 협박, 손괴, 진료방해, 주거침입, 퇴거불응죄 등)

(5) 꼼꼼한 진료기록여부 확인(사후 허위기록 금지) / 진료기록에 수정이나 첨삭 금지, 각종 교과서, 논문 등 근거 확보

(6) 부검의 활용

① 사인이 불분명하거나 의료진의 과실과 무관한 사망일 때

② 관할 경찰서에 변사 신고, 부검 요청

(7) 소송상 대응

① 환자 측으로부터의 형사고소의 경우

- 경찰, 검찰이 소환을 하는 경우 : 지나친 두려움을 가질 필요 없음. 적절한 초기 대응, 경솔한 과실 인정 지양.
- 형사소송에서 입증의 책임은 검사에게 있다.
- 초동수사의 중요성 : 경찰의 초기 조사가 매우 중요. 사실 관계는 사실대로 진술하되 의학적, 법적 판단은 신중히.
- 변호인의 조력을 받을 권리, 불리한 진술 거부권이 있음.
- 환자 측 불법행위에 대한 맞고소

② 가압류, 가처분 ▷소명자료 필요

- 재산에 대한 가압류
- 접근금지 가처분, 시위금지 가처분, 인터넷게재금지 가처분 등

③ 민사 본안 소송(의료소송)

- 민사소송은 변론주의가 지배하므로 적극적 주장, 입증을 할 필요가 있음.

◆ 진료과정에서 과실이 있음을 인정하고 원만히 합의를 하고 싶으나, 환자 측에서 '이 기회에 한 몫 잡자'는 심사로 거액을 요구하여 합의가 진행되지 않는 경우 어떻게 대응해야 하나?

⇒ 의사 측이 먼저 의료분쟁조정중재원 또는 법원에 조정을 신청하거나 채무부존재확인소송을 제기. (예 : ooo의사의 ooo환자에 대한 채무는 존재하지 아니함을 확인한다. / ooo의사의 ooo환자에 대하여 금2천만원을 초과하는 채무는 존재하지 아니함을 확인한다)

◆ 의사의 과실이 인정되는 경우 얼마를 배상해야 할까?

◉ 적극적 손해

⇒ 의사의 과실로 직접 손해를 입은 부분

예 : 치료비, 약제비, 향후 치료비, 보조구 구입비, 개호비, 장례비 등

◉ 소극적 손해

⇒ 입원한 기간, 신체장애에 따른 노동능력 상실, 사망에 따른 노동의 기회 상실 등에 따라 불법행위가 없었더라면 일을 하여 얻을 수 있었던 수입 중 불법행위로 인하여 얻을 수 없게 된 손해(일실수입)

◉ 위자료

⇒ 불법행위로 인한 정신적 손해

▣ 의료사고 발생만으로 무조건 책임이 인정되는 것은 아님!

♧ 사전 검사, 검진을 꼼꼼히 챙기고, 시술내용에 대한 기록, 간호내역, 환자의 상태 등을 상세히 기록.

♧ 상세한 설명 이행, 설명의 증거 확보

♧ 무리한 시술 지양

♧ 예견 가능한 부작용 발생 대비, 응급조치 준비

♧ 예견 가능한 부작용 발견 위해 필요한 검사 시행, 부작용 발생 시 즉시 적절한 사후 조치

♧ 소송에서 적극적 방어

04 요양병원 관련 정책과 시설 요건

Q. 요양병원 운영자나 종사자는 수시로 변화하는 요양병원 관련 정책과 시설 요건을 숙지하여 유연한 대처를 할 수 있다.

- 대규모 건물 화재, 감염병 유행 등 사회적 파장이 큰 사건, 사고는 요양병원 관련 정책에 영향을 주는 경우가 많다.
- 보건복지부, 행정안전부, 건강보험공단, 질병관리청, 식약처 등 요양병원 관련 기관의 고시, 보도자료 등 정책 방향에 관심을 갖는다.
- 의료기관평가인증원의 요양병원 인증조사기준도 숙지한다.

1. 요양병원에만 해당하는 법적 인력 구성

1) 의사

연평균 1일 입원환자 80명까지는 2명. 80명 초과하면 매 40명마다 1명 기준. 외래환자 3명은 입원환자. 1명으로 환산함.

2) 간호사

연평균 1일 입원환자 6명마다 1명 이상(다만, 간호조무사는 간호사 정원의 3분의 2 범위 내에서 둘 수 있음). 외래환자 12명은 입원환자 1명으로 환산함.

3) 시설 안전관리를 담당하는 당직근무자 1명 이상.

4) 약사(200병상 이하)

주당 16시간 근무하는 시간제 약사 가능.

2. 요양병원 관련 주요 보험, 정책 제도 변경사항

2020년 현재 신설되거나 요양병원 관련 주요 정책의 내용과 근거를 다음의 표에 정리하였다.

표 4-1. 요양병원 관련 주요 정책

구분	시행일	내용	근거	
1	19.1.1	요양병원 격리실 입원료 신설 (요54)	보건복지부고시 제2018-281호	'요양급여의 적용기준 및 방법에 관한 세부사항' 일부개정
2	19.3.28	승강기와 관련한 안전관리 책임을 강화하기 위하여 의무보험가입 주체를 승강기 유지관리업자에서 관리주체(승강기소유자)로 개정	법률 제15526호, 2018.3.27., 전부개정	'승강기안전관리법' 제2조, 제30조
3	19.8.27	요양원 직원도 대리처방 가능 (처방전 대리수령 신청서, 대리수령자 및 환자의 신분증(사본), 노인의료복지시설 재직증명서 지참) - 환자 의식이 없는 경우나 - 거동이 현저히 곤란하고 동일한 상병에 대하여 장기간 동일한 처방이 이루어지는 경우	의료법 제17조의2 (처방전) 의료법 시행규칙 제11조의2(처방전의 대리수령 방법)	
4	19.10.29	감염우려 없는 일회용 기저귀 의료폐기물에서 제외	대통령령 제30173호, 2019.10.29.., 일부개정	'폐기물관리법 시행령' 일부개정안

구분	시행일	내용	근거	
5	19.10.29	의료기관에서 배출되는 감염 우려가 없는 일회용 기저귀는 섭씨 4도 이하의 냉장 적재함이 설치된 차량으로 다른 사업장 일반폐기물과 분리하여 수집, 운반하도록 하고, 의료기관 일회용 기저귀 배출자는 보관장소를 주1회 이상 약물소독 하도록 하는 등 감염 우려가 없는 의료기관 배출 일회용 기저귀의 구체적인 처리 기준을 정함	환경부령 제830호, 2019.10.29., 일부개정	'폐기물관리법 시행령' 일부개정안
6	19.11.01	요양병원 입원 중 진료의뢰 없이 임의로 타 요양기관 진료받는 경우 전액본인부담	보건복지부령 제637호	'국민건강보험법 시행규칙' [별표6] 제1호 가목5
7	19.11.01	요양병원 입원에 대한 요양급여를 적용받기 위해서는 입,퇴원 일시 등 입원진료 현황을 건강보험공단 정보시스템을 이용하여 제출토록 하는 규정 신설(안제3조의2)	보건복지부령 제683호	'국민겅강보험 요양급여의 기준에 관한 규칙' 일부개정
8	19.11.19	요양병원에 의료급여수급권자를 입원시켜 의료급여를 실시하는 경우 적정 의료급여 실시 및 관리를 위해 입,퇴원 일시 등 필요한 사항을 공단 정보시스템을 이용하여 제출하도록 하는 규정 신설(안 제3조의2)	보건복지부령 제686호	의료급여법 시행규칙 일부개정령
9	19.11.01	요양병원 환자분류체제 개편 및 일당정액수가 조정: 환자분류군 7개 → 5개	보건복지부 고시 제2019-101호	'건강보험 행위 급여,비급여 목록표 및 급여 상대가치점수' 일부개정
10	19.11.01	의료중도에 일상생활수행능력 향상 활동 인정기준 신설 및 환자평가표 작성 세부기준 변경	보건복지부 고시 제2019-125호	'요양급여의 적용기준 및 방법에 관한 세부사항' 일부개정
11	19.11.01	요양병원 실제 처치내역 제출 의무화 등 수가체제 개편 계획에 따라 청구방법 등 관련 내용 개정	보건복지부 고시 제2019-150호	'요양급여비용 청구방법, 심사청구서, 명세서서식 및 작성요령' 일부개정
12	19.11.01	요양병원 입원환자안전관리료 신설(요55)		
	19.11.01	요양병원 지역사회 연계료 신설(요56)	보건복지부 고시 제2019-182호	'건강보험 행위 급여,비급여 목록표 및 급여 상대가치점수' 일부개정
	20.01.01	간호인력 확보수준에 따른 입원료 차등 개선(요51)		
	22.01.01	9인실 이상 병실에 입원한 경우 30% 감산	보건복지부 고시 제2019-183호	'요양급여의 적용기준 및 방법에 관한 세부사항' 일부개정
13		요양병원 급여 일반원칙 개정: 입,퇴원 일시 등 입원진료 현황을 고지하고(건보공단 전산신고), 입원진료에 대한 요양급여를 실시하는 경우	보건복지부 고시 제2019-235호	'건강보험 행위 급여,비급여 목록표 및 급여 상대가치점수' 일부개정
		입원료 체감제 개편 181~207일 : 5% 감산 271~360일 : 10% 감산 361일~ : 15% 감산		

구분	시행일	내용	근거	
14	20.01.01	본인부담상한제 요양병원 사전급여 지급방식 변경 : 국민건강보험공단에서 요양병원에 지급하던 것을 환자에게 지급하는 방식으로 변경(제1편제2장 제9조)	보건복지부 고시 제2019-268호	'요양급여비용 청구방법, 심사청구서, 명세서서식 및 작성요령' 고시 일부개정
15	20.01.01	요양병원 입원 중인 산정특례 대상자를 타병원 진료 의뢰 시 수가 산정방법 개선 : 1. 요양병원 : 의뢰당일 가산 등을 적용하지 않은 일당정액수가 산정 2. 타병원 : 직접 청구 3. 청구시 특정내역 구분코드(MT063)를 작성하여 청구	보건복지부 고시 제2019-302호 보건복지부 고시 제2019-303호	'요양급여의 적용기준 및 방법에 관한 세부사항' 일부개정 '요양급여비용 청구방법, 심사청구서, 명세서서식 및 작성요령' 일부개정
16	20.01.01	점수당 단가 76.2원 2019년 대비 1.7%(74.9원) 인상	보건복지부 고시 제2019-214호	건강보험요양급여비용의 내역 개정
17	20.02.28	제48조의2(임원) 신설 ① 의료법인에는 5명 이상 15명 이하의 이사와 2명의 감사를 두되, 보건복지부장관의 승인을 받아 그 수를 증감할 수 있다. ② 이사와 감사의 임기는 정관으로 정하되, 이사는 4년, 감사는 2년을 초과할 수 없다. 다만, 이사와 감사는 각각 연임할 수 있다. ③ 이사회의 구성에 있어서 각 이사 상호 간에 민법 제777조에 규정된 친족관계에 있는 사람이 그 정수의 4분의 1을 초과해서는 아니 된다.	의료법	법률 제16555호, 2019.8.27., 일부개정
18	한시적 유예	요양병원 건강보험 수가개편(18.12월) 후속조치 ▷ 전문과목(의과) : (현행) 8개과 → (개선)26개 모든 전문과목 (2021년 1월 예정) ▷ 전문의 확보율 : 현행 50% 유지 ▷ 가산율 조정: (현행) 20% → (개선) 18% ▷ 의료법 기준 미충족 감산구간 단일화: (현행) -15%~-50%→ (개선) -50%	보건복지부 고시 제2019-301호	'건강보험 행위 급여,비급여 목록표 및 급여 상대가치점수' 일부개정

기준: 2020년 5월 현재

한편, 다음의 표는 요양병원은 제외된 정책임. 이는 요양병원의 특성을 반영한 것으로, 예를 들어 보안인력 배치 대상 정책의 경우, 요양병원은 응급실이 없고, 외래진료 건수나 정신질환자(치매 제외)가 적어 법률 적용 대상이 되지 않기로 하였다.

표 4-2. 요양병원은 제외된 정책

구분	시행일	내용	근거	
1	20.04.24	100개 이상의 병상을 갖춘 병원급 의료기관은 경찰청과 연결되는 비상벨 설치 및 보안인력 의무배치 - 요양병원 미해당	제39조의6(보안장비 설치 및 보안인력 배치기준 등)	'의료법 시행규칙' 일부개정 입법예고
2	16.10.06	감염관리위원회 및 감염관리실을 설치해야 하는 '보건복지부령으로 정하는 일정 규모 이상의 병원급 의료기관' - 요양병원 미포함	국민신문고 1AA-1610-089006	'의료법 시행규칙 제43조'

3. 요양병원의 구조 및 시설들

요양병원 입원환자들은 고령의 노쇠한 노인들로서 신체적, 정신적으로 취약한 집단에 속한다. 특히 요양병원의 다빈도 질환인 치매는 그에 따른 행동심리증상을 동반하는 경우가 많다. 요양병원에서 발생할 수 있는 사고들로는 낙상, 타인에 대한 폭력, 자해, 병원으로부터의 이탈, 삼킴 장애에 의한 사고 등이 있다. 따라서 요양병원 입원환자들에 대한 안전관리는 매우 필수적이다.

1) 요양병원 시설기준에 영향을 준 사건들

가) 2014년 요양병원 화재사고

2014년 5월에 모 요양병원에 입원한 환자의 방화에 의한 화재사건은 비교적 빠른 진화에도 불구하고 사망자 21명이라는 초대형 참사를 가져왔다. 본 사건의 개요는 다음과 같다.

요양병원 화재사건 개요 (출처: 나무위키)

2014년 5월 28일 오전 0시 27분경 119에 전라남도 장성군 oo면에 위치한 oo요양병원에서 화재가 발생했다는 신고가 접수되었다. 소방당국은 신고 접수 4분만인 오전 0시 31분에 현장에 도착하여 진화작업을 시작, 24분만에 완전히 진화를 마쳤다.

화재가 일어난 곳은 별관 2층으로, 별관 건물에 있던 인원 중 1층에 있던 44명과 2층에 있던 35명 중 7명이 대피하였다. 그러나 미처 대피하지 못한 28명이 사망하거나 부상을 입었고, 입원 환자와 간호사 등을 포함해 21명이 숨지고 말았다. 본관에도 환자 등 254명이 머무르고 있었으나 다행히 현장에 출동한 119 대원들의 대피 유도로 본관 인원들 중에서는 사상자가 나오지 않았다고 한다. 입원 환자들이 대부분 7~80대의 고령이다보니 혼자서는 거동이 어려운 사람들이 많았고, 이 때문에 신속히 대피하지 못해 변을 당한 것으로 보인다. 그러나 별관은 언론 보도와는 달리 상대적으로 건강한 환자들이 쓰던 장소였다.

> 참사 직후 수사기관들은 요양병원 측에 대해 압수수색을 시작했다. 화재 당시의 근무상황 분석 등을 통해 안전관리가 소홀했는지 등의 여부를 조사하기 위해서라고 한다. 한편 이 화재가 예고된 인재(人災)라는 의견에도 무게가 실리고 있다. 이미 여러 차례 언론을 통해 알려진 요양병원의 열악한 근무 여건, 부실한 안전관리 등의 고질적인 문제점들이 복합적으로 작용했다는 것이다. 해당 병원은 의료법상 의료인력 기준이 낮은 데다 스프링클러 설치 의무규정이 없어 스프링클러가 설치 안 돼 있고, 간호조무사는 1명밖에 없었고 소화기는 캐비넷에 방치됐다.
>
> 얼마 후 가해자가 CCTV 추적으로 검거되었는데, 80대의 치매노인으로, 평소에 의료진과 주변환자들간의 마찰이 자주 있었다는 점으로 미뤄 법원은 구속영장을 발부했다. 이후 재판에 넘겨졌는데 1심에서 징역 20년을 받았다가 항소심 재판 도중 갑자기 사망하였다.

위 글의 내용에서도 나타나듯, 당시 요양병원의 안전에 대한 여론은 좋지 않은 상태였고, 마침 같은 해 4월에 발생한 세월호 사건으로 인해 안전의식에 대한 국민의 관심이 집중되던 시기였기에, 위 사건은 요양병원 시설 및 운영에 대한 대대적인 규제와 관련법 개정이 신속히 이루어지게 되는 결정적 계기가 되었다. 대표적으로는 (간이)스프링클러와 출입문 자동개폐장치의 설치가 의무화되고 시설안전 담당자의 당직도 의무화되었다.

국민행복

보건복지부 | **보 도 참 고 자 료**

배 포 일	5월 27일 / (총 4매)	담당부서	전 화
의료법령	과장: 이형훈 담당: 임갑섭, 이지연	보건의료정책과	044-202-2420/ 2424, 2429
요양병원	과장: 정영훈 담당: 양정석	의료기관정책과	044-202-2470/2472

의원급 의료기관에 수술실 설치 및 수술실에 응급의료장비 의무화
요양병원 최소근무의사 확대, 비 의료인 당직근무자 배치 등

- 개정 「의료법 시행규칙」 공포 -

② 요양병원 입원환자의 안전관리 강화

□ **(최소 근무의사 확대) 입원환자 40명**까지 **의사 1명**이 근무하도록 하던 규정을 개정하여 **의사 2명**이 근무하도록 하였다.

ㅇ 이를 통하여 요양병원 **의료서비스의 질**을 높이고 야간・휴일 **당직의료가 원활**하게 이루어질 것으로 기대된다.

□ **(시설물 안전 당직근무)** 시설물 **안전관리**와 **화재 등 위급 상황** 시 **신속한 대처**를 위해 **비 의료인 당직근무자**를 1명 이상씩 배치하도록 의무화하였다

□ **(출입문 자동개폐장치) 화재** 등이 **발생**했을 때 요양병원 출입문이 자동으로 열릴 수 있도록 하여, 입원 환자나 의료인이 신속하게 대피할 수 있도록 하였다.

□ **(신체보호대 사용 관리강화)** 일선 요양병원에서 사용하는 신체 보호대 **사용 사유, 방법, 준수사항**을 **명확히 규정**하였다.

그림 4-1. 2014년 5월의 보건복지부 보도자료. 요양병원 입원환자안전관리 강화 초안. (출처: 보건복지부 보도자료)

보건복지부

보 도 자 료

배 포 즉 시

배 포 일	8월 21일 / (총 4 매)	담당부서	의료기관정책과
과 장	곽 순 헌	전 화	044-202-2470
담 당 자	양 정 석		044-202-2472

모든 요양병원에 스프링클러 설치 의무화
모든 요양병실에 요양보호사 배치 의무화

- 복지부, 「요양병원 안전관리 방안」 발표 -

□ 보건복지부(장관 문형표)는 **요양병원**에 대한 **안전점검** 및 **실태조사**(6~7월) 결과와 이에 따른 「**요양병원 안전관리 방안**」을 발표하였다.

< 시설, 인력, 인증기준 등 강화 >

□ 요양병원 화재 안전을 강화하기 위해, **면적에 상관없이 모든 요양병원**에 **스프링클러 설치**를 **의무화**할 예정이다.

* 스프링클러는 677개소(53.5%), 간이스프링클러는 61개소(5.5%)에 이미 설치되어 있음

○ 다만, 설치에 필요한 **유예기간**(3년)을 부여하면서, **우수 병원**에 대한 수가 등의 **재정적 인센티브**를 통해 새롭게 적용되는 법적 의무를 준수하도록 할 계획이다.

○ 또한, 올해 10월부터 의무화될 예정인 **자동 화재속보 설비*** 뿐만 아니라 **자동개폐장치**** **설치**도 **모든 요양병원**에 **적용**할 예정이다.

* 화재 발생시 소방서나 관리자에게 그 사실을 자동적으로 알리는 장치

** 평상시에 치매 환자 등의 안전을 위해 잠기도록 하고, **비상시 대피로 확보**

○ 이외에도 **새롭게 설치**되는 요양병원에 대해서는 **제연 및 배연설비를** 갖추도록 하고, **방염물품**(커튼, 카펫, 벽지) 사용도 의무화된다.

그림 4-2. 2014년 8월의 보건복지부 보도자료. 요양병원 스프링클러 설치 의무화 관련 보도자료. (출처: 보건복지부 보도자료)

나) 2015년 메르스(MERS) 사태

요양병원 화재사건으로부터 정확히 1년 후인 2015년 5월에는 중동지역으로부터의 메르스(MERS) 바이러스감염자 입국 후 우리나라 병원을 중심으로 확산되어 일개 대학병원에서만 30여 명의 환자가 나오면서 병원 내 감염예방이 이슈가 되었고 이로 인해 요양병원을 포함한 의료기관의 병상간 간격과 병실 당 최대수용인원 관련하여 의료법이 개정되었다. 본 사건의 개요는 다음과 같다.

2015년 대한민국 메르스 유행 (출처: 나무위키)

2015년 5월 20일 바레인에서 귀국한 첫 번째 감염자가 메르스 확진 판정을 받으면서 대한민국 메르스 유입이 확인되었다. 확진 전인 5월 12~14일 첫 감염자가 입원한 평택성모병원에서 2차 감염자가 늘어났고, 이후에도 방역망이 뚫리면서 감염자가 점점 늘어나다가 7월 4일 이후 감염자가 늘어나지 않게 되어 사태는 일단락되었다.

감염자 추세를 살펴보면, 그 증가세는 6월 6~7일에 정점을 찍었다가 내려갔고, 6월 말부터 신규 환자가 한 명도 나오지 않는 날이 생겼다. 7월 4일 이후로 계속 신규 환자가 나타나지 않자 당시 보건 당국 및 전문가들은 이 상황이 계속된다면 메르스 종식 선언은 WHO 기준에 맞추어 8월 중순~말경이 될 것이라는 예상을 했다. 그리고 7월 28일 기점으로 사실상 종식 선언을 한 상태가 되었다.

2015년 7월 28일 기준으로 사망자는 36명이며, 확진자는 186명이다. 초창기 우려했던 3차 감염과 4차 감염도 확인되었으며, 사망자 중에는 3차 감염자도 있는 것으로 파악됐다. 격리자 수는 6월 17일 6,729명으로 정점을 찍은 후 빠른 감소세를 보여 7월 27일에 마지막 격리자가 격리해제되었다. 하지만 초기대응도 늦었고, 이후 정부의 대응 역시 문제가 되었다. 국민들의 위기 의식은 낮지는 않으나 부족한 수준이었다. 전문가들은 중동보다 인구 밀도가 높은 한국의 특성으로 인해 확산이 더욱 빨라질 것으로 예측했었다. 실제로 입원실 인구밀도가 문제로 언급되었다.

보건복지부는 메르스 위기 단계를 '해외 메르스 국내 유입, 국내 메르스 환자 발생'의 '주의' 단계로 유지했다. 확산이 지역사회에까지는 퍼지지 않았기 때문. 그러나 확산이 지속되고, 경제활동 위축 등의 문제가 커지자 '해외 메르스 국내 유입 후 타 지역 전파, 국내 메르스 타 지역 전파'의 '경계' 단계에 준하게 대응하겠다고 언급했다.

감염 확산 경로 중에는 B병원으로 알려진 평택성모병원에서 다수의 2차 감염자가 발생하였다. 2 m 근접접촉자 위주로 격리를 시행했다가, 같은 병동의 격리대상자가 아닌 사람들이 바이러스에 감염되고, 퇴원 입원으로 다른 병원에까지 바이러스를 퍼트려버렸다. 환기가 되지 않아 고농축의 바이러스 축적이 이루어진 것으로 추측되고 있다. 문제가 심각해지자 병원은 휴원했고, 병원명을 공개했다.

평택성모병원을 거쳤지만, 격리대상이 아니고 그래서 아무런 정보도 없어서 메르스 대응을 하지 않던 삼성서울병원 환자가 확진 판정을 받았기도 했다. (5월 29~30일) 응급실, 입원실, 시외버스 관련 격리대상자가 급증했고 유동인구가 많은 전국구 대형병원이라 전국적 확진자 발생도 예상되었다. 개중에는 강남 도처를 이동한 의사도 있었으며 확진 판정을 받았다. 서울시에서는 보다 못하고 직접 메르스에 대응하겠다고 한밤중에 긴급하게 나섰고, 중앙 정부와 신경전이 있었으나 사태가 더 심각해질 기미를 보이자 정부에서도 적극적인 움직임을 보이기 시작했다. 정보차단/최소한의 정보제공이 사태를 심각하게 키웠기 때문에 24곳의 병원 목록을 공개했다(6월 7일). 하지만 삼성서울병원을 거쳐 새로 발생한 환자와 병원(부산)은 누락되어 있는 등 환자 증가세가 급격히 상승한다. 병원명을 공개하고 보니 아이러니하게도 삼성서울병원은 첫번째 메르스 확진자를 발견한 그 병원이었다. 아울러 보건당국은 평택성모병원 방문자 전체 전수조사를 시작한다.

결국 삼성서울병원에서 30여 명의 환자가 발생하면서 6월 8일 세계 2위 메르스 발병국이 되었다. MERS (Middle East Respiratory Syndrome)의 Middle East (중동) 이름이 무색해졌다. 심지어는 KORS (KOrea Respiratory Syndrome) 얘기까지 솔솔 나오고 있는 형편이 되기도 했다. 그리고 2016년 1월 8일 질병관리청 공식 발표를 통해 MERS-CoV가 한국에서 변이되었다는 것이 공식 확인되었다. 다만 이 변이가 감염 확산에 영향을 주었는지는 불명이며, 향후 연구를 통해 규명될 것이라고 한다.

다) 환자안전 관련 요양병원 관련 법률

위에서 언급한 사건들로 인해 2015년에 의료법과 소방시설 설치유지 및 안전관리에 관한 법률이 개정되는 등, 2015년 이후 개정된 요양병원 관련 법률의 내용은 다음과 같다.

의료법 시행규칙 [별표4] 의료기관의 시설규격(제34조 관련)

의료법 시행규칙 [별표 4] 〈개정 2019. 9. 27.〉

의료기관의 시설규격(제34조 관련)

1. 입원실

가. 입원실은 3층 이상 또는 「건축법」 제2조제1항제5호에 따른 지하층에는 설치할 수 없다. 다만, 「건축법 시행령」 제56조에 따른 내화구조(耐火構造)인 경우에는 3층 이상에 설치할 수 있다.

나. 입원실의 면적(벽 · 기둥 및 화장실의 면적을 제외한다)은 환자 1명을 수용하는 곳인 경우에는 10제곱미터 이상이어야 하고(면적의 측정 방법은 「건축법 시행령」 제119조의 산정 방법에 따른다. 이하 같다) 환자 2명 이상을 수용하는 곳인 경우에는 환자 1명에 대하여 6.3제곱미터 이상으로 하여야 한다.

라. 입원실에 설치하는 병상 수는 최대 4병상(요양병원의 경우에는 6병상)으로 한다. 이 경우 각 병상 간 이격거리는 최소 1.5미터 이상으로 한다.

마. 입원실에는 손씻기 시설 및 환기시설을 설치하여야 한다.

사. 병상이 300개 이상인 요양병원에는 보건복지부장관이 정하는 기준에 따라 화장실 및 세면시설을 갖춘 격리병실을 1개 이상 설치하여야 한다.

자. 감염병환자등의 입원실은 다른 사람이나 외부에 대하여 감염예방을 위한 차단 등 필요한 조치를 하여야 한다.

20. 그 밖의 시설

나. 요양병원의 식당 등 모든 시설에는 휠체어가 이동할 수 있는 공간이 확보되어야 하며, 복도에는 병상이 이동할 수 있는 공간이 확보되어야 한다.

다. 별표 3 제20호나목에 따라 엘리베이터를 설치하여야 하는 경우에는 「승강기시설 안전관리법 시행규칙」 별표 1에 따른 침대용 엘리베이터를 설치하여야 하며, 층간 경사로를 설치하는 경우에는 「장애인 · 노인 · 임산부 등의 편의증진에 관한 법률 시행규칙」 별표 1에 따른 경사로 규격에 맞아야 한다.

라. 요양병원의 복도 등 모든 시설의 바닥은 문턱이나 높이차이가 없어야 하고, 불가피하게 문턱이나 높이차이가 있는 경우 환자가 이동하기 쉽도록 경사로를 설치하여야 하며, 복도, 계단, 화장실 대 · 소변기, 욕실에는 안전을 위한 손잡이를 설치하여야 한다. 다만, 「장애인 · 노인 · 임산부 등의 편의증진에 관한 법률」 제9조에 따라 요양병원에 출입구 · 문, 복도, 계단을 설치하는 경우에 그 시설은 같은 법에 따른 기준에도 맞아야 한다.

마. 요양병원의 입원실, 화장실, 욕실에는 환자가 의료인을 신속하게 호출할 수 있도록 병상, 변기, 욕조 주변에 비상연락장치를 설치하여야 한다.

바. 요양병원의 욕실

1) 병상이 이동할 수 있는 공간 및 보조인력이 들어가 목욕을 시킬 수 있는 공간을 확보하여야 한다.

2) 적정한 온도의 온수가 지속적으로 공급되어야 하고, 욕조를 설치할 경우 욕조에 환자의 전신이 잠기지 않는 깊이로 하여야 한다.

사. 요양병원의 외부로 통하는 출입구에 잠금장치를 갖추되, 화재 등 비상시에 자동으로 열릴 수 있도록 하여야 한다.

부 칙 〈보건복지부령 제477호, 2017. 2. 3.〉

제3조(입원실 및 중환실의 병상 간 이격거리에 관한 특례) 다음 각 호의 어느 하나에 해당하는 의료기관의 경우에는 별표 4 제1호라목 후단 및 제2호자목의 개정규정에 불구하고 입원실의 병상 간 이격거리는 최소 1미터 이상 중환자실의 병상 간 이격거리는 최소 1.5미터 이상으로 한다.

이 의료법 시행규칙에 따라 신설 요양병원(2017년 2월 4일 이후 건축허가 행정절차가 시작된 요양병원)의 경우에는 개정된 시설기준을 따라야 하나, 기존병원의 경우에는 병상 간 이격거리가 1.0 미터를 유지하면 되고 300병상 이상 요양병원의 경우에 샤워시설을 갖춘 화장실만 두면 되며, 병실 당 병상 수 및 병실면적은 기존의 기준을 따르고 손씻기 및 환기시설 의무는 없다.

표 4-3. **2017년 의료법 시행규칙 개정에 따른 요양병원 시설기준** (2017년 당시 현행기준 적용 대상: 2017년 2월 3일 이전 건축허가 행정절차 시작한 기존 요양병원)

구분	적용 대상	현행기준	신 · 증축 시	기존시설 개선의무
음압격리병실 구비 의무화				
격리병실 (1인실 원칙)	300병상 이상 요양병원	없음	규모: 300병상 당 1개 이상 (샤워시설을 갖춘 화장실)	'18.12.31.까지 규모 : 300병상 당 1개 이상 (샤워시설을 갖춘 화장실)
입원실 시설 기준 강화				
1) 병실 당 병상 수 및 병실 면적	요양병원	없음 1인실 : 6.3 m^2 다인실 : 4.3 m^2	1병실 당 최대 6개 병상 1인실: 10 m^2 다인실: 1인당 6.3 m^2	해당 없음
2) 손씻기 및 환기시설	의원, 병원급 요양병원	없음	설치	해당 없음
3) 병상 간 거리	의원, 병원급 요양병원	없음 (환산 0.8 m)	병상 간 1.5 m	'18.12.31. 까지 병상 간 1.0 m

의료기관 시설기준 유권해석

□ 보건복지부령 제477호 「의료법 시행규칙 일부개정령」(2017.2.3.) 관련 '의료기관 시설규격' 적용에 대한 보건복지부 유권해석

① **(개설자변경)** 의료기관을 폐업하지 않고 병원 운영 중에 개설자를 변경(양도·양수)하는 경우 **종전 규정 적용**

< 개설자변경 유권해석 >

「의료법 시행규칙」 제26조제1항제1호(개설자 변경신고) 및 제28조제1항제1호(개설자 변경허가)에 의거 의료기관을 폐업하지 않고 개설자 및 대표자가 변경되는 경우에는 **기존시설 기준을 적용합니다.**

※기존시설 적용사항 : 입원실 병상간 이격거리 1m 유지 및 음압격리병실 설치

② **(병상간 이격거리 기준점)** 환자가 사용하는 유효 면적 기준인 **매트리스 프레임 기준으로 산정**

< 병상간 이격거리 유권해석 >

병상간 이격거리 기준점은 병상의 최외곽선을 기준으로 하는 것이 원칙이나, 의료기관마다 병상부착물 규격이 상이한 점을 고려할 때 최소한 환자가 사용하는 유효면적인 **매트리스 프레임을 기준으로 1.5m (기존시설의 경우 1m)를 확보하여야 합니다.**

그림 4-3. **의료기관 시설기준 보건복지부 유권해석**

한편, 보건복지부에서는 2017년 2월 3일에 '의료법 시행규칙 일부개정령' 관련 '의료기관 시설규격' 적용에 대한 유권해석을 위와 같이 내린 바 있다.

○ 요양병원의 소방 관련 법령들

요양병원에 적용되는 소방 관련 법령으로는 소방시설 설치유지 및 안전관리에 관한 법률과 의료법이 있으며 주요 내용을 발췌하면 다음과 같다.

소방시설 설치유지 및 안전관리에 관한 법률 시행령(2015년 07월 01일 시행)

- 스프링클러 설치해야 하는 특정소방대상물 : 시설 바닥면적의 합계가 600 m^2 이상인 것은 모든 층
- 간이스프링클러 : 600 m^2 미만
- 자동화재탐지설비 : 모든 요양병원
- 자동화재속보설비 : 모든 요양병원
- 소화기 비치 간격 : 소형소화기 20 m, 대형소화기 30 m
- 방열복 및 공기호흡기 : 지하층을 포함하는 층수가 5층 이상인 병원
- 시각경보기 - 의료시설
- 가스누출경보기 - 의료시설

표 4-4. 요양병원 소방시설(출처: 소방시설 설치유지 및 안전관리에 관한 법률 시행령 별표5)

구분	설비 종류	대상 시설
소화설비	옥내소화전	의료시설 중 연면적 1,500 m^2 이상이거나, 지하층, 무창 층 또는 4층 이상인 층 중 바닥면적이 300 m^2 이상인 층이 있는 것은 모든 층
	스프링클러	요양병원으로 사용되는 바닥면적의 합계가 600 m^2 이상 모든 층
	간이스프링클러	요양병원으로 사용되는 바닥면적의 합계가 600 m^2 미만인 시설
경보설비	자동화재탐지설비	요양병원
	자동화재속보설비	요양병원
	시각경보기	의료시설
	가스누출경보기	의료시설
피난구조 설비	유도등	피난구유도등, 통로유도등, 유도표지, 비상조명등
	인명구조기구	지하층을 포함하는 층수가 5층 이상인 병원
	피난기구	피난층, 지상1층, 지상2층 및 11층 이상 제외

의료법 시행규칙 제38조(의료인 등의 정원)(2015년 5월 29일 시행)

① 법 제36조제5호에 따른 의료기관의 종류에 따른 의료인의 정원 기준에 관한 사항은 별표 5와 같다.

7. 요양병원에는 시설 안전관리를 담당하는 당직근무자를 1명 이상 둔다.

05 요양병원 감염관리

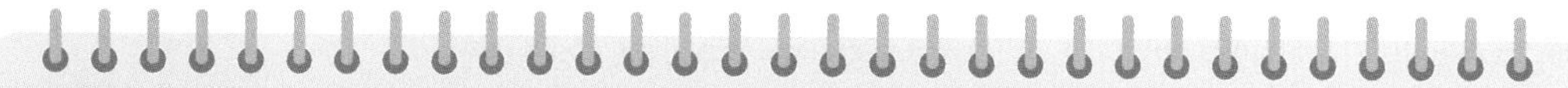

Q. **요양병원에서 감염관리가 중요한 이유는 무엇인가요?**

- 요양병원은 면역이 취약한 노인환자가 많습니다.
- 장기적으로 공동생활을 하고 1인의 간병인이 여러 환자를 간병합니다.
- 감염병 발생 시 전파될 우려가 높습니다.
- 급성기병원 및 요양시설 간에 전원이 빈번히 이루어집니다.

1. 요양병원에서의 감염병 예방 관련 법률

1) 특정 감염병환자등의 입원 금지(의료법, 감염병 예방 및 관리에 관한 법률)

특정 감염병환자등은 요양병원의 입원 대상이 아니며, 특히 전파 가능성이 높은 감염병환자등은 감염병관리기관에서 입원 치료를 받도록 되어 있다.

의료법 시행규칙 제 36조

제1항에도 불구하고「감염병의 예방 및 관리에 관한 법률」제41조제1항에 따라 질병관리청장이 고시한 감염병에 걸린 같은 법 제2조 제13호부터 제15호까지에 따른 감염병환자, 감염병의사환자 또는 병원체보유자(이하 "감염병환자등"이라 한다) 및 같은 법 제42조제1항 각 호의 어느 하나에 해당하는 감염병환자등은 요양병원의 입원 대상으로 하지 아니한다. 〈개정 2015. 12. 23, 2020. 9. 11〉

감염병 예방 및 관리에 관한 법률 제 41조

① 감염병 중 특히 전파 위험이 높은 감염병으로서 제1급감염병 및 보건복지부장관이 고시한 감염병에 걸린 감염병환자등은 감염병관리기관에서 입원 치료를 받아야 한다. 〈개정 2010. 1. 18., 2018. 3. 27.〉

1. 제1급감염병
2. 제2급감염병 중 결핵, 홍역, 콜레라, 장티푸스, 파라티푸스, 세균성이질, 장출혈성대장균감염증, A형간염, 수막구균 감염증, 폴리오, 성홍열 또는 보건복지부장관이 정하는 감염병
3. 삭제 〈2018. 3. 27.〉
4. 제3급감염병 중 보건복지부장관이 정하는 감염병
5. 세계보건기구 감시대상 감염병

각 요양병원에서는 다음의 그림과 같은 지침을 만들고 입원 상담 시와 입원 도중 감염병환자 발생 시 활용하면 좋다. 이러한 지침을 통해 입원 상담 직원은 입원 상담 시에 환자의 감염병 여부에 따른 각 병원마다의 입원 가능 지침을 명확히 설명할 수 있고, 입원 이후에도 감염병 발현 여부에 따른 침착하고 일괄적인 대응을 할 수 있는 장점이 있다.

요양병원 감염병 관리체계 사례

<table>
<tr><th>입원가능 시점</th><th>입원 중</th><th colspan="2">입원환자 중 감염성질환 발생 후 대응법</th></tr>
<tr><td rowspan="3">1급, 2급 법정감염병 완치 후
콜레라, 장티푸스, 파라티푸스, 세균성이질, 장출혈성대장균

● 공기매개
결핵 : 2주 치료 + AFB(−)
홍역(발진 4일 후)
수두(가피 생긴 후)

● 접촉성 감염 음성확인
VRE, VRSA, MRSA, CRE, MRPA, MRAB

● 비말주의 격리해제
독감, 볼거리(종창 −)</td><td rowspan="3">왼쪽의 감염성 질환 발생시 전원이 원칙
(입원환자=노인,면역저하)
(불현성 감염 가능성 설명)

● 격리입원 가능한 병원
oo의료원
(TEL:)
oo병원
(TEL:)
ooo병원
(TEL:)
진료협력센터 : ~ 5:30pm
응급실 call : 5:30pm 이후

● CRE 등 접촉성질환 격리가능 요양병원
oo요양병원
(TEL:)</td><td>결핵</td><td>[환자]
가래나 기침이 잦으며 증상(미열, 객혈 등)이 의심
⇒ 가래검사: AFB X3, PCR X1, Culture X1

[접촉자]
발생병실 환자,간병인,간호인력 => 흉부X선(0,3,6,9,12mo)
흉부X선(+) or 증상(+) ➡ AFBX3, PCR X1, Culture X1</td></tr>
<tr><td>옴</td><td>발생병실 환자, 간병인은 치료를 실시한다.
그 외 직원은 증상 호소시, 본인이 원하면 치료를 받는다.
환자 접촉 물건 ➡ 비닐 봉지에 넣어 7일 이상 밀폐시킴</td></tr>
<tr><td>원내 격리 지침</td><td>● 표준주의 격리지침 따름 (규정 참고)
- 직원, 보호자는 손 위생, 마스크, 장갑, 가운 착용
● 공기매개(결핵), 비말주의(독감, 볼거리) 감염
- N95 마스크
- 스크린으로 차단 or 1 m 이상 거리 유지
● 접촉성(CRE, VRE, VRSA, MRSA, ESBL) 감염
- 환자 접촉 전,후 손 위생(알코올젤, 비누 15초 이상 문지르기)
- 일회용 장갑, 마스크, 가운 착용 후, 환자 접촉 후 버리기
[접촉자] 3일 이상 간격으로 Culture X3</td></tr>
</table>

그림 5-1. 인천은혜요양병원의 감염병 관리 사례. (입원가능여부 판단 시 지침으로 삼음)

2) 결핵예방법 시행규칙

결핵환자 발생 시에 담당 의사는 해당환자의 검사, 진단, 치료 관련 정보를 다음과 같은 신고보고서 문서에 작성하여 지역 보건소장에게 제출하여야 한다.

■ 결핵예방법 시행규칙 [별지 제1호서식] <개정 2019. 9. 27.>

결핵환자등 신고·보고서

(1쪽/4쪽)

수신자: ____________ 보건소장　　　팩스번호: ____________

※ 본 신고·보고서는 결핵환자등을 진단·치료하거나 사망·사체검안 시 이를 신고하고, 치료결과를 보고하는 서식입니다.
※ 해당란에 √표시 또는 직접 기입하여 주십시오.

■ 신고: [ ]결핵환자등 진단·치료
[ ]결핵환자등 사망·사체검안(사망일: 년 월 일)([ ]결핵 관련 사망, [ ]결핵 외의 원인에 의한 사망)

가. 환자 및 사망자 인적사항

(1) 성명: [ ]　　(2) 주민등록번호:
(3) 나이: 만 세　　(4) 성별: [ ]남, [ ]여
(5) 국적(외국인만 해당합니다): [ ]　　(6) 최근 입국일(외국인만 해당합니다): 년 월 일
(7) 전화번호:　　(8) 휴대전화번호:
(9) 주소:
※ (10), (11), (12)번은 역학조사를 위한 필수정보이므로 반드시 기입합니다.
(10) 직업: [ ]교직원, [ ]보건의료인, [ ]학생, [ ]군인, [ ]이·미용업, [ ]식품접객업, [ ]선원(원양), [ ]항공기 객실승무원, [ ]기타( )
(11) 시설명(직장,학교 등):
(12) 시설(직장,학교 등) 주소:

나. 검사, 진단, 치료 정보

[결핵 초회 검사] ※ 해당란에 √표시합니다. ((15), (16)의 날짜와 객담외 검체종류는 직접 기입)
※ 초회 검사는 반드시 실시하고, 신고 당시 미실시나 검사중인 경우 검사결과에 따라 보완신고합니다.

(13) 초회 검사 종류	(14) 검사 상태 및 결과					(15) 검체채취일 (또는 검사일자)	(16) 검체종류
	미실시	검사중	검사완료				
			양성	음성	불명		
흉부X선검사			결핵의심	정상		년 월 일	
도말검사						년 월 일	[ ]객담,[ ]객담외
배양검사				NTM포함		년 월 일	[ ]객담,[ ]객담외
핵산증폭검사(TB-PCR검사)						년 월 일	[ ]객담,[ ]객담외
Xpert MTB/RIF 검사						월 일	[ ]객담,[ ]객담외
조직검사						년 월 일	[ ]

[진단 및 초치료 약제]

(17) 질병코드: [ ][ ][ ].[ ][ ]
※ 세분류(소수점 한 자리)까지는 반드시 입력
(18) 결핵종류
[ ]폐결핵(폐실질 또는 후두, 기관 및 기관지를 침범한 결핵, 좁쌀결핵)
[ ]폐외결핵 (병변위치:)
[ ]폐결핵 + 폐외결핵(병변위치:)

(19) 환자구분: [ ]신환자(초치료자)
[ ]재치료자 ([ ]재발자,
[ ]실패 후 재치료자,
[ ]중단 후 재치료자,
[ ]이전 치료결과 불명확)
[ ]과거 치료여부 불명확

(20) 해당의료기관에서 치료 실시 여부: [ ]치료시작(또는 예정)일: 년 월 일
[ ]치료안함 ※ 해당 의료기관에서 진단 후 치료하지 않고 다른 기관 전원한 경우 등
(21) 치료약제: [ ]H, [ ]R, [ ]E, [ ]Z, [ ]Rfb, [ ]Km, [ ]Amk, [ ] Cm, [ ]S, [ ]Lfx, [ ]Mfx, [ ]Ofx, [ ]Pto, [ ]Cs, [ ]PAS, [ ]Lzd, [ ]Clr, [ ]기타( )

[항결핵약제 내성 검사] ※ 항결핵약제 내성 검사 시행 시마다 신고합니다.

(22) 항결핵약제 내성 검사 결과: [ ]미실시, [ ]검사중, [ ]검사완료 ([ ]내성 없음, [ ]내성 있음)
(23) 항결핵약제 검사 방법: [ ]전통적인 방법, [ ]신속내성검사, [ ]실시간이중중합효소연쇄반응검사(Xpert MTB/RIF 검사 등)
(24) 항결핵약제 내성 약제: [ ]H, [ ]R, [ ]E, [ ]Z, [ ]Rfb, [ ]Km, [ ]Amk, [ ] Cm, [ ]S, [ ]Lfx, [ ]Mfx, [ ]Ofx, [ ]Pto, [ ]Cs, [ ]PAS, [ ]Lzd, [ ]Clr, [ ]기타( )
(25) 항결핵약제 내성 코드: [ ]U88.0(다약제내성 결핵), [ ]U88.1(광범위약제내성 결핵), [ ]리팜핀단독내성 결핵
(26) 검체채취일: 년 월 일 ※ 약제 내성 검사 의뢰용 검체를 환자로부터 채취한 날짜(검사중인 경우에도 입력합니다)

■ 치료 결과 보고

(27) 치료 결과 구분: [ ]완치, [ ]완료, [ ]실패, [ ]중단, [ ]사망, [ ]다른 의료기관으로 전원, [ ]진단변경([ ]NTM, [ ]종양, [ ]기타질병)
(28) 치료결과 판정일: 년 월 일
※ 다른 의료기관으로 전원인 경우 마지막 진료일
(29) 치료종료일: 년 월 일
(30) 특기사항:

[신고·보고자]

(31) 신고·보고일: 년 월 일
(32) 요양기관 기호: [ ], 요양기관이름: [ ] 요양기관 연락처: [ ]
(33) 담당의사 성명: [ ], 의사면허번호: [ ], 진료과목: [ ] (서명 또는 인)

「결핵예방법」 제8조 및 같은 법 시행규칙 제3조에 따라 위와 같이 결핵환자등을 신고·보고합니다.

210㎜×297㎜[백상지 80/㎡]

(2쪽/4쪽)

결핵환자등 신고·보고 개요

1. 근거 법령: 「감염병의 예방 및 관리에 관한 법률」 제11조(의사 등의 신고) 및 제12조(그 밖의 신고의무자) 및 「결핵예방법」 제8조(의료기관 등의 신고의무)
2. 신고·보고 시기: 다음의 경우 지체없이
   가. 신고
      1) 결핵환자 및 의사환자를 진단 및 치료한 경우
      2) 결핵환자 및 의사환자가 사망하였거나 그 사체를 검안한 경우
   나. 보고: 신고 1)에 해당하여 신고한 결핵환자 및 의사환자를 치료한 결과
3. 신고 대상: 결핵환자 및 의사환자 [감염병의 진단기준(「감염병 예방 및 관리에 관한 법률 시행규칙」 제6조제4항)]
   가. 결핵환자 : 결핵에 합당한 임상적 특징을 나타내면서, 다음 검사방법 등에 의해 해당 병원체 감염이 확인된 자
      1) 검체(객담, 혈액, 소변, 뇌척수액, 조직 등)에서 항산균도말 양성 또는,
      2) 검체(객담, 혈액, 소변, 뇌척수액, 조직 등)에서 결핵균*배양 양성 또는,
      3) 검체(객담, 혈액, 소변, 뇌척수액, 조직 등)에서 결핵균 핵산증폭검사 양성
         *특히 Mycobacterium bovis는 배양에서 동정(同定: 생물 분류학상의 소속이나 명칭을 바르게 정하는 일)이 되어야 확진됨
   나. 결핵 의사환자 : 임상적, 방사선학적 또는 조직학적 소견이 결핵에 합당하나 세균학적으로 해당 병원체 감염이 확인되지 아니한 자
4. 신고·보고 방법
   가. 신고·보고처: 관할 보건소장
   나. 방법: 팩스 및 웹(질병보건통합관리시스템 http://is.cdc.go.kr 내 결핵통합관리시스템, 이하 전산시스템)
   다. 서식: 「결핵예방법 시행규칙」 별지 서식

신고·보고 방법

필수정보: (1) 성명, (3) 나이, (4) 성별, (10) ~ (12) 직업정보, (31) ~ (33) 신고·보고자 정보

1. 신고
   가. 환자 및 사망자 인적사항: 서식(1쪽)의 노란색 음영은 신고를 위한 필수정보로 반드시 기입
   나. 검사·진단·치료 정보: 확인 가능 항목을 기입하여 신고하며, 신고 당시 미실시나 검사 중인 경우 검사결과에 따라 해당 항목을 기입하여 보완신고
3. 치료 결과 보고: 해당요양기관에서 환자등이 치료를 종결하였을 때 그 결과를 보고

환자구분 및 정의 [서식(1쪽)의 (19)항목 해당]

구분	정의
신환자(초치료자)	과거에 결핵 치료를 한 적이 없는 경우 ※ 과거에 항결핵제를 복용한 적이 있더라도 복용기간의 총합이 1개월 미만인 경우 ※ 다른 병원에서 신환자(초치료자)로 치료하다가 완치/완료/실패/중단에 해당 사항이 없으면서 단순히 전원한 경우
재치료자	과거에 항결핵제를 복용한 적이 있고 복용 기간의 총합이 1개월 이상인 경우 ※ 가장 최근의 치료 결과에 따라 아래와 같이 세분류 함
재발자	가장 최근의 치료 결과가 완치 또는 완료인 환자가 다시 결핵으로 발병한 경우
실패 후 재치료자	가장 최근의 치료 결과가 실패*인 환자가 재치료를 하는 경우 (*실패 : 아래 치료 결과 구분 참조)
중단 후 재치료자	가장 최근의 치료 결과가 중단*인 환자가 재치료를 하는 경우 (*중단 : 아래 치료 결과 구분 참조)
이전 치료결과 불명확	과거 결핵 치료를 받은 적이 있으나 가장 최근의 치료 결과를 알 수 없는 경우
과거 치료여부 불명확	과거 치료 여부를 알 수 없는 환자

치료 결과 구분 및 정의 [서식(1쪽)의 (27)항목 해당]

구분	감수성결핵	내성결핵 (다약제내성결핵, 광범위약제내성결핵, 리팜핀단독내성결핵)
완치	치료시작 시점에서 균양성 폐결핵으로 확인된 환자 중 치료 종결 후(또는 마지막 달)에 시행한 객담 배양검사 결과가 음성이고, 그 전에 한번 이상 객담 배양검사 결과가 음성이었던 경우	국내 지침에 따라 치료 실패의 증거 없이 치료를 완료한 환자로, 집중치료기 이후 최소 30일 간격으로 연속하여 시행한 배양검사에서 3회 이상 음성인 경우
완료	치료 실패의 증거 없이 치료를 완료하였지만 치료종결 후(또는 마지막 달)의 객담 배양 검사 결과가 없거나, 그 전에 한 번 이상 객담 배양 음성 결과가 없을 경우	국내 지침에 따라 치료를 완료하였으나 균배양 음성 기준이 완치를 충족하지 못하는 경우
실패	치료 시작 후 5개월 째 또는 그 이후 시행한 객담도말 또는 배양 검사 결과가 양성인 경우	다음의 사유로 치료를 종료하였거나 최소 2개 이상 항결핵약제의 영구적 처방 변경이 필요한 경우 - 집중치료기 종료 시 음전 실패 - 유지치료기 동안 세균학적인 양전 - 퀴놀론계 약제 혹은 주사제에 추가로 내성이 획득된 경우 - 약제 부작용
중단	연속하여 2달 이상 치료가 중단된 경우	
사망	어떤 이유로든 치료 전 또는 치료 도중에 사망한 경우	
다른 의료기관으로 전원	완치/완료/실패/중단에 해당 사항이 없으면서 단순히 다른 의료기관으로 전원한 경우	
진단변경	결핵 외의 다른 질환으로 진단이 변경된 경우	

동 서식의 내용은 국가결핵감시체계의 중요한 자료로 활용되며 개인정보는 엄격히 보호됩니다. 협조해주셔서 감사합니다.

(3쪽/4쪽)

결핵환자등 신고·보고서 작성 및 전산시스템 입력 방법

[환자 및 사망자 인적사항]

*(1) 성명: 특수기호나 공백 없이 한글로 작성[다만, 외국인의 경우 외국인등록증에 적혀진 영문명으로(공백 포함) 작성하며 외국인 등록증이 없는 경우에는 여권에 적혀져 있는 영문명으로(공백 포함) 작성]

(2) 주민등록번호: 13자리 기입
- ○ 주민등록번호 입력 시 성별과 나이는 자동 생성됨
- ○ 외국인의 경우 외국인등록번호로 적고 외국인등록번호가 없는 경우에는 여권에 적혀져 있는 생년월일과 여권번호를 기재
- ○ 미상의 경우 확인 가능 범위까지 입력 후 미상값은 *로 입력

*(3) 나이: 주민등록번호 입력 시 생년월일(주민등록번호 앞6자리) 기준으로 자동 생성됨(자동 생성 값 수정 가능, 필수 정보이므로 반드시 기입)

*(4) 성별: 주민등록번호 입력 시 성별란(주민등록번호 7째자리) 기준으로 자동 생성됨(필수 정보이므로 반드시 기입)

(5) 국적: 외국인의 경우 외국인란에 체크하고, 국적은 표준국가명 조회탭을 이용하여 입력

(6) 최근 입국일: 외국인인 경우, 최근 입국일을 입력

(9) 주소: 환자의 주민등록 상 주소를 입력(주민등록 상 주소를 모르는 경우 거주지 주소 입력)

(10) 직업: 해당 직업에 √표시하며, 직업이 두 개 이상인 경우에 해당 직업을 모두 기재
(11)·(12) 시설명 및 시설 주소: (10) 직업에 해당하는 직장, 학교 등 시설명과 시설 주소를 기재하며, 직업이 두 개 이상인 경우에는 해당 직업별로 모두 기재

[결핵 초회 검사]

(13) 초회 검사 종류: 결핵환자등을 최초 진단하기 위한 검사종류에 대한 정보를 입력
- ○ 동일 검사를 2번 이상 실시한 경우(예: 배양검사를 액체배지와 고체배지에서 각각 시행) 전산시스템에서 '추가' 버튼을 클릭하여 입력

(14) 검사 상태 및 결과: 검사 상태와 결과를 입력
- ○ 흉부X선검사의 경우: '결핵의심'은 '양성'란에, '정상'은 '음성'란에 표시
- ○ 배양검사결과 비결핵항산균(NTM)의 경우: '음성'란에 표시

(16) 검체종류: 객담과 객담외를 구분하여 표시

[진단 및 초치료 약제]

(17) 질병코드: 결핵질병코드 서식(4쪽)을 참조하여 작성. 호흡기결핵/기타결핵 및 도말양성 등의 구분을 위해 소숫점 둘째자리(최소 첫째자리까지) 입력

(18) 결핵종류: 병변 위치를 전산시스템에서 선택(조회탭을 이용)하여 입력

(19) 환자구분: 환자구분 정의 서식(2쪽)을 참조하여 입력
환자구분과 별도로 다른의료기관으로부터 전원인 경우 전원여부를 (30)특기사항에 기재

(21) 치료약제: 결핵환자등의 진단 후 해당의료기관에서 최초 처방한 성분명을 기입
- ○ 항결핵약제 종류 및 약어 : isoniazid(H), rifampicin(R), ethambutol(E), pyrazinamide(Z), rifabutin(Rfb), kanamycin(Km), amikacin(Amk), capreomycin(Cm), streptomycin(S), levofloxacin(Lfx), moxifloxacin(Mfx), ofloxacin(Ofx), prothionamide(Pto), cycloserine(Cs), p-aminosalicylic acid(PAS), linezolid(Lzd), clarithromycin(Clr)

[항결핵약제 내성 검사]

항결핵약제 내성 검사를 시행한 때마다 필수정보(*)와 함께 [항결핵약제 내성 검사] 항목 보완 신고
(이 경우 전산시스템에서 '추가' 버튼을 클릭하여 실시내역 입력)

(25) 항결핵약제 내성 코드: (24) 항결핵약제 내성 약제 선택 시, 다음의 기준으로 자동 선택됨
- ○ R = 리팜핀단독내성결핵
- ○ H & R = U88.0(다약제내성결핵)
- ○ H & R & (Lfx or Mfx or Ofx) & (Km or Amk or Cm) = U88.1(광범위약제내성결핵)

[치료 결과 구분]

(27) 치료 결과 구분 정의(신고서 2쪽)를 참조하여 입력
사망의 경우 원사인을 기준으로 결핵 관련과 결핵 외 원인에 의한 사망으로 구분

[특기사항]

(30) 특기사항: 환자 실거주지, 과거치료약제, 수정·보완 내역, 특기사항 등 신고·보고서 정보 이외 중요 정보 기입

동 서식의 내용은 국가결핵감시체계의 중요한 자료로 활용되며 개인정보는 엄격히 보호됩니다. 협조해주셔서 감사합니다.

(4쪽/4쪽)

결 핵 질 병 코 드

소분류	세분류	세세분류	내용
A15			세균학적 및 조직학적으로 확인된 호흡기 결핵
	A15.0		배양 유무에 관계없이 가래 현미경 검사로 확인된 폐결핵
		A15.00	배양 유무에 관계없이 가래 현미경 검사로 확인된 공동이 있는 폐결핵
		A15.01	배양 유무에 관계없이 가래 현미경 검사로 확인된 공동이 없거나 상세불명의(자세히 알 수 없는) 폐결핵
	A15.1		배양만으로 확인된 폐결핵
	A15.2		조직학적으로 확인된 폐결핵
		A15.20	조직학적으로 확인된 공동이 있는 폐결핵
		A15.21	조직학적으로 확인된 공동이 없거나 상세불명의 폐결핵
	A15.3		상세불명의 방법으로 확인된 폐결핵
		A15.30	상세불명의 방법으로 확인된 공동이 있는 폐결핵
		A15.31	상세불명의 방법으로 확인된 공동이 없거나 상세불명의 폐결핵
	A15.4		세균학적 및 조직학적으로 확인된 흉곽내 림프절의 결핵
	A15.5		세균학적 및 조직학적으로 확인된 후두, 기관 및 기관지의 결핵
	A15.6		세균학적 및 조직학적으로 확인된 결핵성 흉막염(가슴막염) 흉막의 결핵
	A15.7		세균학적 및 조직학적으로 확인된 일차 호흡기 결핵
	A15.8		세균학적 및 조직학적으로 확인된 기타 호흡기 결핵
	A15.9		세균학적 및 조직학적으로 확인된 상세불명의 호흡기결핵
		A15.90	세균학적 및 조직학적으로 확인된 공동이 있는 상세불명의 호흡기 결핵
		A15.91	세균학적 및 조직학적으로 확인된 공동이 없거나 상세불명의 호흡기 결핵
A16			세균학적으로나 조직학적으로 확인되지 않은 호흡기 결핵
	A16.0		세균학적으로나 조직학적으로 음성인 결핵
	A16.1		세균학적 및 조직학적 검사를 하지 않은 폐결핵
		A16.10	세균학적 및 조직학적 검사를 하지 않은 공동이 있는 폐결핵
		A16.11	세균학적 및 조직학적 검사를 하지 않은 공동이 없거나 상세불명의 폐결핵
	A16.2		세균학적 또는 조직학적 확인에 대한 언급이 없는 폐결핵
		A16.20	세균학적 또는 조직학적 확인에 대한 언급이 없는 공동이 있는 폐결핵
		A16.21	세균학적 또는 조직학적 확인에 대한 언급이 없는 공동이 없거나 상세불명의 폐결핵
	A16.3		세균학적 또는 조직학적 확인에 대한 언급이 없는 흉곽내 림프절의 결핵
	A16.4		세균학적 또는 조직학적 확인에 대한 언급이 없는 후두, 기관 및 기관지의 결핵
	A16.5		세균학적 또는 조직학적 확인에 대한 언급이 없는 결핵성 흉막염 흉막의 결핵
	A16.7		세균학적 또는 조직학적 확인에 대한 언급이 없는 일차 호흡기 결핵
	A16.8		세균학적 또는 조직학적 확인에 대한 언급이 없는 기타 호흡기 결핵
	A16.9		세균학적 또는 조직학적 확인에 대한 언급이 없는 상세불명의 호흡기 결핵
		A16.90	세균학적 또는 조직학적 확인에 대한 언급이 없는 상세불명의, 공동이 있는 호흡기 결핵
		A16.91	세균학적 또는 조직학적 확인에 대한 언급이 없는 상세불명의, 공동이 없거나 상세불명의 호흡기 결핵
A17			신경계통의결핵
	A17.0		수막결핵
	A17.1		수막결핵종
	A17.8		기타 신경계통의 결핵
		A17.80	뇌 및 척수의 결핵종
		A17.81	결핵성 수막뇌염
		A17.82	결핵성신경염
		A17.88	기타 신경계통의 결핵
	A17.9		상세불명의 신경계통의 결핵
A18			기타 기관의 결핵
	A18.0		뼈 및 관절의 결핵
		A18.00	척추의 결핵
		A18.01	기타 관절의 결핵성 관절염
		A18.02	기타 뼈의 결핵
		A18.08	기타 근골격계의 뼈 및 관절의 결핵, 결핵성 윤활막염, 결핵성 힘줄윤활막염
	A18.1		비뇨생식계통의 결핵
		A18.10	신장 및 요관의 결핵
		A18.11	방광의 결핵
		A18.12	기타 비뇨기관의 결핵
		A18.13	전립성의 결핵
		A18.14	기타 남자 생식기관의 결핵
		A18.15	자궁경부의 결핵
		A18.16	결핵성 여자골반의 염증성 질환, 결핵성 자궁내막염, 결핵성 난소염 및 난관염
		A18.17	기타 여자 생식기관의 결핵
		A18.19	상세불명의 비뇨생식기관의 결핵
	A18.2		결핵성 말초 림프절병증
	A18.3		장,복막및장간막림프절의결핵
		A18.30	결핵성 복막염
		A18.31	결핵성 장염
		A18.32	후복막 결핵
	A18.4		피부 및 피하조직의 결핵 ·결핵에서의 눈꺼풀 침범
	A18.5		눈의 결핵
	A18.6		귀의 결핵 ·결핵성 중이염
	A18.7		부신의 결핵 ·결핵성 애디슨 병
	A18.8		기타 명시된 기관의 결핵
		A18.80	갑상선의 결핵
		A18.81	기타 내분비선의 결핵
		A18.82	달리 분류되지 않은 소화기관의 결핵
		A18.83	심장의 결핵, 심근의 결핵, 심내막의 결핵, 심장막의 결핵
		A18.84	비장의 결핵
		A18.88	기타 부위의 결핵
A19			좁쌀 결핵
	A19.0		하나로 명시된 부위의 급성 좁쌀 결핵
	A19.1		여러 부위의 급성 좁쌀 결핵
	A19.2		상세불명의 급성 좁쌀 결핵
	A19.8		기타 좁쌀 결핵
	A19.9		상세불명의 좁쌀 결핵
U88	U88.0		다약제내성 결핵
	U88.1		광범위약제내성 결핵

3) 감염관리를 위한 시설규격

2015년에 발생한 메르스(MERS) 사건은 원내감염에 대한 경각심을 일으켰고 그 결과 의료기관의 시설규격 관련 의료법이 개정되었다.

의료법 시행규칙 [별표 4] 〈개정 2019. 9. 27.〉

의료기관의 시설규격(제34조 관련)

1. 입원실
   라. 입원실에 설치하는 병상 수는 최대 4병상(요양병원의 경우에는 6병상)으로 한다. 이 경우 각 병상 간 이격거리는 최소 1.5미터 이상으로 한다.
   마. 입원실에는 손씻기 시설 및 환기시설을 설치하여야 한다.
   사. 병상이 300개 이상인 요양병원에는 보건복지부장관이 정하는 기준에 따라 화장실 및 세면시설을 갖춘 격리병실을 1개 이상 설치하여야 한다.
   자. 감염병환자등의 입원실은 다른 사람이나 외부에 대하여 감염예방을 위한 차단 등 필요한 조치를 하여야 한다.

부 칙 〈보건복지부령 제477호, 2017. 2. 3.〉

제3조(입원실 및 중환실의 병상 간 이격거리에 관한 특례) 다음 각 호의 어느 하나에 해당하는 의료기관의 경우에는 별표 4 제1호라목 후단 및 제2호자목의 개정규정에 불구하고 입원실의 병상 간 이격거리는 최소 1미터 이상 중환자실의 병상 간 이격거리는 최소 1.5미터 이상으로 한다.

1. 부칙 제4조제1항 각 호외의 부분 본문에 따른 의료기관
2. 부칙 제4조제3항에 따라 개설되는 의료기관

이 의료법 시행규칙에 따라 신설 요양병원(2017년 2월 4일 이후 건축허가 행정절차가 시작된 요양병원)의 경우에는 개정된 시설기준을 따라야 하나, 기존병원(2017년 2월 3일 이전 건축허가(의 경우에는 병상 간 이격거리가 1.0 m를 유지하면 되고 300병상 이상 요양병원의 경우에 샤워시설을 갖춘 화장실만 두면 되며, 병실 당 병상 수 및 병실면적은 기존의 기준을 따르고 손씻기 및 환기시설 의무는 없다. 즉, 2017년 2월 4일을 기준으로 기존병원(현행기준)과 신축병원의 시설기준이 나뉜다.

2. 요양병원 인증조사기준에 따른 감염관리

2021년부터 시행되는 3주기 요양병원 인증조사기준에 따라 요양병원 감염관리 관련 조사항목을 정리하였다.

1) 감염관리위원회

2017년 4월부터 의료법 시행규칙 개정에 따라 감염관리실 설치병원이 확대되었다. 즉, 중환자실과 무관하게 150병상 이상 '병원'에 설치하도록 하였다. 또한 의료기관 근무경력 3년 이상의 적격한 자를 배치하고 담당자는 감염 관련 전문 학회에서 주관하는 학술대회, 워크숍 등에서 교육 및 훈련을 받아야 한다.

그러나 요양병원은 '병원'에서 제외되므로 2020년 현재 법적으로 요양병원은 감염관리실 설치 대상이 아니다. 다만 요양병원 인증조사 기준에 따라 감염관리위원회는 설치되어야 한다. 참고로 2주기 요양병원 조사기준의 조사표에 따른 감염관리위원회 평가 기준은 다음과 같다.

표 5-1. 2주기 요양병원 조사표 4. 감염예방 및 관리를 위한 위원회 운영

<table>
<tr><th rowspan="2">기준</th><th colspan="4" rowspan="2">구분</th><th colspan="2">결과</th></tr>
<tr><th>충족</th><th>미충족</th></tr>
<tr><td rowspan="11">위원회
(9.1 ME1)</td><td rowspan="4">구성 및 운영</td><td colspan="3">위원장, 의료기관의 장</td><td></td><td></td></tr>
<tr><td colspan="3">구성 : 진료부서, 간호부서, 지원부서 포함</td><td></td><td></td></tr>
<tr><td colspan="3">정기적 운영(연2회 이상)</td><td></td><td></td></tr>
<tr><td colspan="3">경영진 보고</td><td></td><td></td></tr>
<tr><td rowspan="7">역할</td><td colspan="3">의료 관련 감염에 대한 대책</td><td></td><td></td></tr>
<tr><td colspan="3">연간 감염예방계획의 수립</td><td></td><td></td></tr>
<tr><td colspan="3">연간 감염예방계획의 시행</td><td></td><td></td></tr>
<tr><td colspan="3">감염병환자, 감염병의사환자 또는 병원체보유자의 처리</td><td></td><td></td></tr>
<tr><td colspan="3">의료 관련 감염의 전반적인 위생관리</td><td></td><td></td></tr>
<tr><td colspan="3">의료 관련 감염관리에 관한 자체 규정의 제정 및 개정</td><td></td><td></td></tr>
<tr><td colspan="3">그 밖에 의료관련 감염관리에 관한 중요한 사항</td><td></td><td></td></tr>
<tr><td rowspan="2">담당자
(9.1 ME2)</td><td colspan="6">아래 사항 중 해당되는 경우에 표시(예 : □, ■)</td></tr>
<tr><td>담당인력 배치 및 교육/훈련 수행</td><td>□ (______ 명)</td><td colspan="2">담당인력 배치</td><td colspan="2">□ (______ 명)</td></tr>
</table>

2) 기준 8.1 감염예방 및 관리를 위한 운영체계

	조사항목	구분	조사결과
1	감염관리 운영 규정이 있다.	S	□상 □중 □하
2	감염예방 및 관리를 위한 위원회를 운영한다.	P	□상 □중 □하
3	감염예방 및 관리활동을 수행하는 적격한 자가 있다.	S	□상 □중 □하
4	감염예방 및 관리활동 계획을 수립한다.	S	□상 □중 □하
5	감염병 전파경로에 따른 절차를 준수하여 환자를 관리한다.	P	□상 □중 □하

3) 기준 8.2 의료기구와 관련된 환자의 감염관리

	조사항목	구분	조사결과	
1	의료기구 관련 감염관리 규정이 있다.	S	□상 □중 □하	
2	호흡기 치료기구 관련 감염관리를 수행한다.	P	□상 □중 □하	□미해당
3	유치(인공)도뇨관 관렴 감염관리를 수행한다.	P	□상 □중 □하	□미해당
4	혈관 내 카테터 관련 감염관리를 수행한다.	P	□상 □중 □하	□미해당

4) 기준 8.3 의료기구의 세척, 소독, 멸균과정과 세탁물 관리

	조사항목	구분	조사결과	
1	의료기구의 세척, 소독, 멸균과정에 대한 감염관리 규정이 있다.	S	□상 □중 □하	
2	세척, 소독, 멸균 관리를 위한 적절한 환경을 갖추고 있다.	S	□상 □중 □하	
3	사용한 기구의 세척 및 소독을 수행한다.	P	□상 □중 □하	
4	멸균기를 정기적으로 관리한다.	P	□상 □중 □하	□미해당
5	멸균물품을 관리한다.	P	□상 □중 □하	
6	세척직원은 보호구를 착용한다.	P	□상 □중 □하	
7	세탁물 관리에 대한 감염관리 규정이 있다.	S	□상 □중 □하	
8	세탁물을 적절하게 관리한다.	P	□상 □중 □하	

5) 기준 8.4 환자치료영역의 청소 및 소독을 수행하고, 환경을 관리한다.

	조사항목	구분	조사결과
1	환경관리에 대한 감염관리 규정이 있다.	S	□상 □중 □하
2	환자치료영역의 청소 및 소독을 수행한다.	P	□상 □중 □하
3	청소 및 소독 직원은 개인보호구를 착용한다.	P	□상 □중 □하

6) 기준 8.5 내시경실 및 인공신장실 환자의 의료관련 감염발생의 위험을 예방하기 위해 적절한 감염관리 활동을 수행한다.

	조사항목	구분	조사결과	
1	내시경실의 감염관리 규정이 있다.	S	□상 □중 □하	□미해당
2	내시경과 내시경 부속물 세척, 소독 및 멸균을 수행한다.	P	□상 □중 □하	□미해당
3	내시경을 적절하게 보관한다.	P	□상 □중 □하	□미해당
4	인공신장실의 감염관리 규정이 있다.	S	□상 □중 □하	□미해당
5	투석기 및 환경을 관리한다.	P	□상 □중 □하	□미해당
6	투석용수 및 투석액을 관리한다.	P	□상 □중 □하	□미해당

7) 기준 8.6 급식서비스와 관련하여 발생할 수 있는 감염을 관리한다.

	조사항목	구분	조사결과	
1	급식서비스 관련 감염관리 규정이 있다.	S	□상 □중 □하	
2	식재료를 관리한다.	P	□상 □중 □하	□미해당
3	조리기구 및 장비를 관리한다.	P	□상 □중 □하	□미해당
4	조리장 환경을 관리한다.	P	□상 □중 □하	□미해당
5	직원의 개인위생을 관리한다.	P	□상 □중 □하	□미해당

3. 요양병원 의료관련감염 표준예방지침 주요내용

2020년에 질병관리청에서는 '요양병원 의료관련감염 표준예방지침 개발' 연구결과 최종보고서를 발행하였다. 건양대학교 산학협력단을 주관연구기관으로 하여 건양대학교 간호대학의 정선영 교수가 책임연구원으로서 본 연구를 이끌었으며, 감염내과교수, 감염관리간호사, 요양병원임원 등이 연구에 참여하였다.

1) 연구수행 추진체계

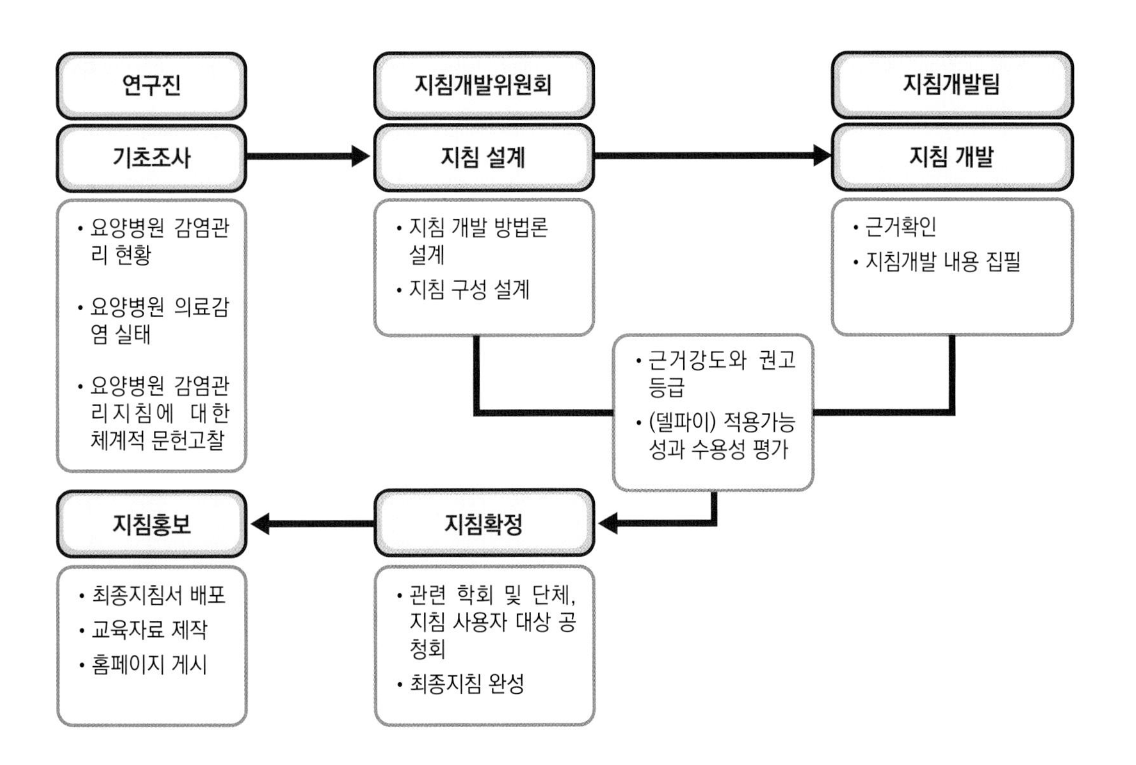

2) 요양병원 감염관리 현황 조사결과 (N=110)

연구팀은 2019년 7월 1일 ~ 2019년 8월 21일에 걸쳐 지역별, 병원규모별로 층화하여 균등하게 편의추출한 120개 요양병원을 감시대상 기관으로 선정하여 요양병원 감염관리 현황과 요양병원 의료관련감염예방지침 요구도를 조사하였고 그 결과는 다음과 같다.

표 5-2. 조사 대상 병원의 특성(N=110*)

특성		n(%)	M±SD
허가 병상 수	< 150	24(21.8)	217.27±94.77
	≥ 150	86(78.2)	
병실 구성[†]	1인실	58(52.7)	6.15±16.84
	2인실	57(51.8)	3.90±5.32
	3인실	47(42.7)	4.80±6.37
	4인실	61(55.5)	9.92±17.05
	5인실	79(71.8)	10.54±10.66
	6인실	94(85.5)	17.40±12.96
	7인실 이상	53(48.1)	10.08±9.03
병실 침상 종류[†]	온돌식	8(7.3)	35.25±50.88
	침대식	110(100.0)	94.15±88.79
병원 설립 연도	< 2010	50(45.5)	
	≥ 2010	60(54.5)	
병원 소재지*	서울 · 경기	36(33.0)	
	충청지역	34(31.2)	
	경상지역	25(22.9)	
	전라지역	7(6.4)	
	기타	7(6.4)	
다빈도 주요 처치[‡]	말초정맥 영양		7.68±3.36
	중심정맥 영양		4.15±2.60
	정맥 주사 투약		11.20±2.77
	수혈		3.63±1.99
	흡인		11.58±1.87
	기관절개관 관리		9.00±2.81
	산소요법		9.73±2.05

특성		n(%)	M±SD
다빈도 주요 처치†	흡입기(nebulizer)		7.11±2.51
	인공호흡기		3.81±2.99
	경관영양		12.55±2.01
	장루관리		4.85±2.78
	단순도뇨		6.15±2.83
	유치도뇨		9.76±2.39
	상처관리(욕창포함)		10.23±2.33
입원하는 다빈도 질환†	고혈압		0.90±0.30
	관상동맥질환		0.14±0.35
	심부전		0.18±0.39
	부정맥		0.07±0.26
	뇌졸중		0.94±0.25
	치매		0.90±0.30
	파킨슨병		0.56±0.50
	당뇨		0.85±0.36
	갑상선 질환		0.02±0.13
	골관절염		0.15±0.36
	COPD		0.07±0.26
	종양		0.20±0.40
	기타		0.07±0.26
1주기 의료기관인증 현황*	인증	99(90.8)	
	조건부 인증	0(0.0)	
	불인증	1(0.9)	
	미시행	9(8.3)	
2주기 의료기관인증 현황*	인증	77(71.3)	
	조건부 인증	0(0.0)	
	불인증	1(0.9)	
	미시행	30(27.8)	
감염관리담당자 감염관리 교육 참석*	예	109(100.0)	
	아니오	0(0.0)	
대한감염관리간호사회 교육*	예	41(37.6)	
	아니오	68(62.48)	

특성		n(%)	M±SD
대한의료관련감염관리학회 교육*	예	44(40.4)	
	아니오	65(59.6)	
대한간호협회 보수교육*	예	52(47.7)	
	아니오	57(52.3)	
보건복지인력개발원 교육*	예	44(40.4)	
	아니오	65(59.6)	

*무응답은 분석에서 제외함; †복수응답 문항; ‡순위를 점수화(1~14점)함

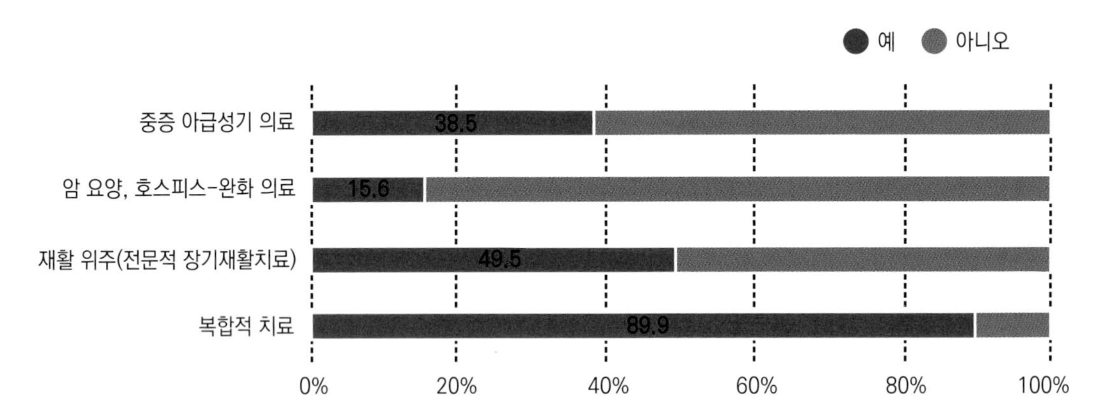

그림 5-2. **조사대상 병원의 진료 형태**

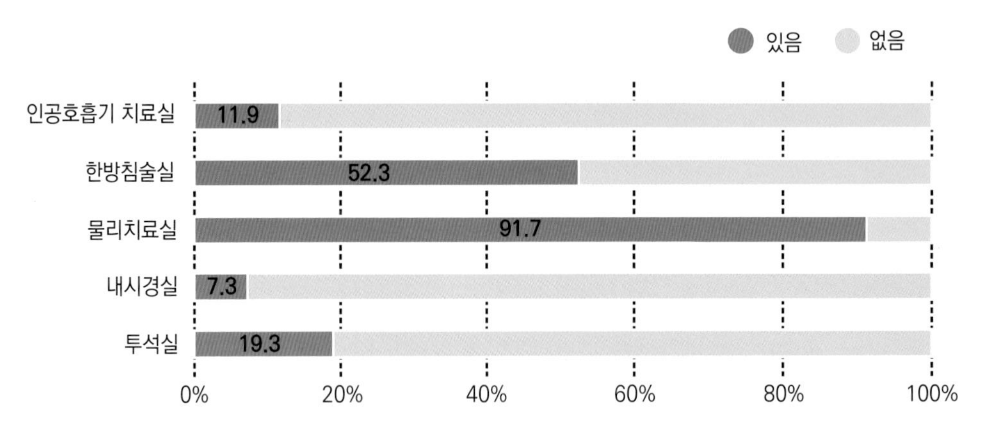

그림 5-3. **조사대상 병원의 특수부서, 처치실 운영 현황**

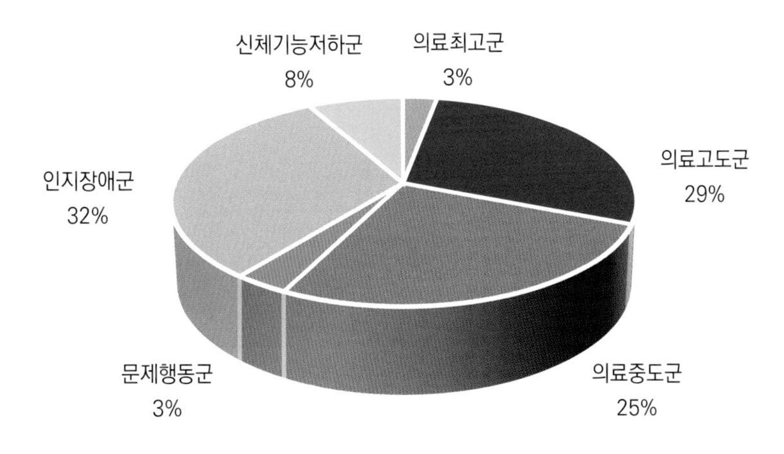

그림 5-4. **조사대상 병원의 입원환자 분류**

표 5-3. **요양병원 감염관리위원회 운영 현황(N=110*)**

특성		n(%)	M±SD
감염관리위원회 운영	예	98(89.9)	
	아니오	11(10.1)	
감염관리위원회 개최횟수(년)	1~2회	33(34.7)	3.66±1.90
	3회 이상	62(65.3)	
전년도 위원회 회의 내용**	의료관련감염에 대한 대책, 연간 감염예방 계획의 수립 및 시행에 관한 사항	83(75.5)	
	감염관리요원의 선정 및 배치에 관한 사항	54(49.1)	
	감염병환자 등의 처리에 관한 사항	72(65.5)	
	병원의 전반적인 위생관리에 관한 사항	82(74.5)	
	의료관련감염관리에 관한 자체 규정의 제정 및 개정에 관한 사항	58(52.7)	
	직원감염관리 : 혈액노출직원 관리 및 지침 등	69(62.7)	
	소독제 변경	31(28.2)	
	음압 격리병상 신축	0(0.0)	
	감염관리활동 우선순위 결정	73(66.4)	
	그 밖에 의료관련감염관리에 관한 중요한 사항	39(35.5)	
감염관리위원회가 감염관리업무 의사결정에 도움이 되는 정도	매우 도움이 됨	34(34.3)	
	그런대로 도움이 됨	39(39.4)	
	별로 도움이 못됨(형식적)	26(26.3)	

*복수응답 문항; **무응답은 분석에서 제외함

표 5-4. **감염관리실과 감염관리 담당 운영 현황(N=110*)**

특성		n(%)	M±SD
감염관리실 설치 여부	행정 조직도에 있음	20(18.3)	
	행정 조직도에 없음	89(81.7)	
감염관리 담당 인력			
감염관리위원회에 포함된 의사 수	없음	9(10.0)	1.27±0.79
	1명 이상	81(90.0)	
감염관리위원의 진료과	내과	30(31.9)	
	가정의학과	24(25.5)	
	외과	18(19.1)	
	재활의학과	6(6.4)	
	한방과	4(4.3)	
	마취과	3(3.2)	
	신경과	2(2.1)	
	기타	7(7.4)	
감염관리 담당 간호사	있음	96(89.7)	
	없음	117(10.3)	
감염관리 담당 간호사 수	1명	84(92.3)	1.12±0.57
	2명 이상	7(7.7)	
감염관리 담당 간호사 업무형태	전담	1(1.0)	
	겸임	95(99.0)	
감염관리 담당 간호사의 근무경력(년)	≤ 1	22(28.9)	3.54±3.19
	> 1	54(71.1)	
감염관리 담당 간호사의 주당 업무시간	≤ 8	47(83.9)	5.33±9.28
	> 8	9(16.1)	
감염관리 담당 간호사 자격증			
감염관리전문간호사	있음	0(1.7)	
	없음	66(100.0)	
감염관리실무전문가	있음	7(10.1)	
	없음	62(89.9)	

*무응답은 분석에서 제외함

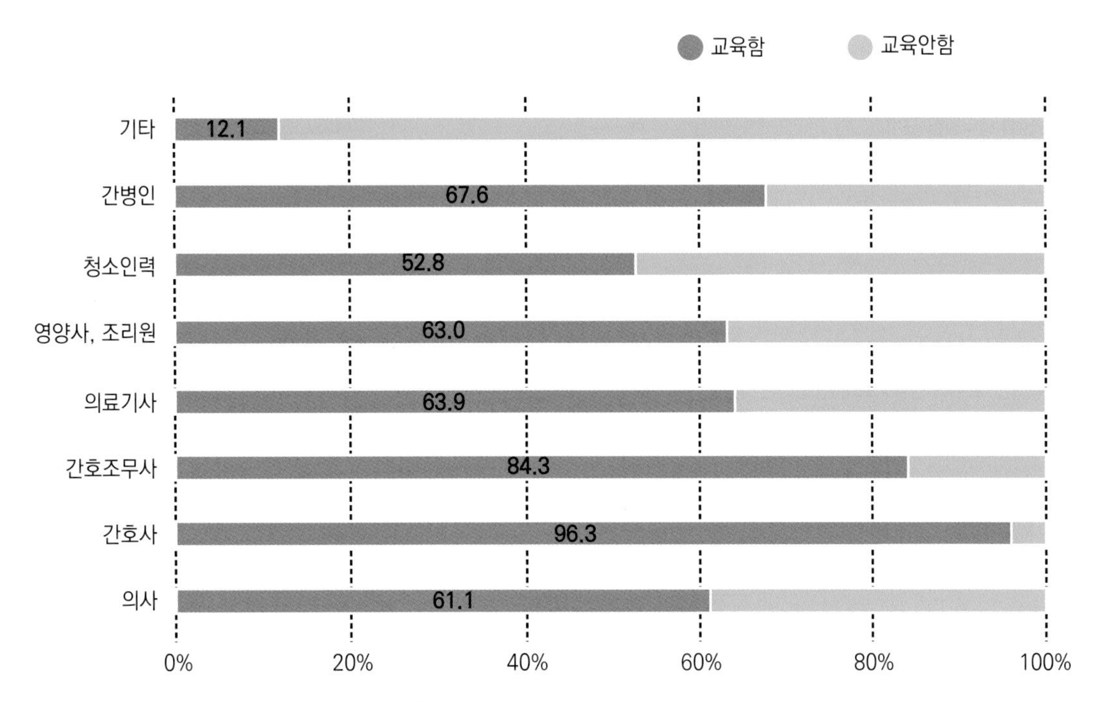

그림 5-5. **직종별 최근 1년 이내 감염관리교육 여부**

표 5-5. **감염관리 직원 교육 현황(N=110*)**

특성		n(%)
직원 교육 방법†	온라인 교육	67(39.2)
	집합 교육	93(54.4)
	기타	11(6.4)
교육프로그램 운영의 어려운 점†	강사부족	46(23.5)
	교육장소	24(12.2)
	강의교재 제작	61(31.1)
	참여자 저조	51(26.0)
	기타	14(7.2)

*무응답은 분석에서 제외함; †복수응답 문항

표 5-6. 격리 현황(N=110*)

특성		n(%)	M±SD
감염병 격리병실 구비	예	74(67.9)	
	아니오	35(32.1)	
격리병실 수	≤ 1	53(82.8)	1.70±2.71
	≥ 2	11(17.2)	
음압병실 구비	예	0(0.0)	
	아니오	109(100.0)	
타병원으로부터 감염정보 받는 형식†	기록지	107(99.1)	
	유선전화	32(29.6)	
	기타	1(0.9)	
감염병 격리가 어려운 이유‡	병실부족		4.68±0.67
	비용손실 때문		3.86±0.84
	환자의 거부		3.22±1.02
	의료진 협조 부족		2.82±1.20
	기타		3.58±1.71

*무응답은 분석에서 제외함; †복수응답 문항; ‡우선순위를 5점 척도로 계산함

표 5-7. 손 위생 실태(N=110*)

특성		n(%)
손 위생 모니터링	함	106(97.2)
	안함	3(2.8)
최근 1년 동안 시행한 손 위생 증진 활동†	시스템 개선	98(90.7)
	훈련과 교육	99(91.7)
	평가와 피드백	85(78.7)
	홍보물 설치	93(86.1)
	안전문화 조성	51(47.2)
	기타	11(10.2)

*무응답은 분석에서 제외함; †복수응답 문항

표 5-8. **직원감염관리 실태(N=110*)**

특성		n(%)
직원의 감염성 질환 노출 후 보고체계	있음	108(99.1)
	없음	1(0.9)
직원 예방접종 시행 여부		
인플루엔자	접종함	106(99.1)
	접종 안함	1(0.9)
B형간염	접종함	51(75.0)
	접종 안함	17(25.0)
홍역(MMR)	접종함	3(8.8)
	접종 안함	31(91.2)
기타	접종함	76(77.8)
	접종 안함	2(22.2)
예방접종 대상		
인플루엔자	전직원	102(99.0)
	특정부서 직원	1(0.9)
B형간염	전직원	38(76.0)
	특정부서 직원	12(24.06)
홍역(MMR)	전직원	2(66.7)
	특정부서 직원	1(33.3)
기타	전직원	2(33.3)
	특정부서 직원	4(66.7)

*무응답은 분석에서 제외함

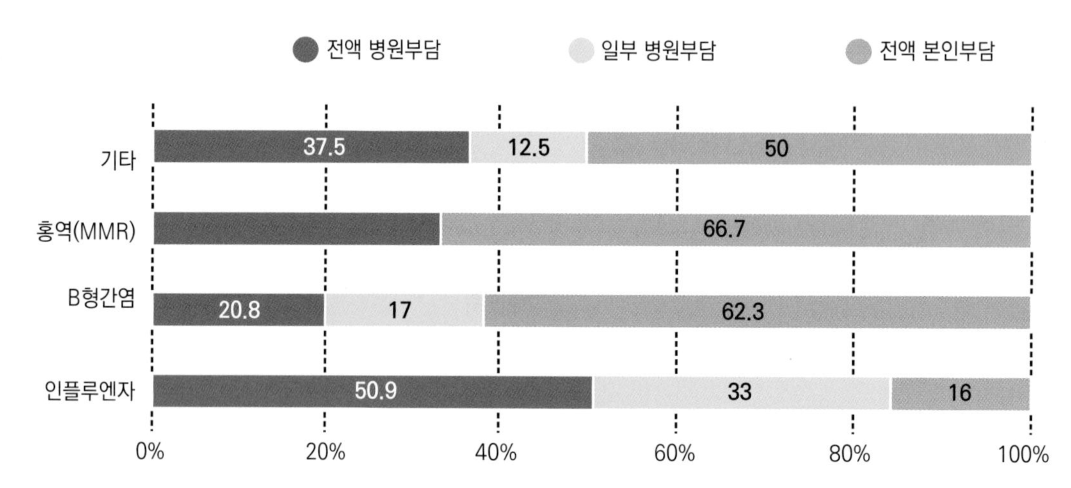

그림 5-6. **직원예방접종 종류별 비용 부담 주체**

표 5-9. **직원감염관리 실태(N=110*)**

특성	요구 수준 M±SD	순위
1. 감염관리체계 및 프로그램	4.81±0.42	2
2. 손 위생	4.84±0.44	1
3. 표준주의 및 전파경로별 주의(무균술, 안전주사행위 포함)	4.79±0.49	3
4. 요로 감염관리(유치도뇨, 단순도뇨 포함)	4.74±0.48	4
5. 소화기 감염관리(feeding tube, oral care 포함)	4.58±0.63	9
6. 호흡기 감염관리(폐렴, 인플루엔자 포함)	4.66±0.51	8
7. 피부 감염관리(옴/이/욕창 포함)	4.67±0.51	7
8. 다제내성균 감염관리(MRSA, VRE, CRE 등)	4.69±0.59	5
9. 환경관리	4.68±0.49	6

*무응답은 분석에서 제외함; 5점 척도

3) 요양병원 의료관련감염 감시 결과

수도권과 대전 지역 200~300병상 규모 요양병원을 6개 선정하여 2019년 7월 1일부터 9월 30일까지 의료관련감염에 대하여 감시를 시행하였다. 감염감시의 결과는 다음의 표와 같다.

표 5-10. **의료관련감염 종류별 발생 건수**

감염종류 대분류	감염종류 대분류	건수	%
호흡기계 감염	폐렴	40	20.8
	하부 호흡기계 감염	27	14.1
	인플루엔자 유사 질환	9	4.7
	감기 또는 인후염	8	4.2
소계		**84**	**43.8**
위장관감염	위장염	21	8
	C. difficile	3	7
소계		**24**	**12.5**
피부연조직점막감염	봉와직염,연조직/창상감염	4	2.1
	결막염	1	0.5
	진균성구강/피부감염	1	0.5
소계		**24**	**3.1**
전신감염	원인불명발열	78	40.6
합계		**192**	**100**

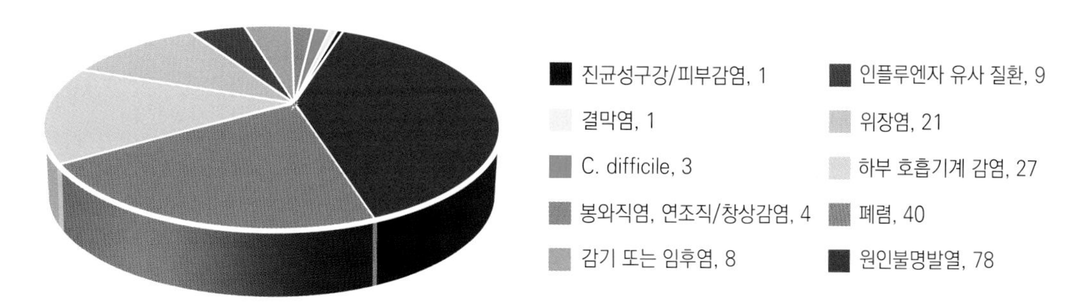

그림 5-7. **의료관련감염 종류별 발생 건 수**

표 5-11. **병원별 요양병원 의료관련감염 발생률**

	A병원	B병원	C병원	D병원	E병원	F병원	합계
입원환자 수	71	151	105	80	40	185	632
재원일수	24,823	20,942	22,500	13,606	24,993	15,608	1,224,726
감염건수	20	23	72	22	30	25	192
감염발생률 (100입원환자수당)	28.17	15.23	58.57	27.51	75.00	13.51	30.38
감염발생밀도 (1000재원일당)	0.81	1.10	3.20	1.62	1.20	1.60	1.57

4) 요양병원 감염예방관리 권고안 주요내용

본 권고안은 요양병원과 요양병원 의료종사자가 적용 대상으로서, 요양병원 감염예방관리 조직체계 및 운영, 요양병원 감염예방관리 일반지침(손 위생, 표준주의와 전파경로별 주의), 부위별 감염예방관리(요로 감염예방관리, 호흡기 감염예방관리), 간호술기 시 감염예방관리(경장영양, 구강간호, 욕창 감염관리), 요양병원 병원체별 감염예방관리(다제내성균 감염관리), 요양병원 환경감염관리를 포함하고 있다. 이 권고안 중 주요 내용을 발췌하였다. 본 내용은 질병관리청에서 시행한 정책연구용역사업의 연구결과임을 밝힌다.

권고안의 권고등급은 IA, IB, IC, II로 구분되며, 질병관리청의 권고등급을 기준으로 하면 다음과 같다.

표 5-12. **근거강도와 권고등급 (질병관리청의 권고등급 기준)**

요양병원 감염예방 관리 권고안	근거수준	권고등급
	High (high Q RCTs) (효과의 추정치가 실제 효과에 가깝다는 것을 매우 확신)	강한 권고 (순이득 또는 위해가 확실한 중재)
IA	Moderate (low Q RCTs)(효과의 추정치에 대한 확신을 중증도로 할 수 있다. 효과의 추정치는 실제 효과에 근접할 것으로 보이나 상당히 다를 수도 있음)	근거강도 높음-중등도
IB	Low (observation study)(효과의 추정치에 대한 확신이 제한적. 실제 효과는 효과의 추정치와 상당히 다를 수 있음)	근거강도 낮음-매우 낮음 또는 이미 확립된 업무
IC	Very low (other evidence)(효과의 추정치에 대한 확신이 거의 없음. 실제 효과는 효과의 추정치와 상당히 다를 수 있음)	법령또는규제
II		약한 권고 (이득과 위해의 저울질 평가가 필요한 중재)

A. 손 위생

1.4.2 손 위생이 필요한 상황

1.4.2.1. 손에 혈액이나 체액이 묻거나 눈에 보이는 오염이 있는 경우 물과 비누로 손을 씻는다. (IB)

1.4.2.2. 눈에 보이는 오염이 없다면 손소독제를 이용하여 손 위생을 할 수 있다. (IA)

1.4.2.3. Clostridioides difficile 등 아포를 형성하는 세균에 오염되었을 가능성이 있는 경우 물과 비누로 손을 씻는다. (IB)

1.4.2.4. 화장실 이용 후 물과 비누로 손을 씻는다. (IB)

1.4.2.5. 다음의 상황에서는 매번 손 위생을 하도록 한다. (IB)
○ 환자와 접촉 전과 후
○ 청결 혹은 무균술 적용 전
○ 체액에 노출되었을 가능성이 있는 행위 후
○ 환자의 주변 환경 접촉 후

1.4.3 손 위생 방법

1.4.3.1. 물과 비누를 이용한 손 위생 방법은 다음을 준수한다. (IB)
○ 깨끗한 흐르는 물에 손을 적신 후 비누를 충분히 적용한다.
○ 뜨거운 물을 사용하면 피부염 발생 위험이 증가하므로 미지근한 물을 사용한다.
○ 손의 모든 표면에 비누액이 접촉하도록 15초 이상 문지른다.
○ 물로 헹군 후 손이 재 오염되지 않도록 일회용 타월로 건조시킨다.
○ 수도꼭지를 잠글 때는 사용한 타월을 이용하여 잠근다.
○ 타월은 반복 사용하지 않으며 여러 사람이 공용하지 않는다.

1.4.3.2 물 없이 적용하는 손소독 방법은 다음을 준수한다. (IB)
○ 손이 마른 상태에서 손소독제를 모든 표면을 다 덮을 수 있도록 충분히 적용한다.
○ 손의 모든 표면에 소독제가 접촉되도록 한다.
○ 손의 모든 표면이 마를 때까지 문지른다.

1.4.6 장갑 착용 시 손 위생

1.4.6.1. 장갑을 착용하더라도 손 위생이 필요한 시점에서는 손 위생을 수행한다. (IB)

B. 표준주의와 전파경로별 주의

2.1.2 용어정의

가. 표준주의(Standard Precautions) : 의심되거나 확인된 진단, 또는 추정된 감염상태에 관계없이 모든 환자들에게 적용하는 감염예방 행위를 의미한다. 표준주의는 모든 혈액, 체액, 분비물, 땀을 제외한 배설물, 손상된 피부, 그리고 점막은 감염 전파원으로 간주한다.

나. 접촉주의(Contact Precautions) : 환자 또는 환자 주변의 환경과 직접 또는 간접적인 접촉에 의해 전파되는 감염을 예방하는 행위를 의미한다.

다. 비말주의(Droplet Precautions) : 호흡기 비말에 의하여 전파되는 감염을 예방하는 행위를 의미한다.

라. 공기주의(Airborne precautions) : 공기에 의해 사람과 사람 사이로 전파되는 감염을 예방하는 행위를 의미한다.

2.4.2 표준주의 : 호흡기 예절

2.4.2.1 의료종사자들은 환자와 가족, 방문객을 대상으로 손 위생과 호흡기 예절에 대해 안내한다. (II)

2.4.2.2 병원 입구와 눈에 잘 띄는 장소에 호흡기 예절과 관련한 포스터를 게시한다. 호흡기 예절은 아래와 같다. (II)

○ 기침이나 재채기를 할 때 입과 코를 휴지로 가리고, 사용한 휴지는 바로 휴지통에 버리고, 휴지가 없다면 옷소매를 이용하도록 한다.

○ 마스크를 착용하고, 다른 사람으로부터 고개를 돌려 기침이나 재채기를 하도록 한다.

○ 다른 환자와 1 m 이상 거리를 유지한다.

2.4.2.3 병동과 외래의 대기 장소에는 손 위생과 관련한 물품을 비치하고 방법을 안내한다. (IB)

2.4.2.4 호흡기 감염 증상이 있는 환자와 동반인은 의료기관의 초기에 접하는 장소(출입구, 접수창구, 대기장소 등)에서부터 호흡기 예절을 준수하도록 안내한다. (II)

2.4.7 접촉주의 : 환자의 배치

2.4.7.1 접촉주의가 필요한 경우에는 가능하면 1인실로 입원해야 하며 감염병의 전파 가능성이 높은 환자를 우선 배치한다(체액의 유출이 지속되는 환자, 변실금이 있는 환자, 인지장애로 인하여 협조가 어려운 환자 등). (IB)

2.4.7.2 1인실이 여유가 없는 경우, 동일한 병원균에 감염되었거나 보균 중인 환자들끼리는 한 병실에 입원(코호트)할 수 있다. (IB)

2.4.7.3 코호트 격리에서 접촉주의 환자는 감염전파로 인하여 예후가 좋지 않을 수 있는 환자(예: 면역저하 환자, 개방성 창상이 있는 환자, 혹은 오랜 기간 입원이 필요한 환자)와 같은 병실에 배치하지 않는다(1,2, 4). (II)

2.4.7.4 코호트 격리도 어려운 경우, 환자 병상 간 이격거리는 1m 이상 유지하고, 접촉의 기회를 줄이기 위해 가급적이면 물리적 차단막을 설치한다(1,2,4). (II)
물리적 차단막은 환자 사이의 직접 접촉을 차단하여 상호 교차 감염을 막기 위하여 필요하며, 커튼, 이동식이나 고정식 칸막이 등이 가능하다.

2.4.7.5 접촉주의 환자에서 격리실 배치(1인실, 코호트 격리, 일반병실내 배치)의 결정은 환자의 개별 상황을 바탕으로 감염 또는 전파의 위험도, 정신적 영향을 고려하여 결정한다(4). (II)

2.4.7.6 코호트 격리도 어려워 다인실에 접촉격리 환자가 배치된 경우, 다인실 병실의 환자와 방문객에게 준수해야 하는 주의사항을 안내한다(1,2). (II)

2.4.8 접촉주의 : 개인보호구 사용

2.4.8.1 접촉주의가 필요한 환자를 직접 접촉하거나 환자 주변의 물건을 만져야 할 때에는 손 위생 수행 후 장갑을 착용하고, 옷이 오염될 것으로 예상될 때에는 가운을 착용한다. 접촉주의에 필요한 개인보호구는 병실 입구에서 제공되어야 한다. 병실을 나올 때에는 장갑과 가운을 벗어 지정된 용기에 버리고 손 위생을 수행한다. (IB)

2.4.8.2 환자 또는 주변 환경으로부터 팔이나 옷이 직접 닿아 오염될 가능성이 있을 경우 긴팔 가운을 착용한다. (II)

2.4.8.3 가운을 벗는 과정과 벗은 후에 옷이나 피부가 주변환경에 오염되지 않도록 주의한다. (IB)

2.4.8.4 코호트 격리를 하는 병실에서 개인보호구(장갑, 가운)는 환자마다 교체하고 손 위생을 수행한다. (IB)

2.4.9 접촉주의 : 환자의 이동

2.4.9.1 접촉주의가 필요한 환자는 의학적으로 필요한 경우를 제외하고 병실 밖으로의 이동과 이송을 제한한다. (II)

2.4.9.2 접촉주의가 필요한 환자를 이송하는 경우 이송 요원과 도착지의 의료종사자에게 주의사항을 알린다. (II)

2.4.9.3 의료기관에서 환자를 이송할 때 감염 또는 오염된 부위는 덮여 있어야 한다. (II)

2.4.9.4 환자를 이송하기 전에 오염된 개인보호구는 제거하고 손 위생을 실시한다. (II)

2.4.9.5 이송 도착지에 있는 의료종사자는 주의사항을 미리 파악하여 환자의 병실 밖에서 대기하는 시간을 최소화한다. (II)

2.4.9.6 접촉주의 환자는 병실 밖으로 나가기 전에 손 위생을 수행한다. (II)

2.4.13 접촉주의 : 방문객관리

2.4.13.1 가족과 방문객에게 현재 적용 중인 주의와 격리기간, 손 위생, 개인보호구와 같은 전파 예방법에 대해 안내한다. (II)

2.4.13.2 방문객은 필요한 경우에 한해 최소화하며, 한 환자만 방문하도록 제한한다. (II)

2.4.14 비말주의 : 일반원칙

2.4.14.1 기침, 재채기, 대화 중 호흡기 비말로 병원체가 전파되는 경우는 표준주의와 함께 비말주의를 적용한다. (IB)

2.4.14.2 비말주의가 필요한 환자를 선별하기 위하여 입구나 잘 보이는 장소에 안내문을 비치한다. (II)

2.4.15 비말주의 : 환자의 배치

2.4.15.1 비말주의가 필요한 환자는 가능한 1인실에 배치한다. (II)

2.4.15.2 1인실의 수가 제한적이라면, 과도한 기침과 객담이 있는 환자, 활동량이 많을 것으로 예상되는 환자를 우선적으로 1인실에 배치하도록 고려한다. (II)

2.4.15.3 1인실 사용이 제한이 있어 일반 병실에서 코호트할 때에는 동일한 병원체에 감염된 환자들로 배치한다. (IB)

2.4.15.4 코호트 격리도 어려운 상황에서 비말주의가 필요한 환자와 동일한 병원체에 감염되지 않은 다른 환자가 공동으로 병실을 사용해야 하는 경우에는 감염의 전파로 인해 예후가 좋지 않을 수 있는 환자(예: 면역저하 환자 등)와 같이 두어서는 안 된다. (II)

2.4.15.5 코호트 격리를 한 경우에는 병상 간 이격 거리는 1 m 이상 유지하고, 접촉의 기회를 줄이기 위해 가능한 한 침대 사이에 물리적 칸막이를 설치한다. (IC)
물리적 차단막은 환자 사이의 직접 접촉을 차단하여 상호 교차 감염을 막기 위하여 필요하며, 커튼, 이동식 또는 고정식 칸막이 등이 가능하다.

2.4.15.7 외래에서 비말주의가 필요한 환자를 확인하였을 때 환자에게 수술용 마스크를 착용시키고 호흡기 예절을 준수하도록 교육한다. (II)

2.4.15.8 비말주의 환자에서 격리실 배치(1인실, 코호트 격리, 일반병실내 배치)의 결정은 환자의 개별 상황을 바탕으로 감염 또는 다른 환자로의 전파의 위험도를 고려하여 결정한다. (II)

2.4.16 비말주의 : 개인보호구

2.4.16.1 비말주의가 필요한 환자의 병실에 들어갈 때에는 마스크를 착용한다. (IB)
비말감염을 차단하기 위하여 마스크는 국내 식품의약품 안전처 의약외품으로 분류된 보건용 마스크를 사용한다. 보건용 마스크는 '황사, 미세먼지 등 입자성 유해물질 또는 감염원으로부터 호흡기 보호를 목적으로 사용하는 제품'으로 KF80, KF94, KF99 세 종류가 있다(표 5-13). KF80은 0.6 ㎛크기 입자를 80%이상까지 차단할 수 있다.

표 5-13. **국내외 마스크의 등급과 기준**(출처: 질병관리본부 에볼라바이러스병 대응지침 제6판)

미국 (NIOSH)	유럽 (EU-OSHA)	한국 (식약처)	권고등급			비고
			분집포집효율	최소안면부흡기저항	누설률	
-	FFP1	KF80 등급	80% (염화나트륨시험)	6.2 mmH₂O	25% 이하	
N95 (포집효율 95% 이상)	FFP2	KF94 등급	94% 이상 (염화나트륨 및 파라핀오일 시험)	7.2	11% 이하	방역용
N99	FFP3	KF99 등급	99% 이상 (염화나트륨 및 파라핀오일 시험)	10.3	5% 이하	

KF=Korea Filter
N95: 미국국립산업안전보건연구원(NIOSH) 인증기준으로 'N'은 'not resistant to oil' 을 의미하고 '95'는 필터가 최소한 95%의 부유 입자들을 걸러낼 수 있음을 의미함. 즉 N95는 유분에 대한 방어력은 없고 95% 이상의 airborne particle을 걸러낼 수 있음을 의미함

2.4.16.2 비말주의를 위한 개인보호구는 병실 입구 또는 전실에서 제공한다. (II)

2.4.16.3 환자가 마스크를 잘 착용하고 있으면 이송 요원은 마스크를 쓰지 않아도 되지만 환자가 호흡기 예절을 지키기 어렵다면 이송 요원은 마스크를 착용한다. (II)

2.4.17 비말주의 : 환자의 이동

2.4.17.1 비말주의가 필요한 환자는 의학적으로 필요한 경우에 한하여 병실 밖으로 이동이 가능하며, 그 외에는 가급적 병실 밖으로 이동을 제한한다. (II)

2.4.17.2 비말주의가 필요한 환자가 병실 밖으로 이동하는 경우 환자는 수술용[오전1] 마스크를 착용하고 호흡기 예절을 준수한다. (IB)

2.4.17.3 비말주의가 필요한 환자는 병실 밖으로 나가기 전에는 손 위생을 수행한다. (II)

2.4.17.4 이송 목적지에 있는 의료종사자가 환자의 상태와 주의사항을 알 수 있도록 한다. (II)

2.4.18 비말주의 : 환경관리

2.4.18.1 비말주의가 필요한 환자 퇴원 후 병실청소 시, 공기 중에 에어로졸이 없어질 때까지 충분한 시간이 지난 후에 청소와 소독을 한다. (II)

2.4.20 비말주의 : 방문객관리

2.4.20.1 가족과 방문객에게 현재 적용 중인 비말주의와 격리기간, 손 위생과 같은 전파 예방법에 대해 안내한다. (II)

2.4.20.2 환자를 돌보는 사람(보호자 또는 간병인력)에게 개인보호구 착용의 적응증과 사용 방법에 대하여 교육한다. (II)

2.4.20.3 방문객은 필요한 경우에 한하여 최소화하며, 한 환자만 방문하도록 제한한다. (II)

2.4.20.4 지역사회나 병원에서 호흡기 감염이 유행하는 경우에는 방문객 제한을 고려한다. (II)

2.4.21 공기주의 : 일반원칙

2.4.21.1 사람 간 공기전파가 가능한 병원체에 감염되었거나 의심되는 경우에는 표준주의와 함께 공기주의를 적용한다. (IA)

2.4.21.2 공기주의가 필요한 환자 발생 시 음압격리실이 있는 다른 시설로 이송을 고려한다. 다만 다른 시설로 이송이 용이하지 않은 경우에는 임시로 1인실 또는 빈 병실에 배치하되 가능하면 빨리 전원한다. (IB)

요양병원은 음압격리실 설치의무가 없고 실제로 갖추고 있는 병원도 거의 없는 실정이기 때문에 음압격리가 필요한 공기주의 환자가 진단이 된 경우 빠른 시간내에 격리가 가능한 급성기 병원으로 전원을 고려해야 한다. 다만 환자의 전원이 되기 전까지는 환기가 가능한 1인실 또는 빈 병실에 환자를 배치하여 의료종사자와 다른 환자로의 전파를 최소화해야 한다.

2.4.21.3 병실입구나 다른 잘 보이는 곳에 공기주의가 필요하다는 표시를 한다. (IB)

2.4.21.4 공기주의를 지켜야 하는 감염병에서 에어로졸이 형성될 수 있는 시술(기관삽관, 기관내 객담 흡인 등)을 시행할 경우에는 다음의 주의사항을 따른다.(IB)

○ 의학적으로 필요한 경우에만 시술을 하고, 계획적으로 시술을 시행하고, 적절한 안정제를 사용한다.
○ 시술에 참여하는 의료종사자 수를 제한한다.
○ 가능한 한 공기주의 격리실에서 시행한다. 공기주의 격리실이 없다면 밀폐된 상태로 시행한다.
○ 시술 중 충분한 환기를 해야 하고, 참여하는 모든 의료종사자는 N95(KF94) 마스크를 착용한다. 가능하다면 폐쇄형 기도흡인을 시행한다.

N95 마스크는 미국국립산업안전보건연구원(NIOSH) 인증기준으로 'N'은 'not resistant to oil' 을 의미하고 '95'는 필터가 최소한 95%의 부유 입자들을 걸러낼 수 있음을 의미한다. 즉 N95 마스크는 유분에 대한 방어력은 없고 95% 이상의 부유 입자을 걸러낼 수 있다. KF94 마스크는 식품의약품안전처 의약외품으로 분류된 보건용마스크의 한 종류로서 0.4㎛크기 입자를 94% 이상 차단할 수 있다.

2.4.21.5 공기주의가 필요한 환자가 퇴원 후 병실청소 시 공기 중에 에어로졸이 없어질 때까지 충분한 시간이 지난 후에 청소 및 소독한다(1, 2). (II)

2.4.22 공기주의 : 환자의 배치

2.4.22.1 공기주의가 필요한 환자 발생시 1인실 또는 빈 병실에 환자를 배치한다. (II)

2.4.22.2 1인실에는 환자의 개별 화장실, 세면대가 있어야 하고 의료진을 위한 손 위생 시설이 있어야 한다. (IC).

2.4.23 공기주의 : 개인보호구의 사용

2.4.23.1 공기로 전파되는 병원체에 감염이 의심되거나 확진된 환자의 치료 영역으로 들어갈 때에는 N95마스크를 착용하고 제대로 착용이 되었는지 확인한다. 환자는 수술용 마스크를 착용하도록 한다. (IB)

2.4.23.2 홍역이나 수두, 대상포진을 앓았던 과거력, 백신 접종력, 혈청검사에서 면역형성이 확인된 의료종사자는 홍역이나 수두, 파종성 대상포진이 의심되거나 확진된 환자를 치료하거나 간호할 때 N95(KF94)마스크를 착용할 필요는 없다. (II)

2.4.23.3 백신으로 예방이 가능한 공기전파 감염병을 앓고 있는 환자를 치료하거나 간호할 때 면역형성이 되어 있지 않은 의료 종사자는 업무배제가 원칙이나 불가피하게 병실에 들어가야 한다면 N95(KF94) 마스크를 착용한다. (II)

2.4.23.4 올바른 보호구 착용을 준수한다. N95 마스크를 착용하기 전에 손 위생을 한다. 마스크 착용 후 제대로 착용되었는지 확인한다. 마스크를 사용하거나 버릴 때 마스크의 표면에 손이 오염되지 않도록 주의를 한다. 마스크는 끈을 이용하여 조심스럽게 벗는다. 사용하지 않을 때에는 목에 걸어 두지 않는다. 젖었거나 오염되었을 경우에는 마스크를 교체한다. 호흡이 어려울 경우에는 마스크를 교체한다. 사용하고 나서 지정된 용기에 바로 버리고 손 위생을 수행한다. 코호트 중인 병실에서는 여러 환자를 대상으로 교체하지 않고 사용할 수 있다. (IB)

2.4.24 공기주의 : 환자의 이동

2.4.24.1 공기주의가 필요한 환자는 의학적으로 필요한 경우를 제외하고 병실 밖으로의 이동을 제한한다. 병실 밖으로 나가야 할 경우에는 의료종사자를 동반한다. (IB)

2.4.24.2 의학적인 이유로 병실 밖을 나가야 한다면 시간을 최소화한다. (IB)

2.4.24.3 공기주의가 필요한 환자가 격리실 밖으로 이동해야 하는 경우에는 수술용 마스크를 착용하고 호흡기 예절을 준수하도록 한다. (II)

2.4.24.4 의학적인 이유로 이송이 필요하지만 환자가 마스크를 착용할 수 없는 상태라면, 주변으로의 노출을 최소화하도록 계획을 세워 이동하고, 이송 목적지의 의료종사자에게 환자의 상태를 알린다. 구급차를 이용하여 이송을 할 때 이송 요원들은 N95(KF94) 마스크를 착용한다. (IB)

2.4.27 공기주의 : 방문객 관리

2.4.27.1 가족과 방문객에게 현재 적용 중인 주의와 격리기간, 손 위생, 개인보호구와 같은 전파 예방법에 대해 안내한다. (II)

2.4.27.2 환자를 돌보는 사람(보호자 또는 간병인력)에게 개인보호구 착용의 적응증과 사용 방법에 대해 안내한다. 성인의 경우 이미 장기간 노출되었거나 항체가 있는 경우가 아니라면 의료종사자와 동일한 개인보호구를 사용한다. (II)

2.4.28 개인보호구 : 일반원칙

2.4.28.1 환자의 혈액이나 체액과 접촉할 가능성이 있을 경우에는 개인보호구를 착용한다. (IB)

2.4.28.2 개인보호구를 벗는 과정에서 옷이나 피부가 오염되지 않도록 주의한다. (II)

2.4.28.3 병실을 나가기 전에 개인보호구를 벗고 해당 물품을 지정된 용기에 버리고 나온다. (IB)

2.4.28.4 개인보호구는 환자에게 병원체가 전파될 위험성과 의료종사자의 옷으로 오염될 가능성을 고려하여 선택한다. (II)

2.4.28.5 필요하다고 판단되는 경우 언제라도 착용이 가능하도록 개인보호구를 지급한다. (II)

2.4.28.6 개인보호구는 장갑, 앞치마 또는 가운, 고글, 마스크 순서로 벗는다. 개인보호구를 제거한 후에는 손 위생을 수행한다. (II)

C. 요로 감염 예방관리

1.4.1 유치도뇨관 삽입의 적응증

1.4.1.1 도뇨관은 적합한 경우에만 삽입하고 필요한 기간 동안만 사용한다. (IB)

1.4.1.2 유치도뇨관 삽입의 적응증의 예

○ 급성 요정체 또는 방광출구폐쇄 발생 시(IB)
○ 시간당 소변량 체크가 필요한 경우(IB)
○ 천골이나 회음부에 개방성 창상이 있는 요실금 환자(II)
○ 장기간 부동 자세를 유지해야 하는 경우(예. 흉요부 척추의 불안정, 골반 골절 등 다발성 골절 상태) (II)
○ 말기환자의 안위 증진을 위해(II)

1.4.1.3 유치도뇨관 삽입의 비적응증의 예(IB)

○ 단순 실금 처치를 위한 도뇨관 사용
○ 자발적 배뇨가 가능한 환자의 배양이나 다른 검사를 위한 경우
○ 요관이나 그 주변부 수술, 경막외마취의 장기 효과 등 특별한 경우를 제외한 수술 후 장기간의 사용

도뇨관을 유치하고 있는 환자의 21~50%는 카테터 유치에 대한 적절한 적응증에 해당하지 않고, 총 유치날짜의 33~50%는 불필요하게 카테터 유치를 지속하는 것으로 평가된다. 또한 일개 병원의 연구에서는 입원환자의 18%가 유치도뇨관을 삽입하였는데 이 중 69%는 삽입의 적응증이 아니었으며, 부적절한 삽입의 원인은 대부분 실금의 관리를 위함이었다.

의료기관에서 발생한 요로 감염의 80%는 도뇨관의 삽입과 관련이 되므로 도뇨관의 무분별한 삽입은 요로 감염의 위험을 증가시킬 수 있다. 따라서 여러 지침의 일관된 권고 사항은 카테터 사용을 피하거나 가능한 빨리 제거하는 것이다. 유치도뇨관을 지침에 따라 적절하게 삽입하고 삽입 후에는 유치도뇨관의 필요성을 사정하고 가급적 빨리 제거하는 것이 바람직하다.

1.4.4 요로 감염 예방을 위한 도뇨관의 올바른 삽입 방법

1.4.4.1 훈련 받은 사람이 도뇨관 삽입을 시행한다. (IB)

1.4.4.2 도뇨관을 삽입하거나 도뇨관의 어느 부위라도 접촉하기 전후에는 적절한 손 위생을 시행한다. (IB)

1.4.4.3 도뇨관은 멸균물품를 이용하여 무균적으로 삽입한다. 멸균장갑, 멸균포, 멸균수 등을 사용한다. (IB)

1.4.4.4 요도구 부위의 소독을 위해 적절한 피부소독제 또는 멸균 생리식염수를 사용할 수 있다. (II)

1.4.4.5 요도손상을 예방하기 위해 삽입 시 윤활제를 사용하는 것이 좋다. 소독제가 포함된 윤활제가 권고되는 것은 아니다. (II)

1.4.4.6 특별히 임상적으로 필요한 경우가 아니라면 소변의 배액이 잘 유지되면서 방광 경부와 요도의 손상을 최소화할 수 있는 가능한 한 굵기가 가는 도뇨관을 사용한다. (II)

1.4.4.7 삽입 후 움직임이나 요도의 당김을 예방하기 위해 유치도뇨관을 적절히 고정하고 유지시켜야 한다. (IB)

1.4.4.8 간헐적 도뇨관을 사용할 경우, 방광 과팽창을 막을 정도의 일정 간격으로 도뇨를 수행한다. (IB)

1.4.5 요로 감염 예방을 위한 도뇨관의 적절한 유지관리 방법

1.4.5.1 폐쇄배뇨시스템을 유지한다. 무균술이 이루어지지 못했거나, 연결부위가 분리되거나, 소변이 새는 경우는 유치도뇨관과 소변백 전체를 멸균물품을 이용하여 무균적으로 교체한다. (IB)

1.4.5.2 소변흐름이 막히지 않도록 유지한다. 유치도뇨관과 수집튜브가 꼬이지 않도록 유지한다. (IB)

1.4.5.3 소변백은 언제나 방광보다 낮은 곳에 위치하도록 하고, 바닥에 소변백이 닿지 않도록 한다. (IB)

1.4.5.4 소변백의 소변은 정기적으로 깨끗한 수집용기에 비우고, 수집용기는 환자마다 교체하여 사용한다. 소변을 비울 때는 소변이 튀지 않도록 하고, 소변백의 소변출구 꼭지가 수집용기에 닿지 않도록 주의한다. (IB)

1.4.5.5 도뇨관을 조작하거나 소변백을 만지는 경우 손 위생을 시행하고 장갑을 착용한다. 장갑을 벗은 후 즉시 손 위생을 시행한다. (IB)

1.4.5.6 소변검체 채취 시 무균술을 준수한다. (IB).
- ○ 소량의 검체가 필요한 경우는 유치도뇨관의 검체 채취포트(sampling port)를 소독제로 닦아낸 후 멸균 주사기로 흡인한다.
- ○ 소변 배양을 목적으로 채취하는 경우가 아니고, 많은 양의 소변을 채취하는 경우 무균적으로 소변백에서 채취할 수 있다.

1.4.5.7 소변백은 3/4 이상 채우지 않는다. (II)

1.4.5.8 유치도뇨관 관련 요로 감염 예방을 목적으로 일상적으로 항생제를 투여하지 않는다. (IB)

1.4.5.9 일상적으로 항생제나 소독제가 도포된 도뇨관을 사용하지 않는다. (IB)

1.4.5.10 유치도뇨관을 가지고 있는 환자에서 요로 감염 예방을 목적으로 피부소독제를 이용하여 요도구 주변을 소독하지 않는다. 샤워나 목욕 동안의 요도구 청결과 같은 일상적인 위생이면 적절하다. (IB)

1.4.5.11 유치도뇨관과 소변백의 주기적인 교체는 권장되지 않는다. 임상적 판단(예: 감염, 폐쇄배뇨시스템이 유지되지 못한 경우 등)에 의해 교체한다. (IB)

1.4.5.12 폐쇄가 예상되는 경우(예, 전립선이나 방광수술 후 발생하는 출혈 등)가 아니라면 방광세척을 시행하지 않는다. 만약, 폐쇄가 예상되어 방광세척을 시행할 경우 폐쇄배뇨시스템을 유지한 상태에서 지속적 방광세척(closed continuous irrigation)을 할 수 있다. (II)

1.4.5.13 도뇨관 폐쇄 시 폐쇄의 원인이 도뇨관의 재질과 관련 있을 것으로 판단되는 경우 다른 재질의 도뇨관으로 교체한다. (IB)

1.4.5.14 항생제를 이용한 일상적인 방광세척은 권고하지 않는다. (II)

1.4.5.15 소변백에 소독제나 항생제를 일상적으로 주입하는 것은 권고하지 않는다. (II)
1.4.5.16 유치도뇨관을 제거하기 전에 일정시간 잠가 놓는 것은 권고하지 않는다. (II)

1.4.6 기타 권고사항

1.4.6.1 침습적 요로 시술이 있는 경우가 아니라면 무증상 세균뇨의 치료는 불필요하다. (IA)

1.4.6.2 유치도뇨관을 가지고 있는 환자에서 무증상 세균뇨의 스크리닝은 불필요하다. (IB)

표 5-14. **유치도뇨관 삽입 체크리스트**

<table>
<tr><th colspan="4">유치도뇨관 삽입 체크리스트</th></tr>
<tr><td colspan="2">병원 : 환자 등록번호 :</td><td colspan="2">생년월일 yyyymmdd 성별 □ 남 □ 여</td></tr>
<tr><td colspan="2">시술자 :</td><td colspan="2">진료과 :</td></tr>
<tr><td colspan="4">삽입장소 □ 일반병실 □ 집중치료실 □ 기타 :</td></tr>
<tr><td rowspan="6">삽입목적</td><td colspan="3">□ 중환자에서 정확한 소변 양 측정이 요구되는 경우</td></tr>
<tr><td colspan="3">□ 부동자세가 장기간 요구되는 경우</td></tr>
<tr><td colspan="3">□ 실금환자 중 천골이나 회음부의 개방창상이 있는 경우</td></tr>
<tr><td colspan="3">□ 유치도뇨관 시술이 필요한 수술</td></tr>
<tr><td colspan="3">□ 급성 요정체나 방광출구폐쇄가 있는 환자</td></tr>
<tr><td colspan="3">□ 기타(text)</td></tr>
<tr><td rowspan="5">삽입법 준수</td><td>손 위생을 준수하였습니까</td><td>□ 예</td><td>□ 아니오</td></tr>
<tr><td>유치도뇨관 삽입 시 멸균장갑을 착용하였는가</td><td>□ 예</td><td>□ 아니오</td></tr>
<tr><td>멸균세트, 멸균포를 사용하였는가</td><td>□ 예</td><td>□ 아니오</td></tr>
<tr><td>윤활제를 사용하였는가</td><td>□ 예</td><td>□ 아니오</td></tr>
<tr><td>삽입 후 유치도뇨관을 고정하였는가</td><td>□ 예</td><td>□ 아니오</td></tr>
</table>

표 5-15. **유치도뇨관 유지/관리 체크리스트(1)**

<table>
<tr><th colspan="9">유치도뇨관 유지/관리 체크리스트(1)</th></tr>
<tr><td colspan="2">병원 : 환자 등록번호 :</td><td colspan="7">생년월일 yyyymmdd 성별 □ 남 □ 여</td></tr>
<tr><td colspan="9">유치도뇨관 삽입일 :</td></tr>
<tr><td colspan="9">삽입장소 □ MICU □ MCICU □ SCICU □ SICU □ NSICU □ 기타(text)</td></tr>
<tr><td></td><td>월/일</td><td></td><td></td><td></td><td></td><td></td><td></td><td></td></tr>
<tr><td>1</td><td>유치도뇨관 접촉 전 손 위생을 하였는가</td><td></td><td></td><td></td><td></td><td></td><td></td><td></td></tr>
<tr><td>2</td><td>유치도뇨관 접촉 후 손 위생을 하였는가</td><td></td><td></td><td></td><td></td><td></td><td></td><td></td></tr>
<tr><td>3</td><td>유치도뇨관은 움직이지 않게 고정되어 있는가</td><td></td><td></td><td></td><td></td><td></td><td></td><td></td></tr>
<tr><td>4</td><td>폐쇄적인 배액체계가 유지되어 있는가</td><td></td><td></td><td></td><td></td><td></td><td></td><td></td></tr>
<tr><td>5</td><td>유치도뇨관이 꼬임 없이 유지되고 있는가</td><td></td><td></td><td></td><td></td><td></td><td></td><td></td></tr>
<tr><td>6</td><td>소변백은 방광보다 아래에 유지되고 있는가</td><td></td><td></td><td></td><td></td><td></td><td></td><td></td></tr>
<tr><td>7</td><td>소변백은 바닥에 닿지 않는가</td><td></td><td></td><td></td><td></td><td></td><td></td><td></td></tr>
<tr><td>8</td><td>검체 채취시 채취 부위(port)를 소독 후 멸균 주사기로 흡인하였는가</td><td></td><td></td><td></td><td></td><td></td><td></td><td></td></tr>
<tr><td>9</td><td>소변백을 비운 후 배액 tip 소독을 하였는가</td><td></td><td></td><td></td><td></td><td></td><td></td><td></td></tr>
<tr><td>10</td><td>소변백의 배액 tip을 제 위치 시켰는가</td><td></td><td></td><td></td><td></td><td></td><td></td><td></td></tr>
<tr><td>11</td><td>환자별 수집용기를 사용하였는가</td><td></td><td></td><td></td><td></td><td></td><td></td><td></td></tr>
</table>

표 5-16. **유치도뇨관 유지/관리 체크리스트(2)**

유치도뇨관 유지/관리 체크리스트(2)

병동 : 체크 날짜 :

	B1	B2	B3	B4	B5	B6	B7	B8	B9	B10	B11	B12	B13	B14	B15
환자이름															
유치도뇨관 접촉 전 손 위생을 하였는가															
유치도뇨관 접촉 후 손 위생을 하였는가															
유치도뇨관은 움직이지 않게 고정되어 있는가															
폐쇄적인 배액체계가 유지되어 있는가															
유치도뇨관이 꼬임 없이 유지되고 있는가															
소변백은 방광보다 아래에 유지되고 있는가															
소변백은 바닥에 닿지 않는가															
검체 채취시 채취부위(port)를 소독 후 멸균 주사기로 흡인하였는가															
소변백을 비운 후 배액 tip 소독을 하였는가															
소변백의 배액 tip을 제 위치 시켰는가															
환자별 수집용기를 사용하였는가															

기록방법: 예 (○) 아니오 (X) 관찰하지 못함 (NA)

기록자 :

D. 경장영양 시 감염예방관리

1.4.3 경장영양 주입

1.4.3.1 영양관과 경장영양 주입장치(영양백, 주입세트)를 연결할 때 청결술(예: 손 위생, 장갑 착용 등)을 이용하여 접촉을 최소화한다. (IB)

미생물의 의한 경장영양액의 오염은 생산단계, 준비단계, 보관, 투여 과정 등 다양한 과정에서 발생할 수 있다. 장내 세균에 의해 경장영양 주입장치가 집락화 되며 쉽게 미생물 저장소로 이어진다고 밝혀졌다. 경장영양액을 용기에 옮겨 넣을 때 손 위생, 보호구 착용 등 표준주의를 엄격하게 적용하고 제조회사의 권고를 따를 때 오염을 예방할 수 있다.

1.4.3.2 경장영양 시작 전에 미리 영양액을 개봉하거나 붓지 않는다. (IB)

경장영양 시작 직전에 영양액을 준비함으로써 영양액의 준비 및 보관 과정에서의 미생물 집락과 증식을 예방하여 교차감염의 위험을 줄일 수 있다.

1.4.3.3 경장영양 주입시간(Hang time)은 환자의 상태와 제품(형태)에 따라 결정한다. (IB)
○ 분말, 희석이 필요한 분유 형태는 4시간 이내
○ 영양백(feeding bag)으로 경장영양 시 8시간(개방형) 이내
○ 바로 사용할 수 있는 경장영양액(RTH)은 24~48시간(폐쇄형) 이내

경장영양액은 미생물의 이상적인 배양 배지가 될 수 있으므로 일단 오염되면 미생물이 빠르게 증식한다. 특히 경장영양액의 준비 및 주입 과정에서 미생물 오염 발생이 가능하다. 영양액의 주입시간을 제한함으로써 영양액의 세균 오염 가능성을 감소시킬 수 있다. 경장영양에 사용되는 모든 용기를 위생적으로 관리해야 하며, 영양액이 상온에서 너무 오래 방치되지 않도록 주입 시간을 적절히 관리해야 한다.

1.4.4 경장영양으로 인한 부작용

1.4.4.1 막힘을 예방하기 위해 경장영양 전과 후에 30㎖의 물로 영양관을 씻어낸다. 약물 투여 전·후, 잔여량을 확인한 후에도 물로 영양관을 세척한다. (IB)
평균 pH 4.6이하의 위 잔여물은 단백질과 상호작용하여 응고를 형성한다. 영영관에 붙은 잔류물이 막힘을 유발할 수 있으므로 물로 영양관을 세척하여 산의 침전을 제거함으로써 영양관의 개방성을 유지할 수 있다.

1.4.4.2 항생제를 투여하는 환자는 설사 여부를 관찰한다. (IB)

경장영양을 받는 환자에게 설사를 일으키는 원인의 60% 이상은 약물이나 교차오염, 영양액의 성분 및 주입속도 등이다. 항생제는 단쇄 지방산(short chain fatty acids, SCFA)와 섬유질의 소화에 필요한 장내 세균의 수를 감소시켜 설사를 유발할 수 있다.

E. 구강간호

1.4.5 구강간호

1.4.5.1 치아의 존재 여부와 상관없이 의식이나 건강상태가 악화된 환자에게 구강간호를 수행할 수 있다. (II)

1.4.5.2 구강 위생의 빈도는 환자의 안위와 구강상태에 따라 결정할 수 있으며 최소 하루에 두 번 이상 수행한다. (IB)

1.4.5.3 노인 또는 출혈경향이 있는 환자에서는 클로르헥시딘 또는 치약이 함유된 면봉이나 브러쉬를 사용한다. (IB)

클로르헥시딘은 광범위한 항균효과와 항진균 효과가 있다. 치태생성과 잇몸 염증을 예방하고 치료하기 위하여 사용한다. 과산화수소는 혈액, 농, 혈장, 삼출물, 세균찌꺼기를 제거하기 위해 사용하지만 구강 내 정상세균총에 영향을 주어 진균을 과잉 성장하게 하고 점막 조직을 파괴하므로 일상적인 사용을 권고하지 않는다. 글리세린은 알코올의 일종으로 수분을 제거하여 노출된 조직을 파괴하기 때문에 구강세척제로 사용하지 않는다.

1.4.5.4 환자가 출혈, 통증 또는 흡인을 일으키지 않는다면 면봉이나 거즈 대신 칫솔을 사용한 구강간호 방법을 권장한다. (II)

치석으로 인한 문제를 예방하기 위해서는 클로르헥시딘의 사용과 불소가 함유된 치약을 이용한 수동 또는 전동 칫솔의 사용을 권장하고 있다. 면봉이나 거즈로 4시간마다 구강간호를 수행할지라도 일시적인 효과만 있으며, 이물질 제거에 대한 효과가 없다.

F. 다제내성균 감염관리

1.4.4 다제내성균 전파 예방관리를 위한 병실 배치

1.4.4.1 환자나 그 주변 환경과 직접 또는 간접적인 접촉으로 다제내성균이 전파가 우려되는 경우에는 표준주의와 함께 접촉주의를 추가로 적용한다. (IA)

1.4.4.2 접촉주의가 필요한 경우에는 가능하면 1인실로 입원해야 하며 충분한 1인실을 확보하지 못할 경우에는 감염병의 전파 가능성이 높은 환자를 우선적으로 1인실에 배치한다(체액의 유출이 지속되는 환자, 변실금이 있는 환자, 인지장애로 인하여 협조가 어려운 환자 등). (IB)

1.4.4.3 충분한 1인실을 확보하지 못할 경우, 동일한 병원균에 감염되었거나 보균 중인 환자끼리 한 병실에 입원(코호트)할 수 있다. (IB)

1.4.4.4 코호트도 어려운 경우, 환자 병상 간 이격 거리는 1 m 이상 유지하고(IC), 접촉의 기회를 줄이기 위해 가급적이면 물리적 차단막 설치를 고려한다. (II)

1.4.4.5 접촉주의가 필요한 환자에서 격리실을 배치할 때 감염 또는 전파의 위험도, 격리가 환자의 심리상태에 미치는 영향 등 환자의 개별 상황을 고려하여 결정할 수 있다 (II)

격리로 인하여 환자에게 미칠 수 있는 잠재적인 해악과 의도하지 않은 부정적인 결과(예; 격리로 인한 우울증이나 불안 발생 등)도 고려한다.

1.4.4.6 다인실에 접촉격리 환자가 배치된 경우, 다인실 병실의 환자와 방문객에게 준수해야 하는 주의사항을 안내한다. (II)

1.4.4.7 환자를 배치하고 집단 활동의 참여 여부를 결정하기 위하여 환자의 감염 위험, 타 환자로의 다제내성균 전파 가능성과, 격리나 집단활동 배제로 인하여 환자 심리에 미칠 수 있는 부정적인 위험을 고려할 수 있다. (II)

환자별로 다제내성균의 전파 위험을 평가하여 다제내성균 전파 위험 뿐 아니라 환자의 치료적 측면도 고려하여 균형 잡힌 결정을 할 수 있어야 한다. 상처배액이나 설사가 잘 관리되는 다제내성균 집락 또는 감염 환자의 경우 적절한 손 위생을 수행하고 필요에 따라 도움을 받으며 단체활동에 참여하는 것을 고려할 수 있다.

1.4.5 다제내성균 보유자(환자) 격리해제와 퇴원 기준

1.4.5.1 격리의 해제에 대해 명확히 정해진 바는 없으며, 보균검사에서 반복적으로 음성이었다가 다시 양성으로 나타나는 경우가 있으므로 균주의 역학과 환자의 임상 상태에 따라 다음의 내용을 참고하여 격리해제의 시기를 결정할 수 있다.

○ 원래 분리되었던 부위와 보균검사에서 3일~1주 간격(항균제가 투여되지 않고 있는 환자의 경우는 간격 조정 가능)으로 검사를 시행하여 연속적으로 3회 이상 음성인 경우 격리를 해제할 수 있다. 원래 분리되던 부위의 검체 채취가 어려운 경우(뇌척수액, 늑막액, 복수액 등)와 혈액에서 분리된 경우는 보균검사만 실시할 수 있다. (II/IC)

1.4.5.2 환자의 퇴원여부에 대해서는 임상 판단에 따르며, 다제내성균의 보균상태로 인해 퇴원을 연기할 근거는 없다. 다만 퇴원시 접촉주의 지침에 대한 교육을 시행하고, 타 기관으로 전원할 경우 전원 대상기관에 다제내성균에 관한 정보를 제공한다. (IB)

1.4.7 다제내성균 보유자(환자) 접촉 시 사용해야 하는 보호구 종류, 착용 시점과 방법, 제거 시점과 방법

1.4.7.1 접촉주의가 필요한 환자를 직접 접촉하거나 환자 주변의 물건을 만져야 할 때에는 손 위생 수행 후 장갑을 착용하고, 옷이 오염될 것으로 예상될 때에는 가운을 착용한다. 접촉주의에 필요한 개인보호구는 병실 입구에서 제공되어야 한다. 병실을 나올 때에는 장갑과 가운을 벗어 지정된 용기에 버리고 손 위생을 수행한다. (IB)

1.4.7.2 장갑 착용 (IB)

○ 의료종사자는 올바른 장갑 착탈법에 대해 알아야 한다.
○ 환자 접촉 전 손 위생 시행 후 장갑(일회용 장갑)을 착용한다.
○ 환자 접촉 후에는 장갑을 벗고 손 위생을 시행한다.
○ 한 환자에서 더 오염된 부위에서 덜 오염된 부위로 옮겨갈 때 장갑을 교체한다.
○ 환자 사이는 장갑을 교체하고, 교체 사이 손 위생을 시행한다.
○ 장갑이 찢어지거나 구멍이 발생하면 장갑을 벗고 손 위생을 시행한다.

1.4.7.3 환자 또는 주변 환경에 팔이나 옷이 직접 닿을 것이 예상되는 경우 긴 팔 가운을 착용한다. (II)

1.4.7.4 가운 착용 (II)

가. 다음의 경우 가운을 착용한다
○ 환자, 환자 주위의 환경, 환자 방의 물품과 직접 접촉 시
○ 드레싱으로 덮지 않은 큰 개방창상이 있는 경우
○ 설사, 실금, 회장루(ileostomy), 결장루(colostomy)가 있는 경우
○ 분비물이나 배설물이 다량으로 있는 경우
○ 환자와 장시간 밀접한 접촉을 해야 하는 경우
나. 격리병실에 상주하는 보호자는 가운을 착용하며, 병실 내에서 착용하고 있거나, 외부 출입 시 착용하는 것 중 선택 적용할 수 있다.

1.4.7.5 가운은 매 시술 또는 환자마다 갈아입도록 한다. (IB)

1.4.7.6 환자의 주변이나 병실을 나오기 전에 가운을 벗고 손 위생을 시행한다. (IB)

많은 분무가 생성되는 처치(예: 상처 세척, 경구 흡입, 삽관)를 수행할 때, 기관지가 개방되어 있어 분무 가능성이 있는 환자를 돌볼 때, 또는 과도한 집락이 예상되어(예: 화상 상처) 호흡기 전파의 우려가 있는 경우 마스크를 착용할 수 있다. 그러나 일상적인 상황(예: 병실 들어갈 때)에서 다제내성균 전파를 방지하기 위한 목적으로 마스크를 착용할 필요는 없다.

1.4.8 다제내성균 보유자(환자) 이동 제한

1.4.8.1 다제내성균 환자는 의학적으로 필요한 경우를 제외하고 병실 밖으로의 이동과 이송을 제한한다. (II)

1.4.9 다제내성균 보유자(환자) 이동시 조치

1.4.9.1 다제내성균 환자를 이송하는 경우 이송 요원과 도착지의 의료종사자에게 주의사항을 알린다. (II)

1.4.9.2 의료기관에서 이동이나 이송 시에는 감염 또는 오염된 부위를 외부에 노출하지 않도록 덮도록 한다. (II)

1.4.9.3 이송 도착지에 있는 의료종사자는 주의사항을 미리 파악하여 환자가 병실 밖에서 대기하는 시간을 최소화한다. (II)

1.4.9.4 접촉주의 환자는 병실 밖으로 나가기 전에 손 위생을 수행한다. (II)

1.4.10 다제내성균 보유자(환자) 사용 물품 관리

1.4.10.1

가. 사용한 의료기구는 주변 환경을 오염시키지 않는 방법으로 수거하여 소독한다. (IB)
나. 의료용품(혈압계, 체온계 등)은 가능한 환자 전용으로 사용하며 공용할 경우 다른 환자 사용 전에 소독한다. (IB)

1.4.10.2 환경표면을 소독하기 위한 소독제는 공인된 기관에서 인증(허가, 신고, 등록 등)을 받은 소독제 제품을 선택하고, 제품의 사용설명서를 확인하여 소독제 농도, 적용시간, 유효기간 등을 준수한다. (IB)

1.4.11 다제내성균 보유자(환자) 사용 병실환경관리

1.4.11.1 다제내성균에 오염될 수 있는 환경 표면 및 장비(예: 침대 레일, 침대 테이블 위)와 자주 접촉하는 표면(예: 문고리, 병실의 화장실 내부 및 주변)은 적어도 하루에 한번 혹은 상황에 따라 더 자주 환경 소독을 실시한다. (IB)

다제내성균에 집락 또는 감염된 환자의 주변 영역(즉, 환자 구역)에 대한 적절한 청소 절차를 마련하고 준수한다.

1.4.12 다제내성균 보유자(환자) 사용 세탁물 관리

1.4.12.1 린넨(linen)이나 가운은 주변 환경을 오염시키지 않도록 사용 후 오염세탁물함에 분리수거한다. (IB)

1.4.12.2 사용한 린넨을 이동, 세탁하는 과정에서 주변 환경을 오염시키지 않도록 주의한다. 취급자는 마스크, 장갑(필요시 가운 또는 앞치마)을 착용한다. (IB)

G. 요양병원 환경 감염관리

1.4.1 환자치료영역의 청소와 소독

1.4.1.1 청소나 환경소독직원에 대한 감염예방 교육을 시행한다. (II)

1.4.1.2 작업 중 용액이 튈 가능성이 있다면 개인보호구(앞치마, 고글, 장갑 등)을 착용하며, 격리병실 청소나 소독 시 전파경로별 주의 지침에 따른 적절한 개인보호구를 착용한다. (IB)

1.4.1.3 환경에서 사용하는 소독제는 공인된 기관의 인증을 받은 제품을 선택하고, 소독 시에는 다음의 사항을 준수한다. (IB)
○ 제품의 사용설명서를 확인하여 소독제 농도, 적용 시간, 유효기간 등을 준수한다.
○ 소독 대상 물품은 내강을 포함한 모든 표면이 소독제와 접촉할 수 있도록 한다.
○ 개봉한 소독제는 오염되지 않도록 관리한다.
○ 소독제는 재 보충하지 않으며, 소독제 용기는 재사용하지 않는다. 만약 용기를 재사용하는 경우 세척 후 소독 혹은 멸균하여 사용한다.
○ 희석한 소독제의 보관 기준 및 사용 방법에 대한 기준을 마련하여 오염을 예방한다.
○ 자동세척소독기 등의 소독 기계는 정기적으로 관리하고 점검한다.

1.4.1.4 비위험기구나 장비 또는 환경 표면의 소독을 위해 높은 수준의 소독제(high-level disinfectants) 또는 화학 멸균제(liquid chemical sterilants)를 사용하지 않는다. (IB)

1.4.1.5 비위험 의료장비(non-critical medical equipment) 표면은 낮은 수준의 소독제(low-level disinfectants)로 닦는다. 공인된 기관의 인증을 받은 제품으로 제조회사의 권고사항에 따라 표면의 성질과 오염 정도를 고려하여 적용할 수 있다. (II)

1.4.1.6 넓은 환경의 표면을 소독하기 위해 알코올을 사용하지 않는다. (II)

알코올은 상대적으로 비용이 고가이고 빨리 마르고 휘발성이 강하므로 넓은 환경의 표면을 소독하기에는 적합하지 않다.

1.4.1.7 환자가 자주 접촉하는 주변 환경 표면(침상, 상두대, 의료기기 표면)(IB)과 일상적인 환경 표면(예, 마루바닥, 벽, 탁자)은 공인된 기관에서 인증받은 소독제로 청소 및 소독을 정기적으로 하고, 눈에 보이는 오염이 있을 때는 즉시 시행한다. (II)

1.4.1.8 환자 퇴원 후에는 환경 표면 전반의 소독을 시행한다(Terminal cleaning). (IB)

1.4.1.9 환자치료영역 내의 벽, 블라인드는 눈에 보이는 더러움이나 얼룩이 있을 때 청소와 소독을 하고 커튼은 세탁한다. (II)

1.4.1.10 환자치료영역이 아닌 곳(예: 행정 사무실)의 환경 표면을 청소하는데 세제와 물로 하는 것은 적합하다. (II)

1.4.1.11 격리실은 격리대상 환자의 미생물에 유효한 소독제를 사용하여 매일 소독한다. (II)

격리대상 환자가 카바페넴 내성 장내세균속균종(carbapenem-resistant Enterobacteriaceae, CRE), VRE와 같은 다제내성균 환자일 경우 낮은 수준의 소독제를 이용하여 환경 표면을 소독할 수 있다.

1.4.1.12 투석 환자의 경우, 침대, 투석기계 표면 및 투석에 사용된 물품은 각 환자의 투석이 끝난 후에 소독한다. (IB)

1.4.1.13 환자치료영역에 연무(mists) 또는 에어로졸(aerosols)을 생성하거나 먼지를 분산시키는 청소나 소독 방법은 피한다. (IB)

1.4.1.14 청소용액은 필요할 때마다 혹은 매일 준비하고, 병원 규정과 절차에 따라 정기적으로 깨끗한 청소용액으로 교체한다. (II)

1.4.1.15 대걸레는 매일 아침 또는 병원 규정에 따라 교체한다(1,9). 혈액이나 체액이 다량으로 쏟아진 경우 1.4.2.2의 방법으로 소독하고 청소한 후에 사용한 대걸레를 교체한다(1,9). (II)

혈액이나 체액이 다량으로 쏟아진 경우 혈액이나 체액에 포함된 바이러스, 세균 등으로 인하여 환경이 오염되고 환자와 의료종사자가 감염원에 노출될 위험이 매우 높다. 혈액과 체액을 안전하고 신속하게 제거하기 위하여 보호구, 소독제, 흡수성 타올, 폐기할 수 있는 방수비닐 등으로 구성된 spill kit를 미리 준비하여 이용한다.

1.4.1.16 대걸레와 걸레는 사용 후 세탁하고 다시 사용하기 전에 건조시킨다(1,9). (II)

1.4.1.17 감염관리 목적으로 점착성 매트는 사용하지 않는다(1,9). (IB)

1.4.2 혈액 및 체액에 오염된 환경관리

1.4.2.1 혈액이나 체액을 엎지른 경우는 장갑이나 적절한 보호구를 착용하고 주의하여 제거한다. (IB)

1.4.2.2 혈액이나 체액을 엎지른 경우는 장갑을 착용하고 주의하여 제거한다. 소량(10 mL 미만)의 혈액이나 체액이 쏟아진 환경에는 B형간염 바이러스(HBV)나 사람면역결핍바이러스(HIV)에 대해 사멸력이 있는 낮은 수준 소독제를 이용하여 혈액이나 체액이 완전히 닦는다. 염소계 소독제를 이용하여 소독하는 경우는 원액 농도에 따라 500 ppm으로 희석하여 사용한다(원액 4%액은 1:80, 원액 5% 기준은 1:100 희석).

다량(10 ml 이상)이 쏟아진 경우는 먼저 흡수성이 있는 티슈나 일회용 타올등으로 혈액이나 체액을 흡수시켜 방수비닐에 넣어 폐기하고, 그 부위는 중간수준 소독제(결핵 사멸력이 있는 소독제를 말하며, 소독제 제품 실험성적서를 확인)를 이용하여 혈액이나 체액이 완전히 닦여지도록 한다. 락스를 이용한다면 락스 원액 농도에 따라 1:8(원액 4% 기준) 또는 1:10(원액 5% 기준)으로 희석하여 사용한다. 만약 혈액이나 체액이 흡수되는 환경표면이라면 먼저 소독제를 적용한 후 닦아내도록 한다. (IB)

혈액이나 체액이 유출되었을 때, B형간염 바이러스(HBV)와 사람면역결핍바이러스(HIV)에 효과가 있음을 공인된 기관의 인증을 받은 소독제나 항결핵 소독제, 희석한 가정용 표백제(5.25% sodium hypochlorite)를 사용한다. 혈액이나 체액의 농도에 따라 5.25% sodium hypochlorite를 1:10또는 1:100으로 희석하여 사용한다. 미국 CDC에서는 부식과 손상 위험을 고려하여 1:100 희석 농도를 권장하고 있는데, 오염된 표면이 통기성이 없는 소재라면 1:100 희석농도도 충분히 소독이 가능하나 통기성이나 흡수성이 있는 표면이라면 1:10 희석 농도를 사용한다.
소독제나 표백제는 혈액과 같은 유기물질에 의해 불활성화 될 수 있으므로 소독 전에 반드시 유기물에 제거해야 한다. 다량의 혈액이 유출된 경우에는 고농도의 염소용액(예: 1:10희석 sodium hypochlorite)이라도 바이러스를 완전히 비활성화 시킬 수 없으므로 흡착포나 흡착 분말로 덮고 감염성 물질이 충분히 젖도록 소독제를 붓는다(3).

1.4.3 카페트와 천으로 된 가구

1.4.3.1 환자치료영역 또는 혈액이나 체액 유출이 빈번한 영역은 카페트 사용을 피한다. (IB)

1.4.3.2 의료기관 내 공용 장소의 카페트는 진공청소하도록 하고, 먼지의 분산을 최소화하도록 고안된 장비로 정기적으로 청소한다. (II)

1.4.3.3 카페트 타일 위에 혈액과 체액이 엎질러졌다면 오염된 카페트 부분은 교체한다. (IB)

1.4.3.4 곰팡이의 번식을 예방하기 위해 젖은 카페트는 완전히 건조시킨다. 72시간 이후에도 젖어 있다면 교체한다. (IB)

1.4.3.5 천 재질의 커버나 비품류는 소독이 어려우므로 환자의 체액에 오염될 가능성이 높은 영역에서는 사용을 금한다. (II)

1.4.4 환자치료영역내의 꽃과 식물

1.4.4.1 면역저하 환자치료영역에서는 화분, 생화, 조화 등을 두지 않는다. (II)

1.4.4.2 모든 환경 표면은 청결한 수준의 청소를 유지하는 것이 중요하다. (IB)

1.4.5 설사를 유발하는 미생물

1.4.5.1 청소과정에서 모아진 환자의 분변이나 구토물은 다른 환경 표면이나 사람들을 오염시키지 않는 방법으로 즉시 폐기한다. (IB)

1.4.5.2 장염에서는 통상적으로 염소계 소독제를 권장하며(1,000 ppm 이상, 나무나 흡습성이 있는 표면의 경우는 5,000 ppm), 장염의 원인이 규명된 경우는 아래의 권고를 적용한다. (IB)

가. 노로 바이러스 : 증상이 발생하기 이전부터 감염력이 있으며, 증상이 호전된 경우에도 2주 또는 그 이상 바이러스가 변에서 분리될 수 있다. 노로 바이러스 사멸력이 검증된 4급 암모늄 제제등도 유효하다.

나. Clostridioides difficile : C. difficile 로 오염된 환경은 아포를 제거할 수 있는 염소계 소독제(1:10[소독제 원액 5% 기준]으로 희석하여 유효염소 농도를 5,000 ppm으로 만듬)를 사용하며, 금속 제품의 부식과 가구의 변색, 호흡기와 피부에 자극이 있으므로 사용과 보관 시 주의를 요한다.

다. 환자의 병실을 청소할 때 화학물질로부터 직원을 보호하고 아포의 확산을 예방하기 위해 반드시 장갑과 가운을 포함한 개인보호구를 착용하고 청소한다.

1.4.5.3 침상을 닦는 걸레와 기타 주변기기를 닦는 걸레는 구별하며 하나의 걸레로 모든 표면을 닦지 않는다. (IB)

1.4.5.4 오염구역에 소독제를 분무하는 것은 효과적이지 않고 작업자가 소독 성분을 흡입할 위험성이 높으므로 적용하지 않는다. (IB)

1.4.5.5 변기, 수도꼭지, 전화기, 문손잡이 등 손이 많이 닿는 모든 물품이나 환경 표면은 정기적으로 청소와 소독을 한다. (IB)

1.4.5.6 공용물품(예 : 혈압계, 청진기, 체온계 등)은 반드시 중간 수준 이상의 소독제를 이용하여 소독한 후 다른 환자에게 사용한다. (IB)

1.4.5.7 오염도가 낮은 부위에서 높은 부위로 청소와 소독을 하며, 대변이나 토물은 가능한 한 일회용 걸레로 닦아낸다. 사용한 걸레를 재사용할 경우 염소계 소독제를 이용하여(미생물의 수준에 맞는 농도로)소독하여 사용한다. (II)

1.4.5.8 린넨(linen)이나 가운은 주변 환경을 오염시키지 않도록 사용 후 오염세탁물함에 분리수거한다. (IB)

1.4.5.9 린넨을 이동, 세탁하는 과정에서 주변 환경을 오염시키지 않도록 주의한다. 취급자는 마스크, 장갑(필요시 가운 또는 앞치마)을 착용한다. (IB)

1.4.7 의료기관의 세탁물과 의료폐기물

1.4.7.1 의료기관의 세탁물 관리규칙[보건복지부령 제283호]과 폐기물관리법 시행규칙[환경부령 제589호]에 따른다. (IC)

표 5-17. 체크리스트 1 : 환경 청소 체크리스트

- □ 병실 입구 격리표지판과 병실 들어가기 전 주의사항 확인하기
- □ 병실 청소에 필요한 물품 확인하기
- □ 청소용 천이나 타올 준비하기
- □ 소독약 제조업체의 권고에 따라 소독약을 새롭게 준비하기
- □ 손 위생을 수행하고 장갑을 착용하기
- □ 문 손잡이와 안전 손잡이 청소하기
- □ 벽에 오염물이 있는지 확인하고, 보인다면 청소하기
- □ 조명 스위치와 온도조절기 청소하기
- □ 벽면에 부착된 알코올 손소독제 거치대 표면과 장갑 박스 거치대 청소하기
- □ 유리 세정제를 이용하여 거울이나 유리에 묻은 먼지 제거하기
- □ 커튼에 눈에 보이는 오염물이 묻었는지 확인하고, 묻었다면 교체하기
- □ 다음을 포함하여 실내의 모든 가구와 손이 닿을 수 있는 수평면을 청소하기
  - □ 의자
  - □ 창틀
  - □ 텔레비전 및 코드
  - □ 전화기
  - □ 컴퓨터 키보드
  - □ 테이블 및 책상
- □ 벽면에 부착된 흡인통 윗부분, 전화기, 혈압계, 정맥 주사 폴대 등을 청소하기
- □ 침대난간, 침대 조절기, 비상벨(코드 포함)을 청소하기
- □ 욕실과 샤워기 청소하기
- □ 병실 바닥을 청소하기
- □ 사용한 청소 도구를 지정된 세탁 용기에 두기
- □ 손상성 폐기물박스가 3/4가 채워졌는지 확인하고 채워졌다면 교체하기
  (손상성 폐기물박스 윗부분의 먼지를 터는 행위 금지)
- □ 오염세탁물 수거함이 가득 차면 수거하기
- □ 의료폐기물은 지정된 용기에 폐기하기
- □ 휴지통 비우기
- □ 장갑을 벗고 손 위생하기
- □ 소모품(예 : 화장지, 종이타월, 비누, 알코올 손소독제, 장갑 등)의 수량을 확인하고 필요시 보충하기
- □ 오염된 커튼을 제거하였다면 새로운 커튼 달기
- □ 병실 나올 때 손 위생하기

표 5-18. 체크리스트 2. 접촉주의 격리병실 환경청소 및 소독 체크리스트

- □ 깨끗한 물, 천, 걸레를 한번만 사용하기
- □ 소독약 제조업체의 권고에 따라 소독약을 새롭게 준비하기
  (소독제는 C. difficile 에 적합한 소독제를 준비하며, VRE 같은 경우는 낮은 수준 소독제 가능함)
- □ 알코올 손소독제로 손 위생을 수행하고 장갑을 착용하기
- □ 오염되거나 사용한 물품(예 : 흡인통, 일회용 물품)을 제거하기
- □ 커튼(개인정보보호용, 창문용, 샤워용)을 제거하기
- □ 사용한 린넨은 분진이 날리지 않게 조심스럽게 제거하기
- □ 비누, 종이타월, 휴지, 장갑 박스를 제거하기
- □ 장갑을 벗고 손 위생 수행한 후 깨끗한 장갑을 착용하기
- □ 모든 환경 표면을 청소하고 환경 표면과 소독제가 접촉하는 시간을 준수하여 소독하기
  - □ 문 손잡이 소독하기
  - □ 벽에 오염물이 있는지 확인하고, 보인다면 소독하기, 벽에 부착된 테이프 제거하기
  - □ 조명 스위치와 온도조절기 소독하기
  - □ 벽에 부착된 물품 소독하기
    - □ 손소독제 거치대
    - □ 비누통
    - □ 장갑 박스
    - □ 흡인통 윗 부분
    - □ 손상성 폐기물 박스
    - □ 혈압기 벽면에 부탁된 혈압계(커프 포함)

- □ 파티션, 거울, 창문 등
- □ 의자
- □ 테이블(베드사이드테이블, 오버테이블, 책상)
- □ 창틀
- □ 텔레비전(코드포함, 리모콘 컨트롤)
- □ 전화기
- □ 컴퓨터 키보드
- □ 전등 선
- □ 장난감, 전자게임기(소아과)
- □ 휠체어, 워커
- □ 모니터
- □ V 폴대와 펌핑기계

- □ 사물함 내부 및 서랍내부
- □ 옷장

- □ 침대 청소하기
  - □ 매트리스에 균열이나 구멍이 있는지 확인한 후 필요시 매트리스 교체하기
  - □ 소독제 접촉시간을 준수하여 청소하고 표면을 소독하기
    - □ 매트리스 상단, 옆면, 뒷면
    - □ 노출된 침대 스프링 및 프레임 점검(바퀴포함)

- ☐ 침대 상판 및 발판
- ☐ 침대레일 및 사이드레일
- ☐ 콜벨 및 코드
- ☐ 침대조절기

☐ 매트리스 건조시키기

☐ 욕실과 샤워기 소독하기

☐ 화장실 청소 브러쉬 폐기하기 (재사용한다면 소독한 후 재사용)

☐ 병실 바닥 청소하기

☐ 폐기하기

- ☐ 손상성 폐기물 용기의 3/4이 찼을 경우 폐기하기
- ☐ 오염세탁물 수거하기
- ☐ 쓰레기 수거하기

☐ 장갑을 벗고 손 위생하기

- ☐ 침상 준비하기
- ☐ 새로운 커튼으로 교체하기
- ☐ 물품을 교체하기
  - ☐ 비누
  - ☐ 화장실 휴지
  - ☐ 페이퍼 타월
  - ☐ 장갑박스
  - ☐ 화장실 솔

☐ 소독한 물품(예 : 정맥 주사 폴대, 워커, 펌프 등)은 소독물품 보관실에 보관하기

4. 코로나19에 대한 요양병원 대처 경험

2019년 말 중국에서 발현한 것으로 알려진 코로나19 감염증은 우리나라를 포함하여 전세계 대유행(pandemic)을 가져왔다. 특히 감염 시에 치사율이 높은 것으로 알려진 노인환자가 많이 입원해 있는 요양병원에서의 감염 발생을 막기 위해 여러 가지 노력들이 있었다.

다음은 각각 대한요양병원협회와 대한노인병학회에서 제안한 대응방법으로서, 향후 유사한 감염병 유행시에 참고할 수 있겠다.

[코로나19 대응을 위한 요양병원 예방전략]

□ 목적

○ 1차 확진자 발생 예방

○ 확진자 발생의 최소화 목적(집단 감염 발생 방지)

○ 급성기병원 입원요청에 대한 거부로 인한 진료거부의 법적 문제 방지

□ 요양병원의 안전한 입원 대책

○ 입원 시 격리실 또는 1인실 준비, 상황에 따라 1개 병실 또는 병동을 특별병동 지정

1) 입원 시 코로나19 검사 시행(격리실 또는 1인실)
2) 검사 결과 음성 시 2주간 특별 병실배정 또는 특별 병동에서의 관찰
3) 관찰 결과 이상 없을 시 일반병실로 이동
※ 병원 상황에 따라 격리기간 / 격리장소 / 검사비용 부담 등은 자체결정 필요

○ 각 병원마다 검사 채취키트의 사용법 숙지 및 채취를 위한 방호도구 구비

○ 입원 상담 시 환자 및 보호자의 동선에 대해서도 자세히 파악하고, 입원 당일 보호자 출입관리

□ 요양병원 입원환자 상황별 코로나19 검사 방안

I. 급성기병원에서 전원 오는 경우

1) 호흡기 증상(발열, 인후염, 폐렴)있을 시 급성기병원에서 검사 후 입원 진행
2) 무증상의 경우 : 상기도 검사만 시행
- 급성기병원에 요청하여 검사 또는 요양병원 자체 검사
* 비용부담 : 병원자체 부담 또는 환자 부담(비급여)
3) 음성 시 2주간 특별 병실지정 또는 특별 병동에서의 관찰

II. 요양시설 또는 자택에서 입원하는 경우

1) 1인실 또는 격리실에서 코로나19 검사 시행
▷ 호흡기 증상 있을 경우 검사 수가 인정
▷ 호흡기 증상 없을 경우 환자부담(비급여)
2) 음성 시 2주간 특별 병실지정 또는 특별 병동에서의 관찰

III. 드라이브 스루(Drive through) 및 워킹 스루(walking through) 방식의 활용

– 입원 하루 전 외래 또는 차량 내에서 코로나19 검사를 시행하고 결과 음성 시 입원 진행

– 1 –

그림 5-8. **코로나19 대응을 위한 요양병원 예방전략(1)**

□ 입원 중 발열, 원인불명 폐렴 등의 증상이 있을 경우
1) 격리실 또는 1인실로 격리 후 코로나19 검사 실시
- 격리실 및 코로나19 검사에 대한 보험급여(대응지침 7판에 따른 의사의 소견에 따라 의심되는 자로 보건소에 신고된 자)
※ 코로나19 관련 요양병원 수가 산정 방법 안내(보험급여과-1106, '20.03.05.)
2) 코로나19 검사 결과 음성일 경우 일반병실로 이동

□ 요양병원 감염예방 대책
○ 전 종사자 및 환자의 마스크 착용 의무화
○ 전 종사자와 환자의 발열 체크 및 동선관리
- 발열, 기침, 기타 호흡기질환 증상 발현 시 출근 금지(자가 능동관리 진행)
- 퇴근 후/주말/공휴일 직원의 동선 관리 철저 : 10명 내외 단위로 동선 공유 및 특이사항 보고
※ 직원에 의해 감염되는 경우가 대다수이므로, 사생활보호 측면보다는 감역확산 방지에 집중
○ 규칙적인 환기 및 소독 철저 : 매일 알코올 및 락스 소독을 원칙으로 함
- 출입문 손잡이 소독 : 병실문 손잡이, 안전바, 화장실 출입문, 정문 출입문
- 휠체어, 워커, 식당 배식카 소독 : 손잡이, 바퀴, 프레임 등 소독 철저
- 의료기기/장비 소독 : 청진기, 자동혈압계, 재활치료 각종 의료기기 및 장비 등
- 기타 : 슬리퍼, 화장실 변기, E/V 버튼 및 안전바 등 소독
- 메르스 대응 의료기관의 소독 및 청소기준에 준하여 적용
○ 방문객 통제 및 보호자 면회 제한
- 보호자 면회는 가능한 화상전화, 일반전화 등을 통한 면회 허용
- 부득이한 경우 방문 시 면회 장소를 별도 지정하고 환자와의 거리를 2M 유지
○ 임직원 식당 관리
- 임직원 식당의 마주보고 식사하기를 제한하고 일정 거리 띄우기
○ 상시출입자 관리
- 택배 및 식자재 입고, 기기 점검 등의 사유로 인한 출입자 통제 철저
○ 간병인 관리지침
- 마스크를 반드시 착용하고, 외부 방문객과의 접촉을 최소화할 것
- 반드시 폴리글러브는 1회에 한하여 사용하고 버릴 것
- 신규 간병인 구인 시 외국에서 바로 출입한 간병인 채용 금지(관찰기간 2주)
- 휴가 자제 및 면회 제한(영상 통화로 대체) : 동선관리 보고체계 필요

- 2 -

그림 5-8. 코로나19 대응을 위한 요양병원 예방전략(2)

대한노인병학회
요양병원과 노인요양시설에서의 코로나바이러스감염증-19 예방 수칙

[가혁 등. AGMR 6월호, 2020]

우리나라에서의 코로나19 감염 양성자 중 치사율은 1% 이내이지만 노인 집단에서는 증가하는 것으로 알려져 있습니다. 신체적, 정신적으로 취약한 노인이 다수 생활하고 있는 요양병원과 노인요양시설은 종사자와 방문객을 포함한 엄격한 감염관리가 필요합니다. 대한노인병학회에서는 요양병원과 노인요양시설에서의 코로나19 예방 수칙을 다음과 같이 정하였으니 각 기관의 상황에 맞게 활용하시기 바랍니다.

시설로의 감염 유입 차단

- 방문객 관리
  - 면회객 철저하게 통제 및 면회 금지(영상통화 등 권유)
  - 현장실습생 최소화 및 철저한 감염교육
  - 자원봉사자 활동 지양
- 출입구에 호흡기 감염 증상(37.5도 이상의 발열, 기침, 호흡곤란)이 있는 자는 방문하지 못하도록 안내문구 설치.
- 직원이 호흡기 감염 증상이 있는 경우에 가정에 머물도록 할 것.
- 직원들은 외부 행사나 모임, 회식 등을 지양.
- 입원(입소)을 하게 되는 시점에 호흡기 감염 증상 여부를 확인하고 증상이 있으면 보건소에 코로나19 검사를 의뢰하여 음성 확인 후 입원.
- 자택에서 입원하는 경우에 가능하다면 수일 간은 격리실에서 관찰.
- 요양병원에서 외래진료가 꼭 필요한 경우는 가능하면 전화상담을 통해 처방(보건복지부의 전화상담·처방 한시적 허용방안 참고).

시설 내에서의 잠재적 감염 확산 방지

- 모든 재원자와 직원의 발열, 호흡기 감염 증상을 확인.
- 원인미상폐렴 등 코로나19가 의심되는 환자 발생 시 보건소로 신고하고 우선 격리 및 진단검사 실시하여 확진여부 확인.
- 직원 모두에게 손 위생 교육 실시.
- 재원한 노인과 직원들이 무엇을 해야 하는지 구체적이고 쉽게 이해시킬 것.
- 간병사(요양보호사)는 반드시 마스크를 착용하고 돌봄 대상 이동 시에 손 위생 및 장갑 교체.

시설 간 감염 전파 방지

- 호흡기 감염 증상이나 응급상황이 아닌 경우에는 다른 시설로의 이송이나 외부 진료 지양.
- 호흡기 감염 증상으로 외부 병원으로 이송 시에는 사전에 연락하여 대비할 수 있도록 함.

참고 자료

1. Centers for Disease Control and Prevention. Strategies to Prevent the Spread of COVID-19 in Long-Term Care Facilities (LTCF). Website: https://www.cdc.gov/coronavirus/2019-ncov/healthcare-facilities/prevent-spread-in-long-term-care-facilities.html. Adapted on Mar 11, 2020.
2. 대한요양병원협회. 코로나19 요양병원 대응 방안[종합]. 2020.
3. 질병관리본부 중앙방역대책본부, 중앙사고수습본부. 코로나바이러스감염증-19 대응지침[지자체용] 제 7-1판, 2020.

그림 5-9. **요양병원/요양원에서의 코로나19 대응을 위한 대한노인병학회의 예방전략**

06 요양병원에서의 품위있는 대화기술

모든 고민은 인간관계에서 시작된다.

\- 아들러

요양병원이라는 공간에서 일하고 있는 직원들을 둘러싼 가장 중요한 업무환경은 무엇일까? 바로 '사람'일 것이다. 환자, 보호자를 상대할 뿐만 아니라 동료 직원인 의사, 간호사, 간호조무사, 의료기사, 약사, 영양사, 원무직원, 간병사, 조리원, 미화원 등이 모두 '사람'이며 그들과의 상호작용이 우리 업무의 본질일 수 있다. 요양병원 업무의 근본 지침은 바로 이러한 사람들과의 원만한 관계로부터 시작된다고 볼 수 있으므로, '대화기술'은 요양병원 근무자들의 기본 기술이 된다.

1. 사람들은 자신을 어떻게 생각하고 있을까?

테레사 수녀는 천국에 갔을까요?

1997년에 'U.S. News and World Report'에서는 1천명의 미국인을 대상으로 위와 같은 질문을 했다. 응답자의 79%는 '테레사 수녀가 천국에 갔을 것'이라고 대답했다. 그런데 놀랍게도 87%는 '나는 천국에 갈 것'이라고 했다. 테레사 수녀보다 일반인들 스스로가 자신이 천국에 갈 확률이 높다고 한 셈이다.

즉, 우리는 스스로를 '좋은 사람'이라고 생각하는 경우가 많다.

인간관계에 대한 고전인 '데일카네기 인간관계론'의 첫 장에는 희대의 살인마 '쌍권총 크로울리'에 대한 일화가 소개된다. 그는 아무 이유없이 순찰 중이던 경찰을 살인한 범죄자인데, 경찰에 잡히기 직전에 '나의 가슴 속에는 온화한 마음이 있다. 그것은 누구에게도 해를 주지 않는 부드러운 마음이다'라는 내용의 편지를 쓴다. 그가 수감된 싱싱교도소의 소장은 '수많은 흉악범들을 봐왔지만 자기 잘못을 진정으로 뉘우치는 사람은 거의 본 적이 없어요'라고 했다.

즉, 우리는 스스로를 옳다고 생각하는 경우가 많다.

그렇다면 요양병원의 중요한 '환경'인 '사람'들을 대면할 때에 위와 같은 속성, 즉 상대방은 스스로를 '좋은 사람', '옳은 사람'이라고 생각하고 있음을 이해하는 것에서 출발해야 한다. 필자는 물론 이 글을 읽고 계신 여러분들 대부분도 그렇게 생각하시리라 믿고 있다.

2. 무례함 vs 정중함

병원 종사자들이 한 해에 보이는 우울증 증세는 9.6%인데 이것은 일반 직장인의 평균보다 2.6% 높은 수치라는 보고가 있다. 1996년에 의학저널 Lancet에서는 병원 종사자가 정서적 소진과 이인증(사람을 아무 느낌 없이 대하는 것)에 시달리는 경우가 흔하다고 보고했다. 이는 고통을 호소하는 환자나 그의 가족들 때문인 경우가 많다. 한편 이 저널에 따르면 의사가 전문가로서 느끼는 만족감은 첫째가 환자와 환자의 가족, 직원과 관계가 좋을 때, 그리고 전문가로서 사회적 지위와 존중을 받을 때라고 했다. 또한 경영진에게서 이해를 받을 때와 높은 자율성을 갖고 다양한 일을 수행할 수 있을 때라고 밝혔다. 한편 연구에 참여한 의사 모두가 병을 치료하거나 증상을 관리하는 방법에 대해서는 충분히 교육받았다고 느끼는 반면, 의사소통 기술에 대해 적절한 훈련을 받았다고 생각하는 사람이 45%뿐이라는 점은 의미심장한 부분이다.

나쁜 기억은 몇 년 동안 기억의 수면 아래 도사리고 있다.
무례한 언행으로 받은 분노, 두려움, 슬픔은
아드레날린을 통해 뇌를 태워 구멍을 낸다.
지워지지 않는 '문신'을 뇌에 새긴다.
이것을 뇌 화상(brain burn)이라고 한다.

- Bargh JA, et al. 1996

뉴욕대학교의 Bargh는 1996년 논문에서 타인에 대한 무례한 언행이 지워지지 않는 문신을 타인의 뇌에 새기고 이것을 brain burn이라고 표현했다. 그 좋지 않은 감정이 수년이 지나도 사라지지 않음을 빗대어 말한 것이다.

조지타운대학교의 크리스틴 포래스(Christine Porath) 교수는 조직의 분위기가 개인에게 미치는 영향에 대한 다양한 연구를 하였는데, 다양한 연구를 통해 무례한 언행에 시달린 직원은 80%가 걱정하느라 시간을 허비하고, 48%는 고의로 일하지 않으며 66%는 실적이 하락하고 25%는 다른 사람에게 화풀이를 하며 12%는 결국 사표를 던진다고 하였다. 한편 정중한 습관을 가진 사람은 57%가 주변의 도움을 쉽게 받고 35%는 사회적 지위가 상승하며 13%는 실적이 높으며 12%는 스트레스를 덜 받고 7%는 급여가 오른다고 하였다. 이 연구 결과를 그대로 요양병원에 적용한다면 병원의 분위기가 의료진 개개인의 업무 효율성에 영향을 미치게 되며, 그 결과가 취약한 노인환자들에게 반영될 수도 있는 것이다.

3. 표정이 중요하다, 남에게도, 나에게도…

미국의 저명한 작가인 말콤 글래드웰은 그의 저서 블링크에서 '소송에 잘 걸리는 의사 알아내는 법'을 소개하는데, '의사의 경력, 직급, 최종학력, 최근 수년간 그 의사가 저지른 실수의 개수를 파악하는 것'보다 '의사가 환자와 나누는 대화를 살짝 듣는 것'이 더 정확하게 소송걸릴 확률을 예측할 수 있다고 한다. 그 책에서 의료소송전문 변호사인 Alice Burkin은 '저는 정말 이 의사가 좋아요. 이렇게 말하는 게 정말 유감이지만 이 의사를 고소하고 싶어요'라고 말하는 의뢰인을 한 번도 본 적이 없다고 한다. 즉, 평상시에 의료진이 환자에게 어떤 인상을 남겼느냐가 환자-의사관계에서 매우 중요하다는 것이다. 그렇다면 우리는 어떻게 주변 사람들에게 좋은 인상을 남길 수 있을까?

심리학자인 메라비언 교수는 의사소통 시에 언어가 7%를 담당하고 나머지 93%는 비언어영역(청각 38%, 시각 55%)이 담당한다고 한다. 즉, 말의 내용보다는 말투가 중요하고, 말투보다 더 중요한 것은 시각적 요소, 즉 표정이나 몸짓이라는 것이다. 이를 메라비언 법칙(The Law of Mehrabian)이라고 한다.

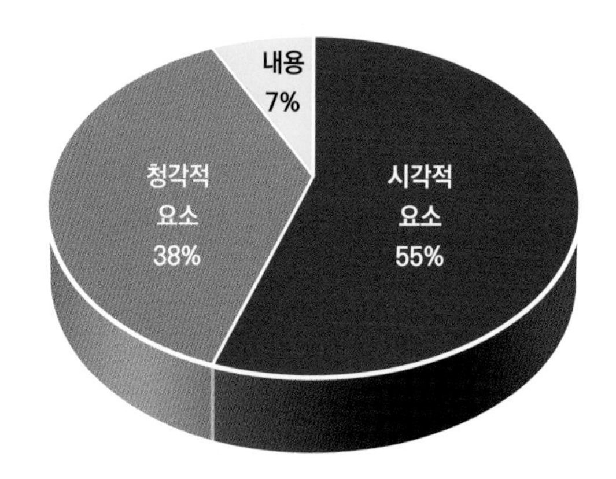

그림 6-1. 메라비언 법칙. 의사소통에서 차지하는 비중.

그렇다면 요양병원의 직원들은 환자나 보호자만을 위해 미소를 지어야 할까? 2010년에 Wayne 주립대학의 Abel 교수는 미소와 수명간의 상관관계에 대한 간단한 연구를 하였다. 연구방법이 매우 흥미로운데, 1952년 시즌 미국 메이저리그 선수들의 야구카드에 있는 196명의 사진을 A(큰 미소), B(엷은 미소), C(미소짓지 않음)의 세 군으로 나눈 후 군별 평균수명을 분석했는데, A군(평균수명 79세)과 C군(평균수명 72세) 사이에 유의한 차이가 있었고, B군은 유의미한 차이를 보이지 않았다. 즉, 미소는 미소를 짓는 사람 자신의 건강에도 좋다는 것이다.

그림 6-2. 1952년 미국 메이저리그 야구카드에 실린 야구선수. 좌측은 A군(큰 미소), 우측은 C군(미소짓지 않음)

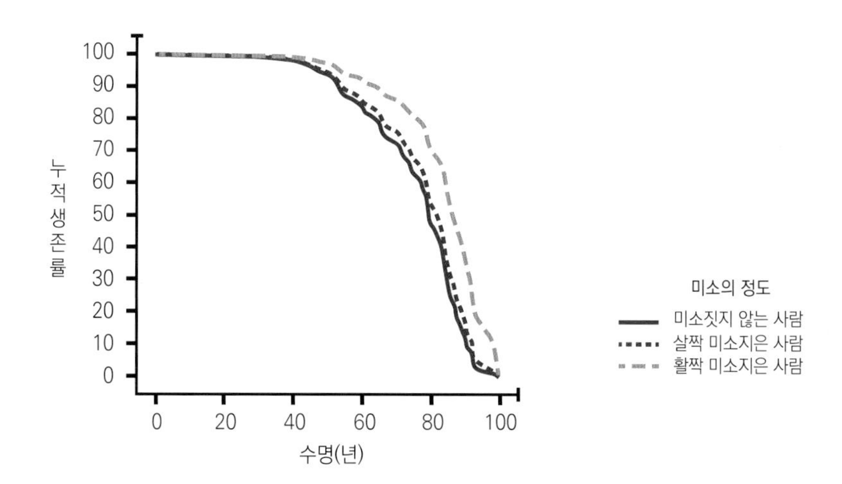

그림 6-3. 활짝 미소짓는 사람(Duchenne Smile)은 유의하게 오래 산다. Adapted from Abel, et al.

4. 공감으로 솔직하게 대화하는 비폭력대화 기술

비폭력대화(NVC; Nonviolent Communication)의 창시자인 마셜 로젠버그 박사는 사람 간의 대화에서 갈등이 생기는 원인을 크게 다음의 네 가지로 분석한다.

표 6-1. 인간에게 갈등이 생기는 이유

	사례
평가하기	"저 사람은 게을러", "말이 안 통해", "심각하네요", "성실한 사람이야", "최고에요"
비교하기	"전에 있던 직원은 알아서 잘 했는데", "다른 병원은 이렇게 안하던데…"
강요하기	"이 정도는 해주셔야죠", "당연한 것 아니에요?"
책임회피	"저는 원장님이 하라는 대로 했을 뿐입니다"

위와 같은 언어습관은 상대방으로 하여금 반격을 당하기 십상이다. 앞에서 언급했듯이 상대방도 스스로가 "선하고 옳다"고 믿고 있기 때문이다. 특히 조직 내에서 평가하기/비교하기는 아무리 긍정적인 평가/비교라 할지라도 듣는 사람과 그 주변 사람들에게 불편감을 초래할 수 있으므로 주의해야 한다.

마셜 박사는 '비폭력대화 모델'을 통해 '공감의 대화'를 하면 서로 '연결'이 되고 마음으로부터의 폭력성이 사라질 것이라고 주장한다. 비폭력대화 모델은 [관찰]–[느낌]–[욕구]–[부탁]의 네가지 요소로 이루어지는데, '관찰'은 '평가를 하지 않고 사실 그대로를 말하는 습관'을 의미하는 것으로, 평소에 상대를 평가하지 않고 관찰한 바대로만 말하는 습관을 가지면 서로 불편해시시 않는나고 한다. 관찰 이후에는 우리가 원하는 바(욕구)와 그로 인한 느낌을 표현하고 '부탁'은 긍정적, 구체적, 권유형으로 하는 것이다. 이는 상대방의 말을 들을 때에도 마찬가지여서 상대의 느낌과 욕구를 듣거나 추측하는 방식을 따른다. 이렇게 '솔직하게 말하기'와 '공감으로 듣기' 연습을 통해 서로 유대관계를 맺으면 갈등을 최소화할 수 있다는 이론이다. 비폭력대화에 대한 보다 자세한 정보는 한국NVC센터 홈페이지(www.krnvc.org)를 통해 얻을 수 있다.

5. 대화의 달인 되기

1) 병원 동료간의 대화

요양병원 조직내에서 동료 간, 혹은 직군 간에 갈등이 생기는 순간은 누군가가 타인에게 무엇인가를 지적하거나 가르치려 할 때이다. 데일카네기는 분노나 원한을 사지 않고 상대방을 변화시키는 방법을 다음과 같이 제안하고 있다.

@ 분노나 원한을 사지 않고 상대방을 변화시키는 방법

실수를 발견했을 때
➔ 칭찬과 진실한 감사로 시작하라.

미움받지 않고 비판하는 방법
➔ 상대방의 실수를 간접적으로 알게 하라.

명령받기를 좋아하는 사람은 없다
➔ 직접 명령하지 말고 질문을 하라.

상대방의 체면을 세워주어라

사람들을 성공으로 이끄는 방법
➔ 작은 발전에도 칭찬하고, 개선된 모든 부분에 대해서 칭찬하라.

잘못을 쉽게 고칠 수 있다고 하라
➔ 격려하라. 잘못을 쉽게 고칠 수 있다고 느끼게 하라.

내가 원하는 일을 사람들이 기쁜 마음으로 하도록 만들어라
➔ 당신이 제안한 일을 상대방이 기쁘게 하도록 만들어라.

2) 보호자와의 대화

인지기능이 저하되고 의존적인 요양병원 환자들의 특성으로 인해, 요양병원 의료진의 대화 상대는 환자의 보호자인 경우가 많다. 급성기 상급종합병원과는 다른 요양병원의 특성에 대한 요구도의 차이로 인해 불만고충이 발생할 수 있다. 마셜 박사의 비폭력대화 모델을 다음의 가상의 사례에 적용하여 직원과 보호자 간에 서로 마음을 터놓고 평화로운 대화를 이끌어가는 방법을 모색하고자 한다.

병원 방문시마다 항의하는 80대 중반 치매환자의 보호자 사례

보호자는 입원 당시부터 무언가 불만 섞인 어투와 표정이었음.

(노인성 자반에 대해) "손등에 든 멍은 누군가 구타한 것 아닌가?"라고 함.

(간병인이 발톱 깎다가 난 상처에 대해) 간병사에게 고성을 지르고 욕설을 함.

(삼킴 장애로 물 드시기가 힘드신데) "왜 물병의 물이 줄어들지 않나?"

위와 같은 보호자가 있다면 직원들은 불편함을 호소할 수 있고, 병원에 대한 불신감을 느낀다고 받아들여서 결국 보호자와의 관계는 원만하지 않을 수 있다. 이 때 비폭력대화 모델을 적용하여 아래와 같이 보호자 입장에서 공감으로 듣는 연습을 해보자.

보호자의 입장을 공감으로 듣기 - 비폭력대화 모델(관찰-느낌-욕구-부탁)

관찰(평가가 아닌 사실) : 최근 10일 동안 3회 주치의에게 항의함.
(손등의 멍, 발톱 손상이 직원들의 잘못이다. 왜 물을 안 먹이는가?)

느낌(보호자 입장) : 집에서 돌보지 못하는 죄책감.

욕구 : 어머니가 안전하게 사랑받으며 입원하고 계셨으면 좋겠다.

부탁 : 병원에서 성심성의껏 최선을 다해서 어머니를 돌봐주시면 좋겠다.

가장 훌륭한 대화 기술은 '잘 들어주기'라고 한다. 위와 같이 직원이 보호자의 말을 공감해주기만 해도 보호자는 편안함을 느끼게 되고, 비로소 직원의 말을 들을 준비가 된다. 우리가 상대방을 충분히 공감해주었다고 생각된다면 다음과 같이 우리의 마음을 솔직하게 전달할 수 있다.

직원의 입장을 솔직하게 말하기 - 비폭력대화 모델(관찰-느낌-욕구-부탁)

관찰(평가가 아닌 사실) : 최근 10일 동안 3회 주치의에게 항의함.
(손등의 멍, 발톱 손상이 직원들의 잘못이다. 왜 물을 안 먹이는가?)

느낌 : "어르신이 우리 병원에서 잘 치료받으시면 좋겠다는 생각을 가지고 있어요. 제 나름대로는 어르신을 체위 변경도 자주 해드리고 발톱 손질도 열심히 하고, 의사 선생님 오더에 따라 물은 함부로 많이 드리지 못하고 있는데 보호자분께서 그렇게 말씀하시니 속상해요."

욕구 : "제가 한 일에 보람을 느끼고 싶어요. 최소한의 인정은 받으면 좋겠어요."

부탁 : 저희 사정 상, 최선은 다 하고 있지만 요양병원 특성으로 인해 여러가지 한계가 있습니다. 만일 보호자분께서 원하신다면 당분간은 전문재활병원에서 치료 받으시고 오는 것도 좋을 것 같습니다.

위와 같이 자신을 표현할 때에는 '부탁'만 하는 것보다는 느낌과 욕구를 넣어서 이야기하면 상대방에게 연민이나 공감을 유발할 수 있다. 또 말의 '순서'도 중요한데, 상대방의 말에 먼저 '공감'을 해준 이후에 내 말을 하는 것이 더 효과적이다.

참고문헌

01 우리나라 요양병원의 현황

1. 손덕현. 요양병원형 입원료 차등 수가제 시행 경과 및 검토. 노인병 2010;14(Suppl. 1):29-36.
2. 조항석. 노인장기요양에서 노인요양병원의 역할. 노인병 2009;13(Suppl. 1):25-39.
3. 인터넷 의협신문: 고신정 기자. 갈 곳 잃은 산과의, 요양병원 몰린다 [Internet]. 서울: 의협신문;c2010 [cited 2010 Aug 24]. Available from: http://www.doctorsnews.co.kr/news/articleView.html?idxno=64642#.
4. 노용균. 노인의료복지 서비스 전달체계 확립 필요성. 노인병 2009;13(Suppl. 1):19-24.
5. 건강보험심사평가원. 요양병원 입원급여 적정성평가 설명회 자료집. 서울: 건강보험심사평가원; 2009..
6. 건강보험심사평가원. 요양병원 실무 교육 자료집. 서울: 건강보험심사평가원; 2010..
7. 메디게이트뉴스: 이인복 기자. 일본 요양병원-시설, 공멸 대신 상생을 택했다 [Internet]. 서울: ㈜메디칼타임즈;c2008 [cited 2010 Aug 19]. Available from: http://www.medigatenews.com/Users/News/newsView.html?ID=94397&nSection=2&subMenu=news&subNum=2.
8. 김창오. 노인요양병원 인증제도: 노인의학적 측면에서의 의견. 노인병 2011;15(suppl. 3):6-12.
9. 보건복지부 의료기관정책과. 요양병원 인증제 설명회. 서울: 보건복지부; 2012.
10. 송현종. 요양병원기능에대한고찰: 외국사례와의비교를중심으로. 노인병2012;16:114-120.
11. 한일우. 요양병운의 운영 및 관리. In:대한노인병학회. 노인병학. 제3판. 서울: 범문에듀케이션; 2015.p.831-836.
12. 선우덕. 요양병원제도: 개념과 개선.

02 요양병원에는 어떤 환자가 입원하는가?

1. 조항석. 노인장기요양에서 노인요양병원의 역할. 노인병 2009;13(Suppl.1):25-34.
2. 건강보험심사평가원 지원 심사평가부. 요양병원 심사사례. In: 건강보험심사평가원. 요양병원 실무교육. 서울: 건강보험심사평가원; 2010. p. 65-81.
3. 김대진. 요양병원 권역별 연수교육. 서울:대한노인요양병원협회;2012.
4. 문강숙. 요양병원의 심사기준. In: 대한노인요양병원협회. 2014 춘계 학술세미나. 서울: 대한노인요양병원협회;2014.

03 요양병원에서 알아야 할 법적(法的) 문제들

1. 변창우. 요양병원 종사자가 알아야 할 관계법령(의료법 등). In: 대한노인요양병원협회. 요양병원 신규직원을 위한 교육. 서울: 대한노인요양병원협회;2015.
2. 김연희. 요양병원 의료법 위반 처분 사례와 대응방안. In: 대한노인요양병원협회. 2016 상반기 요양병원 의사교육. 서울: 대한노인요양병원협회;2016.
3. 김연희. 요양병원 행정직이 필수로 알아야 할 의료법. In: 대한노인요양병원협회. 2014 상반기 요양병원 권역별 연수교육. 서울: 대한노인요양병원협회;2014.
4. 김연희. 요양병원에서 알아두어야 할 의료관계 법령. In: 대한노인요양병원협회. 2014 춘계 학술세미나. 서울: 대한노인요양병원협회;2014.
5. 김연희. 요양병원 의사가 알아야 할 의료법. In: 대한노인요양병원협회. 2013 하반기 요양병원 의사 및 경영자 교육. 서울: 대한노인요양병원협회;2013.

04 요양병원 관련정책과 시설요건

1. 법제처. 의료법, 2020.
2. 법제처. 의료법 시행규칙, 2020.
3. 대한요양병원협회 내부자료, 2020.
4. 보건복지부 보도자료, 2014.

05 요양병원 감염관리

1. Ga H, Won CW, Jung H-W (2018). Use of the Frailty Index and FRAIL-NH Scale for the Assessment of the Frailty Status of Elderly Individuals Admitted in a Long-term Care Hospital in Korea. Ann Geriatr Med Res, 22(1):20-25.
2. 법제처, 의료법 시행규칙, 2020.
3. 가혁, 원장원(2016). 노인요양병원 진료지침서, 제3판, 경기:군자출판사.
4. 이상일(2016). 환자안전법 시행의 의의와 과제, 보건복지포럼, pp.2-4.
5. 의료기관평가인증원(2019). 3주기 요양병원 인증기준, 보건복지부, 의료기관평가인증원.
6. 질병관리본부(2020). 요양병원 의료관련감염 표준예방지침 개발 연구결과 최종보고서, 질병관리본부.
7. 대한요양병원협회. 코로나19 요양병원 대응 방안[종합], 2020.
8. Ga H, Won CW, Lee E, Kim C, Jang I, Jang K, et al. COVID-19 strategy for older adults by the Korean Geriatrics Society. Ann Geriatr Med Res, 2020;24(2):59-61.

06 요양병원에서의 품위있는 대화기술

1. F.Gino, Sidetracked; and S. Vozza, "The Science Behind Our Self-Defeating behavior", Fast Company, 2014.
2. 데일 카네기. 데일 카네기 인간관계론, 경기도:매월당, 2012.
3. Bargh JA, Chen M, Burrows L. Automaticity of social behavior: Direct effects of trait construct and stereotype activation on action. Journal of Personality and Social Psychology, 71(2), 230-244, 1996.
4. 크리스틴 포래스. 무례함의 비용, 흐름출판, 2016.
5. Malcolm Gladwell. blink, NY:Back Bay Books, 2005.
6. Albert M, Wiener, M. Decoding of Inconsistent Communications. Journal of Personality and Social Psychology. 6 (1): 109-114, 1967. doi:10.1037/h0024532. PMID 6032751.
7. Abel EL, Kruger ML. Smile Intensity in Photographs Predics Longevity, Psychological Science 21(4):542-544, 2010.
8. Ga H, Won CW, Lee E, Kim C, Jang I, Jang K, et al. COVID-19 strategy for older adults by the Korean Geriatrics Society. Ann Geriatr Med Res, 2020;24(2):59-61.
9. 멜라니 시어스. 우리병원 대화는 건강한가?, 서울:한국NVC센터, 2014.
10. Ramirez AJ1, Graham J, Richards MA, Cull A, Gregory WM. Mental health of hospital consultants: the effects of stress and satisfaction at work. Lancet. 1996 Mar 16;347(9003):724-8.
11. 아이크 래서터. 직장인을 위한 비폭력대화, 서울:바오, 2019

Ⅱ

요양병원 수가 · 심사 체계

2019 업데이트

07 요양병원 수가체계

- 2019년 11월에 개편된 수가체계의 주요 변경내용은 무엇인가요?
- 환자분류체계가 기존의 7개에서 5개로 줄면서 문제행동군, 인지장애군, 신체기능 저하군이 사라지고 선택입원군이 신설되었고 중분류 체계가 없어지면서 매우 단순화되었습니다. 또한 기존에 행위별 산정이 가능했던 치매약제가 정액수가에 포함된 대신 수혈이 행위별 산정으로 되었으며, 체내출혈은 특정기간 행위별 산정으로 바뀌었습니다. 특히 2020년 7월부터는 기존의 8개 전문의 가산을 대부분의 전문의로 확대 개편할 예정입니다.

2008년에 우리나라 요양병원에 도입된 일당정액 수가제는 노인장기요양보험과 더불어 우리나라의 노인장기의료 시스템에 매우 큰 영향을 끼쳤다. 그로부터 11년 후인 2019년 11월 1일에 처음으로 대폭적인 개편을 하였다. 본 장에서는 우선 기존의 수가와 개정된 수가제도를 비교하고, 개정된 수가제도의 특징을 기술하겠다.

1. 기존 수가제도와의 비교

주요 개정 내용

* 치매약제 : 행위별 산정 → 정액수가 산정

* 수혈(전혈 및 혈액성분제제) : 정액수가 산정 → 행위별 산정
* 체내출혈 : 정액수가 산정 → 특정기간 행위별 산정
* 환자평가표 변경

과거(2019년 10월 이전)	개정안
의료최고도	의료최고도
1. ADL이 11점 이상이면서 혼수, 채내출혈, 중심정맥영양, 인공호흡기 중 하나 이상에 해당하는 경우에 산정한다.	일상생활수행능력이 11점 이상이면서 인공호흡기, 혼수, 중심정맥영양 중 하나 이상에 해당하는 경우에 산정한다.
2. count는 혼수, 체내출혈, 중심정맥영양, 인공호흡기 중 해당하는 종목의 수에 의료고도 또는 의료중도 해당 조건이 존재할 경우 1을 더하고, 모두 존재할 경우 2를 더하여 산정한다.	〈삭 제〉
의료고도	의료고도
1. 다음 중 어느 하나에 해당하는 경우에 산정한다.	1. 다음 중 어느 하나에 해당하는 경우에 산정한다.
(1) 뇌성마비, 척수손상에 의한 마비, 편마비, 파킨슨병, 신경성 희귀난치성질환, 후천성면역결핍증을 가진 환자가 ADL이 18점 이상인 경우	(1) 뇌성마비, 척수손상에 의한 마비, 사지마비, 편마비, 파킨슨병, 신경성 희귀난치성질환, 후천성면역결핍증, 다발경화증을 가진 환자가 ADL이 18점 이상인 경우
(2) 다발경화증, 사비마비 환자가 ADL이11점 이상인 경우	〈삭 제〉
(3) 2단계 욕창 또는 2단계 울혈성·허혈성 궤양이 2개 이상이면서 2가지 이상의 피부 궤양 치료를 받고 있거나, 3-4단계 피부 궤양이 1개 이상이면서 2가지 이상의 피부 궤양 치료를 받고 있는 경우	(2) **3단계 이상 욕창**(울혈성·허혈성 궤양 등 포함)으로 2가지 이상의 피부 궤양치료를 받고 있는 경우
(4) 발열(탈수·구토·체중 감소·경관영양 중 하나 이상을 동반한 경우에 한함)	(3) 발열(탈수·구토·체중 감소 중 하나 이상을 동반한 경우에 한함)이 최소 3일 이상 있고, 발열 원인을 찾는 검사와 처치를 받고 있는 경우
(5) 2도 이상 화상	(4) 2도 이상 화상으로 처치를 받고 있는 경우
(6) 격렬하거나 참을 수 없는 통증이 매일 있는 경우	(5) 매일 있는 격렬하거나 참을 수 없는 통증으로 통증관련 치료를 받고 있는 경우 ※ 격렬하거나 참을 수 없는 통증은 VAS 또는 NRS 10점 중 7점 이상이거나 FPS 5단계 중 4단계 이상인 경우에 해당
(7) 경관영양 또는 말초정맥영양	(6) 7일 이상의 지속적 경관영양(말초정맥영양 삭제)
(8) 흡인(suction)	〈삭 제〉
(9) 기관절개관 관리	(7) 기관절개관 관리를 매일 받고 있는 경우
(10) 당뇨환자가 발의 감염 또는 발의 개방성병변이 있어 dressing을 받고 있는 경우	(8) 당뇨환자가 합병증으로 발의 감염이 있어 주기적으로 드레싱을 받고 있는 경우(일상생활수행능력 4-8점인 경우는 제외)
(11) 수혈	〈삭 제〉

과거(2019년 10월 이전)	개정안
(12) 산소요법	(9) 산소포화도(SaO2 또는 SpO2)가 90% 이하인 상태에서 산소 투여를 시작하여 7일 이상 산소를 투여받고 있는 경우
(13) ADL이 10점 이하이면서 의료최고도 조건에 해당	(10) 일상생활수행능력이 10점 이하이면서 의료최고도 조건에 해당하는 경우
의료중도	의료중도
〈신 설〉	1. 의사의 판단하에 환자의 상태에 따라 적합한 "일상생활수행능력 향상 활동"을 1일 4회 이상 실시하고 진료기록부 등에 활동내용 및 개선경과를 기록한 경우에 51.70점(1일당)을 별도로 산정한다.
1. 다음 중 어느 하나에 해당하는 경우에 산정한다.	2. 다음 중 하나 이상에 해당하는 경우에 산정한다.
(1) 뇌성마비, 척수손상에 의한 마비, 편마비, 파킨슨병, 신경성 희귀난치성질환, 후천성면역결핍증을 가진 환자가 ADL이 11-17점인 경우	(1) 뇌성마비, 척수손상에 의한 마비, 사지마비, 편마비, 파킨슨병, 신경성 희귀난치성질환, 후천성면역결핍증, 다발경화증을 가진 환자가 일상생활수행능력이 11-17점인 경우
(2) 2단계 욕창 또는 2단계 울혈성·허혈성 궤양의 수가 1개이면서 2가지 이상의 피부 궤양 치료를 받고 있는 경우	(2) 2단계 욕창(울혈성·허혈성 궤양 등 포함)으로 2가지 이상의 피부 궤양치료를 받고 있는 경우
(3) 당뇨이면서 매일 주사 필요	(3) 당뇨이면서 혈당검사 및 인슐린 주사가 매일 시행되고, 혈당 또는 인슐린 투여 용량의 변화가 심한 경우
(4) 경미하거나 중등도의 통증이 매일 있는 경우	(4) 매일 있는 중등도의 통증으로 통증관련 치료를 받고 있거나 암성 통증으로 통증관련 치료(마약성 진통제 등)를 받고 있는 경우 ※ 중등도의 통증은 VAS 또는 NRS 10점 중 4점 이상이거나 FPS 5단계 중 3단계 이상인 경우에 해당한다.
(5) 정맥 주사에 의한 투약	(5) 연속 또는 간헐적으로 3일 이상 정맥 주사로 치료약제(항생제, 혈압강하제 등)를 투여 받고 있는 경우
(6) 네뷸라이저(Nebulizer)요법	(6) 하기도 증기흡입치료
(7) 수술창상이 있으면서 이에 대한 치료를 받거나 개방창이 있으면서 이에 대한 드레싱을 받는 경우	(7) 수술창상 치료 및 이에 준하는 치료를 받고 있는 경우
(8) 위루, 요루 또는 장루 관리를 받고 있는 경우	(8) 3개월 이내 루(위루, 요루, 장루) 수술로 루 관리를 받고 있는 경우이거나, 출혈이나 감염 등의 문제로 지속적인 장루 관리를 받고 있는 경우
(9) 배뇨훈련을 받고 있는 경우	(9) 배뇨장애로 일정하게 짜여진 배뇨계획, 방광훈련 프로그램, 규칙적 도뇨 중 하나 이상의 배뇨훈련을 받고 있으면서 7일 이상 배뇨일지가 작성된 경우

과거(2019년 10월 이전)	개정안
〈신 설〉	(10) 치매진단을 받은 환자가 망상, 환각, 초조·공격성, 탈억제, 케어에 대한 저항, 배회 중 하나 이상의 증상을 1주에 2일 이상 또는 4주에 8일 이상 보여 이에 대한 약물 치료를 받고 있는 경우
문제행동군	〈삭 제〉
인지장애군	〈삭 제〉
의료경도 〈신 설〉	의료경도 1. 다음 중 하나 이상에 해당하는 경우에 산정한다.
〈신 설〉	(1) 치매진단을 받은 환자가 우울·낙담, 불안, 이상 운동 증상 또는 반복적 행동, 수면·야간행동 중 하나 이상의 증상을 1주에 2일 이상 또는 4주에 8일 이상 보이며 치매관련약제를 투여 받고 있는 경우
〈신 설〉	(2) 의료최고도 내지 의료중도에 해당하지 않는 환자로서 루(위루, 요루, 장루) 관리를 받고 있는 경우
1. 의료최고도 내지 인지장애군에 해당하지 않는 환자로서 ADL이 6점 이상이고 특정항목에 해당하는 전문재활치료 중 적어도 한 가지 이상을 주 2일 이상 받고 있는 경우에 산정한다.	(3) 일상생활수행능력이 6점 이상이면서 특정항목에 해당하는 전문재활치료 중 적어도 한 가지 이상을 주 2일 이상 받고 있으며, 지속적으로 입원 치료가 필요한 경우
신체기능저하군 의료최고도 내지 의료경도에 해당하지 않거나 입원 치료보다 요양시설이나 외래진료를 받는 것이 적합한 환자에게 산정한다.	선택입원군 일정기간 입원이 필요하나 의료최고도, 의료고도, 의료중도, 의료경도에 해당하지 않는 환자에게 산정한다.
특정기간 〈신 설〉	특정기간 임상적으로 문제가 되는 체내출혈 소견(기관지 출혈, 위·장관계 출혈, 비뇨·생식기계 출혈 등)이 있으면서 지혈을 위한 처치 또는 수술을 시행한 경우
특정항목 치매치료제 〈삭 제〉	특정항목 전혈 및 혈액성분제제 〈신 설〉

2. 일당정액포괄수가제 (RUG; Resource Utilization Groups)

건강보험심사평가원에서는 2004년에 요양병원형 수가 T/F 구성 및 수가개발을 시작하였고, 2005년 7월부터 2006년 6월까지 시범사업을 실시한 후 2007년 9월에 건강보험정책심의위원회의 심의 의결을 거쳐 2008년부터 새로운 요양병원형 수가체계 및 기준을 적용하기 시작했으며, 2019년 11월 1일에 전면적으로 개편되었다. 수가 형태는 기본적으로 의료서비스 요구도와 기능 상태에 따른 RUG를 원칙으로 하였고 일부 환자 및 특정 기간, 그리고 일부 항목에 한해서 행위 별 수가를 적용하고 있다.

RUG 예외 항목(행위 별 산정)

◇ 특정기간 : 폐렴, 패혈증, 체내출혈 치료기간(별첨 참조), 중환자실, 격리실 입원기간, 외과적 수술 관련 치료기간
◇ 특정항목 : 식대, CT, MRI, 전문재활치료, 혈액투석 및 투석액, 전문의약품(Erythropoietin 주사제(품명 : 에포론주 등), Darbepoetin Alpha 주사제(품명 : 네스프프리필드주 등), Methoxy polyethylene glycol - epoetin β 주사제(품명 : 미쎄라프리필드주), Recombinant Human Epidermal Growth Factor(품명 : 이지에프외용액), Riluzole(품명 : 리루텍정 등), Interferon β - 1a(품명 : 레비프프리필드주 등), 전혈 및 혈액성분제제 - 신설, 치매치료제 - 삭제, 19년 1월 이후 급여로 변경 고시된 항목, 다른 요양기관으로 적정하게 의뢰한 진료비 선별 급여비)
◇ 6일 이내 퇴원
◇ 낮 병동 입원 환자
◇ 한방과 입원 환자

폐렴 환자에 대한 점검표

환 자 명 :

진 단 일 : 년 월 일

'폐렴'으로 청구할 수 있는 폐렴의 진단 기준은 다음 1의 소견이 있으면서 2~6의 항목 중에서 2가지 이상이 있는 경우로 한다.

— 다 음 —

1. 흉부방사선 상 신규 또는 진행성 폐 침윤(new or progressive infiltration) 등의 소견: 유□ 무□
2. 체온 〉 38℃(다른 원인에 의한 것이 아닌) : 유□ 무□
3. 백혈구수 〉 12,000/mm³ 또는 〈 4,000/mm³ : 유□ 무□
4. 새로 발생한 화농성 객담 또는 객담양상의 변화, 또는 새로 발생하거나 악화된 기침 : 유□ 무□
5. 흉부 진찰 소견상 Rale (Crackle) : 유□ 무□
6. 혈액가스 이상(PaO2 〈 60 mmHg 등) : 유□ 무□

평가자 □ 의사

___________(서명)

□ 간호사

그림 7-1. **폐렴 환자에 대한 점검표.** 폐렴 진단 하에 항생제 사용하는 경우라면 반드시 위 점검표의 해당 사항에 체크를 하고 서명(의사나 간호사 중 한 명만 하면 됨)을 해야 행위 별 수가제의 적용을 받게 된다. 다만 실제로는 3가지 이상, 혹은 그 이상의 조건을 만족해야 삭감을 면하는 것이 현실이다.

패혈증 환자에 대한 점검표

환 자 명 :

진 단 일 :　　　년　　월　　일

'패혈증'으로 청구할 수 있는 패혈증의 진단 기준은 다음 1 또는 2에 해당하는 경우로 한다.

— 다 음 —

1. 혈액 내 균 혹은 균 독소가 증명된 경우 : 유☐　무☐

2. 감염으로 인한 전신염증반응으로서 다음 1)~4)의 항목 중에서 2가지 이상이 있는 경우
   1) 체온 〉 38℃ 또는 〈 36℃ : 유☐　무☐
   2) 심박동수 〉 90회/분 : 유☐　무☐
   3) 호흡수 〉 24회/분 또는 이산화탄소분압 〈 32 mmHg : 유☐　무☐
   4) 백혈구수 〉 12,000/mm^3 또는 〈 4,000/mm^3 또는 immature(band) neutrophils 〉 10% : 유☐　무☐

평가자 ☐ 의사

＿＿＿＿＿＿(서명)

☐ 간호사

그림 7-2. **패혈증 환자에 대한 점검표.** 점검표에서 알 수 있듯이 패혈증의 진단 기준은 폐렴의 진단 기준보다 광범위하게 적용된다. 그러나 이 역시도 2가지 요건 충족만으로는 삭감당하는 것이 현실이다.

체내출혈 환자에 대한 점검표

환 자 명 :

시 행 일 :　　　년　　월　　일

'체내출혈'로 청구할 수 있는 기준은 다음 1의 소견이 있으면서 2 또는 3을 시행한 경우로 한다.

— 다 음 —

1. 임상적으로 문제가 되는 체내출혈 소견 : 유 □　무 □
   (1) 기관지 출혈(객혈 등)
   (2) 위·장관계 출혈(토혈 또는 혈변 등)
   (3) 비뇨·생식기계 출혈(혈뇨 등)
   (4) 기타부위 출혈(경미한 출혈 제외)

2. 지혈을 위한 처치(수혈 등) : 유 □　무 □

3. 지혈을 위한 수술(시술 포함) : 유 □　무 □

평가자　□ 의사

__________(서명)

□ 간호사

■ 체내출혈 점검표 작성요령

- 체내출혈에 대한 처치 또는 수술을 시행한 날에 점검표를 작성한다.
- 점검표는 발생 기간별로 1회 작성한다(동일 월에 하나 이상의 특정기간이 발생한 경우에는 기간별로 각각 작성한다).
- 점검표는 원칙적으로 환자를 치료한 의사 또는 간호사가 기재하며, 의무기록에 근거하여 작성하여 제출한다.

그림 7-3. **체내출혈 점검표**

▣ 격리실 입원료(특정기간)

- 300병상 이상 요양병원은 격리실을 설치해야 하며 300병상 미만도 격리실을 갖추면 입원료 청구가 가능하다.
- 요양병원 격리실 입원료는 전파경로별 격리지침을 준수해야 하며, 화장실과 세면시설을 갖춰야 한다.

※ 요양병원 격리실 입원 대상 : 감염병환자, 감염병의사환자, 병원체보유자는 다음의 감염병에 해당하는 경우이다.

1) 「감염병의 예방 및 관리에 관한 법률」에 따른 제1급 감염병 중 탄저, 중동호흡기증후군(MERS), 디프테리아
2) 제2급 감염병. 단, b형헤모필루스인플루엔자, 폐렴구균 감염증, 한센병 제외
3) 제3급 감염병 중 중증열성혈소판감소증후군(SFTS)
4) 제4급 감염병 중 인플루엔자, 수족구병
5) 「감염병의 예방 및 관리에 관한 법률」제2조제12호에 따른 의료관련감염병
6) 기타 감염병: 로타바이러스 감염증, 노로바이러스 감염증, C. difficile 감염증, 파종성 대상포진, 옴
7) 기타 공중보건상의 문제로 격리가 필요하다고 인정되어 보건복지부장관이 정하는 감염병 등

▣ 요양병원 격리실 입원료

격리실 입원료	1인용	2인용	다인용(3~6)	격리실 입원료 : 다음 각 호의 1에 해당하는 경우
상대가치점수	1,574.16	1,049.41	881.55	(가) 면역이 억제된 환자를 보호하기 위하여 일반 환자와 격리하여 치료한 경우
금액	117,900	78,600	66,030	(나) 일반 환자를 보호하기 위하여 전염력이 강한 전염성 환자를 일반 환자와 격리하여 치료한 경우
코드	AK500	AK501	AK502	(다) 기타 보건복지부장관이 반드시 격리가 필요하다고 인정하여 고시하는 경우
분류번호	요-54	요-54	요-54	

주: 1. 격리실에서 사용하는 기타 소모품의 비용은 소정점수에 포함되어 있으므로 별도 산정하지 아니한다.
2. '주1'에도 불구하고 결핵 상병으로 일반격리실에서 치료 목적으로 마스크를 사용한 경우에 1인용은 23,590원 1), 2인용은 16,510원 2), 다인용은 11,790원 3)을 별도 산정한다.

▣ 외과적 수술 인정 범위(특정기간)

○ 창상봉합술 : 가. 안면 또는 경부
(1) 단순봉합 (가) 제1범위 S0023) 길이 3.0 cm 이상이거나, 근육에 달하는 것
(2) 변연절제를 포함 (가) 제1범위 SA023) 길이 3.0 cm 이상이거나, 근육에 달하는 것

○ 창상봉합술 : 나. 안면 또는 경부 이외
(1) 단순봉합 (가) 제1범위 SB023) 길이 5.0 cm 이상이거나, 근육에 달하는 것
(2) 변연절제를 포함 (가) 제1범위 SC023) 길이 5.0 cm 이상이거나, 근육에 달하는 것

○ 기관절개술(Tracheostomy) : 가. 코드 O1300 -관혈적 기관절개술: 168,650원

○ PEG Tube 교환술(재삽입술) : 자-261나 경피적위루술(Q2612)의 50% 산정 -220,880원

◉ 요양병원 외과적 수술이 부적합한 경우
→ 급성질환자는 의료법시행규칙에서 정한 요양병원 입원대상이 아니므로 외과적 수술을 시행하고 입원 치료는 불인정(응급수술※은 제외)

※ 응급의료에 관한 법률 제2조에 의거 보건복지부장관이 별도로 정한 응급증상으로 내원한 환자에게 응급증상의 개선을 위해 수술을 실시한 경우

▣ 전혈 및 혈액성분제제(특정항목)

- 최근에 실시한 헤모글로빈(Hb) 검사 결과가 3개월 이내의 이전검사보다 2 g/dl 이상 감소하거나, 헤모글로빈 절대치가 9 g/dl 미만인 상태에서 수혈한 경우
- 수혈 사유 및 수혈 전 후 검사 결과 기재 하여 청구
- 만성 빈혈의 경우 정확한 진단과 신중한 수혈 고려. 무증상의 경우 필요 시 경구, 주사용 철분제, 비타민 B12, 엽산 등 우선 투여.

3. 2020년 현재 요양병원 입원환자 분류체계 및 기준

<table>
<tr><th colspan="2">2019년 11월 이전(중분류 중 높은수가)</th><th colspan="3">2019년 11월 이후(기본등급)</th></tr>
<tr><td>의료최고도 A1</td><td>60,070</td><td>의료최고도 A1</td><td>64,690</td><td></td></tr>
<tr><td>의료고도 A2</td><td>50,140</td><td>의료고도 A2</td><td>55,500</td><td></td></tr>
<tr><td>의료중도 A3</td><td>46,550</td><td rowspan="2">의료중도 A3</td><td>49,220</td><td>탈기저귀 활동 수행 함</td></tr>
<tr><td>문제행동군 A4</td><td>42,680</td><td>45,350</td><td>탈기저귀 활동수행 안함</td></tr>
<tr><td>인지장애군 A5</td><td>41,860</td><td rowspan="2">의료경도 A6</td><td rowspan="2">43.290</td><td></td></tr>
<tr><td>의료경도 A6</td><td>44,040</td><td></td></tr>
<tr><td>신체기능저하군 A7</td><td>31,690</td><td>선택입원군 A7</td><td>28,920</td><td>본인부담 40%</td></tr>
</table>

<table>
<tr><th>의료최고도</th><td>일상생활수행능력이 11점 이상이면서 인공호흡기, 혼수, 중심정맥영양 중 하나이상에 해당하는 경우</td></tr>
<tr><th rowspan="8">의료고도</th><td>(1) 뇌성마비, 척수손상에 의한 마비, 사지마비, 편마비, 파킨슨병, 신경성 희귀난치성질환, 후천성면역결핍증, 다발경화증을 가진 환자가 일상생활수행능력이 18점 이상인 경우</td></tr>
<tr><td>(2) 3단계 이상의 욕창(울혈성·허혈성 궤양 등 포함)으로 2가지 이상의 피부 궤양 치료를 받고 있는 경우</td></tr>
<tr><td>(3) 발열(탈수·구토·체중 감소 중 하나 이상을 동반한 경우에 한함)이 최소 3일 이상 있고, 발열 원인을 찾는 검사와 처치를 받고 있는 경우</td></tr>
<tr><td>(4) 2도 이상 화상으로 처치를 받고 있는 경우</td></tr>
<tr><td>(5) 매일 있는 격렬하거나 참을 수 없는 통증으로 통증관련 치료를 받고 있는 경우</td></tr>
<tr><td>(6) 7일 이상의 지속적 경관영양</td></tr>
<tr><td>(7) 기관절개관 관리를 매일 받고 있는 경우</td></tr>
<tr><td>(8) 당뇨환자가 합병증으로 발의 감염이 있어 주기적으로 드레싱을 받고 있는 경우(일상생활수행능력 4~8점인 경우는 제외)</td></tr>
</table>

1. (1)"의 '신경성 희귀난치성질환' 이란 중증근무력증 및 기타 근신경 장애(G70), 근육의 원발성 장애(G71), 헌팅톤병(G10), 유전성 운동실조(G11), 척수성 근위축 및 관련 증후군(G12), 달리 분류된 질환에서의 일차적으로 중추신경계통에 영향을 주는 계통성 위축(G13), 진행성 핵상안근마비[스틸-리차드슨-올스제위스키](G23.1), 중추신경계통의 비정형바이러스감염(A81), 아급성 괴사성 뇌병증[리이](G31.81)을 말한다.

2. (2)"의 '피부 궤양 치료'는 압력을 줄여주는 도구 사용, 체위 변경, 피부문제를 해결하기 위한 영양 공급, 피부 궤양 드레싱을 의미한다.
3. (5)"의 '격렬하거나 참을 수 없는 통증'은 VAS (Visual Analogue Scale) 또는 NRS (Numeric Rating Scale) 10점 중 7점 이상이거나 FPS (Faces Pain Scale) 5단계 중 4단계 이상인 경우에 해당한다.
4. (6)"의 '경관영양'은 경관영양을 하고 있으면서 경관 또는 말초정맥을 통해 섭취하는 칼로리가 총 섭취 칼로리의 51% 이상인 경우 또는 경관영양을 하고 있으면서 경관 또는 말초정맥을 통해 섭취하는 칼로리가 총 섭취 칼로리의 26~50%이면서 1일 섭취 수분양이 501 ml 이상인 경우에 해당한다.

	의사의 판단하에 환자의 상태에 따라 적합한 **"일상생활수행능력 향상 활동"을 1일 4회 이상 실시**하고 진료기록부 등에 활동내용 및 개선경과를 기록한 경우에 51.70점(1일당)을 별도 산정한다.
의료중도	(1) 뇌성마비, 척수손상에 의한 마비, 사지마비, 편마비, 파킨슨병, 신경성 희귀난치성질환, 후천성면역결핍증, 다발경화증을 가진 환자가 일상생활수행능력이 11~17점인 경우
	(2) 2단계 욕창(울혈성·허혈성 궤양 등 포함)으로 2가지 이상의 피부 궤양 치료를 받고 있는 경우
	(3) 당뇨이면서 혈당검사 및 인슐린 주사가 매일 시행되고, 혈당 또는 인슐린 투여 용량의 변화가 심한 경우
	(4) 매일 있는 중등도의 통증으로 통증관련 치료를 받고 있거나 암성 통증으로 통증관련 치료(마약성 진통제 등)를 받고 있는 경우 * '중등도의 통증'은 VAS(Visual Analogue Scale) 또는 NRS(Numeric Rating Scale) 10점 중 4점 이상이거나 FPS(Faces Pain Scale) 5단계 중 3단계 이상인 경우에 해당한다.
	(5) 연속 또는 간헐적으로 3일 이상 정맥 주사로 치료약제(항생제, 혈압강하제 등)를 투여 받고 있는 경우
	(6) 하기도 증기흡입치료
	(7) 수술창상 치료 및 이에 준하는 치료를 받고 있는 경우
	(8) 3개월 이내 루(위루, 요루, 장루) 수술로 루 관리를 받고 있는 경우이거나, 출혈이나 감염 등의 문제로 지속적인 루 관리를 받고 있는 경우
	(9) 배뇨장애로 일정하게 짜여진 배뇨계획, 방광훈련 프로그램, 규칙적 도뇨 중 하나 이상의 배뇨훈련을 받고 있으면서 7일 이상 배뇨일지가 작성된 경우
	(10) BPSD : 치매진단을 받은 환자가 망상, 환각, 초조 · 공격성, 탈억제, 케어에 대한저항, 배회 중 하나 이상의 증상을 1주에 2일 이상, 또는 4주에 8일 이상 보여 이에 대한 약물 치료를 받고 있는 경우
의료경도	(1) BPSD : 치매진단을 받은 환자가 우울·낙담, 불안, 이상 운동증상 또는 반복적 행동, 수면·야간행동 중 하나 이상의 증상을 1주에 2일 이상 또는 4주에 8일 이상 보이며 치매관련 약제를 투여 받고 있는 경우
	(2) 의료중도에 해당하지 않는 환자로서 루(위루, 요루, 장루) 관리를 받고 있는 경우
	(3) 일상생활수행능력이 6점 이상이면서 특정항목에 해당하는 전문재활치료 중 적어도 한 가지 이상을 주 2일 이상 받고 있으며, 지속적으로 입원 치료가 필요한 경우
선택입원군	일정기간 입원 치료가 필요하나 의료최고도, 의료고도, 의료중도, 의료경도에 해당하지 않는 환자에게 산정한다.

행동심리증상(BPSD) 사례

<table>
<tr><td>망상</td><td>사실이 아닌 것을 사실이라 믿음
남들이 자기를 헤치려 한다
무엇을 훔쳐갔다고 주장한다
배우자가 바람을 피운다
가족이 나를 버리고 갔다고 말함</td><td rowspan="6">*의료중도

치매진단
+
정신신경
용제 투약</td></tr>
<tr><td>환각</td><td>헛것을 보거나 듣는 등 현재에 없는 것을 실제인것처럼 말함
그 자리에 없는 누군가와 얘기 나누는 모습보임
피부에 무엇이 있다고 말하거나
벌레 같은 것이 피부에 기어다닌다고 함</td></tr>
<tr><td>초조 또는 공격성</td><td>소리를 지르거나 욕을 함
다른 사람을 때리거나 밀치는 것
안절부절 못하는 증상
자기 고집이 세서 자기 방식대로 하려고만 하는 양상보임
소리를 지르거나 욕을 함
다른 사람을 해치려 하거나 때리려고 함</td></tr>
<tr><td>탈억제</td><td>충동적 행동, 사회적으로 부적당한 행동을 보이는 것
다른 사람을 만지거나 입을 맞추는 등의 성적인 행동보임
저질스러운 얘기나 성적인 언어를 자주 표현함
상대방 기분을 생각하지 않고 함부로 말하는 행동보임
대변을 손으로 만지고 장난치는 행동보임</td></tr>
<tr><td>케어에 대한 저항</td><td>복약, 주사, 식사 등에 대한 거부
혈당, 혈압 체크 거부
재활치료를 받지 않으려 함
세안, 목욕, 기저귀 변경 등 일상생활 수행을 못하게 거부</td></tr>
<tr><td>배회</td><td>납득할만한 목적없이 돌아다님
필요사항이나 인진에는 신경쓰지 않고 돌아다님
병원밖으로 나가려고 하여 보호자(직원)가 뒤따라 나감</td></tr>
<tr><td>우울 또는 낙담</td><td>슬퍼 보이거나 우울해 보이는 것.
환자 스스로 슬프거나 우울하다고 말하는 것</td><td rowspan="4">*의료경도

치매진단
+
치매약
투약</td></tr>
<tr><td>불안</td><td>특별한 이유 없이 신경이 매우 예민해 보임
걱정하거나 무섭다고 얘기함</td></tr>
<tr><td>이상 운동증상
또는 반복적 행동</td><td>반복적으로 왔다갔다하거나 서랍을 열었다 닫았다 하는 등
같은 일을 반복하는 것</td></tr>
<tr><td>수면 또는
야간행동</td><td>밤에 자지 않고 깨어 있거나 서성거리거나
돌아다녀 다른 사람의 수면을 방해하는것</td></tr>
</table>

치매 관련

치매진단을 받고 망상, 환각, 초조.공격성, 탈억제, 케어에 대한 저항, 배회로 이에 대한 약물치료
➔ 의료중도

치매진단을 받고 우울.낙담, 불안, 이상 운동증상 또는 반복적 행동, 수면.야간행동 보이며 치매관련약제 투여
➔ 의료경도

※ 상기 소견 2일 이상 / 1주 (또는 8일 이상/4주) 발생

치매진단을 받고 들뜬기분. 다행감, 무감동.무관심, 과민.불안정, 식욕.식습관의 변화, 무증상 치매
➔ 선택 입원군

치매진단 : MMSE, CDR, GDS, 영상소견 등
약물치료 : 정신신경용제(antipsychotics) 등 문제소견을 해결하기 위한 의사의 처방
치매약제 투여 : 의료중도와 경도군 모두 투여해야 함. 치매로 식약처 허가 받은 모든 약물
* 도네페질제제 : 알츠하이머형 치매 증상의 치료만 허가
* 아세틸엘카르니틴 : 뇌혈관 질환에 의한 이차적 퇴행성 질환만 허가

일상생활수행능력(ADL) 향상활동

환자가 기저귀를 하지 않고, 보조를 받아 보행이나 탈기저귀 훈련 등을 실시하여 기저귀 사용을 줄이고, 배뇨조절을 위해 규칙적인 화장실 이용 및 보행을 독려하는 활동을 말함

산정 : 의료중도 중 해당 활동 시행 한 날만 산정 가능
(A3000 : 1일당 3,870원)
단, 외박 수가 산정 또는 06시 이전 입원, 18시 이후 퇴원
등으로 50% 입원료 발생 시 산정 불가

대상 : 일상생활 활동 시(화장실 이동, 병실 밖 이동 등)
스스로 보행이 어려워 보조인력의 도움이 필요한 환자
일상생활수행능력(ADL) 9점 이상

실시인력 : 의사의 판단 및 감독하에 당해 기관의 간호인력 및 기타 보조인력 등 1명 이상
실시횟수 : 1일 4회 이상
소요시간 : 1회당 최소 15분 이상
진료기록부 등에 기록한 경우 1일당 1회 인정함

@ ADL 향상활동 Q&A

ADL 활동으로 보행훈련만 실시해도 되는지?
화장실 이동 훈련도 같이 해야 하나 의사 판단에
화장실훈련을 하여도 향상되지 않는다면 이후
보행에 더 비중을 두어도 됨. 해당내용 기록함.

실시인력의 기타 보조인력이란?

간병사 포함. 보호자 간병의 경우 아직 미정.

면회보호자가 시행한 것도 인정되는지?

의사, 간호사로부터 교육을 받고 실시.

일시적 면회객에 의한 시행은 횟수에서 제외

ADL훈련 15분 이내 시행 한 경우는? 인정 안 됨.

그러나 화장실만 사용 등으로 시간이 남을 경우 보행훈련 실시하여 15분 이상 시행 시 인정

진료기록부 작성은 1일 1회만 작성해도 되는지, 체크리스트 인정되는지?

매회마다 의무기록에 작성. 체크리스트는 추가 작성해도 됨

의료중도 조정 될 경우 ADL 수가도 조정될 수 있는지?

입원료와 같이 발생하는 수가 이므로 조정 될 수 있음.

의료중도의 배뇨훈련과 같이 동시 산정되는지?

기준에 맞는다면 가능함

필자의 개인 의견 - 의료중도나 의료경도로 인정받기 위해서 Antipsychotics와 치매약제를 반드시 투여해야 한다는 원칙은 자칫 치매환자에게 약물 투여를 유도하는 결과를 초래할 수 있다. 오히려 과격한 행동심리증상을 보이는 치매환자들을 비약물적으로 치료하려는 요양병원 및 의료진에게 의욕 상실을 유발할 수도 있다는 점은 아쉽다.

요양병원 환자 분류체계 및 일당정액수가 개정 관련 질의·응답

(보건복지부 고시 제2019-101호 관련, 2019.11.1.적용)

(보건복지부 고시 제2019-125호 관련, 2019.11.1.적용)

연번	질의	답변
1	일상생활수행능력(Activities of Daily Living, ADL)에 따른 중분류가 삭제되었는데 일상생활수행능력 평가를 해야 하나요?	일상생활수행능력(ADL) 중분류는 삭제되었지만, 환자군별 기준은 남아 있어 환자평가표의 ADL 평가는 해야 합니다.
2	치매진단은 상급종합병원에서만 받아야 하나요?	의료중도 또는 의료경도의 '치매진단을 받은 환자'는 치매진단이 관련 검사결과 등을 통해 객관적으로 확인되는 경우 산정 가능합니다. 다만 해당 검사나 진단 등이 반드시 상급종합병원에서 이루어질 필요는 없습니다.
3	새로 신설된 선택입원군은 어떤 환자인가요?	일정기간 입원 치료가 필요하나 의료최고도, 의료고도, 의료중도, 의료경도에 해당하지 않는 환자입니다.
4	이번 개정고시에서 정액수가에 포함되지 않는 항목 중 '제1편 제3부 행위 비급여 목록과 치료재료 급여·비급여 목록 및 급여 상한금액표의 비급여 목록 중 '19년 1월 이후 급여로 변경 고시된 항목'은 어떻게 산정하나요?	특정항목으로 별도 산정합니다. 또한, '19년 11월 1일 진료분부터는 제1편 제3부 행위 비급여 목록과 치료재료 급여·비급여 목록 및 급여 상한금액표의 비급여 목록 중 '18년 12월 31일까지 급여로 변경 고시된 항목은 별도 산정할 수 없습니다.
5	인공호흡기 사용 환자가 개인용 또는 병원용을 사용하는 경우 모두 의료최고도로 산정 가능한가요?	개인용 또는 병원용을 사용하는 경우 모두 의료최고도 산정이 가능하나, 요양급여의 적용기준 및 방법에 관한 세부사항 고시의 '환자평가표' 중「K. 특수처치 및 전문재활치료의 인공호흡기」의 세부인정사항에 따라 인공호흡기를 사용한 경우 산정합니다.
6	의료최고도의 '체내출혈'은 어떻게 산정해야 하나요?	의료최고도의 '체내출혈'은 임상적으로 문제가 되는 체내출혈 소견이 있으면서 지혈을 위한 처치 또는 수술을 시행한 경우 폐렴, 패혈증 등과 같이 '특정기간'으로 산정합니다. ※ 개정 전 '체내출혈'을 시행하는 경우에는 정액수가로 산정하였으나, 개정 후 '체내출혈'을 시행하는 경우에는 특정기간으로 산정토록 변경함
7	당뇨환자가 합병증으로 발의 궤양이 발생하여 치료받는 경우에는 어떻게 산정해야 하나요?	당뇨병성 궤양이 있는 경우에는 궤양의 상태(단계)와 치료에 따라 의료고도와 의료중도로 나뉘어 산정합니다. 예시) 환자평가표의 '피부 궤양'에서 '울혈성 또는 허혈성 궤양 등' 항목에 발 궤양의 단계별 수를 기재하고, 피부문제에 대한 처치항목 중 압력을 줄여주는 도구 사용, 체위변경, 피부문제를 해결하기 위한 영양 공급, 피부 궤양 드레싱 중 2가지 이상에 해당하는 경우 궤양의 단계에 따라 의료고도와 의료중도로 산정

연번	질의	답변
8	'수혈'을 시행한 경우에는 어떻게 산정하나요?	'수혈'을 시행하는 경우 건강보험 행위 급여·비급여 목록표 및 급여 상대가치점수 제1편 파-1 전혈, 파-2 혈액성분제제를 별도 산정합니다. ※ 개정 전 '수혈'을 시행하는 경우에는 의료고도로 산정하였으나, 개정 후 '수혈'을 시행하는 경우에는 혈액에 대하여 별도 산정토록 변경함
9	일상생활수행능력 향상 활동의 수가 산정 방법은?	의료중도 환자에게 일상생활수행능력 향상 활동을 실제 시행한 경우 입원료의 일당 개념으로 산정하며, 외박 수가 산정 시에는 별도로 산정할 수 없습니다. ※ 자발적으로 보행이 가능한 환자에게는 산정불가하며, 보조인력의 도움을 받아 시행한 내용이 진료기록부 등에서 확인되는 경우 산정 가능함 예시) 의료중도 환자가 9박 10일을 입원하고 일상생활수행능력 향상 활동을 매일 4회 이상 시행한 경우 매일 1회씩 총 9회 수가 산정
10	0~6시 사이에 입원하거나, 18~24시 사이에 퇴원하여 입원료의 50%를 별도 산정한 경우 일상생활수행능력 향상 활동 수가 산정이 가능한가요?	일상생활수행능력 향상 활동은 입원료의 50%가 별도 산정된 경우에는 산정할 수 없습니다.
11	일상생활수행능력 향상 활동을 시행한 경우 의무기록에 기재해야할 내용은 무엇인가요?	실시목적, 시간, 방법, 장소, 투입인력, 소요시간, 환자상태의 개선경과 등을 구체적으로 기재해야 합니다.
12	특정항목의 전문재활치료 산정 시 일상생활수행능력 향상 활동 수가 산정이 가능한가요?	일상생활수행능력 향상 활동은 특정항목의 전문재활치료와는 다른 별개의 행위로 해당 급여기준을 충족했을 경우 산정합니다.
13	일상생활수행능력 향상 활동은 무엇인가요?	일상생활수행능력 향상 활동은 환자가 기저귀를 하지 않고 하루 일정시간 보조를 받아 보행이나 탈기저귀 훈련 등의 활동을 시행하는 경우를 말합니다. 예시) 1. 환자가 배뇨욕구나 병실 밖 이동욕구를 표현한다. 2. 화장실 또는 병실 밖 공간으로의 이동을 원하는지 물어본다. 3-1. 화장실 이동시 간호 및 기타 보조인력 등이 화장실까지 이동하여 배뇨를 돕는다. 3-2. 병실 밖 이동 시 간호 및 기타 보조인력 등이 환자가 원하는 공간으로 보행이동을 돕는다. 4. 배뇨 완료 후 또는 병실 밖 공간에서 침상으로 안전하게 이동토록 한다. 5. 실시시마다 활동 내용 및 환자상태 개선여부 등을 진료기록부 등에 자세히 기록한다.

연번	질의	답변
14	암성 통증의 경우 어떻게 산정해야 하나요?	암성 통증이라도 격렬하거나 참을 수 없는 통증이 매일 있어 통증치료를 받고 있는 경우에는 의료고도로, 그 외 암성 통증이 있어 마약성 진통제 등으로 적절한 치료를 받고 있는 경우에는 의료중도로 산정합니다.
15	의료중도의 수술창상 치료 및 이에 준하는 치료를 받고 있는 경우란 어떤 경우인가요?	개정 전 의료중도의 '수술창상이 있으면서 이에 대한 치료를 받거나 개방창이 있으면서 이에 대한 드레싱을 받는 경우'에 해당하는 경우로 환자평가표의 I. 피부상태 4. 피부의 기타문제 세부인정사항에 따라 '개방성 피부병변' 또는 '수술창상'으로 드레싱 또는 수술창상 치료를 받고 있는 경우를 말합니다.
16	의료중도의 '네뷸라이저'은 어떻게 변경되었나요?	의료중도에서 '네뷸라이저 요법'은 삭제되었습니다. 다만, '하기도 증기흡입치료'가 의료중도에 신설되어「건강보험 행위 급여·비급여 목록표 및 급여 상대가치점수」제1편 자4-1 하기도 증기흡입치료의 급여기준에 따라 적정하게 시행되는 경우 의료중도로 산정할 수 있습니다.

4. 2019~20년 신설 및 개정되는 수가 및 제도

요양병원 신설 및 개정수가(내용) 시행일 및 요약 내용

시행일	개정수가 및 제도	대상	세부기준
2019.9.27	승강기 배상책임 보험제도	승강기 관리주체 해당 요양병원	기존승강기 사고배상책임보험 의무가입대상이 승강기 유지관리업체에서 승강기소유자가 의무가입대상으로 변경(법에의한 관리자, 계약에 의한 관리자포함)
2019.10.1	요양병원 입원 중인 환자가 진료의뢰서 없이 임의로 타 요양기관 진료시 전액본인부담	요양병원 입원중인 환자는 외부진료시 반드시 진료의뢰서 지참 (급여: 급여의뢰서)	[국민건강보험공단]이 개정(법률 제15874호, 2018.12.11 공포 법률 제16238호,2019.1.15 공포 국민건강보험시행규칙[별표 6] 1호-가목5
2019.10.24	보안인력(전담자) 배치 및 경찰청 연결비상벨 설치	100병상이상 병원급 의료기관 (요양병원 포함)	폭력행위 예방대응메뉴얼 마련 의료인 및 의료기관 종사자 교육실시 폭력행위 금지 게시물 게시
2019.11.1	요양병원 차등제 정액수가 환자군 개정	요양병원 2019.11.1 이전 입원환자, 이후 입원환자 모두 적용	환자군 및 수가 세부기준 별도
2019.11.1	의료급여환자 입,퇴원현황 등록	요양병원입원,퇴원하는 의료급여환자	입퇴원일시등의 현황 요양병원정보마당에 제출

시행일	개정수가 및 제도	대상	세부기준
2019.11.1	요양병원입원환자 입원환자안전관리료	200병상이상 인증 (or 조건부인증)통과한 요양병원 환자안전위원회 구성및 전담인력신고(인증원) (전담인력심평원신고필)	1. 환자안전위원회 구성 및 업무시행 2. 전담인력은 관련법에 따른 업무시행,연간계획수립 및 관리 3. 관련법에 따른 체계적인 활동시행 (청구전까지 운영현황근거 자료 포함 심평원신고) ◉ 병문안관리규정수립 및 시행 ◉ 낙상,욕창방지활동 및 관리시행
2019.11.1	지역사회연계 관련수가 ◉ 지역사회 연계평가료 ◉ 지역사회 연계평가료 I ◉ 지역사회 연계평가료 II	환자지원팀 구성 및 심평원 인력신고 환자지원팀 간호인력차등제인력 겸직 가능(지역사회연계를 위한 방문시는 차등제 인력 산정 불가)	입원일로부터 120일 경과후 퇴원이 예정되어 있고, 지역연계가 필요한 환자에게 실시한 행위료 지급 연계관리료 I, II 동시 산정 불가능 요양기관정보마당에 심층평가표, 퇴원지원표준계획서, 연계내역 제출시 인정
2020.1.1	간호인력 확보수준에 따른 입원료 차등제 개선관련 규정	2019.12.20.까지 차등제신고서 제출후 적용	간호인력수 해당 기간 평균재직일수로 산정
2021.1.1	지역사회연계료 관련 교육이수	환자지원팀 1인 이상 퇴원환자 지원교육 매년이수	퇴원환자 지원교육 매년이수후 교육결과 심평원 신고
2022.1.1	요양병원 입원환자 안전관리료	대상 동일	기존 세부기준 충족 및 6인실이하 병실 입원한 경우에만 적용
2022.1.1	요양병원 9인실 이상 병실료 감산	9인실 이상의 병실에 입원한 환자	◎ 입원료 30% 감산 적용 ◎ 입원료 체감제 적용에도 감산 적용 ◎ 0~6시 입원, 18~24시 사이 퇴원하여 입원료 50% 별도산정시에도 감산 적용 ◎ 외박수가 적용시에도 감산 적용
1차:2020년 2차:21,22년	입원이력 누적 관리	입원 대상자	1차동일기관 재 입원부터 체감제 누적 작용 시행 (2020년) 2차 요양병원 간 누적 체감(2021~2022년)으로 단계적 확대

5. 요양병원 입원료 차등수가제

1) 기본 원칙

- 의료법에 입각한 입원료 차등수가 적용(환자수 대비 인력 수 기준으로 개편)
- 의사와 간호인력 이외 필요인력 확보에 따른 인센티브 제공
- 요양병원 입원급여 적정성 평가 환류를 통한 질 관리
- 의료법에 따라 의사는 40:1(기준/2등급), 간호인력은 6:1(기준/5등급)으로 기준등급 설정

2) 의사인력 차등제

보건복지부는 2019년 11월 22일에 보도자료를 통해 2019년 제22차 건강보험정책심의위원회에서 '요양병원 입원료 차등제 수가 개선안'을 보고했다고 발표함.

이는 2018년 12월 건정심에서 의결된 '요양병원 건강보험 수가체계 개선방안'에 대한 후속조치에 따른 것으로, 기존의 8개 특정 전문과목 전문의를 일정수준 이상 확보하는 경우 기본입원료에 가산하는 방식을 폐지하고, 의과 26개 모든 전문과목으로 확대하기로 하였으며, 가산율을 아래와 같이 일부 조정하기로 하였음.

– 아 래 –

- □ 전문과목(의과) : (현행) 8개과 → (개선) 26개 모든 전문과목
- □ 전문의 확보율 : 현행 50% 유지
- □ 가산율 조정 : (현행) 20% → (개선) 18%
- □ 의료법 기준 미충족 감산구간 단일화 : (현행) −15 ~ −50% → (개선) −50%
- □ 시행시기 : 2021년 1월(2020.09.15~2020.12.14 신고분부터 적용)
- □ 향후 방향 : 의사인력 가산을 축소하고(5%), 이를 요양병원 입원급여 적정성 평가 결과 우수 기관에게 인센티브 제공('23 시행)

표 7-1. 의사인력 차등 등급(2019년 기준)

등급	환자 수 : 의사 수	가감산율	가감산금액
1등급	35 : 1 이하(의사 전문과목 ½ 이상)	20%	+4,050원
	35 : 1 이하(의사 전문과목 ½ 미만)	10%	+2,020원
2등급	35 : 1 초과 ~ 40 : 1 이하	0%	0원
3등급	40 : 1 초과 ~ 50 : 1 이하	- 15%	-3,030원
4등급	50 : 1 초과 ~ 60 : 1 이하	- 30%	-6,070원
5등급	60 : 1 초과	- 50%	-10,110원

Adapted from 건강보험심사평가원

3) 간호인력 차등제

직전분기 평균 병상 수 대비 직전분기 평균 간호인력(환자 수 대비 간호인력)에 따른 등급을 산정하여 다음 분기에 적용함.

표 7-2. 간호인력 차등제

등급 구분기준		가감기준		
		기본(환자 수 대 간호사 수)		추가가산
등급	환자 수 대 간호인력 수	18:1 미만	18:1 초과	
1등급	4.5:1 미만	60% 가산	15% 감산	주1) 참조
2등급	4.5:1 이상 5:1 미만	50% 가산		
3등급	5:1 이상 5.5:1 미만	35% 가산		
4등급	5.5:1 이상 6:1 미만	20% 가산		
5등급	6:1 이상 6.5:1 미만	0		
6등급	6.5:1 이상 7.5:1 미만	20% 감산	30% 감산	
7등급	7.5:1 이상 9:1 미만	35% 감산	45% 감산	
8등급	9:1 이상	50% 감산	50% 감산	

주 1) 간호사비율이 간호인력의 2/3 이상인 경우에 환자1인 1일당 2,000원 가산함(1등급~5등급에 한함)
주 2) 가감 비율은 기본입원료 소정점수(270.04점)에 대한 비율임

4) 필요인력 확보에 따른 별도 보상제

약사가 상근하고 의무기록사, 방사선사, 임상병리사, 물리치료사, 사회복지사 중 상근자가 1명 이상인 직종이 4개 이상인 경우 일당 1,710원을 별도 보상함(2016년 현재).

- 2013년 4/4분기 기준, 필요인력 가산을 받고 있는 기관이 64.4%(정액환자 진료비의 1.73%)

5) 요양병원에서의 영양사, 조리사 가산

a. 영양사 2인, 조리사 2인 이상 근무 시에 가산 혜택.

b. 영양사 및 조리사 수는 환자식사를 담당하는 전전월 평균 영양사 및 조리사 수에 따름.

c. 전일제 영양사 및 조리사로 1주간의 근로시간이 우러평균 40시간인 근무자를 1인으로 산정함.

d. 단시간 근무로 1주간의 근로시간이 월평균 32시간 이상 ~ 40시간 미만 근무자는 0.8인으로 산정하며, 32시간 미만 근무자는 산정 대상에서 제외.

e. 전일제 및 단시간 근무하는 영양사 및 조리사는 [기간제 및 단시간근로자보호 등에 관한 법률] 제17조(근로조건의 서면 명시)를 준수하고, 4대 사회보험에 가입 및 1년 이상 고용계약을 체결한 경우 산정.

6. 요양병원형 수가제가 요양병원에 미치는 영향

표 7-3. **요양병원 입장에서 본 요양병원형 수가제의 장단점**

장점	단점
청구의 간편화	의료의 질 저하
청구 심사의 효율성	서비스의 질 저하(환자의 삶의 질)
요양병원 인력 관리(취직 자리 제공)	병원의 인력 구인란
건강보험 재정의 절약	진료 수입의 감소
장기입원의 용이성	경영의 악화
	환자 분류에 관해 심평원과 마찰 소지 있음

7. 요양병원에서의 본인부담 상한제 적용

1) 본인부담 상한제란?

2004년 7월 1일부터 시행되고 있으며, 장기, 중증 질환자의 고액진료비 지출로 인한 가계의 경제적 부담을 덜어주기 위한 제도로서, 요양급여비용 중 본인이 부담할 비용의 총액이 본인부담 상한액을 초과할 경우에 공단이 그 초과액을 부담하는 제도이다. 비급여 부분은 미해당.

2) 관련 법령(국민건강보험법 제 41조 및 시행령 제 22조 제2항 및 제4항) 내용 요약

a. 요양급여비용 중 본인이 연간 부담한 비용의 총액이 본인부담 상한액을 초과하는 경우, 초과한 금액을 공단이 부담한다.

b. 가입자가 요양기관에 지불한 경우에는 공단이 가입자에게 지급하여야 한다.

c. 요양급여비용 중 가입자 또는 피부양자 본인이 부담하는 금액의 본인부담 상한액은 지역가입자의 세대별 보험료 부담수준 또는 직장가입자의 개인별 보험료 부담 수준에 따라 그 금액을 달리한다.

3) 보험료 수준에 따른 본인부담상한액(2014, 2015년도 기준)

소득분위	1분위	2~3분위	4~6분위	6~7분위	8분위	9분위	10분위
2014년도	120만원	150만원	200만원	250만원	300만원	400만원	500만원
2015년도	121만원	151만원	202만원	253만원	303만원	405만원	506만원

4) 본인부담 상한제 적용 및 제외 대상

a. 적용 대상 : 건강보험급여 본인부담금

– 정액수가 : 중분류 + 전문의약품 + 전문재활치료 + 혈액투석 및 투석액 + CT 및 MRI + 식대

– 행위 : 보험급여 대상 + 식대

b. 제외 대상

–100:100 본인부담, 비급여, 간병비, 할인액 또는 면제한 본인부담금 등

08 요양병원 입원급여 적정성 평가

Q. **요양병원 적정성 평가 결과가 왜 중요한가요?**

– 현실적으로 가장 중요한 이유는 적정성 평가 결과가 안 좋을 경우에 수가 환류 조치의 위험이 있기 때문입니다.

2008년부터 요양병원 적정성 평가 제도가 시행되면서 건강보험심사평가원(심평원)의 기준에 부응하지 못하게 된(적정성 평가 결과 전체의 하위 20% 이하인) 요양병원들은 수가 환류 조치 등의 벌칙 제도에 처하게 되었다. 적정성 평가 제도에 대한 심평원의 기본 방향은 원년에는 시설, 인력, 장비 등 요양병원 구조 중심의 평가를 시행했다면, 그 이후로는 진료 서비스의 과정과 결과 등 질 중심의 평가로 변화하고 있는 추세이다. 특히 2013년에 요양병원에 대한 의무 인증평가제도가 도입되면서 2012년 이전까지 적정성 평가에서 담당했던 시설 평가가 인증원 조사항목으로 이전되었다. 2019년부터는 2주기 요양병원 적정성 평가가 시작되었다.

1. 1주기 요양병원 적정성 평가 개요

1) 기간 및 평가 횟수 : 2008년부터 2018년까지 총 7회
2) 평가배경 : 요양병원 일당정액수가제도 특성으로 인해 발생 가능한 의료공급자의 서비스 과소제공 방지 및 전반적인 질 향상 도모.
3) 지표 운영 현황
   a. 구조영역 중심의 지표운영(구조지표 비중이 50% 이상)
   b. 노인, 만성 질환 위주의 상태 유지 및 악화 방지 지표로 구성.
4) 평가대상기간 및 주기
   a. 3개월 진료분 대상
   b. 약 2년 주기로 결과 공개
5) 평가결과에 따른 환류
   a. 구조와 진료지표 모두 하위 20% 기관에 인력차등수가 배제(환류) 시행

적정성 평가 결과 환류의 근거

[보건복지부 고시 제2009-216호(2009.11.30.)] 건강보험행위 급여, 비급여 목록표 및 급여 상대가치 점수 (요양병원 입원급여 적정성 평가 결과 환류)
'요양병원 입원급여 적정성 평가' 결과 평가 영역이 전체 하위 20% 이하에 해당하는 요양병원은 평가 결과발표 직후 2분기 동안 입원료 가산과 필요인력 확보에 따른 별도보상을 적용하지 아니한다. (동 고시는 2011년 결과 발표 분(3차)부터 적용)

[관련 행정해석(보험급여과-1804, 2010.08.31.)]
전체 하위 20% 이하 기준은 구조와 진료 모두 종합순위 하위 20% 이하인 기관을 의미

표 8-1. **1주기 요양병원 적정성 평가 수행 현황**

구분 (평가연도)		1차 (2008년)	2차 (2009년)	3차 (2010년)	4차 (2012년)	5차 (2013년)	6차 (2015년)	7차 (2018년)
평가대상(기관)		571	718	782	937	1,104	1,272	1,363
진료 월		'08.7.~9.	'09.10.~12.	'10.10.~12.	'12.1.~3.	'13.7.~9.	'15.10.~12.	'18.1.~3.
평가지표	계	24	34	42	46	35	37	37
	구조	20	23	26	26	10[주)]	9	9
	진료	4	7	10	10	14	13	13
	모니터	-	4	6	10	11	15	15
종합점수		구조 53.5점 진료 50.6점	53.5점	66.7점	70.3점	79.8점	84.0점	87.0점
결과공개		'09.7월	'10.8월	'11.9월	'13.2월	'14.12월	'17.3월	'19.6월

주) 16개 구조지표는 의료기관평가인증원의 조사항목으로 이관됨

(출처: 건강보험심사평가원)

2. 2주기 요양병원 적정성 평가 개요

1) 기간 : 2019년 이후
2) 평가대상 기간 : 3개월분 자료 → 6개월분 자료 (3차 이후)
3) 평가결과 공개주기 단축 : 약 2년 → 1년
4) 지표 : 1주기에 비해 대폭 감소(1주기 7차 38개 → 2주기 1차 18개 → 2차 16개)
5) 가중치 사전공개를 통한 방향성 및 예측가능성 확보
6) 평가결과 하위 20% 기관 대상 결과공개 전 사전의견 검토 실시

3. 2주기 2차(2020년 10월) 적정성 평가

예정대로라면 2020년 1월~6월(6개월) 진료분을 대상으로 2주기 2차 적정성 평가가 진행되었어야 하나 코로나19 사태로 인해 2020년 10월 이후로 연기되었다. 심평원에서 공개한 2주기 2차 평가 세부계획안을 정리하였다.

1) 평가기준

a. 평가지표 효율화(총18개 → 16개)

b. 진료결과 중심의 핵심지표로 구성

2) 평가지표별 가중치 사전공개

a. 구조영역 vs 진료영역 = 30 vs 70

b. 진료과정 vs 진료결과 = 11 vs 59 (1차는 20 vs 50)

구분		지 표 명	가중치
구조 영역 (4)		구조 영역 소계	30
		의사 1인당 환자 수	균등 분할
		간호사 1인당 환자 수	
		간호인력 1인당 환자 수	
		약사 재직일수율	
진료 영역 (10)		진료 영역 소계	70
	과정 (2)	과정 지표 소계	11
		유치도뇨관이 있는 환자분율	5
		치매환자 중 MMSE검사와 치매척도검사 실시 환자분율	6
	결과 (8)	결과 지표 소계	59
		전월 비교 50% 이상 체중 감소 환자분율	6
		욕창이 새로생긴 환자분율	12
		욕창 개선 환자분율	10
		중등도 이상의 통증 개선 환자분율	10
		일상생활수행능력(ADL) 개선 환자분율	10
		당뇨병 환자 중 HbA 1c 검사 결과 적정범위 환자분율	7
		장기입원(181일 이상) 환자분율	2
		지역사회 복귀율	2
모니터링 (2)		유치도뇨관 관련 요로 감염률	
		의약품안전사용서비스(DUR) 점검률	

그림 8-1. **2주기 2차 평가지표 및 가중치.** (출처 : 건강보험심사평가원)

3) 평가지표 정의 및 산출식

a. 구조영역(4개)

[지표1] 의사 1인당 환자 수 = 대상기간 평균 환자 수 / 대상기간 평균 의사 수
[지표2] 간호사 1인당 환자 수 = 대상기간 평균 환자 수 / 대상기간 평균 간호사 수
[지표3] 간호인력 1인당 환자 수 = 대상기간 평균 환자 수 / 대상기간 평균 간호인력 수
[지표4] 약사 재직일수율 = (대상기간 약사 재직일 수 / 대상기간 전체 일수의 합) × 100

〈간호인력 등급 산정방법 개정〉
◇ 보건복지부고시 제2019-182호 : 시행일 2019년 11월 1일부로 한다.

1. 매월 15일자를 기준으로 간호인력 수를 산정하지 않고 앞으로 재직일수에 따른 평균 간호인력수로 변경해 편법 예방
2. 전분기 20일까지 심평원에 간호인력 자료를 제출하고 하루만 늦어도 무조건 8등급으로 간주하는 방식을 개선해 불가피한 경우 적용분기 전일까지 자료를 제출하면 인정 (미제출기관은 6등급으로 산정)

b. 진료영역(10개)

[지표5] 유치도뇨관이 있는 환자분율

산출식	(유치도뇨관이 있는 환자)/(해당 월 평가를 받은 환자) x 100
세부기준	환자군 분류 @고위험군 - 변실금[대변조절상태 항목이 '조절 못 함'인 경우] - 3단계 이상의 욕창이 있는 경우 - '혼수'이면서 ADL 모든 항목이 '전적인 도움' 이상인 경우 - 사지마비 또는 하지 마비 또는 척수손상인 경우 @저위험군 - 고위험군에 해당하지 않는 환자 @(환자군 통합 운영) 기관 내 고위험군/저위험군 환자 구성비를 반영하여 하나의 표준화된 지표로 운영 [제외 대상] 환자평가표의 평가구분이 입원평가인 경우

[지표6] 치매환자 중 MMSE검사와 치매척도검사 실시 환자분율

산출식	(MMSE검사와 치매척도검사(CDR, GDS) 실시 환자)/(해당 월 평가를 받은 환자) x 100
세부기준	@치매환자 - 청구명세서에 치매상병(F01~F03, G30)이 있거나, 환자평가표의 치매에 체크된 경우 @분자 - 최근 1년 이내 MMSE검사와 치매척도검사(CDR 또는 GDS)를 모두 실시한 경우 인정 [제외 대상] 검사 결과가 없거나, 검사일자가 환자평가표 작성일 이후인 경우

[지표7] 전월 비교 5% 이상 체중 감소 환자분율

산출식	(전월에 비해 5% 이상 체중 감소가 있는 환자)/(해당 월 평가와 전월 평가를 모두 받은 환자 중 체중 결과가 있는 환자) x 100
세부기준	@5% 이상 체중 감소 - (전월 평가 체중 - 해당 월 평가 체중) ≥ 전월평가체중× 0.05 @체중 결과 - 환자평가표 작성(관찰)기간에 측정한 체중결과를 의미 [제외대상] - 말기질환 - 비만: 체질량지수(BMI, 몸무게(kg)/키의 제곱(m^2)) ≥ 25 kg/m^2

[지표8] 욕창이 새로 생긴 환자분율

산출식	(전월 평가에서 욕창이 없었으나 해당 월 평가에서 1단계 이상의 욕창이 새로 생긴 환자)/(해당 월 평가와 전월 평가를 모두 받은 환자 중 해당 월과 전월 모두 고위험군에 해당하는 환자) x 100
세부기준	@고위험군 - 다음 중 하나 이상에 해당하는 경우 - 체위 변경하기가 상당한 도움 이상이거나 행위발생 안함 인 경우 - 일어나 앉기가 상당한 도움 이상이거나 행위발생 안함 인 경우 - 옮겨앉기가 상당한 도움 이상이거나 행위발생 안함 인 경우 - 방밖으로 나오기가 상당한 도움 이상이거나 행위발생 안함 인 경우 @새로 생긴 욕창 - 이전 평가 이후 새로 발생한 욕창(압박성 궤양) 존재여부를 의미

[지표9] 욕창 개선 환자분율

산출식	(해당 월 평가 욕창이 전월 평가보다 개선된 환자)/(해당 월 평가와 전월 평가를 모두 받은 환자 중 전월 평가에서 욕창이 있는 환자) x 100
세부기준	@욕창 개선 - 다음 중 하나 이상에 해당하는 경우 - 전월에 욕창이 있던 상태에서 총 개수가 줄어든 경우 - 전월에 욕창이 있던 상태에서 최고단계가 낮아진 경우 @욕창 악화 - 다음 중 하나 이상에 해당하는 경우 - 전월에 욕창이 있던 상태에서 총 개수가 늘어난 경우 - 전월에 욕창이 있던 상태에서 욕창 중 최고단계 욕창이 더 심해진 경우 [제외대상] 욕창의 개선과 악화가 모두 발생한 경우

[지표10] 중등도 이상 통증 개선 환자분율

산출식	(해당 월 평가 통증이 전월 평가보다 개선된 환자)/(해당 월 평가와 전월 평가를 모두 받은 환자 중 전월 평가에서 중등도 이상의 통증이 있는 환자) x 100
세부기준	@중등도 이상의 통증 - 중등도의 통증 또는 격렬하거나 참을 수 없는 통증이 있는 경우 (NRS, VAS 4 ~ 10점 또는 FPS 3 ~ 5점) ※ (참고) #통증 강도 분류

통증강도	구분	
	NRS, VAS	FPS
경미한 통증 또는 통증 없음	0, 1, 2, 3	0, 1, 2
중등도의 통증	4, 5, 6	3
결렬하거나 참을 수 없는 통증	7, 8, 9, 10	4, 5

#통증 발생빈도 분류 - 통증 없음, 통증 있으나 매일은 아님, 매일 통증이 있음
@통증 개선(감소) 정의
- 통증 강도 및 발생빈도 분류에 따라,「통증의 강도 또는 발생빈도」가 줄어든 경우
- 강도(빈도)의 개선과 빈도(강도)의 악화가 동시에 나타나는 경우는 개선으로 판단하지 않음

[지표11] 일상생활수행능력[ADL] 개선 환자분율

산출식	(해당 월 평가 일상생활수행능력(ADL)이 전월 평가보다 개선된 환자)/(해당 월 평가와 전월 평가를 모두 받은 환자) x 100
세부기준	@ADL 개선 정의 - 환자평가표 기준에 따라 10개 ADL 항목 총점이 1점 이상 감소한 경우 [제외대상] - 전월 평가에서 10개 ADL의 값이 모두 완전자립 인 경우 - 전월과 해당 월 평가 모두 의료최고도 환자

[지표12] 당뇨병 환자 중 HbA1c 검사 결과 적정범위 환자분율

산출식	(최근 3개월 이내 HbA1c 검사 결과가 적정범위인 환자)/(해당 월 평가를 받은 당뇨병 환자) x 100
세부기준	@당뇨병 환자 - 청구명세서에 당뇨상병(E10~E14)이 있거나, 환자평가표의 당뇨에 체크된 경우 @HbA1c 검사 결과 적정범위 정의 - 4 ≤ HbA1c < 8 % [제외대상] - (분모) 환자평가표의 평가구분이 입원평가인 경우 - (분자) 검사 결과가 없거나, 검사일자가 환자평가표 작성일 이후인 경우

[지표13] 당뇨병 환자 중 HbA1c 검사 결과 적정범위 환자분율

산출식	(입원기간이 181일 이상인 환자)/(평가대상기간 동안 입원중인 환자) x 100
세부기준	@181일 이상 입원 - 일당 정액수가 및 입원료 산정기준에 따름 [제외대상] 의료최고도 또는 의료고도, 의료중도 환자

[지표14] 지역사회 복귀율

산출식	(자택 · 시설로 퇴원한 환자)/(평가대상기간 동안 퇴원한 환자) x 100
세부기준	@자택 · 시설로 퇴원한 환자 - 퇴원 후 30일 이내(퇴원일 포함) 요양기관 입원내역이 없는 환자 @퇴원 환자 - 청구명세서 진료결과구분이 9. 퇴원 또는 외래치료 종결 인 경우 [제외대상] - 의료최고도 또는 의료고도, 의료중도 환자 - 퇴원 후 30일 이내(퇴원일 포함) 사망한 환자

c. 모니터링 지표(2개) – 평가 점수에 반영되지 않는 지표

[지표15] 유치도뇨관 관련 요로 감염률
= (요로 감염이 있는 환자)/(해당 월 평가에 유치도뇨관이 있는 환자) × 100

[지표16] 의약품안전사용서비스(DUR) 점검률
= 평가 대상기간 동안 전체 입원환자 입원일수 대비 DUR 점검건수 비율
@세부기준 : 'DUR 점검률'은 DUR 관련부서 자료 활용

4. 적정성 평가 결과 확인

그림 8-2. **건강보험심사평가원 요양기관업무포털 화면의 'E-평가자료 제출시스템' 메뉴에서 확인**

5. 요양병원 적정성 평가에 대한 비판적 의견들

일부 평가 항목은 그 시행 근거의 부족과 객관성의 결여 등에 대해 비판을 받고 있다. 특히 환류 조치를 받은 일부 요양병원에서 심평원을 상대로 환류대상 통보 처분에 대한 취소 소송을 제기하여 법적 공방 중이다.

표 8-2. 요양병원 적정성 평가 결과에 대한 비판의 이유

문제점	관련 항목	취약성
근거 부족	ADL개선환자분율	일상생활수행능력(ADL)의 감퇴 원인이 과연 병원의 낮은 질 때문만일까? 오히려, ADL 감퇴가 빠른 노인환자들은 병의 중증도가 심각한 환자들이 많으므로, 그러한 중증의 환자들을 치료하는 병원에서 ADL 감퇴 분율이 높아질 소지가 큼.
	중등도 이상 통증 개선 환자분율	중등도 이상 통증을 개선하지 못하는 이유는 병원의 질 외에도 다양함. 예컨대, 말기암 환자가 마약성 진통제의 부작용을 견디지 못해 처방을 받지 못할 수도 있음.
	욕창 발생	욕창이 많이 생기거나 악화되는 환자는 사지마비, 뇌졸중, 말기환자 등과 같이 중증 환자 군에서 많다. 따라서 이러한 중증 환자가 적은 병원이라면 욕창 발생의 위험이 낮을 것임.
	체중 감소 환자분율	말기암 환자나 중증의 치매로 인해 체중 유지가 힘든 환자들이 있음.
	HbA1c 적정범위 환자분율	미국당뇨병학회 등에서는 노쇠한 노인이나 기대 여명이 5년 이하인 환자의 적정 HbA1c는 8% 이상으로 제시하고 있고, 특히 노인에서는 저혈당을 예방하는 것이 중요하므로, HbA1c의 적정범위를 4% 이상~8% 미만으로 정한 것을 부적절.
	유치도뇨관 관련 요로 감염률	노쇠한 노인환자의 감염성 질환 발생 원인은 환자 자신의 면역력 저하 등에 기인한 경우가 많음. 따라서, 중증의 환자를 많이 치료하는 병원일수록 이러한 감염질환의 발생률도 높기 마련임.
평가 방법	자체 보고 방식	소속 직원에 의한 자료를 바탕으로 평가하므로 신뢰성 의문.
객관성 결여	상대평가 원칙	1등급~5등급 기준 점수가 예고 없이 정해지고, 해마다 바뀌며, 특히 구조 및 진료 부문 모두 하위 20% 이하로 평가된 기관은 환류 조치를 당하게 됨. 객관적 근거와 환자안전이 기본인 의료기관에 대한 평가 기준이 불명확하다는 점이 가장 큰 문제임. 예컨대, A라는 병원의 유치도뇨관 유치 비율이 전국 평균에 비해 매우 높다는 사실을 알았다면 A라는 병원은 도덕적 딜레마에 빠질 수 있음.

요양병원 적정성 평가 관련 법적다툼 기사

적정성 평가 하위 20% 환류처분 법정행

심평원이 요양병원 입원급여 적정성 평가 결과 하위 20%에 대해 6개월치 의사 및 간호인력 가산금과 필요인력 별도 보상 수가를 삭감하고 있지만 이런 처분의 법적 근거가 없다는 주장이 제기됐다.

A요양병원 등은 심평원이 2018년 1~3월까지 입원 적정성 평가를 한 뒤 하위 20%에 해당한다며 환류처분을 내리자 이에 굴복해 행정소송을 진행중이다.

요양병원 입원급여 적정성 평가 환류란 평가 결과 전체 영역에서 하위 20% 이하에 해당할 경우 평가결과 발표 직후 2분기 동안 의사 및 간호인력 확보에 따른 입원료 가산, 필요인력(약사가 상근하고, 의무기록사, 방사선사, 임상병리사, 물리치료사, 사회복지사 중 상근자가 1명 이상인 직종이 4명 이상) 확보에 따른 1일당 1710원 별도 보상을 하지 않는 것을 의미한다.

A요양병원의 6개월치 환류 처분액은 4억 8천만원에 달한다.

A요양병원 관계자는 "환류처분 금액은 요양병원이 건보공단으로부터 받는 요양급여비용의 25%에 해당할 정도로 병원 경영에 엄청난 타격을 주는데 처분의 법적 근거가 명확하지 않다"고 주장했다.

A요양병원의 행정소송을 대리하고 있는 오상철(법무법인 고도) 변호사는 "환류처분의 법률적 근거가 모호해 위법의 여지가 있다"고 밝혔다.

적정성 평가 결과에 따른 환류처분의 법적 근거는 건강보험법 제47조 제7항에 따라 제정된 '건강보험 행위 급여·비급여 목록표 및 급여 상대가치점수 제3편 제3부 요양병원 행위 급여목록·상대가치 점수 및 산정지침(이하 산정지침)'이다.

건강보험법 제47조는 요양급여비용의 청구와 지급 방법 등을 다룬 조항으로, 제7항은 '요양급여비용의 청구·심사·지급 등의 방법과 절차에 필요한 사항은 보건복지부령으로 정한다'고 규정하고 있다.

이에 대해 오 변호사는 "건강보험법 제47조 제7항은 요양급여비용의 청구·심사·지급 등의 방법과 절차에 필요한 사항 등을 대통령령으로 위임한 것일 뿐 침익적 환류처분의 법적 근거가 될 수 없다"고 단언했다.

건강보험법 제47조 제7항이 위임한 것과 전혀 무관한 사항을 '산정지침'에 포함시켜 환류처분을 하는 것은 상위법령의 구체적인 위임이 없어 위법하다는 주장이다.

오상철 변호사는 "침익적 행정처분은 국민의 기본권을 제한하는 처분이어서 법적 근거가 명확해야 하고, 모법의 위임을 벗어난 하위법령은 법률유보원칙에 어긋난다"면서 "적정성 평가 결과 환류처분 역시 이런 원칙을 지키지 않은 문제가 있다"고 강조했다.

대한요양병원협회 손덕현 회장도 "적정성 평가에서 하위 20%에 해당한다고 해서 실제 의료의 질이 다른 요양병원에 비해 낮다고 단정할 수 없음에도 6개월간 가산금 등 지급을 하지 않는 패널티를 부과하는 것은 문제가 있다"고 지적했다.

현재 다수 요양병원들이 심평원을 상대로 환류처분취소소송을 하고 있어 서울행정법원이 법률유보원칙 위배 여부에 대해 어떤 판단을 할지 관심이 집중되고 있다.

출처 : 의료&복지뉴스(http://www.mediwelfare.com)

09 요양병원 보험청구심사

Q. **요양병원 보험청구심사 담당자의 덕목으로는 무엇이 있을까요?**

- 올바른 청구, 정직한 청구, 병원 경영에 이바지해야 합니다.
- 청구 후 사후 관리 강화 및 평가에 대한 청구심사 업무의 중요성을 인식하고 능력을 강화합니다.
- 청구심사 업무 특성 상 고시, 행정해석, 심사기준, 관련법령 등 폭넓은 지식과 시시각각 변하는 내용에 대해 전문적 지식을 습득합니다.
- 병원 내 직원들과 정보 공유 및 교육으로 전 직원의 자질 향상에 이바지해야 합니다.
- 병원 내 적정진료가 이루어지도록 의료진에게 정보를 제공하고 독려합니다.

– 박미경(서초참요양병원) 심사부장 –

1. 보험청구심사의 중요성

전국민 건강보험제도가 시행되고 있고 대부분의 의료수가가 건강보험심사평가원의 수가 기준에 따라 국민건강보험공단으로부터 지급되고 있는 우리나라 의료환경에서 보험청구심사 담당자의 역할은 막중하다. 특히 모든 환자가 환자군에 따른 일당정액수가제를 채택하고 있는 요양병원에서는 병원의 살림을 최일선에서 책임지고 있다고 할 수 있다.

그림 9-1. **요양병원 보험청구심사자**

그림 9-2. 보험청구심사자의 곁에는 관계법령, 심사, 삭감 관련 최신 기준 등이 손에 닿을 곳에 있어야 하며, 교육과 커뮤니티 활동 등을 통해 급변하는 심사 추세에 뒤처지지 않아야 한다.

2. 원무 관리 부문

1) 의료급여 수급권자에 대한 1, 2, 3차 의료급여기관 간 진료 절차

생활이 어려운 '수급권자'들은 의료급여법에 의해 의료 혜택을 받는데, 다만 정해진 절차를 따라야만 한다.

a. 기본 진료 절차

진료의뢰 절차	필요 서류
1차 ⇒ 2차 ⇒ 3차 의료급여기관	의료급여 의뢰서 [별지 참조]
3차 ⇒ 2차 ⇒ 1차 의료급여기관	의료급여 회송서 [별지 참조]
2차 ⇒ 2차 의료급여기관	의료급여 회송서

b. 2차 또는 3차 의료급여기관에서 일차진료를 할 수 있는 경우 (의료급여법 시행규칙 제3조)

1. 「응급의료에 관한 법률」 제2조 제1호에 해당하는 응급환자
2. 분만의 경우
3. 희귀난치성질환 또는 중증질환을 가진 사람
4. 해당 의료급여기관 근무자
5. 「장애인복지법」 제32조에 따라 등록한 장애인이 장애인 보장구를 지급받고자 하는 경우
6. 감염병의 확산 등 긴급한 사유가 있어 보건복지부장관이 정하여 고시하는 기준에 따라 의료급여를 받고자 하는 경우

■ 의료급여법 시행규칙 [별지 제3호서식] <개정 2012.6.29>

의료급여의뢰서

(앞쪽)

<table>
<tr><td rowspan="3">사용 구분
(해당 항목
[ ]에 ✔표기)</td><td>[ ] 선택의료급여기관 미적용자를 다른 의료급여기관으로 의뢰하는 경우
(「의료급여법 시행규칙」 제3조 제3항에 따른 의료급여 진료절차)
※ 노숙인진료시설인 경우 추가 표기
[ ] 노숙인진료시설인 제1차/제2차의료급여기관에서 다른 노숙인진료시설인 제2차의료급여기관으로 의뢰
[ ] 노숙인진료시설인 제2차의료급여기관에서 제3차의료급여기관으로 의뢰</td></tr>
<tr><td>[ ] 선택의료급여기관에서 다른 의료급여기관으로 의뢰하는 경우
(「의료급여법 시행규칙」 별표 1 제1호 다목에 따른 의료급여 진료절차)</td></tr>
<tr><td>[ ] 선택의료급여기관으로부터 의뢰받은 후 다른 의료급여기관으로 재의뢰하는 경우
(「의료급여법 시행규칙」 별표 1 제1호 라목에 따른 의료급여 진료절차)</td></tr>
</table>

<table>
<tr><td>보장기관기호</td><td></td><td>보장기관명</td><td colspan="4"></td></tr>
<tr><td>세대주성명</td><td></td><td>생년월일</td><td colspan="4"></td></tr>
<tr><td>수급권자성명</td><td></td><td>주민등록번호</td><td colspan="4"></td></tr>
<tr><td>주소</td><td colspan="6"></td></tr>
<tr><td>상병명</td><td></td><td>상병분류기호</td><td></td><td></td><td></td><td></td></tr>
<tr><td>진료기간</td><td>. . . ~ . . .</td><td>진료구분</td><td colspan="4">입원 · 외래</td></tr>
<tr><td>환자상태 및 진료의견</td><td colspan="6"></td></tr>
</table>

「의료급여법」 제7조 제2항과 같은 법 시행규칙 제3조제3항 및 별표 1에 따라 위와 같이 의료급여를 의뢰합니다.

년 월 일장

의료급여기관 기호:

소재지:

대표자: (인)

담당의사: (서명 또는 인)

의료급여기관 대표자 귀하

첨부서류	없음	수수료 없음

유의사항

1. 환자상태 및 진료의견란에는 현재 증상, 검사, 투약 등 주요 진료내용을 구체적으로 적고, 여백이 부족하면 뒤쪽을 활용하기 바랍니다.
2. 수급자는 의사의 발급일로부터 7일 이내(공휴일 제외)에 의료급여기관에 제출하여야 합니다.

210㎜×297㎜[백상지 80g/㎡]

■ 의료급여법 시행규칙 [별지 제4호서식] <개정 2012.6.29>

의료급여회송서

(앞쪽)

보장기관기호		보장기관명				
세대주 성명		생년월일				
수급권자 성명		주민등록번호				
주 소						
상 병 명		상병분류기호				
진료기간	. . . ~ . . .	진료구분	입원·외래			
환자상태 및 진료의견						

「의료급여법」 제7조제2항 및 같은 법 시행규칙 제3조제5항에 따라 위와 같이 수급권자를 회송합니다.

년 월 일

의료급여기관 기호:

소재지:

대표자: (인)

담당의사: (서명 또는 인)

의료급여기관 대표자 귀하

첨부서류	없음	수수료 없 음

유의사항
환자상태 및 진료의견란에는 현재 증상, 경과기록(수술 및 처치 등), 검사실시내용 및 질병치료 후의 상태 등을 구체적으로 적고, 여백이 부족하면 뒤쪽을 활용하기 바랍니다.

210㎜×297㎜[백상지 80g/㎡]

C. 2차 의료급여기관에서 일차진료를 할 수 있는 경우 (의료급여법 시행규칙 제3조)

1. 작업치료·운동치료 등의 재활치료가 필요하다고 인정되는 자가 재활의학과에서 의료급여를 받고자 하는 경우
2. 한센병환자
3. 「장애인복지법」 제32조에 따라 등록한 장애인
4. 「국민건강보험법 시행령」 제45조제1호에 해당하는 지역의 의료급여수급권자
5. 「국가유공자 등 예우 및 지원에 관한 법률 시행령」 제14조 또는 「보훈보상대상자 지원에 관한 법률 시행령」제8조에 따른 상이등급을 받은 사람

2) 처방전 대리수령 가능한 자

다음의 의료법 제17조의2(처방전) 개정에 의해 요양원 직원(요양보호사, 간호직원 등 포함)도 요양원 입소자의 대리처방이 가능해짐.

의료법 제17조의2(처방전)

① 의료업에 종사하고 직접 진찰한 의사, 치과의사 또는 한의사가 아니면 처방전[의사나 치과의사가 「전자서명법」에 따른 전자서명이 기재된 전자문서 형태로 작성한 처방전(이하 "전자처방전"이라 한다)을 포함한다. 이하 같다]을 작성하여 환자에게 교부하거나 발송(전자처방전에 한정한다. 이하 이 조에서 같다)하지 못하며, 의사, 치과의사 또는 한의사에게 직접 진찰을 받은 환자가 아니면 누구든지 그 의사, 치과의사 또는 한의사가 작성한 처방전을 수령하지 못한다.

② 제1항에도 불구하고 의사, 치과의사 또는 한의사는 다음 각 호의 어느 하나에 해당하는 경우로서 해당 환자 및 의약품에 대한 안전성을 인정하는 경우에는 환자의 직계존속 · 비속, 배우자 및 배우자의 직계존속, 형제자매 또는 「노인복지법」 제34조에 따른 노인의료복지시설에서 근무하는 사람 등 대통령령으로 정하는 사람(이하 이 조에서 "대리수령자"라 한다)에게 처방전을 교부하거나 발송할 수 있으며 대리수령자는 환자를 대리하여 그 처방전을 수령할 수 있다.

1. 환자의 의식이 없는 경우
2. 환자의 거동이 현저히 곤란하고 동일한 상병(傷病)에 대하여 장기간 동일한 처방이 이루어지는 경우

③ 처방전의 발급 방법 · 절차 등에 필요한 사항은 보건복지부령으로 정한다.

[본조신설 2019. 8. 27.]

보건복지부령

의료법 시행규칙 제11조의2(처방전의 대리수령 방법)

① 법 제17조의2제2항에 따른 대리수령자(이하 "대리수령자"라 한다)가 처방전을 수령하려는 때에는 의사, 치과의사 또는 한의사에게 별지 제8호의2서식의 처방전 대리수령 신청서를 제출해야 한다. 이 경우 다음 각 호의 서류를 함께 제시해야 한다.

1. 대리수령자의 신분증(주민등록증, 여권, 운전면허증, 그 밖에 공공기관에서 발행한 본인임을 확인할 수 있는 신분증을 말한다. 이하 같다) 또는 그 사본
2. 환자와의 관계를 증명할 수 있는 다음 각 목의 구분에 따른 서류

   가. 영 제10조의2제1호부터 제3호까지의 규정에 해당하는 사람: 가족관계증명서, 주민등록표 등본 등 친족관계임을 확인할 수 있는 서류

   나. 영 제10조의2제4호에 해당하는 사람: 「노인복지법」 제34조에 따른 노인의료복지시설에서 발급한 재직증명서

3. 환자의 신분증 또는 그 사본. 다만, 「주민등록법」 제24조제1항에 따른 주민등록증이 발급되지 않은 만 17세 미만의 환자는 제외한다.

② 의사, 치과의사 또는 한의사는 제1항에 따라 제출받은 처방전 대리수령 신청서를 제출받은 날부터 1년간 보관해야 한다.

[본조신설 2020. 2. 28.]

■ 의료법 시행규칙 [별지 제8호의2서식] <신설 2020. 2. 28.>

처방전 대리수령 신청서

<table>
<tr><td rowspan="3">대리
수령자</td><td>성명</td><td>연락처</td></tr>
<tr><td>생년월일</td><td>환자와의 관계</td></tr>
<tr><td colspan="2">주소</td></tr>
<tr><td rowspan="3">환자</td><td>성명</td><td>연락처</td></tr>
<tr><td colspan="2">생년월일</td></tr>
<tr><td colspan="2">주소</td></tr>
<tr><td>대리
수령 사
유</td><td colspan="2"></td></tr>
</table>

「의료법」 제17조의2제2항 및 같은 법 시행규칙 제11조의2제1항에 따라 위와 같이 처방전 대리수령을 신청합니다.

년 월 일

환자 또는 대리수령자 (서명 또는 인)

유 의 사 항

1. 환자 또는 대리수령자가 아닌 사람이 처방전을 수령하는 등 「의료법」 제17조의2제2항을 위반하여 처방전을 수령하는 경우 같은 법 제90조에 따라 500만원 이하의 벌금에 처해질 수 있습니다.
2. 신청인은 다음 각 목의 서류를 함께 제시해야 합니다.
   가. 대리수령자의 신분증 또는 그 사본
   나. 환자와의 관계를 증명할 수 있는 다음의 구분에 따른 서류
      1) 환자의 직계존속•비속, 직계비속의 배우자, 배우자, 배우자의 직계존속, 형제자매: 가족관계증명서, 주민등록표 등본 등 친족관계임을 확인할 수 있는 서류
      2) 「노인복지법」 제34조에 따른 노인의료복지시설에서 근무하는 사람: 노인의료복지시설에서 발급한 재직증명서
   다. 환자의 신분증 또는 그 사본. 다만, 「주민등록법」 제24조제1항에 따른 주민등록증이 발급되지 않은 만 17세 미만의 환자는 제외합니다.

3. 심사 관리 부문

1) 환자분류군

환자분류군 체계 및 최근의 심사 트렌드를 숙지하고 있어야 한다. 다음과 같은 표를 만들어 지니는 것도 좋다. 이러한 심사청구용 가이드를 활용하면 효율적으로 심사관리를 준비할 수 있고, 특히 심사청구 관련 법률이나 제도 변화 등에 따라 업데이트되는 내용은 추가 수정하도록 한다. 또한 관할 심평원의 트렌드에 따라 세부 기준은 개별화된다.

표 9-1. 요양병원 보험청구심사 담당자용 환자분류군 기준표(구체적인 심사 기준은 관할 심평원에 따라 달라질 수 있음)

환자군	청구 요건								
의료최고도	ADL≥11(필수)	인공호흡기	혼수	TPN					
의료고도	ADL≥18(필수)	뇌성마비	척수손상에 의한 마비	사지마비	편마비	파킨슨병	신경성 희귀난치성질환	AIDS	다발성경화증
	3단계 이상 욕창(울혈성·허혈성 궤양 등 포함)으로 2가지 이상의 피부 궤양 치료를 받고 있는 경우								
	발열(탈수·구토·체중 감소 중 하나 이상을 동반한 경우에 한함)이 최소 3일 이상 있고, 발열 원인을 찾는 검사와 처치를 받고 있는 경우								
	2도 이상 화상으로 처치받고 있음								
	매일 있는 격렬하거나 참을 수 없는 통증으로 통증관련 치료를 받고 있음 ※ 격렬하거나 참을 수 없는 통증은 VAS 또는 NRS 10점 중 7점 이상이거나 FPS 5단계 중 4단계 이상								
	7일 이상의 지속적 경관영양(말초정맥영양 삭제)								
	기관절개관 관리를 매일 받고 있음								
	당뇨환자가 합병증으로 발의 감염이 있어 주기적으로 드레싱을 받고 있는 경우(일상생활수행능력 4-8점인 경우는 제외)								
	산소포화도(SaO2 또는 SpO2)가 90% 이하인 상태에서 산소 투여를 시작하여 7일 이상 산소를 투여받고 있는 경우								
	ADL≤10(필수)	의료최고도 조건에 해당							
의료중도	일상생활수행능력 향상 활동"을 1일 4회 이상 실시하고 진료기록부 등에 활동내용 및 개선경과를 기록								
	11≤ADL≤17(필수)	뇌성마비	척수손상에 의한 마비	사지마비	편마비	파킨슨병	신경성 희귀난치성질환	AIDS	다발성경화증
	2단계 이상 욕창(울혈성·허혈성 궤양 등 포함)으로 2가지 이상의 피부 궤양 치료를 받고 있는 경우								
	당뇨병이면서 혈당검사 및 인슐린 주사가 매일 시행되고, 혈당 또는 인슐린 투여 용량의 변화가 심한 경우								
	매일 있는 중등도의 통증으로 통증관련 치료를 받고 있거나 암성 통증으로 통증관련 치료(마약성 진통제 등)를 받고 있는 경우 ※ 중등도의 통증은 VAS 또는 NRS 10점 중 4점 이상이거나 FPS 5단계 중 3단계 이상인 경우에 해당한다.								
	연속 또는 간헐적으로 3일 이상 정맥 주사로 치료약제(항생제, 혈압강하제 등)를 투여 받고 있음.								
	하기도 증기흡입치료								
	수술창상 치료 및 이에 준하는 치료를 받고 있는 경우								
	3개월 이내 루(위루, 요루, 장루) 수술로 루 관리			출혈이나 감염 등의 문제로 지속적인 루 관리					
	배뇨장애로 일정하게 짜여진 배뇨계획, 방광훈련 프로그램, 규칙적 도뇨 중 하나 이상의 배뇨훈련을 받고 있으면서 7일 이상 배뇨일지 작성								
	치매진단(필수)	BPSD 약물치료	망상, 환각, 초조·공격성, 탈억제, 케어에 대한 저항, 배회 중 하나 이상의 증상을 1주에 2일 이상 또는 4주에 8일 이상						
의료경도	치매진단(필수)	치매관련 약제	우울·낙담, 불안, 이상 운동증상 또는 반복적 행동, 수면·야간행동 중 하나 이상의 증상을 1주에 2일 이상 또는 4주에 8일 이상						
	의료최고도 내지 의료중도에 해당하지 않는 환자로서 루(위루, 요루, 장루) 관리								
	ADL≥6(필수)	입원지속 필요	특정항목에 해당하는 전문재활치료 중 적어도 한 가지 이상을 주 2일 이상						
선택입원군	일정기간 입원이 필요		의료최고도, 의료고도, 의료중도, 의료경도에 해당하지 않음						
특정기간	체내출혈 소견(기관지 출혈, 위·장관계 출혈, 비뇨·생식기계 출혈 등)						지혈을 위한 처치 또는 수술을 시행		
특정항목	전혈 및 혈액성분제제								

* 편마비 기준 : 주상병에 '뇌경색'입력. 두 번째로 '편마비'입력할 것. * 편마비 vs 사지마비 기준 : 편마비는 부전마비(-paresis)여도 되지만 사지마비는 완전마비(-plegia)여야 함.
* SCI : Spinal Cord Injury (척수손상) * 탈억제: 사회적 판단력이 결여된 상태

2) 치매 검사 관련

MMSE, GDS 검사 주체에 대한 보건복지부의 답변

Q. MMSE와 GDS 검사를 간호조무사도 시행할 수 있는지요?

A. 의료행위라 함은 의학적 전문지식을 기초로 하는 경험과 기능으로 진료, 검안, 처방, 투약 또는 외과적 시술을 시행하여 질병의 예방 또는 치료행위 및 그 밖에 의료인이 행하지 아니하면 보건위생상 위해가 생길 우려가 있는 행위를 의미합니다. 질의하신 치매 검사(MMSE 및 GDS)의 경우 질문지의 형태로서 약간의 교육만으로도 검사가 가능하며, 측정된 결과를 가지고 측정자가 이상 유무를 판단하지 않는 점, 의료인이 행하지 않으면 보건위생상 위해가 생길 우려가 있는 행위가 아닌 점을 감안할 때, 정확한 검사를 위하여 의사가 직접 하거나 의사의 지시하에 간호사나 간호조무사가 시행하는 것이 바람직한 것으로 판단됩니다.

3) 수혈 관련

a. 전혈, 적혈구 수혈 원칙

① 실혈량이나 혈색소(Hb, 헤모글로빈) 수치 등의 단일 기준만으로 결정할 수 없다.

② 환자 개개인의 임상적 상태를 평가하고 예측되는 출혈량 및 혈관 내 용적의 보충 등을 고려하여야 한다.

심사 기준

◆ 최근에 실시한 혈색소 검사 결과가 9 g/dL 미만이거나, 3개월 이내의 이전 검사보다 2 g/dL 이상 감소한 경우 인정.

심사 조정 사례

◆ 평가표 작성일로부터 과거 14일 이내에 2 units 수혈하여 의료고도군 청구 후 조정
⇒ 수혈 전 철분제 등 투약 내역, 최근 3개월 이내의 혈색소 결과 비교 기록 후 인정.

b. 혈소판 수혈의 원칙

① 출혈이 없는 안정 상태 : 혈소판 수를 10,000/uL 이상으로 유지한다.

② 출혈은 없으나 불안정 상태 : 혈소판 수를 20,000~50,000/uL로 유지한다.

③ 활동성 출혈이 있거나 침습적인 처치를 시행하는 경우 : 혈소판 수를 50,000~100,000/uL로 유지한다.

④ 혈소판 기능에 이상이 있는 경우.

4) 당뇨병에 매일 주사

심사 기준

◆ [당뇨병]에 체크되고 피하주사, 근육내주사, 피내주사 중 1일 1회 이상 평가 기간 동안 매일 주사한 경우 의료중도에 해당.

심사 조정 사례

◆ [당뇨병] + [매일주사] → 일괄적 조정
⇒ [참고사항]을 다음과 같이 기재 후 인정됨

3/25 : 10AM BST 276 mg/dL. 아침 식사 100% 먹은 것 외에는 섭취한 것 없는 상태임. RI 6U SC함.
3/27 : 환자, 화장실에서 목욕하시다 축 처진 모습 보임. BST 48 mg/dL 체크. sweating 증상은 없음. 10%DW 500 ml IV 후 condition 관찰.
3/29 : 주치의가 3/27 event 확인 후 휴물린 7:3 20 u를 18u로 감량하고, prn> BST 300 mg/dL 이상일 때 8u → 6u로 변경하고 250mg/dL 이상일 때의 6u는 D/C

5) 경관영양

심사 기준

◆ 최근 3일 동안 경관 섭취한 1일 평균 칼로리의 양이 51% 이상이거나, 26~50%이면서 수분 501 ml 이상인 경우 해당.

심사 조정 사례

◆ [경관영양] + [치료식 산정] = [의료고도군] 불인정
⇒ [참고사항]을 다음과 같이 기재 후 인정됨

"상기 환자는 L-tube feeding으로 의료고도에 해당된 분입니다. 본원은 feeding 환자식을 직접 만들어서 제공하고 있습니다. 판매 중인 캔 제품을 사용하지 않고 손이 많이 가는 힘든 공정을 거치며 어렵게 직접 만드는 이유는 환자의 상태에 맞는 식사를 직접 제공하여 치료에 도움을 주고자 함입니다. 귀 원에 이 부분에 대해 서면으로 경관영양식의 직접 조제는 치료식에 해당됨을 알렸습니다. 심사 과정에서 착오가 발생하여 조정되지 않도록 부탁드립니다"

6) 일상생활수행능력 (ADL)

심사 기준

◆ 환자가 일상적인 활동을 얼마나 독립적으로 수행할 수 있는가를 평가
- 간병사, 보호자의 도움에 의해 저평가 되어서는 안 됨!

심사 조정 사례

[경관영양] + [치료식 산정] = [의료고도군] 불인정
⇒ [참고사항]을 다음과 같이 기재 후 인정됨

◆ [사지마비] + [약간의 도움] = [의료고도]
⇒ [신체기능저하군]으로 조정, 전문재활치료 전액 조정
◆ 신규 입원환자 ADL 관련 의무기록 보완자료 요청
◆ 요양병원 ADL 확인 위해 현지 방문 심사 강화

7) 연하장애 재활치료

심사 기준

◆ 발병 6개월 이내는 임상소견만으로 인정되나, 이후로는 6개월마다 VFSS 등 연하장애검사 실시 후 인정됨.
◆ 발병 1년 이내는 QD, 1~2년 3회/주, 2년 이후는 2회/주 인정.

심사 조정 사례

◆ 연하장애 평가 F/U 결과 호전되어 정상적인 소견을 보인 경우
⇒ VFSS 등의 검사 결과가 있다 하더라도 결과 상 치료가 필요한 상태를 입증할만한 결과가 나와야 함.
ex) 신체검진 : gag reflex(-/-), cough reflex(-/-)

8) 작업치료

MMSE와 관련된 사항

작업치료(OT, ADL) 가능한 점수
작업치료(단순, 복잡, 특수) : MMSE 6점 이상에서 실시
일상생활훈련치료(ADL) : MMSE 15점 이상에서 실시

9) 약제 관련

a. 약, 주사제 일반 원칙

① 모든 약, 주사는 식약처 허가사항 범위 내에서 투여해야 함. (심사 지침에서 별도로 추가하는 경우도 있음)

② 의무기록에 반드시 해당 병명 또는 증상을 기록해야 함.

③ 심사지침을 별도로 운영하는지 확인.

- "아래와 같은 기준으로 투여하는 경우 요양급여를 인정" : 보함만 가능
- "허가사항 범위이지만 동 인정기준 이외에 투여한 경우 전액본인부담" : 전액 본인부담

④ 지침 상 전액본인부담의 경우 환자 및 보호자에게 비용을 안내함.

⑤ 법적 비급여 제품

- 환자의 상태 기록만으로 처방 가능.
- 비급여이므로 보호자에게 안내 필요.

b. 주요 약제 별 사례

약제명	허가사항 초과 사례	전액본인부담 가능 여부
항전간제	간질 상병 없이 뇌손상 환자에게 투여한 경우	간질 상병 없을 경우 불가능
가바펜틴	중추신경계 손상 후 나타나는 통증에 투여한 경우	신경병성 통증 범위 초과로 전액 본인부담
치매 치료제	치매 또는 치매 의증, 노인성치매 상병에 투여한 경우	MMSE/GDS, CDR 검사 범위 초과 시 전액 본인부담
골다공증 치료제	⊙ DXA, QCT : (T-score가 -2.5 이하, QCT 80 mg/cm^3 이하) 1년 이내 추적검사 상 투여대상 범위에서 급여	⊙ 그 외 장비 : 6개월만 급여 ⇒ QUS 방식으로 재검 후 투여 연장 허가사항 범위이지만 기준 이외 투여로 전액 본인부담(기간 초과의 경우도)

c. 복용법 준수

⊙ 요양병원 특성상 Powder 처방 다수 발생
⇒ 용법 확인하여 복용법 준수해야 함.

심사 조정 사례

ex1) Tamsulosin capsule : 통째로 삼켜야 하며 부수거나 씹으면 안 됨.
ex2) 서방형 제제 : 분할, 분쇄 금지.

d. 저함량 배수 처방

⊙ 동일 품목의 배수 용량 약제가 있을 경우, 고함량 약제를 사용함이 원칙

▷ 대상 품목에서 제외되는 경우

고, 저 함량의 식약청 허가사항이 다른 품목.

산제, 시럽제, 복합제제 품목

고함량 가격이 저함량 가격의 2배 이상인 품목

심사 조정 사례

◆ 올메텍정 20 mg QD 처방하였으나 병원 구비 품목이 10 mg 밖에 없어 2T를 처방

- 20 mg : 544원, 10 mg : 362원 (2T = 725원)

⇒ 약가 차액 180원씩 조정함.

10) 행위 관련

⊙ 시행자 : 간호사

⊙ 환자평가표 : 간호사가 시행한 경우만 평가

⊙ 수가 산정 : 간병사가 시행한 경우 발생할 수 없음.

a. 비강영양(Q2660, 1일당) – 의료고도

① 적응증

의식이 없는 환자의 영양 공급

위운동 마비 환자의 영양 공급

기타 수술 후 경구투여가 불가능한 환자의 영양 공급

② 기록 : '투여량' 등을 기록

b. 기도흡인(M0137, 1일당) – 의료고도

① 적응증

배액관 배출물의 양이 많거나 출혈, 농양으로 의심될 때

② 기록 : 배출물의 양 및 특성 기록

c. 체위 변경(M0143, 1일당)

① 적응증

무의식 환자, 거동이 불가능한 환자, 욕창이 예상되는 환자를 2시간마다 피부마사지를 포

함하여 체위 변경.

② 기록 : 체위를 Rt. lateral, Lt. lateral, Supine position으로 2시간마다 번갈아가며 변경시켜 주며, 베개, 시트, 젤폼을 사용하여 압력을 받지 않도록 함.

d. 회음간호(M0151, 1일당)

① 적응증

부동환자

유치도뇨관을 가진 환자

설사가 심한 환자의 질이나 항문 등에서 출혈이나 분비물이 있는 환자

② 기록 : 환자의 반응, 발적, 부종, 분비물 유무 및 양상, 피부의 상태 등을 관찰 후 기록

11) 의무 기록

a. 의사기록 vs 간호기록이 일치해야 함.

항목	의사	간호사	보완
산소포화도	오더 없음	간호기록에 작성	의사 오더 추가
회음 간호	오더 없음	시행	
산소 용량	용량 변경 - 기록 누락	시행	
욕창	변경 내용 누락	간호기록에는 변경	

b. 환자평가표 작성 시 질병명, 처치, 증상, 상태 등의 누락이 있을 경우 의사, 간호사에게 의무기록 보완을 요청

c. 처치나 약제 사용으로 환자평가표에 체크했거나 행위별로 청구해야 하는 경우 반드시 추가 진단명 기록을 요청

12) 위탁진료 관련

Q&A: 요양병원 입원환자의 타 병원 의뢰 관련 타 의료기관과의 공통점 및 차이점

◆ 같은 점

1. 요양병원 입원 중인 환자와 기타 병원 입원 중인 환자의 타 병원 진료는 타 병원 진료 시에 의뢰 받은 요양기관에서 전액본인부담으로 처리하고 청구는 진료를 의뢰한 요양기관에서 해야 하며, 환자부담금 이외의 금액은 의뢰한 요양기관에서 차후에 환자에게 환불해 준다라는 대원칙은 동일 합니다.

◆ 다른 점

1. 요양병원 입원 중인 환자가 타 기관에서 진료 후에 의뢰 받은 기관에서 비용을 청구하는 것은 절대로 안된다고 보면 되고
   → 요양병원 등급문제, 진료비 계산 문제 등등 이유로...
   기타 기관에 입원중인 환자가 타 기관에서 진료 후에 의뢰 받은 기관에서 비용을 청구하는 것은 현재까지는 인정이 되고 있다라고 보면 됩니다.
   → 현재까지는 의뢰 받은 기관에서 청구해도 아무런 문제가 없으나 규정이 청구하지 않는 것이니 만큼, 심평원에서 문제삼으면 복잡해 질 수도 있음

2. 산정특례 환자를 의뢰하는 경우에..
   요양병원에서 특례상병으로 진료를 의뢰하는 경우는 , 의뢰된 기관에서 청구가 가능하고 기타 병원에서 특례상병으로 의뢰하는 경우는 , 의뢰된 기관에서 청구가 불가능하다.

a. 요양병원 입원 중인 환자를 다른 요양기관에 진료의뢰 시 인정 범위

① 해당 요양병원에서 진료가 곤란하다고 판단하여 약제 처방 등 목적으로 진료의뢰 시

② 진료의뢰 최초 1회 인정

③ 환자 상태의 급속한 변화로 인해 적극적인 치료가 필요한 경우 인정.

④ 반복되는 진료는 불인정.

⑤ 특수 진료과(안과, 치과 등)는 예외로 인정함.

⑥ CBC, LFT, UA 등 기본 검사를 다른 요양기관에 위탁하여 검사하는 것은 진료의뢰에 해당되지 않고 '정액수가'에 포함된 것으로 판단하여 별도로 인정하지 않음.

b. 진료비 청구

① 진료를 의뢰한 요양병원에서 청구

② 진료를 실시한 기관의 종별가산율을 적용("I" 란 청구)

③ 특정내역 기재란 JS008(T), 위탁진료일, 기관기호

c. 정산

해당 요양기관 간 상호 협의에 의함

d. 본인일부부담금

요양병원 입원환자의 본인부담률 적용

e. 진찰료

입원 중인 진료전문과와 다른 전문과 또는 다른 상병만 인정.

f. 검사

① 의뢰받은 요양기관에서 진료 상 검사한 경우 – 위탁진료로 청구

⇒ 조정 가능성 높음!

② 의뢰 시 요양병원에서 시행한 결과 첨부 및 소견서 작성

⇒ 해당 내용을 청구 시 참고사항에 기재

삭감 사례

◆ 입원 중 해당 병원에 알리지 않고 보호자가 약 처방 받아 복용하는 경우
◆ 외부진료 내역 상 고가의 진료비, 투약의 문제로 퇴원시키고 수일 내로 재입원하는 경우.
◆ 반복적인 약 처방, 처방전만 가져온 경우 등.

13) 심사 시 참고 사항

항목	관련 근거	심사 시 참고자료	참조란 활용 가능	참조란 외 제출방법
리루텍정	식약청 허가사항	ALS 진단자료 (경과기록, EMG, NCV, MRI)		웹(jpg, pdf) 제출 가능
치매약제	고시 제2007-78호	검사 결과(MMSE, CDR, GDS)	O (검사 결과)	웹(jpg, pdf) 제출 가능
수혈	고시 제2008-80호(행위)	혈액검사 결과	O (검사 결과)	
사데닌정	고시 제2007-47호	퇴행성 골관절염에 연골재생 관련약제 (chondroitin, glucosamine 등의 투여 기간)를 투여해도 효과가 없거나 부작용 발생 증빙 자료		웹(jpg, pdf) 제출 가능
알부민	고시 제2003-54호	검사 결과 및 다량 투여 시는 경과기록지 다량투여 소견서		웹(jpg, pdf) 제출 가능
철분제제 (액제)	고시 제2005-57호	철결핍성 빈혈 - serum ferritin 또는 transferrin saturation 검사 결과지		웹(jpg, pdf) 제출 가능
		임신으로 인한 철결핍성 빈혈 및 급성출혈 등으로 인한 산후 빈혈 Hb 검사 결과		
포사맥스 등 골 다공증 치료제	고시 제2006-23호	골밀도 검사 결과	O (검사 결과)	
CT	고시 제2004-36호(행위)	고시에 의거 인정되는 질병이 배제된 경우 입원 당시, 촬영 당시 환자상태 확인되는 경과기록지 및 판독지 여러 회 촬영시 실시 소견서 및 촬영 전의 경과기록지 및 판독지 항암화학요법(고식적요법) 받는 경우, 3개월마 다 반응 평가자료 필히 첨부(이전 계측 병변과 비교 가능한 판독결과지)		웹(jpg, pdf) 제출 가능
MRI	고시 제2007-139호 (행위)	고시에 의거, 인정되는 질병이 배제된 경우 입원 당시, 촬영 당시 환자상태 확인되는 경과기 록지 및 소견서, 판독지 200% 이상 산정 시 판독지 여러 회 촬영시 실시 소견서 및 촬영 전의 경과 기록지 및 판독지		웹(jpg, pdf) 제출 가능
PET		경과기록(참조란 간단기재) 진료기록(필요시 요청) 영상판독(필요시 요청)		
연하장애 재활치료		최근 6개월 이내 식도조영촬영 결과지		웹(jpg, pdf) 제출 가능

10 요양급여 삭감 및 현지조사

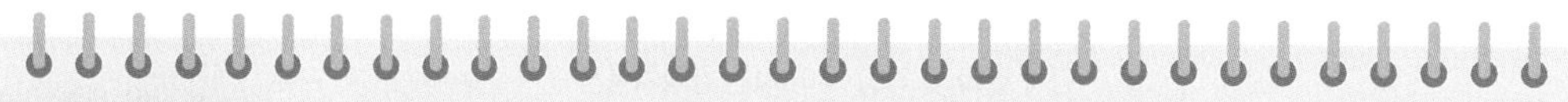

- 요양병원 근무 의사가 점 제거술을 위해 점심시간을 이용하여 타 병원 피부과를 방문하여 레이저 치료를 받았다. 심평원에서는 당연히 이를 감지할 수 있었음.

– 요양병원 근무 직원이 근무시간 중 개인적 용무(특히 병원 방문)로 자리를 비울 경우에는 반드시 조퇴증, 혹은 외출증 서류를 작성하여 제출한 후 이루어질 수 있도록 한다.

1. 현지조사 개요

1) 현지조사란?

a. 요양급여비용 등에 대해 적법, 타당한지 현장에 출장하여 조사

– 조사 결과에 따라 부당이득 환수 및 행정 처분

b. 보건복지부장관의 공권력 작용

– 조사 거부, 허위자료 제출 시 업무정지 처분 및 고발

2) 조사 내용

a. 청구한 진료 내용의 사실 여부
b. 관계규정 준수 여부
c. 본인부담금 적법 징수 여부 등

3) 현지조사 절차

a. 부당청구 인지
 – 심평원, 국민건강보험공단(공단), 보건복지부, 보장기관(시, 군, 구)
b. 현지조사
 – 대상 선정 → 조사 실시 → 정산 심사 → 의견 청취 → 행정 처분
c. 사후관리
 – 타법 위반 통보, 고발 및 공표, 이행 실태 조사, 행정쟁송

4) 현지조사 유형

a. 정기 조사
 – 지표점검기관 : 각종 지표 상 부당 개연성이 높은 기관
 – 외부의뢰기관 : 공단, 심평원, 검찰, 민원 등에 의해 의뢰된 기관
b. 기획 조사
 – 건강보험제도 운영상 또는 사회적 문제가 제기된 분야
 – 기획조사 실시 전 조사 분야 및 조사시기 사전 예고
c. 긴급 조사
 – 허위, 부당 청구 개연성이 높은 요양기관이 증거 인멸, 폐업 등의 우려가 있는 경우
 – 사회적 문제가 제기된 분야에 대하여 긴급한 조사가 필요한 경우
d. 이행실태 조사
 – 업무정지기간 중 편법 운영 및 불이행 의심기관 조사

2. 현지조사 행정처분

1) 행정처분 절차(근거: 행정절차법 제21조 제1항, 제22조 제3항)

a. 처분 사전 통지 : 처분 원인이 되는 사실, 처분 내용 및 근거, 의견 제출 방법
b. 의견 청취 : 우편 또는 보건복지부를 방문하여 의견 제출
c. 의견 검토 : 제출 의견을 심평원에서 검토하여 보건복지부에 보고
d. 행정 처분

2) 행정처분의 종류

a. 건강보험법에 의한 처분(대물처분)
- 부당이득금 환수
- 업무정지 또는 과징금 처분

표 10-1. **업무정지 일수 및 과징금 부과의 기준**

월평균 부당금액	0.5% 이상 1% 미만	1% 이상 2% 미만	2% 이상 3% 미만	3% 이상 4% 미만	4% 이상 5% 미만
15만원 이상~25만원 미만			10일	20일	30일
25만원 이상~40만원 미만		10일	20일	30일	40일
40만원 이상~80만원 미만	10일	20일	30일	40일	50일
80만원 이상~320만원 미만	20일	30일	40일	50일	60일
320만원 이상~1,400만원 미만	30일	40일	50일	60일	70일
1,400만원 이상~5,000만원 미만	40일	50일	60일	70일	80일
5,000만원 이상	50일	60일	70일	80일	90일

10일	11~30일	31~50일	51일 이상
총부당금액 × 2(원)	총부당금액 × 3(원)	총부당금액 × 4(원)	총부당금액 × 5(원)

예) 6개월 조사기간 동안 총 진료비가 1억원, 총 부당금액이 300만원인 요양병원의 경우?
⇒ 월평균 부당금액 = 300만원 / 6개월 = 50만원, 부당비율 = 300만원 / 1억원 = 3%
⇒ 업무정지 일수는 40일, 과징금은 300만원 × 4 = 1,200만원

Adapted from 건강보험심사평가원 급여조사실

b. 의료법, 약사법에 의한 처분(대인처분)

– 면허자격정지, 의료업정지 처분

의료법 등에 의한 처분

◆ 허위 청구
- 확인내용 : 관련 서류 위,변조 등 부정한 방법으로 진료비를 허위 청구
- 처분내용 : 10개월 범위 내에서 면허자격정지, 동기간 동안 영업 정지

◆ 기타 법령(의료법, 의료기사 등에 관한 법률, 식품위생법 등) 위반
- 유형
  ① 무면허자의 의료행위(면허자격 정지 기간 중의 의료행위 포함)
  ② 무자격자의 의료기사 행위
  ③ 진료기록부 등 거짓 작성
  ④ 진료기록부 등 미기록 또는 미보존
  ⑤ 비 의료인에게 고용
  ⑥ 의사-약사 간 담합행위
  ⑦ 면허증 대여(의료인, 영양사, 조리사)
  ⑧ 환자 유인 행위(본인부담금 면제, 순회진료 등)
- 처분 예시
  ① 면허대여
    i. 의료인 : 면허 취소
    ii. 의료기사 : 면허 취소
    iii. 영양사, 조리사 : 면허 취소 또는 6개월 이내 업무정지
  ② 의료인이 아닌 자가 의료행위
    - 자격정지 3개월(의료행위를 하게 한 자)
  ③ 의료인이 면허 받은 사항 외의 의료행위
    - 자격정지 3개월(의료행위를 하게 한 자 및 의료행위를 한 자)
  ④ 의료기사가 아닌 자가 의료기사 업무
    - 자격정지 15일(의료기사 업무를 하게 한 자)
  ⑤ 진료기록부 거짓 작성 또는 미보존
    - 자격정지 1개월
  ⑥ 진료기록부 미기록
    - 자격정지 15일

Adapted from 건강보험심사평가원

3. 현지조사 실시 현황

표 10-2. **조사기관 현황(단위 : 개소, %)**

연도	조사기관수	부당기관수(비율)	부당금액 (억원)
2014	163	141 (86.5%)	46
2013	161	131 (81.4%)	60
2012	160	110 (68.8%)	30

Adapted from 건강보험심사평가원, 2015

4. 허위청구, 부당청구 의심 의료기관

1) 심평원의 기준

- ◆ 심사, 평가 과정에서 부당청구 의심 기관
- ◆ 건강보험재정지킴이 신고기관 중 구체적인 사례와 증거를 제시하는 등 부당청구 개연성이 높게 나타난 기관(실명의 제보에 한함)
- ◆ 심사, 평가 상 문제가 있어 시정을 요구하였으나 미시정한 요양기관
- ◆ 생협 부속 요양병원, 의사 1인이며 65세 이상 의사가 운영하는 요양병원
- ◆ 진료비 증가율이 높은 기관(전분기 대비 약 50%)
- ◆ 의사 및 간호사 등급 변동이 심한 기관(전분기 대비 약 2등급 이상 상승)
- ◆ 지원 현지 실태조사 의뢰기관(병상 가동율이 높은 기관 등)

2) 건강보험공단의 기준

- ◆ 진료내역통보 및 수진자 등 과정에서 부당청구 개연성이 높게 나타난 기관
- ◆ 요양기관 내부 종사자의 공익신고 및 포상 등에 관한 규칙에 의해 신고된 기관
- ◆ 부당청구 개연성이 있는 기관 중 국민건강보험법 제83조(자료의 제공) 규정에 의거 관련 자료를 요청하였으나 자료를 제출하지 아니하는 요양기관
- ◆ 평균임금 이하 : 의사 표준보수월액 기준(450만원) 이하 기관
- ◆ 출입국 확인 : 해외 출국한 사실이 있는 의사가 근무하는 기관 – 해외 출장 및 장기휴가 기간이 연속 16일 이상이며 미신고한 경우
- ◆ 관외 거주자, 기간 중 입원, 이중 근무자 등

3) 보건복지부의 기준

- ◆ 외부기관(검,경찰, 감사원, 관련 행정부처, 지방자치단체, 국민권익위 등)으로부터 건강보험 부당청구 등 혐의로 현지조사 의뢰된 기관
- ◆ 민원 제보로 요양기관의 허위, 부당 청구에 대해 신고된 기관
- ◆ 부당청구 상시 감지시스템에 의해 선정된 기관
- ◆ 2차 이상 자율시정 통보를 하였으나 시정하지 않아 종합점수가 11점 이상인 기관

5. 최근의 기획조사 대상 항목

1) 건강보험 관련

조사년도	기획조사항목
2010년	1. 본인부담금 징수 기획조사 2. 수시 개 · 폐업기관 기획조사 3. 의료소비자생활협동조합, 사단법인기관 실태조사
2011년	1. 의약품 대체 청구기관 기획조사 2. 척추수술 청구기관 기획조사 3. 급성상기도감염 항생제 처방 기획조사
2012년	1. 본인부담금 징수 기획조사 2. 부적정 입원 청구 기획조사
2013년	1. 수시 개 · 폐업기관 기획조사 2. 본인부담금 징수 기획조사
2014년	1. 본인부담금 징수 기획조사
2019년	1. 장기입원 관련 실태조사

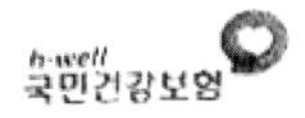

자료제출 요청 목록

요양기관(기호)	■■■ ■■ ■노인전문병원 ■■■	확인일자	2019. 6. 11.~ 6. 13.
확인대상기간	2017. 1월 ~ 2018. 12월	협조 확인	

□ **인력 관련 서류** (퇴사자 포함, 공단 지정인력에 한함)

의사인력
간호
영양사, 조리사

1) 입퇴사관련서류 … 근로계약서, 사직원 등
2) 근태관련서류 … 출근부, 휴가원(휴직포함), 인사발령서류 등
3) 임금지급대장
4) 직원 근무표(병동, 외래, 투석실, 약국 등), 직원 비상연락망(조직현황표)
5) 요양병원 입원료 차등제 산정현황 통보서 등

□ **본인부담상한액 관련 서류**

1) 본인부담상한제 사전급여 청구 명단
2) 입원약정서, 연말정산용 진료비 납입 확인서, 진료비계산서영수증
3) 본인부담금 수납내역 증빙자료(통장입금내역, 카드매출내역 등)
4) 본인부담금 수납대장(엑셀파일)
5) 간병비 관련 계약서(약정서), 간병비 지급내역 등

□ **필요 시 요청 자료**

1) 진료기록부, 입원기록지, 간호기록지, 투약기록지, 검사기록지, 물리치료 기록지, 진료비세부내역서, 진료비계산서영수증
2) 재활물리치료 실시 내역
3) 약제 및 치료재료 구매 내역(거래명세표 등)
4) 비급여목록표 및 비급여 처방코드별 내역
5) 방사선 영상촬영 및 판독 관련 내역
6) 치료식 영양관리내역 등

그림 10-1. 기획조사 시의 자료제출 요청 목록 사례

2) 의료급여 관련

조사년도	기획조사항목
2010년	1. 의료급여 장기입원 청구 상위기관 2. 보장기관(시·군·구)별 진료비증가율이 높은 지역 청구 상위기관 3. 진료의뢰서를 남발하는 선택 병·의원
2011년	1. 사회복지시설 수급권자 청구 상위 의료급여기관 2. 동일 주소지 내 다수 개설된 의료급여기관
2012년	1. 의료급여 입원청구 집중기관 2. 의료급여일수 상위자 외래진료 다발생 의료급여기관 3. 시·도·군립 기관을 수탁 운영하는 의료급여기관
2013년	1. 의료급여 장기입원 청구기관 2. 단순·전문재활치료 청구기관
2014년	1. 의료급여 한방청구 실태조사 2. 의료급여 장기입원 청구기관 실태조사

6. 요양병원 중점심사 내용

1) 폐렴, 패혈증 : 치료기간, 진단 기준 일치 여부 등이 중요

- 보완자료 요청 : Chest X-ray, 진료기록부, 검사 결과 등
- 의약학적 타당성에 대한 전문 심사 실시

2) 입원환자 원외처방 발행

- 별도로 산정토록 정해진 약제 이외의 약제에 대하여 원외처방전을 발행 못함.
- 불가피하게 원외 처방하는 경우는 동 내역을 청구명세서에 명기할 경우 심사 시 이를 고려하여 심사
- 보완자료 요청 : 진료기록부 등
- 의약학적 타당성에 대한 전문심사 실시

3) 입원환자 타 병원 의뢰

- 요양병원 입원 중 불가피하게(시설, 장비, 인력 부족) 타과 진료가 필요하면 가능
- 그러나, 단순히 반복되는 진료 또는 투약을 위한 진료의뢰는 부적절
- 보완자료 요청 : 진료기록부 등
- 의약학적 타당성에 대한 전문심사 실시

  ㉮ 동일 재단의 병원으로의 의뢰!

4) 요양기관 간 환자 이동

- 입원환자의 경우 요양병원 내 양방과 한방 간 환자이동, 병원–요양병원 간 환자이동시 이동 현황에 대한 감시 및 심사 강화

  ㉮ 동일 재단 요양병원과 병원 간 환자 이동

5) 환자군 분류의 적정성

a. 의료고도 및 중도

사례〉 특히 신경성 희귀난치성질환과 관련하여 중증근무력증, 척수성 근육위축 상병 하 의료고도 청구하였으나, 진료내역 확인 결과 진단적 근거가 없었음.

b. 적용 가능한 환자평가표가 없는 경우

사례〉 본태성고혈압, 상세불명간질환, 무릎관절연골열상, 허리아래통증, 합병증 없는 인슐린 비의존성 당뇨병, 상세불명천식, 손(발)의 염좌 등의 상병으로 '의료중도'로 청구

c. 다발 이의신청 사례(의무기록 근거)

- 입원정액수가 일부 조정 : 적극적 입원치료가 필요한 진료내역이 확인되지 않거나, 진료내역, 환자평가표 등에 적절한 근거가 없음.
- 알츠하이머 치매진단 및 관련증상, 임상적 근거 확인 불가
- 요양병원 정액수가의 경우 행위, 약제 및 치료재료들을 모두 포함하므로 부득이한 사유 이외에는 다른 기관에 의뢰할 수 없음 : 타 요양기관 의뢰 시 환자의 증상 등 변화 없이 repeat만 있다면 문제

6) 장기입원환자 입원사유

커뮤니티케어 추진 이후 요양병원 장기입원환자에 대한 실태조사.
- 특히 의료급여환자자

7. 환자평가표, 진료기록부, 간호기록지 등의 기록 문제

1) 환자평가표 적용 착오사항

(A) 의식상태 : 혼수 – 의사기록이 없거나, 의사기록과 간호기록의 불일치
(B) 신체기능 : ADL – 환자의 ADL을 평가해야 하나, 제공된 서비스를 기준으로 작성
(C) 배설기능 : 배변조절 프로그램 – 의사 Order가있고, 이에 따른 계획, 실행결과가 기록되어야 함(일정하게 짜여진 배뇨계획, 방광훈련 프로그램)
(D) 질병진단 : 편마비 – 의사기록에 '편마비' 기록 누락
(E) 질병진단 : 척수손상에 의한 마비 – 척추강협착증 및 추간판탈출증으로 인한 상하지 방사통
(F) 건강상태 : 탈수 – I/O check 및 탈수 증상 등의 기재없이 체크됨
(G) 건강상태 : 통증
- 지속적인 통증(매일) : 평가기간 외에도 간호기록 필요
- 경도 및 중등도의 통증 : 관찰기간(7일)동안 간호기록이 부분적으로 누락
- 격렬한 통증 : VAS 7점 또는 FPS 4단계 이상 기록이 누락

(H) 구강 및 영양 상태 : 정맥 또는 경관을 통한 영양섭취
- I/O sheet 등에 근거하여 기재해야 하나, I/O 기재 없고, 간호기록지 등에 칼로리 평가에 대한 기록 없음.

(I) 피부상태 : 욕창
- 의사 진단기록 기재 미비/누락(욕창부위, 크기, 깊이, 단계, 진행정도 등 기록)

(J) 피부상태 : 피부 문제에 대한 처치–의무기록과 불일치

2) 진료기록부

a. 병원에서 따로 마련한 체크리스트는 진료기록으로 인정받지 못함.
b. 의무기록에 기록 없이 환자평가표만 작성되어 환자평가표의 사실여부 확인이 불가능한 경우는 의무기록으로 확인된 사항에 의거 환자군을 적용함.
c. 진료기록부에 섬망, 욕창 기록; 욕창의 크기, 깊이, 정도 등 기재할 것
d. 의사 서명이 없거나, 연필로 진료기록부에 기재하지 말 것

3) 간호기록지 등

a. 최초 입원 당시는 환자 상태. 계속 입원 시 변화 관찰에 대해 기재
b. 간호기록과 작업치료 등 불일치
c. ADL과 환자분류의 내용 불일치(환자세부분류 및 간호기록지 기재 내역 등)
 – 식사하기, 목욕하기, 세수하기 등 실제 환자 상태를 말함.
d. 욕창의 정도, 치료 진행 정도 등이 미비
e. 배뇨훈련 관련, 간호기록지에 정확히 기재 요망
f. 개인별 물리치료 기록은 실시 후 바로 기록할 것

8. 기타 확인사항

1) 진료기록 착오사항

a. 의무기록에 의존하지 않고 기억에 의존한 환자평가표 작성
b. 환자평가 기간(7일간) 중에만 집중적인 처치 및 간호
c. 환자평가 기간(7일간) 중에만 집중적인 기록(통증 강도 및 빈도, 체위 변경 등)
d. 체크리스트만 작성
e. 수가 높은 환자군으로 산정하기 위한 상병명 upcoding

2) 특정기간 착오사항

a. 특정기간(폐렴/패혈증) : 임상검사 및 체온, 맥박수 또는 호흡수 기록이 누락되거나 규정에 맞지 않는 경우

b. 폐렴, 패혈증을 주 상병으로 장기입원 경향

c. X-ray, Blood culture 검사 등에서 폐렴, 패혈증 상병 확인되지 않음.

3) 인력차등 착오사항

a. 의사등급 착오

- 비상근을 상근으로 신고 또는 의사 명의만 등재

b. 간호등급 착오

- 외래진료실 근무 또는 행정 및 간호감독 등 병행 근무
- 명의만 등재
- 파트타임으로 주 40시간 미만 근무
- 사회복지사 등 타 자격증을 소지하고 타 업무 종사

4) 요양병원 현지 확인

a. 인력등급

- 의사 비상근 및 실제 진료하지 않는 의사인력 산정
- 간호인력 중 전담이 아닌 겸직 간호인력 산정 등

b. 식대운영

- 영양사, 조리사 인력
- 직영(자체인력) 가산 - 조리사 등 외주(용역) 인력을 상근으로 산정

9. 현지조사 대비하기

1) 현지조사 대비 주의사항

◆ 각종 기록과 서류의 작성 및 보존
◆ 부당청구가 고의가 아닌 과실에 의해 발생한 경우라는 항변은 받아들여지지 않음
◆ 심사삭감 등을 이유로 공단에 청구하지 않고 공단부담금을 수진자에게 전액 징수한 경우 실제 요양기관에서 이득을 보지 않았다 하더라도 부당청구 인정
◆ 약국 약제비를 부당청구케 한 요양기관에 대하여도 업무정지, 과징금 처분 및 환수 처분
◆ 각종 의료행위 등에 대하여 시행 주체가 적정하게 시행하도록 하여야 함(의료인, 의료기사)
◆ 조사 완료 후 확인서 작성 시 꼼꼼히 확인할 것(인정할 수 없는 부분은 반드시 지적하고, 그럼에도 불구하고 확인서 작성을 강요할 경우 서명, 날인 거부 또는 추가 기재)
◆ 대표자는 적극적으로 항변하고 부당청구로 몰아가는 경우 근거(고시, 보건복지부 Q&A 등) 제시하여 오해의 소지를 사전에 방지
◆ 지적사항에 대해 우왕좌왕하지 말고 차분하게 대처

2) 현지조사 관련 제출서류

a. 시설, 병상 관련자료
- 의료기관 개설 허가증(앞,뒷면 포함) 사본
- 집단급식소 설치 신고증 사본
- 일반병동 및 구내식당(조리장 포함) 건물평면도 사본
- 병동별 병상 운영 현황

b. 인력 관련
- 병동별 간호인력 근무현황표(Duty Schedule) 원본
- 근로(고용, 연봉) 계약서 : 의사, 간호사, 간호조무사, 영양사, 조리사, 물리치료사 등 원본
- 위 전문직 면허(자격)증 사본
- 요양병원 입원료 차등제 현황 보고서(분기 보고 자료)
- 직원 휴가 및 병가 관리 대장
- 환자 외출, 외박 대장

c. 영양 관련
- 영양사, 조리사 근무표와 출석부
- 입원환자식 식단표, 선택식단표 발주서(선택 식단의 식자재 발주 여부 확인)

- 선택식 환자별, 병동별 체크 현황표(실제 직접 설문조사 했는지 체크)

d. 의료행위 관련 서식
- 진료기록부(방사선필름 포함)
- 개인별 투약기록 및 처방전
- 작업요법 기록지 등

e. 의약품 관련
- 의약품 보유 현황
- 의약품 구입내역 목록표
- 의약품 수불대장
- 의약품 거래명세서 등

f. 원무, 심사 관련
- 요양(의료)급여 비용 계산서, 수진자 별 접수 및 일자별 수납 내역
- 비급여(100:100 포함) 항목 및 수진자별 리스트
- 의료급여 환자 진료의뢰서
- 구급차량 운행일지(병동 간호인력 탑승여부 확인) : 외래인력 탑승 유도

◆ 원무, 심사, 행정 파트에서 수시로 체크가 필요한 사항
- 의사, 간호사, 간호조무사, 약사, 필요인력 등 인력신고에 문제점이 없는지
- 영양실 관련 직영 및 영양사, 조리사, 선택식 가산에 적합한지 여부
- 허가 병상 수 대비 환자수 초과는 없는지
- 의사 및 간호기록지는 환자평가표와 일치하며 기록이 미비하지는 않은지
- 재활재활 : 재활전문의 휴가(출장) 기간 및 치료사 인력을 적합한지
- 치료사 기록은 당일에 정확하게 하고 있는지
- 평소 건보공단, 심평원 자료제출 거부 등 위반사항이 없는지

g. 기타
- 원내 인사규정 및 위업규칙철(노동부 신고자료)
- 인사(채용) 관계철
- 급여내역서 : (의사, 간호인력, 영양사, 조리사, 물리치료사, 약사 등 전문인력)철 원본
  퇴직자 : 근로소득 원천징수 영수증철
- 급여이체 영수증(간혹 통장 사본 요구)
  입사, 퇴사 시 월급의 지급이 근무일수와 일치하는지 여부
  현금 지급 시 현금지급 영수증 구비

– 병원조직도(간호파트 직책 확인), 직원현황표 등(원내 구비, 비치된 현황표 점검)
  ‘간호부장’, ‘간호과장’, ‘간호감독’ 등 명칭 확인
  필요인력이 총무과, 경리과 등 소속
– 친인척이 근무하는 병원(간호사, 영양사, 필요인력 등)
– 타 요양기관에서 제보하는 경우

3) 인력기준 고시내용

a. 간호인력 기준

– 입원환자 간호업무를 전담하는 간호사, 간호조무사를 의미
– 산정 제외 대상
  병동 근무하지만 입원환자 간호를 전담하지 않는 간호인력(간호감독, 전임노조, 가정간호사, 호스피스 간호사 등)
  일반병상과 특수병상을 순환 또는 파견 근무하는 간호인력
  특수병상 중 인공신장실, 물리치료실에서 근무하는 간호인력
  외래 근무자
  분만 휴가자(1월 이상 장기유급휴가자 포함)
– 간호인력 중 비정규직 간호인력(기간제, 단시간 근로자 등) 산정기준
  “기간제 및 단시간근로자 보호에 관한 법률” 제17조(근로조건의 서면명시)를 준수하고, 3개월 이상 고용계약을 체결한 경우에 산정함.

임시직 간호사 (임시직 간호사를 고용하는 경우 정규직 간호사 의무고용비율은 100분의 50)	
1주간 근로시간 (휴게시간 제외)	아래와 같이 산정 (소득세법 상 의료취약지구)
20시간 이상 ~ 30시간 미만	0.4인 (0.5인)
30시간 이상 ~ 40시간 미만	0.6인 (0.7인)
40시간 이상	0.8인 (0.9인)
임시직 간호조무사	
44시간 이상 (근로기준법 상 근로시간이 주 40시간인 요양기관은 40시간 이상)	3인을 2인으로 산정

b. 의사인력 기준

- 의사는 요양기관현황통보서 상의 '상근자'를 의미
- 분만 휴가자(16일 이상 장기 유급휴가자 포함)의 경우에는 산정대상에서 제외
- 시간제 또는 격일제 의사는 주 3일 이상이면서 주 20시간 이상인 경우 0.5인으로 인정
- 기간제 의사는 근무시간 등 근무조건이 정규직 근무자와 동일하면서 3월 이상 고용계약을 체결한 경우는 1인으로 인정

c. 필요인력

- 약사 고용 (필수)
  평균 환자 수 200명 이상인 경우 약사 1명 이상 근무
  평균 환자 수 200명 미만인 경우 약사 주 16시간 이상 근무
- 5개 직종(의무기록사, 물리치료사, 임상병리사, 방사선사, 사회복지사)
- 이 중 4개 직종 각 1인 이상 상근해야 함 (입,퇴사 과정에서 1일 이상 빈틈이 생기면 불인정)
- 해당 치료를 실시할 수 있는 일정한 면적의 물리치료실, 임상병리실, 방사선실을 갖추고 실제 사용할 수 있는 장비를 보유하고 있는 요양기관에 한하여 산정 가능.
- 5개 직종은 각 직종의 주 업무를 하면서 타 업무를 겸임할 수 있음

◆ 입원 환자수 확인
- 전전분기 마지막 월 15일부터 전분기 마지막 월 14일까지의 평균 환자수
- 평균 환자수 = [건강보험] + [의료급여] + [산재] + [자보] + [기타]
  ⇒ 현황신고 일치 여부 확인
- 현지조사 시 수작업으로 확인 대조함

4) 입원환자 식대급여 신고사항

a. 직영, 위탁

- 요양기관에서 직접 운영하는지 여부
- 위탁인 경우 '위탁계약서' (계약일자 확인)
- 위탁업체가 신고된 사항과 상이한지 여부

b. 직영, 선택식단 가산

- 조리 전 과정 및 모든 인력이 당해 기관 소속인지 여부
- 영양사, 조리사 인력의 일부가 위탁, 파견 등이 아닌지 여부
- 직영 및 선택식단 가산의 경우 영양사 1인 이상 상근하는지 여부

- 선택식단의 경우 입원환자가 선택할 수 있도록 매일 2식 이상에 대하여 2가지 이상의 식단 제공
  ⇒ 선택 식단 근거 자료 3년 보관

c. 영양사 및 조리사

- 정규직, 계약직, 대체인력인지 여부
- 영양사 및 조리사 가산등급을 정확하게 산정,적용하는지 여부(평균 인원 수는 소수점 이하 절사하여 전전월 기준 적용)
- 입,퇴사 시 신고를 적기에 하였는지 여부(익월 15일까지)
- 조리사 자격번호와 면허번호를 착오신고 하였는지 여부
  시장, 군수 또는 구청장의 면허를 받아야 한다.
- 휴가의 경우 시작일자, 종료일자 확인
- 시간제, 격일제 근무자인지 여부(산정 불가)
- 16일 이상 장기휴가자 신고 이행 여부
- 계약직인 경우 3개월 이상 고용계약 체결 여부(근로계약서)
- 1인이 영양사와 조리사 중복신고 여부(1인이 2가지 면허를 소유한 경우)
- 실제 근무(상근) 여부(면허증 대여 확인)
- 면허증 교부일자 확인(입사 후 면허취득자는 면허취득일자가 입사일 이후인 경우)

d. 기타

- 식사 종류별 가격 등 안내문을 게시하였는지 여부
- 의사의 처방에 의하여 식사를 제공하였는지 여부

10. 현지조사 사례

1) 허위청구란?

진료행위가 실제 존재하지 않음에도 허위로 청구하는 행위

2) 유형

a. 입원, 내원일수 부풀리기

b. 미 실시 행위 및 약제, 치료재료 청구
c. 비 급여 진료 후 이중청구

3) 허위청구 사례

a. 외래 내원을 입원으로 허위청구
- 외래 2일 내원 ⇒ 입원 5일로 허위청구(입원료, 식대, 투약료, 주사료, 물리치료료)

b. 진료내역 허위청구
- 약제비 허위청구 : 치매약제(알빅스)를 구입하지도 않고, 실제 조제, 투약한 사실이 없으나, 조제, 투약한 것으로 진료기록부에 기재하고 청구
- 비급여대상 진료 후 요양급여비용 이중청구 : 비급여대상인 “점 제거” 등을 실시하거나 본인 희망에 의한 건강검진 실시하고 수진자에게 비급여로 징수한 후 “상세불명 알레르기성 피부염 등” 상병으로 진찰료 및 검사료 등을 요양급여비용으로 이중청구

4) 부당청구 사례

a. 입원료 차등제 산정기준 위반 유형

① 간호인력 부당 신고하고 등급 산정
- 면허대여, 입사일자, 퇴사일자를 다르게 신고, 간호인력에 포함할 수 없는 단시간 근로자를 신고.

② 특수병실에서 근무하거나 간호업무가 아닌 타 업무 전담 또는 병행
- 집중치료실 근무, 외래 접수, 수납, 물리치료 보조 등 특수병실에서 근무하는 간호인력
- 입원환자 간호업무를 전담하지 않는 간호인력을 포함하여 등급 산정
- 병동 전담인 간호조무사가 약사 부재기간에 의약품 입,잔고 관리 및 약봉투 포장업무 병행
- 병원근무 중인 직원이 요양보호사 교육원 강사활동 시 근무일과 중보
  (근무표 상 off일 경우는 인정, 근무시간 이후 가능)

③ 의사인력을 부당신고하고 등급 산정
- 면허대여
- 비상근 근무의사를 상근으로 신고
- 병상 수 적용 부당 : 실제 운영병상 수가 더 많으나 허가병상 기준으로 등급 산정

b. 이학요법료 산정기준 위반

① 보이타 또는 보바스 교육을 이수하지 않은 물리치료사가 중추신경계발달 재활치료

② 특수작업치료는 치료사-환자가 1:1로 30분 이상 실시하여야 하나 10분 정도만 함.

③ 물리치료사 미 근무 기간에도 상근하는 것으로 보고

c. 무자격자가 의료행위 등 실시

① 원무과장이 시행한 심전도 검사 청구

② 간병인이 시행한 침상목욕, 관장, 비강영양, 회음부간호, 체위 변경(등 마사지 포함)처치, 침상목욕 간호, 통목욕 간호 청구 ⇒ 어차피 정액수가제이므로 수가 면에서 큰 의미는 없다!

◆ 야간 당직의사 상근인정 관련 판례

◇ 사실관계

- A병원 야간당직의사는 오후 7시부터 익일 9시까지 격일제 근무, 일요일은 오전 9시부터 오후 7시까지 근무, 주당 평균 52-56시간 근무
- 현지조사 후 '격일제 근무'라는 이유로 상근의사로 볼 수 없다 하여 업무정지처분 부과

◇ 법원의 판단

- 상근 여부는 근무시간, 근무일수, 급여, 4대보험 가입여부, 근무형태, 병원의 특수성 등을 종합적으로 고려하여 판다
- 야간근무자로서 주 4일을 근무하지만 주당 평균 54시간 근무
- 고도의 집중력이 요구되는 의사 업무 특성 상 야간에 상시 근무하는 것은 사실상 불가능하므로 야간근무 의사들이 격일로 근무한다고 해서 일률적으로 격일제 의사라고 단정할 수 없음
- 야간근무자가 주간근무자와 거의 동일한 조건으로 1년 단위 연봉제 근로계약을 체결했고, 4대 보험료도 납부하였으며, 응급상황이 수시로 발생할 수 있으므로 야간근무가 주간보다 수월하다고 볼 수 없다
  ⇒ 업무정지처분 취소 판결

◆ 재활의학과 전문의 부재 중 전문재활치료료 청구 사례

◇ 사실관계

- A병원은 재활의학과 전문의 B가 예비군훈련, 단기 해외연수 등으로 인해 1일~3일 간 부재 중인 때 전문재활치료를 한 후 요양급여비용 청구
- 현지조사 후 부당청구를 이유로 환수 처분

◇ 병원측 주장

- 재활의학과 전문의를 2명 이상 확보하기 어렵고 대진의도 구하기 어려운 요양병원의 현실을 도외시한 처분으로서 사전처방이 가능하다고 판단되어야 함

◇ 법원의 판단

- 휴가 기간이 단기간이라 하더라도 환자들 대부분이 고령이거나 뇌병변을 앓고 있는 사정에서 사전처방이나 물리치료사에 의한 독자적인 재활치료는 허용하기 어려움
  ⇒ 원고 패소 판결

5) 본인부담금 과다징수 사례

a. 완제품으로 된 경관영양유동식(그린비아)을 제공한 경우 식대를 청구하고 수진자에게 개당 1,500원씩 별도 징수
b. 정액수가 적용 입원환자에게 신경차단술을 실시하고 4만원 씩 별도 징수
c. 정액수가 적용 입원환자에게 알부민 투여 후 12만원 씩 별도 징수
d. 급여대상 항목(수혈, 알부민, 중심정맥영양 등)을 청구하지 않고 전액 본인부담 시키거나 임의 비급여

◆ 사실확인서 관련 판례

◇ 사실관계

- A원장은 보건복지부 현지조사 과정에서 내원일수 증일청구 등이 적발되었고 이를 인정하는 취지의 사실확인서를 작성하여 제출함. 이후 요양급여비용 환수처분취소 소송에서 '착오 또는 강요에 의해 사실확인서를 작성'한 것을 이유로 무효임을 변론

◇ 병원측 주장

- 현지조사 당시 조사원들은 확인서에 서명날인해도 문제될 것이 없고 나중에 다시 소명할 기회를 주겠다고 믿고 위반행위를 시인하는 취지의 확인서에 서명,날인했을 뿐이다.
  ⇒ 결론: 착오, 협박 또는 강요로 작성되었다는 점을 인정할 증거가 없음. 원고의 학식과 경험, 나이, 사회적 지위 등에 비추어 원고에게 불이익이 돌아가는 행정제제가 예상되는 상황에서 허위로 위반행위를 시인하는 확인서에 서명, 날인했다는 주장은 납득하기 어려움.

6) 보건소 지도점검 사례

지역 관할 보건소에서는 의료법 제61조에 의거하여 해당 의료기관에 조사기관과 조사범위 등을 포함한 조사명령서로 통보 후에 진료기록부 등의 서류를 검사할 수 있다.

의료법 제61조(보고와 업무 검사 등)

① 보건복지부장관 또는 시장·군수·구청장은 의료기관이나 의료인에게 필요한 사항을 보고하도록 명할 수 있고, 관계 공무원을 시켜 그 업무 상황, 시설 또는 진료기록부·조산기록부·간호기록부 등 관계 서류를 검사하게 하거나 관계인에게서 진술을 들어 사실을 확인받게 할 수 있다. 이 경우 의료인이나 의료기관은 정당한 사유 없이 이를 거부하지 못한다.(개정 2008.2.29., 2010.1.18., 2011.8.4.)
② 제1항의 경우에 관계 공무원은 권한을 증명하는 증표 및 조사기간, 조사범위, 조사담당자, 관계 법령 등이 기재된 조사명령서를 지니고 이를 관계인에게 내보여야 한다.(개정 2011.8.4.)

인천광역시서구보건소

수신 수신자 참조
(경유)
제목 **의료기관 지도점검 및 감염관리 실태조사 계획(일정) 통보**

1. 우리 구 의료서비스 향상에 노력하여 주심에 감사드리며, 귀 기관의 무궁한 발전을 기원합니다.

2. 우리 구민에게 양질의 의료서비스가 제공될 수 있도록 하고, 메르스 등 호흡기계 감염병의 재발 방지를 위하여 다음과 같이 의료기관 지도점검 및 감염관리 실태조사를 실시하고자 하니, 주요 점검사항을 숙지하시어, 효율적인 점검이 이루어질 수 있도록 협조하여 주시기 바랍니다.

◐ 다 음 ◑

구 분	내 용
관련근거	- 의료법 제47조(감염관리) - 의료법 제61조(보고와 업무검사 등)
점검기간	2015. 8. 10. ~ 8. 21 (2주간)
대 상	관내 200병상 이상 의료기관
점 검 반	보건행정과 예방의약팀장 외 2명
주요 점검사항	- 의료기관 준수사항 이행여부 - 진료기록부 보존 및 관리실태 - 마약류 및 향정신성의약품 관리실태 - 진단용 방사선 발생장치 관리사항 - 감염관리위원회 운영 및 감염관리실 설치·운영실태 - 공조기, 흡배기구 등 환기시설 관리실태 등
일 정	(아래 표 참조) ※ 상황에 따라 점검일정이 변경될 수 있습니다

일정	의료기관명	일정	의료기관명	일정	의료기관명
8.10(월)	인천은혜병원 은혜병원				

그림 10-2. **실제 보건소로부터 통보 받은 지도점검 통보서.** 위 내용 중 요양병원인 인천은혜병원은 의료법 상 감염관리실 설치 의무는 없음을 확인받음.

참고문헌

07 요양병원 수가체계

1. 박혜경. 요양병원 입원급여 적정성 평가. In: 건강보험심사평가원. 2009년 요양병원 연수교육. 서울: 건강보험심사평가원; 2009. P. 3-16.
2. 건강보험심사평가원. 요양병원형 수가제도 실무교육자료. 서울: 건강보험심사평가원; 2007.
3. 건강보험심사평가원. 요양병원 입원급여 적정성평가 설명회 자료집. 서울: 건강보험심사평가원; 2009.
4. 건강보험심사평가원. 요양병원 실무 교육 자료집. 서울; 건강보험심사평가원; 2010.
5. 조항석. 노인장기요양에서 노인요양병원의 역할. 노인병 2009;13(Suppl.1):25-39.
6. 손덕현. 요양병원형 입원료 차등 수가제 시행 경과 및 검토. 노인병 2010;14(Suppl.1):29-36.
7. MDJIN 병원경영연구소. 본인부담 상한제 제도의 이해 및 사전적용 방법. 2012.
8. 건강보험심사평가원. 요양병원 수가 개선방안 -단기 개선방안 중심으로-. 건강보험심사평가원;서울:2015.
9. 의료정보: 문선희 기자. 의료기관평가인증원 · 건강보험심사평가원, 국민건강증진 및 환자안전 위한 MOU 체결 [Internet]. 서울: ㈜의료정보;c2016 [cited 2016 Aug 06]. Available from:http://www.kmedinfo.co.kr/news/article View.html?idxno=29624.
10. 선우덕. 요양병원제도: 개념과 개선.

08 요양병원 입원급여 적정성 평가

1. 건강보험심사평가원. 2020년(2주기 2차) 요양병원 입원급여 적정성 평가 세부계획, 2019.
2. 진경숙. 2020년 [2주기 2차] 요양병원 입원급여 적정성 평가. In:대한요양병원협회. 2019 하반기 요양병원 권역별 연수교육, 2019.

09 요양병원 보험청구심사

1. 박미경. 요양병원 청구심사의 이해와 방법. In: 대한노인요양병원협회. 요양병원 신규직원을 위한 교육. 서울:대한노인요양병원협회; 2015.p.113-40.
2. 법제처. 의료급여법 시행규칙, 2012.

10 요양급여 삭감 및 현지조사

1. 건강보험심사평가원 급여조사실. 요양병원 현지조사 현황 및 부당사례. In: 건강보험심사평가원. 요양병원 실무교육. 서울: 건강보험심사평가원; 2010. p. 83-105.
2. 건강보험심사평가원 지원 심사평가부. 요양병원 심사사례. In: 건강보험심사평가원. 요양병원 실무교육. 서울: 건강보험심사평가원; 2010. p. 65-81.
3. 김대진. 요양병원 현지조사 대비. In: 대한노인요양병원협회. 2013 하반기 요양병원 권역별 연수교육. 서울: 대한노인요양병원협회;2013.
4. 변창우. 요양병원 종사자가 알아야 할 관계법령(의료법 등). In: 대한노인요양병원협회. 요양병원 신규직원을 위한 교육. 서울: 대한노인요양병원협회;2015.
5. 문강숙. 요양병원의 심사기준. In: 대한노인요양병원협회. 2014 춘계 학술세미나. 서울: 대한노인요양병원협회;2014.

요양병원 인증평가 대비

11 3주기 요양병원 인증평가 개요

- 3주기 요양병원 인증기준은 무엇이 달라졌나요?

– 인증기준 순서를 상급종합병원 기준과 일치시켰고, 화재안전, 감염관리 기준을 강화했으며, 의료기관 내 폭력 예방 및 관리 기준, 결핵 예방관리 기준, 환자치료영역 환경관리 기준이 신설되었습니다.
– 또한, '요양병원 인증조사 표준지침서'가 발간되어, 구체적인 조사방법과 조사 대상, 조사 장소 등이 제시되므로, 이 표준지침서를 활용하여 인증조사 대비를 하면 훨씬 수월하실 것입니다.

1. 요양병원 인증평가제도의 개요

의료법 제58조에 의거, 2013년부터 의료기관인증평가원(인증원)에 의한 모든 요양병원의 인증평가가 의무화되었다. 요양병원 인증제는 '환자안전'과 '의료의 질 향상'을 기본 목표로 삼고, 인증원에서 제시한 조사항목을 바탕으로 각 병원마다 '자율적'으로 규정을 만들어 4년마다 인증원 조사위원들에 의해 평가가 이루어지게 된다. 2021년부터 2024년까지 3주기 요양병원 인증평가가 진행된다.

3주기부터는 '표준지침서'를 통해 구체적인 조사방법이 제시되는데, 대표적 '조사 장소 및 대상'이 제시되고 각 조사항목별 조사대상 직원과 조사내용이 나와 있으므로 이를 통해 인증조사를 준비하면 된다. 만일 표준지침서에 근거한 조사가 이루어지지 않을 경우에는 조사위원에게 확인을 요청할 수 있으며, 필요 시 의료기관평가인증원에 질의할 수 있다.

2. 인증등급의 이해(3주기 요양병원 인증 기준)

1) 기준의 구성

3개 영역(Domain)/11개 장(Chapter)/ 55개 기준(Standard)/ 268개 조사항목(ME; Measurable Elements)([시범]항목은 6개)

2) 등급 분류

의료기관인증 조사기준에서 등급의 의미는 다음과 같다.

[정규] : 인증등급 결정을 위한 조사항목

[시범] : 의료기관의 수용성을 고려하여 단계적으로 정규문항에 포함될 예정인 문항

[필수] : 정규항목 중 인증을 위해 필수적으로 충족해야 하는 항목으로 총 30개 항목이 있으며, '무' 또는 '하'가 없어야 함.

* 3주기 필수항목은 총 30개로 장별 분포는 다음과 같다.

필수항목	
1장	1.1(의료진 간 정확한 의사소통) 전체 1.2(낙상 예방활동) ME1~5 1.3(손위생 수행) 전체
6장	6.1(환자권리존중) ME1
10장	10.3(의료인력 법적기준) ME4 10.4(직원안전 관리활동) ME1~5
11장	11.6(화재안전 관리활동) 전체

3) 조사항목 충족기준

a. 상/중/하
- 상(10점) : 조사항목(ME)의 충족률이 80% 이상
- 중(5점) : 조사항목(ME)의 충족률이 60% 이상 ~ 80% 미만
- 상(0점) : 조사항목(ME)의 충족률이 60% 미만

b. 유/무
- 유(10점) : 조사항목(ME) 충족률이 100%
- 무(0점) : 조사항목(ME) 충족률이 100% 미만(즉, 한 가지라도 부족하면!)

4) 인증조사 등급 판정기준

등급	1. 필수항목	조사항목 평균점수			비고
		2. 전체	3. 기준별	4. 장별	
인증	'무' 또는 '하' 없음	8점 이상	모든 기준 5점 이상	모든 장 7점 이상	1~4 모두 충족
불인증	'무' 또는 '하' 1개 이상	7점 미만	5점 미만이 3개 이상	7점 미만이 1개 이상	1~4 중 한 개라도 해당
조건부 인증	필수 항목에서 '무' 또는 '하'가 없으면서, 조사항목 평균 점수(전체, 기준별, 장별)가 인증과 불인증에 해당되지 않는 모든 경우				

5) 인증 유효기간 : 4년(조건부 인증은 1년)

6) 조사항목 구분(S,P,O)의 의미

S (Structure) : 구조 – 규정, 절차, 체계, 계획의 수립
P (Process) : 과정 – 개별교육, 숙지, 인지, 수행 정도 확인
O (Outcome) : 결과(성과) – 성과지표 선정하고 결과에 따라 관리

3. 2주기 vs 3주기 인증기준의 구체적 비교

■ 인증기준 구성 변경

3개 영역, 11개 장, 55개 기준 등 총 268개 조사항목(총 27개 항목 증가)

구분	2주기	3주기	증감
전체	13개	38개	27개↑
항목 추가	-	23개	23개↑
항목 분리	5개	13개	8개↑
항목 통합	5개	2개	3개↓
항목 삭제	1개	-	1개↓

- 종별 인증기준 간 유사성 확보 및 요양병원 특성 반영
- 요양병원 종사자가 알기 쉽도록 기준 구성 정비

■ 기준 재정비

환자안전기준 강화를 위한 기본가치체계 중 일부를 조직관리체계로 이동

2주기			
영역	장	기준	
기본 가치 체계	1장. 안전보장 활동	1.1.1	의료진 간 정확한 의사소통
		1.1.2	낙상 예방활동
		1.1.3	손위생 수행
		1.2	직원안전관리활동
		1.3	화재안전관리활동
	2장. 지속적 질 향상 및 환자안전		

3주기			
영역	장	기준	
기본 가치 체계	1장. 안전보장활동	1.1	의료진 간 정확한 의사소통
		1.2	낙상 예방 활동
		1.3	손위생 수행
조직관리체계	7장. 지속적 질 향상 및 환자안전		
	10장. 인적자원관리	10.4	직원안전 관리활동
	11장. 시설 및 환경관리	11.6	화재안전 관리활동

■ 화재안전 조사내용 강화

화재사건 발생으로 화재안전관리의 중요성이 지속적으로 부각됨

〈기준 11.6〉 화재안전 관리활동을 수행한다.

<table>
<tr><th colspan="2">2주기</th><th colspan="2">3주기</th></tr>
<tr><td>1</td><td>[필수] 화재안전 관리를 위한 규정이 있다.</td><td>1</td><td>좌동</td></tr>
<tr><td>2</td><td>[필수] 화재안전 관리 계획을 수립한다.</td><td>2</td><td>[필수] 화재안전 관리 계획이 있다.</td></tr>
<tr><td>3</td><td>[필수] 화재 예방점검을 수행하고 결과에 따라 개선 활동을 수행한다.</td><td>3</td><td>좌동</td></tr>
<tr><td>4</td><td>[필수] 화재예방을 위해 시설을 안전하게 관리한다.</td><td>4</td><td>좌동</td></tr>
<tr><td>5</td><td>[필수] 소방훈련을 시행한다.</td><td>5</td><td>[필수] 소방훈련을 실시한다.</td></tr>
<tr><td rowspan="2">6</td><td rowspan="2">[필수] 직원은 소방안전에 대해 교육을 받고, 그 내용을 이해한다.</td><td>6</td><td>[필수] 소방안전 교육을 시행한다.(분리)</td></tr>
<tr><td>7</td><td>[필수] 직원은 화재 발생 시 대응체계를 알고 있다.(분리)</td></tr>
<tr><td>7</td><td>[필수] 금연에 대한 규정이 있다.</td><td>8</td><td>좌동</td></tr>
<tr><td>8</td><td>[필수] 금연에 대한 규정을 준수한다.</td><td>9</td><td>좌동</td></tr>
</table>

■ 의료기관 내 폭력 예방 및 관리 기준 신설

의료기관 내 폭력은 환자 및 직원 안전에 미치는 영향이 크며, 장기적으로 폭력으로부터 안전한 환경을 조성하기 위해 적극적 예방활동 필요

〈기준 10.5〉 의료기관은 폭력을 예방하고 올바른 조직문화를 구축한다.(신규)

3주기	
1	폭력 예방 및 관리를 위한 체계가 있다.
2	폭력 예방을 위한 활동을 수행한다.
3	의료기관은 직원과 환자에게 폭력 상담 및 신고절차에 대하여 안내한다.

■ 보안관리체계 조사항목 세분화

조사항목 간 내용 재배치 및 입원환자안전관리료 수가 지급 관련 내용 반영 필요

〈기준 11.4〉 환자의 안전을 위한 보안체계를 갖추고 운영한다.

2주기		3주기	
-		1	환자안전을 위한 보안체계가 있다. (2주기 10.1 ME1 '시설 및 환경관리 규정 ' 에서 분리)
1	환자와 내원객 보호 및 사고를 예방하기 위하여 관리한다.	2	인지저하 환자의 보안사고를 예방하고 관리한다.
2	직원은 보안사고 발생 시 신고하고, 담당부서는 처리한다.	3	환자안전을 위한 통제구역을 지정하고 모니터링 한다.
-		4	병원안객을 지속적으로 관리한다.(신규)

〈기준 11.4(ME.4)〉 병문안객을 지속적으로 관리한다.

3주기
〈기준의 이해〉 4) 규정에 따라 병문안객을 관리한다. ○ 입원환자 병문안 관리 ※ 참고 : 의료기관 입원환자 병문안기준 권고 - 일일 병문안 허용 시간대 - 병문안 제한이 필요한 대상군 - 병문안객이 지켜야 할 감염예방수칙 - 외부물품 반입금지 사항 - 환자, 보호자에게 적극적인 홍보 및 안내, 교육 실시 - 병문안객 명부 작성 및 관리 등

■ 환자안전사건의 체계적 관리를 위한 조사내용 강화

환자안전사건 보고체계에 대한 직원의 인식, 보고 및 개선 활동 수행, 정보 공유 등 환자안전사건의 체계적 관리 미흡

〈기준 7.2〉 환자안전사건을 관리한다.

2주기		3주기	
1	환자안전사건 보고학습시스템을 운영한다.	1	환자안전사건 관리절차가 있다.
2	직원은 환자안전사건 절차에 따라 보고한다.	2	직원은 환자안전사건에 대한 정의와 보고절차를 알고 있다.
3	환자안전사건은 유형에 따라 관리한다.	3	보고된 환자안전사건을 분석한다.(분리)
		4	분석결과에 따라 개선활동을 수행한다.(분리)
4	환자안전사건 관리 결과를 경영진에게 보고한다.	5	좌동
5	환자안전사건 관리 결과를 관련 직원과 공유한다.	6	좌동
-		7	[시범] 적신호사건 발생 시 환자와 보호자에게 관련 정보를 제공한다.(신규)
-		8	환자안전 주의경보 발령 시 관련 직원과 공유한다.(신규)

■ 질 향상 활동의 체계적 관리를 위한 조사내용 강화

설문조사 결과 질 향상 활동이 인증 준비 중 가장 어렵고 준비에 가장 많은 시간이 소요된 항목이나, 실제 충족률은 다른 항목과 유사

〈기준 7.3〉 의료기관의 질 향상 및 환자안전 활동 계획에 따라 개선활동을 수행한다.

2주기		3주기	
1	우선순위에 입각한 질 향상 활동 주제를 선정하고 계획을 수립한다.	1	우선순위에 입각한 질 향상 활동 주제를 선정한다.
2	의료기관에서 선정한 질 향상 활동방법을 사용한다.	2	좌동
3	선정된 주제에 따른 통계적 기법과 도구를 사용하여 자료를 분석한다.	3	좌동
4	[시범] 질 향상 활동을 통해 얻은 성과를 지속적으로 관리한다.	4	좌동
-		5	[시범] 질 향상 활동 성과를 경영진에게 보고한다.(신규)
-		6	[시범] 질 향상 활동성과를 관련 직원과 공유한다.(신규)

■ 의료진 간 의사소통 오류 감소를 위한 필요시처방 조사항목 세분화

필요시처방(prn)의 명확한 실시기준이 기록되어 있지 않거나 비치된 목록과 실체 처방이 다른 사례 다수 확인

〈기준 1.1〉 의료진은 정확하게 의사소통한다.

2주기		3주기	
1	의료진의 정확한 의사소통을 위한 규정이 있다.	1	좌동
2	구두처방을 정확하게 수행한다.	2	좌동
-	-	3	필요시처방(prn)을 관리한다. (신규)
3	필요시처방(prn)을 정확하게 수행한다.	4	좌동
4	혼동하기 쉬운 부정확한 처방 시 대처 방안을 알고 수행한다.	5	좌동

■ 입원 시 정확한 환자상태 파악을 위한 검사 결과 확인 항목 추가

입원 시 검사를 시행하지 않거나 결과를 확인하지 않아 환자의 치료계획 수립을 위한 충분한 정보가 수집되지 못하는 사례 발생

〈기준 2.2〉 입원환자의 요구를 확인하고, 초기평가를 수행한다.

2주기		3주기	
1	입원환자 초기평가 규정이 있다.	1	좌동
2	의학적 초기평가를 24시간 이내 수행하고 기록한다.	2	좌동
3	간호 초기평가를 24시간 이내 수행하고 기록한다.	3	좌동
4	영양 초기평가를 수행하고 기록한다.	4	좌동
5	환자초기평가 기록은 환자 진료를 담당하는 직원들과 공유한다.	5	좌동
-	-	6	입원 시 초기검사를 수행한다. (신규)

■ **의약품 조제 및 투여관리 강화 위한 조사항목 세분화**

의약품 관리는 의료기관 종별에 따라 큰 차이가 없으므로 보관, 처방 및 조제, 투약에 대한 동일 적용 의견 제기

〈기준 4.2〉 의약품을 안전하게 처방하고 조제한다.

2주기		3주기	
1	의약품 처방 및 조제에 대한 규정이 있다.	1	좌동
2	적격한 자가 의약품을 안전하게 처방한다.	2	관련법을 준수하여 의약품을 안전하게 처방한다.
3	적격한 자가 의약품 조제 전에 처방전을 감사한다.	3	좌동
4	적격한 자가 안전하고 청결하게 의약품을 조제한다.	4	적격한 자가 의약품을 조제하고 확인한다.(분리)
		5	의약품 조제환경을 안전하고 청결하게 관리한다.(신규)
		6	의약품을 안전하고 청결하게 조제한다.(분리)
-	-	7	의약품 조제 시 라벨링한다.(신규)

〈기준 4.3〉 안전하게 의약품을 투여한다.

2주기		3주기	
1	의약품 투여 관련 규정이 있다.	1	의약품 투여에 대한 규정이 있다.
2	적격한 자가 의약품을 안전하게 투여한다.	2	적격한 자가 의약품을 투여한다.(분리)
3	고위험의약품 투여 시 주의사항 및 부작용 발생 시 대처방안을 직원이 알고 있다.	3	의약품의 안전한 투여를 위해 필요한 정보를 확인하고 투여 후 기록한다.(분리)
-	-	4	고위험의약품 투여 시 주의사항 및 부작용 발생 시 대처 방안을 관련 직원이 알고 수행한다.
6	적격한 자가 투여 시 주의가 필요한 의약품에 대하여 설명한다.	5	주사용 의약품 취급 시 감염 및 안전관리를 준수한다.(신규)
4	사용한 의약품을 안전하게 폐기한다.	6	투약 설명을 수행한다.
5	지참약을 관리한다.	7	의약품 사용 후 안전하게 폐기한다.
-	-	8	좌동
-	-	9	[시범] 의약품 부작용 발생 시 절차에 따라 보고한다.(신규)

■ 감염예방 관리 위한 규정 항목 신설, 감염성 질환자관리기준 통합

감염관리위원회의 운영, 감염병환자의 관리를 관련법과 맞추어 조정 필요

〈기준 8.1〉 감염예방 및 관리를 위한 운영체계가 있다.

2주기		3주기	
9.1 의료기관 차원의 감염예방 및 관리를 위한 운영체계가 있다.		8.1 감염예방 및 관리를 위한 운영체계가 있다.	
-	-	1	감염관리 운영 규정이 있다.(신규)
1	의료기관 차원의 감염예방 및 관리를 위해 위원회를 운영한다.	2	감염예방 및 관리를 위해 위원회를 운영한다.
2	감염예방 및 관리활동 수행을 위해 적격한 자를 배치한다.	3	감염예방 및 관리활동을 수행하는 적격한 자가 있다.
3	의료기관 차원의 감염예방 및 관리활동 계획을 수립한다.	4	감염예방 및 관리활동 계획을 수립힌다.
9.4 감염성 질환자에게 양질의 의료서비스를 제공한다.			
1	감염성 질환의 격리에 관한 규정이 있다.	-	(8.1 ME1로 통합)
2	감염병 전파경로에 따라 절차를 준수한다.	5	감염병 전파경로에 따른 절차를 준수하여 환자를 관리한다.

■ 손 위생 수행 권고 수준 상향

손위생 시점을 공인된 지침, 근거에 따라 정하도록 명확히 제시하여 권고의 수준을 상향, 요양병원 현실에 적용 가능한 예시 제시

〈기준 1.3〉 손위생을 철저히 수행한다.

3주기
〈기준의 이해〉 1) [필수] 손위생 수행을 위한 규정에는 다음의 내용을 포함한다. ※ 각 의료기관은 질병관리청(KCDC), 세계보건기구(WHO), 미국 질병관리본부(CDC) 및 공인된 감염 관련 학회 등에서 제시하는 지침을 참고하여 의료기관의 상황에 적합한 규정을 마련한다.
손위생을 수행해야 하는 시점 예시 : ① 환자 접촉 전 - 면역저하자 접촉 전 - 카테터, 튜브류가 삽입된 환자 접촉 전 ② 청결/무균 처치 전 - 청결 처치 전: 경구투약, 구강간호, 회음부간호 등 - 무균 처치 전: 주사(정맥, 근육, 피하 등), 드레싱, 카테터 삽입, 천자

③ 체액/분비물에 노출될 위험이 있는 행위를 하고 난 후
- 검체 채취 후 - 배설물이나 토물을 다룬 후 - 배액관련 행위 후 - 폐기물 처리 후 - 오염물품 다룬 후 등

④ 환자 접촉 후
- 격리환자 및 접촉주의, 비말주의 환자 접촉 후 - 카테터, 튜브류가 삽입된 환자 접촉 후

⑤ 환자의 주변 환경 접촉 후
- 접촉주의 격리환자 침상 및 침상에 접하여 있는 물품 접촉 후
- 환자의 체액이나 혈액, 분비물, 배설물이 오염된 환자주변 물품 접촉 후

■ 결핵 예방관리 기준 신설

요양병원 내 결핵 유행을 예방하기 위해 입원환자 및 직원에 대한 검진 등 예방활동 필요

〈기준 3.1.6〉 결핵 발생을 예방하고 관리한다.(신규)

3주기	
1	모든 입원환자에 대해 결핵검진을 정기적으로 실시한다.
2	신규 입원환자는 입원 시 결핵검진 결과를 확인한다.
3	결핵 발생 시 신속히 신고하고 조치한다.

3주기

〈기준의 이해〉

1) [필수] 직원의 건강유지 및 안전관리활동을 위한 규정에는 다음과 같은 내용을 포함한다.
   (중략)
   ○ 직원에 대한 감염예방을 위한 점검활동
   - 대상 : 병원 내에 근무하는 모든 직원
     • 모든 의료인은 필수로 적용하되 정규직, 계약직 등을 구분하여 관리할 경우, 별도 점검 시행에 대해 명시
   - 직원 채용 시 근무시작 전 직원의 현성감염 여부 및 노출경험 또는 보균상태 확인
     ※ 참고 : 결핵 예방법
   - 감염노출 위험부서로 직원 배치 전(근무시작 전) 추가 점검 시행 및 필요시 예방접종 시행
   - 유소견자 발견 시 절차

■ 소독 및 멸균 시행 장소의 환경 및 멸균물품 관리 보완

세척, 소독 및 멸균 수행, 세척 및 멸균장소의 환경이 미흡하며, 기준의 이해에서 멸균물품 관리 방법을 명확히 제시 필요

〈기준 8.3〉 의료기구의 세척, 소독, 멸균과정과 세탁물을 적절히 관리한다.

2주기		3주기	
19.2.2 의료기구의 세척, 소독, 멸균과정을 관리한다.		8.3 의료기구의 세척, 소독, 멸균과정과 세탁물을 적절히 관리한다.	
1	기구의 세척, 멸균 관리에 대한 감염관리 규정이 있다.	1	의료기구의 세척, 소독, 멸균과정에 대한 감염관리 규정이 있다.
-	-	2	세척, 소독, 멸균 관리를 위한 적절한 환경을 갖추고 있다.(신규)
2	사용한 기구는 안전하게 수거하고 관리한다.	3	사용한 기구의 세척 및 소독을 수행한다.(통합)
3	사용한 기구의 세척, 소독 및 멸균을 수행한다.		
4	멸균기를 정기적으로 관리한다.	4	좌동
5	멸균물품을 관리한다.	5	좌동
6	직원은 세척, 소독 및 멸균 시 보호구를 착용한다.	6	세척직원은 보호구를 착용한다.
9.3.3 적절한 세탁물 관리를 통해 의료관련 감염발생의 위험을 감소시키기 위해 노력한다.			
1	세탁물 관리에 대한 감염관리 규정이 있다.	7	좌동
2	세탁물을 적절하게 보관 및 수집한다.	8	세탁물을 적절하게 관리한다.(통합)
3	세탁물을 적절하게 운반한다.		

■ 환자치료영역 환경관리(청소 및 소독) 기준 신설

감염관리의 기본인 환경의 청결한 유지 여부의 조사 필요

〈기준 8.4〉 환자치료영역의 청소 및 소독을 수행하고, 환경을 관리한다.(신규)

3주기	
1	환경관리에 대한 감염관리 규정이 있다.
2	환자치료영역의 청소 및 소독을 수행한다.
3	청소 및 소독 직원은 개인보호구를 착용한다.

■ 시설 및 환경관리 규정 세분화

시설.환경 안전 관리 수행 내용이 방대하나 1개의 항목으로만 조사하여 실제 관리 정도에 다른 결과 반영이 어려움

〈11장 시설 및 환경관리 규정 관련 조사항목 세분화〉

2주기		3주기	
10.1 시설 및 환경과 관련된 안전관리를 수행한다.		11.1 시설 및 환경과 관련된 안전관리를 수행한다.	
1	시설 및 환경 안전에 대한 규정이 있다.	1	시설 및 환경안전에 대한 규정이 있다.
		11.2 설비시스템을 안전하게 관리한다.	
		1	설비시스템 안전관리 절차가 있다.
		11.3 위험물질을 안전하게 관리한다.	
		1	유해화학물질 안전관리 절차가 있다.
		3	의료폐기물 안전관리 절차가 있다.
		11.4 환자의 안전을 위한 보안체계를 갖추고 운영한다.	
		1	환자안전을 위한 보안체계가 있다.
		11.5 의료기기를 정기적으로 점검한다.	
		1	의료기기의 안전관리 체계가 있다.

4. 요양병원 인증평가 대비를 위한 10가지 STEP!

본 저자는 인천은혜병원의 규정 제정 업무를 책임졌으며, 이 경험을 바탕으로 다음과 같이 인증평가 대비를 위한 과정을 정리해 보았다.

1) Step 1. 요양병원형 인증조사 기준집 및 샘플 규정집 확보

- 요양병원 인증조사기준집과 필요시에 샘플규정집을 참고하되, 각 병원의 사정에 맞게 수정하여 활용하면 효율적이다.

그림 11-1. **규정 제작 담당자는 각 부서의 대표들과 함께 의논하며 문구를 만든다.**

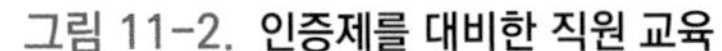

그림 11-2. **인증제를 대비한 직원 교육**

그림 11-3. **자체 조사 팀에 의한 진료부 모의 조사 진행**

2) Step 2. 부서별로 조사기준을 분류하여 검토

- 각 병원의 규정 만들기 책임자가 각 조사기준 및 조사항목을 검토하여, 각 병원별 사정에 맞게 부서별로 배분하여 1차 수정을 해오도록 한다.
- 간호 파트는 해당 기준이 매우 많으므로, 병동별로 나누어 주는 것이 좋다.

3) Step 3. 규정 담당자가 부서별 대표들과 조사기준별 man-to-man 검토

- 각 부서별로 검토가 완료된 순서대로 규정 담당자와 조사기준별 검토자가 만나, 컴퓨터를 켜 놓고 규정집의 문상 하나하나, 난어 하나하나를 세세히 검토해 가면서 1차 수정.

4) Step 4. Tuning 작업

- 모든 부서에서 맡은 조사기준에 대한 검토 및 1차 수정이 끝나면, 규정 담당자는 규정의 부서 간 유기적인 조화를 위해 세밀한 조정 작업을 한다.
- ㉮ 임상병리실장과의 검체검사규정 검토 과정에서 "혈청 검사는 2시간 이내에 원심분리기에 들어가야 함"이라는 규정이 삽입되었다면, 임상병리사 근무시간이 오전 9시부터이므로, 병동에서의 혈청 채혈 작업은 오전 7시 이후여야 함.

  ⇨ 규정 담당자는 이를 병동 채혈 시간에 관한 규정 내용에 적용함.

5) Step 5. 직원 교육

- 1차 수정된 규정의 내용을 부서별로 교육. 이때, 모든 직원이 공통적으로 알아야 할 항목은 전체 직원 교육으로 시행하고, 그 이후에 각 부서별로 알아야 할 항목을 각각 따로 시간을 내서 교육하는 것이 좋음.

6) Step 6. 부서별, 관련 조사항목을 예상 질문 형식으로 만들어 배포

- 241개의 조사항목 중 추적조사의 방법으로 조사될 항목을 각 부서별로 분류하여 따로 예상 질문지를 만든 후, 해당 직원에게 배포함.
- 각 직원들은 각자에게 전달된 예상 질문에 따라 규정을 근거로 모범답안을 준비함.

7) Step 7. 개인 추적조사(IT) 시뮬레이션(Role-Play) 및 준비사항 검토

- 특정일을 지정하여, 마치 실제 인증평가 당일을 가정하여 조사위원 역할을 맡은 직원들이 직원을 대상으로 질문을 하고 모의 평가함.
- 이 과정에서 직원 교육을 동시에 시행할 수 있음.

8) Step 8. 시스템 추적조사(ST) 준비

- 6개 부문별로 담당자를 선정하고, 근거 서류를 준비함.
- IT와 마찬가지로 ST 모의 인터뷰를 열어 자체 평가함.

9) Step 9. 리더십 인터뷰(LI) 준비

- LI 역시 예상 질문지를 만들고 근거 서류도 준비함.

10) Step 10. Feed-Back

- 인증평가 기준과 예상 질문 등에 관해 직원들과의 지속적인 정보 교환을 위해, 인터넷 홈페이지 등을 개설하여 소통하면 매우 효율적임.
- 홈페이지 메뉴에는 필요한 경우 동영상이나 사진 등을 수록하여 교육 효과를 높일 수 있고, 규정뿐만 아니라 병원의 질 향상(QI: Quality Improvement)을 위한 제안 코너 등을 만들어도 좋다.

그림 11-4. **직원 간 의사소통을 위한 인터넷 공간 개설**

5. 본 지침서의 활용을 통한 인증평가 대비

본 노인요양병원 진료지침서는 2010년 초, 초판 기획 단계부터 근거에 입각한 질 높은 요양병원 진료지침을 제시하고자 하였던바, 그동안 본 지침서에서 제공해온 낙상, 신체보호대, 욕창, 영양, 통증, 의학적 평가, 간호 사정 등의 임상적 평가 시에 사용 가능한 각종 평가 도구들과 실제 간호, 진료과정에서의 효율적 의료전달체계를 위한 실무적 지침 내용들을 잘 활용한다면 꽤 유용한 참고 자료가 될 것으로 사료된다.

특히 본 지침서의 부록에 별도로 수록된 인천은혜병원 규정집과 관련 서류 등을 효율적으로 활용하시기를 바란다.

12

3주기 요양병원 인증평가 조사기준별 핵심 체크

Q. 3주기 인증기준의 큰 변화는 무엇인가요?

– 급성기병원의 장별 번호와 일치시켰고, 구체적인 조사방법을 제시한 표준지침서에 의해 조사하며, 조사항목은 총 268개로 2주기에 비해 27개 항목이 증가하였습니다.

본 장에서는 3주기 요양병원 인증조사기준의 각 조사기준별로 각 요양병원에서 실제로 어떻게 대비할지에 관해 인천은혜병원의 경험을 통해 정리해 보았다. 각 병원별 여건이 다르므로 개별화된 규정 마련이 필요하다.

3주기 요양병원 인증기준안은 총 11개의 장으로 구성되어 있는데, 각 장별로 규정을 만들고 본격적인 인증대비 서류 준비나 직원 교육 시에 필요로 하는 지식들을 최신 근거에 의거하여 정리해보았다.

표 12-1. 3주기 요양병원 인증조사 기준 : 11개 장/ 55개 기준/ 268개 조사항목

장(Chapter)		기준(Standard)		조사항목(Measurable Element)			
				계	필수	정규	시범
3		55		268	30	232	6
Ⅰ. 기본가치체계		3		15	14	1	-
1. 환자안전 보장활동		1.1	의료진 간 정확한 의사소통	5	5	-	-
		1.2	낙상 예방활동	6	5	1	-
		1.3	손위생 수행	4	4	-	-
Ⅱ. 환자 진료체계		27		131	1	128	2
2. 진료 전달 체계와 평가	진료 전달체계	2.1.1	외래환자 등록 절차	3	-	3	-
		2.1.2	입원환자 등록 절차	3	-	3	-
		2.1.3	환자 진료의 일관성 및 연속성 유지	4	-	4	-
		2.1.4	퇴원 및 전원 절차	4	-	4	-
	환자평가	2.2	입원환자 초기평가	6	-	6	-
	검사체계	2.3.1	검체검사체계	7	-	7	-
		2.3.2	영상검사체계	6	-	6	-
		2.3.3	검사실 안전관리	3	-	3	-
3. 환자 진료	환자 진료체계	3.1.1	입원환자 치료계획	6	-	6	-
		3.1.2	통증관리	4	-	4	-
		3.1.3	영양관리	4	-	4	-
		3.1.4	욕창관리	6	-	5	1
		3.1.5	생애말기환자 관리	4	-	4	-
		3.1.6	결핵 예방 · 관리	3	-	3	-
		3.1.7	한방 서비스	4	-	4	-
	고위험 환자 진료체계	3.2.1	심폐소생술 관리	4	-	4	-
		3.2.2	수혈환자 관리	7	-	7	-
		3.2.3	신체보호대 관리	7	-	7	-
4. 의약품관리		4.1	의약품 보관	8	-	8	-
		4.2	처방 및 조제	7	-	7	-
		4.3	투약 및 모니터링	9	-	8	1
5. (수술 및 마취진정관리)		〈해당사항 없음〉					
6. 환자권리존중 및 보호		6.1	환자권리존중	4	-	4	-
		6.2	취약환자 권리보호	3	-	3	-
		6.3	불만고충처리	4	-	4	-
		6.4	의료사회복지체계	3	-	3	-

장(Chapter)	기준(Standard)		조사항목(Measurable Element)			
			계	필수	정규	시범
6. 환자권리존중 및 보호	6.5	동의서	3	-	3	-
	6.6	편의 및 안전시설	5	1	4	-
Ⅲ. 조직관리체계	25		122	15	103	4
7. 질 향상 및 환자안전 활동	7.1	질 향상 및 환자안전 운영체계	4	-	4	-
	7.2	환자안전사건 관리	8	-	7	1
	7.3	질 향상 활동	6	-	3	3
	7.4	의료서비스 만족도 관리	3	-	3	-
8. 감염관리	8.1	감염예방 · 관리체계 구축 및 운영	5	-	5	-
	8.2	의료기구 감염관리	4	-	4	-
	8.3	소독/멸균 및 세탁물 관리	8	-	8	-
	8.4	환경관리	3	-	3	-
	8.5	내시경실 및 인공신장실 감염관리	6	-	6	-
	8.6	급식서비스 감염관리	5	-	5	-
9. 경영 및 조직운영	9.1	합리적인 의사결정	3	-	3	-
	9.2	의료기관 운영방침	3	-	3	-
10. 인적자원관리	10.1	인사정보 관리	5	-	5	-
	10.2	직원교육	4	-	4	-
	10.3	의료인력 법적기준	5	1	4	-
	10.4	직원안전 관리활동	6	5	1	-
	10.5	폭력 예방 및 관리	3	-	3	-
11. 시설 및 환경관리	11.1	시설 및 환경 안전관리	4	-	4	-
	11.2	설비시스템 관리	5	-	5	-
	11.3	위험물질 관리	5	-	5	-
	11.4	보안관리	4	-	4	-
	11.5	의료기기 관리	4	-	4	-
	11.6	화재안전 관리활동	9	9	-	-
12. 의료정보/ 의무기록관리	12.1	의료정보/의무기록 관리	5	-	5	-
	12.2	퇴원환자 의무기록 완결도 관리	5	-	5	-

표 12-2. **3주기 주요 변경 내용**

변경된 내용 및 이유	3주기 조사기준
기준 재정비 * 환자안전기준 강화를 위한 기본가치체계 중 일부를 조직관리체계로 이동	10.4 직원안전 관리활동 11.6 화재안전 관리활동
화재안전 조사내용 강화 * 화재사건 발생으로 화재안전관리의 중요성이 지속적으로 부각됨	11.6 화재안전 관리활동 ME6,7. 교육/대응 분리
의료기관 내 폭력 예방 및 관리 기준 신설 * 의료기관 내 폭력은 환자 및 직원 안전에 미치는 영향이 크며, 장기적으로 폭력으로부터 안전한 환경을 조성하기 위해 적극적 예방활동 필요	10.5 폭력 예방(신규)
보안관리체계 조사항목 세분화 (병문안객 관리) * 조사항목 간 내용 재배치 및 입원환자안전관리료 수가 지급 관련 내용 반영 필요	11.4 보안관리체계 ME4. 병문안객 지속관리
환자안전사건의 체계적 관리를 위한 조사내용 강화 * 환자안전사건 보고체계에 대한 직원의 인식, 보고 및 개선 활동 수행, 정보 공유 등 환자안전사건의 체계적 관리 미흡	7.2 환자안전사건 ME7. 적신호사건시 환자,보호자 정보 제공 ME8. 환자안전주의경보 직원 공유
질 향상 활동의 체계적 관리를 위한 조사내용 강화 * 설문조사 결과 질 향상 활동이 인증 준비 중 가장 어렵고 준비에 가장 많은 시간이 소요된 항목이나, 실제 충족률은 다른 항목과 유사	7.3 질 향상 활동 ME5. 경영진 보고 ME6. 직원 공유
의료진 간 의사소통 오류 감소를 위한 필요시처방 조사항목 세분화 * 필요시처방(prn)의 명확한 실시기준이 기록되어 있지 않거나 비치된 목록과 실체 처방이 다른 사례 다수 확인	1.1 의료진 의사소통 ME3. prn 관리
입원 시 정확한 환자상태 파악 위한 검사 결과 확인 항목 추가 * 입원 시 검사를 시행하지 않거나 결과를 확인하지 않아 환자의 치료계획 수립을 위한 충분한 정보가 수집되지 못하는 사례 발생	2.2 입원초기평가 ME6. 초기검사
의약품 조제 및 투여관리 강화 위한 조사항목 세분화 * 의약품 관리는 의료기관 종별에 따라 큰 차이가 없으므로 보관, 처방 및 조제, 투약에 대한 동일 적용 의견 제기	4.2 의약품 처방,조제 ME5. 조제환경 청결,관리 ME7. 조제시 라벨링
감염예방 관리 위한 규정 항목 신설, 감염성 질환자관리기준 통합 * 감염관리위원회의 운영, 감염병환자의 관리를 관련법과 맞추어 조정 필요	8.1 감염예방 및 관리 ME1. 감염관리 운영규정
손 위생 수행 권고 수준 상향 * 손위생 시점을 공인된 지침, 근거에 따라 정하도록 명확히 제시하여 권고의 수준을 상향, 요양병원 현실에 적용 가능한 예시 제시	1.3 손위생 수행 (적응증) 환자접촉 전,후 포함 주변환경 접촉 후 포함
결핵 예방관리 기준 신설 * 요양병원 내 결핵 유행을 예방하기 위해 입원환자 및 직원에 대한 검진 등 예방활동 필요	3.1.6 결핵 예방, 관리 ME1. 정기적 결핵검진 ME2. 입원시 결핵검진 ME3. 발생시 신고조치
소독 및 멸균 시행 장소의 환경 및 멸균물품 관리 보완 * 세척, 소독 및 멸균 수행, 세척 및 멸균장소의 환경이 미흡하며, 기준의 이해에서 멸균물품 관리 방법을 명확히 제시 필요	8.3 세척,소독,멸균,세탁물 ME2. 적절한 환경

변경된 내용 및 이유	3주기 조사기준
환자치료영역 환경관리(청소 및 소독) 기준 신설 * 감염관리의 기본인 환경의 청결한 유지 여부의 조사 필요	8.4 환자치료영역 청소,소독, 환경관리
시설 및 환경관리 규정 세분화 * 시설.환경 안전 관리 수행 내용이 방대하나 1개의 항목으로만 조사하여 실제 관리 정도에 다른 결과 반영이 어려움	11.1 시설 및 환경 안전관리 11.2 설비시스템 11.3 위험물질 11.4 환자안전 보안체계 11.5 의료기기

1장 환자안전 보장활동

병원에서 발생하는 사고 중 대부분은 기본에 충실하면 예방할 수 있는 것들이다. 대표적인 예방책들로는 정확한 환자 확인, 정확한 구두처방, 낙상 고위험자의 낙상 예방, 적절한 손 씻기, 철저한 화재 예방 교육 등이 있겠다. 그 중 특히 요양병원의 환자들은 인지기능이 저하된 자들이 대부분이므로, 직원들의 자율적이고 능동적인 환자 확인 절차가 매우 중요하다.

1. 환자 확인

1) 환자를 확인해야 하는 상황(각 병원의 상황에 맞게 정리한다.)

① 외래진료 전

② 시술 전(중심 정맥관 삽입, 각종 tube 삽입 등)

③ 약물처방 및 투여 시

④ 수혈제제 확인 및 수혈제제 투여 시

⑤ 검체 채취 전

⑥ 검사(영상검사 등) 전

2) 입원환자 확인 방법

① 모든 입원 환자는 입원 즉시 간호사가 환자 및 보호자에게 질문하여 입원 차트에 적힌 이름, 생년월일, 성별, 연령이 맞는지를 확인한다.

② 간호사는 환자 확인 후에 환자이름, 등록번호, 나이, 성별이 기록된 '환자팔찌'를 환자의 팔목이나 발목에 착용 시킨다. 이때, 낙상 위험도 평가를 시행하여 낙상 고위험자와 그렇지 않은 자의 팔찌 색을 달리하면 낙상 고위험자 관리까지 겸할 수 있다.

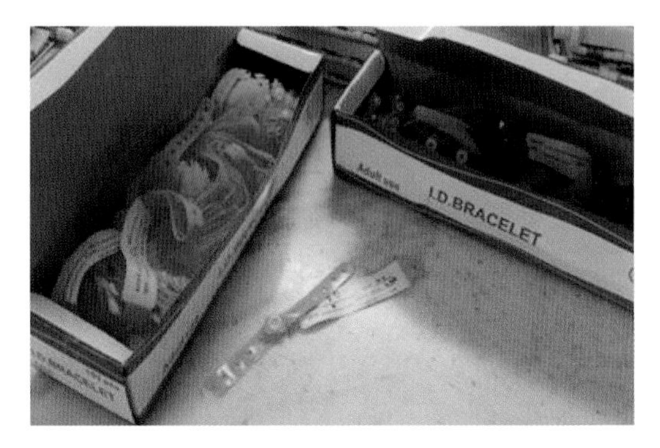

그림 12-1. **환자팔찌.** 낙상평가 후 낙상 고위험군은 붉은색으로 구분한다.

2. 기준 1.1 ME2 정확한 구두처방(전화처방)

1) 구두처방이 허용되는 경우

① 응급상황

② 무균적 시술 중

③ 의사가 외부에 있어 즉시 처방을 기록하기 힘든 경우

2) 절차

① 보고직전에 간호사는 2가지(환자이름, 등록번호, 생년월일 중 2가지) 정보로 환자를 확인한다.

② 간호사가 의사에게 환자정보(병동/이름/나이/성별 중 2가지 이상의 정보) 전달 후 환자의 문제 보고(이 때 의사는 환자의 생년월일이나 등록번호를 모름을 고려)

③ 간호사가 받아 적기(write-down) : 의사의 지시 사항을 받아 적는다.

④ 간호사가 되 읽어 확인하기(read-back) : 받아 적은 지시 내용을 다시 의사에게 읽어 준다.

⑤ 의사가 정보의 정확성 확인하기(confirm) : 간호사가 읽어 준 내용이 맞는지 확인한다.
⑥ 의사는 다음 근무일까지 진료기록부에 처방 기록을 남긴다.

3. 기준 1.1 ME4. 필요시처방(PRN)의 정확한 수행

1) 실시기준

① 규정집에 구체적인 실시기준을 명시할 필요는 없고, 의사가 오더지에 직접 기록하는 것이 중요하다. 의사오더지에 적응증 없이 약물명만 기입하거나 의사오더가 없음에도 병동에서 정한 대로 간호사가 임의 투약하여 지적당한 사례들이 있음.
② PRN 처방 시 의사가 기입해야 하는 항목들
  a. 1회 용량
  b. PRN 오더 낼 때, 의사는 오더지에 명확한 실시기준(사유)을 기입
  c. PRN 처방의 허용 횟수(하루 최대 용량 등을 고려)
  d. 투여경로

4. 기준 1.1 ME4. 혼동하기 쉬운 부정확한 처방 관련 절차

1) 혼동하기 쉬운 부정확한 처방 관리의 예

① 성분은 같으나 용량이 다른 의약품이 있을 때 1T, 2T...와 같이 처방하지 말고 반드시 용량(mg, g)으로 처방할 것.

5. 기준 1.2 ME2, ME5 낙상 위험 평가 및 낙상 예방활동

1) 낙상 위험 평가 시에는 신뢰도와 타당도가 입증된 도구(Morse Fall Scale, 보바스기념병원 낙

상평가도구 등)를 사용해야 한다. 특히 Morse Fall Scale의 고위험 기준은 일반적으로 51점이지만, 연구에 따라 45점, 혹은 46점을 기준으로 하기도 한다. 또한 병원의 환경에 따라 고위험 점수 기준을 개별화하여 설정할 수도 있도록 되어 있다. 즉, 같은 병원이더라도 치매 병동, 집중치료실 등의 환경에 따라 고위험 기준 점수를 달리 할 수 있다. 한편, 보바스기념병원 낙상평가도구의 고위험 기준 점수는 15점이다.

2) 인증평가에서는 병동뿐 아니라, 환자운반 시, 물리치료실, 한방치료실, 검체검사실, 방사선 촬영실 등, 환자가 머물 수 있는 모든 곳에서 낙상 방지 대책이 이루어지는지를 확인한다. 따라서 병동의 간호인력뿐만 아니라, 환자운송 직원, 물리치료사, 한의사, 임상병리사, 방사선사, 검사실 안내직원 등도 병원의 낙상 예방 관련 규정을 숙지해야 한다.

6. 기준 1.2 ME6 [정규] 낙상 예방활동의 성과 관리

1) 지표의 선정은 인증원에서 제시하는 지표를 기준으로 각 병원에서 성과 관리하는 것이 원칙이다. 낙상 예방활동의 성과 관리 지표는 아래와 같은 "1,000 재원일당 낙상발생 보고율"이다.

낙상발생 보고율 [1,000재원일당]	정의	- 1,000 재원일당 낙상 발생 보고 건수의 비율 * 낙상이란 갑작스럽고 비의도적인 자세변화로 몸의 위치가 본래의 위치보다 낮아지거나 바닥에 떨어지는 사고를 의미함
	분자	- 낙상 발생 보고 건수 * 동일한 환자에게서 여러 번 발생한 경우에도 각각 분자에 포함
	분모	- 총 재원 일수 (분기별 일일 재원 환자 수를 모두 합한 수)
	조사방법	- 분기별 낙상 발생 보고 전체 건수

♡ 1,000 재원일당 낙상발생 보고율 작성 사례 : 어떤 요양병원에서 지난 1년간 총 20건의 낙상이 보고되었는데, A환자 5회, B환자 1회, C환자 2회, D환자는 12회의 낙상 경험이 있었다. 한편 지난 1년의 1분기에는 10,500 재원일, 2분기 9,000 재원일, 3분기 10,500 재원일, 4분기 10,000 재원일이었다면 1,000 재원일 당 낙상발생 보고율은 다음과 같이 계산한다.

⇒ 1,000 재원일당 낙상발생 보고율 = [20건의 낙상/1년간 총 40,000 재원일] × 1,000 = 0.5 여기에서 0.5의 의미는 "1인의 환자가 1,000일을 입원했을 때 0.5건의 낙상이 발생" = "1인의 환자가 2,000일을 입원했을 때 1건의 낙상이 발생" = "1,000인의 환자가 1일을 입원했을 때 0.5건의 낙상이 발생" = "10인의 환자가 1,000일을 입원했을 때 5건의 낙상이 발생"한다는 의미이다.

7. 기준 1.3 ME1 손 위생 수행을 위한 규정

▶ 세계보건기구(WHO)나 미국질병관리본부(CDC) 등 공인된 단체에서 제시하는 지침을 참고하여 각 병원의 환경에 맞는 규정을 마련한다.

▶ CDC의 일반인 대상 손 위생 지침에 따르면, 눈에 보이는 오염이 없을 때에는 60% 이상의 알코올이 함유된 젤 타입의 소독제로 손의 모든 표면을 바르는 방식으로 손위생을 하면 되며, 눈에 보이는 오염이 있는 경우에는 비누와 물을 이용하여 세척하되, 비누로 거품을 낸 후에 20초 이상("생일축하노래" 2회 부르는 정도의 시간 이상) 마찰할 것을 기준으로 제시하고 있다. 한편 CDC의 의료기관(medical facility) 지침과 대한병원감염관리학회 지침에는 병원에서의 손 위생 방법으로 "강하게(vigorously) 15초 문지르라"라고 되어 있다. 즉, 병원에서의 손 위생 시간은 일상생활에서 보다 더 짧아야 한다는 의미로 해석할 수 있다.

그림 12-2. 미국질병관리본부(CDC) 홈페이지에 실린 일반인 대상 손위생 지침 포스터

1) 손위생 수행 시점 (3주기부터 '환자 접촉 전,후, 환자의 주변 환경 접촉 후'가 예시로 추가됨.)

손위생을 수행해야 하는 시점 예시

① 환자 접촉 전 :
- 면역저하자 접촉 전
- 카테터, 튜브류가 삽입된 환자 접촉 전

② 청결/무균 처치 전
- 청결 처치 전 : 경구투약, 구강간호, 회음부간호 등
- 무균 처치 전 : 주사(정맥, 근육, 피하 등), 드레싱, 카테터 삽입, 천자

③ 체액/분비물에 노출될 위험이 있는 행위를 하고 난 후
- 검체 채취 후
- 배설물이나 토물을 다룬 후
- 배액관련 행위 후
- 폐기물 처리 후
- 오염물품 다룬 후 등

④ 환자 접촉 후
- 격리환자 및 접촉주의, 비말주의 환자 접촉 후
- 카테터, 튜브류가 삽입된 환자 접촉 후

⑤ 환자의 주변 환경 접촉 후
- 접촉주의 격리환자 침상 및 침상에 접하여 있는 물품 접촉 후
- 환자의 체액이나 혈액, 분비물, 배설물이 오염된 환자주변 물품 접촉 후

2) 의료기관에서 물과 비누로 손위생 하는 방법

① CDC 기준 : 의료기관에서는 비누 거품을 낸 후 손가락 사이, 손톱 밑을 포함한 손 전체를 15초 이상 강하게 닦을 것.

② WHO 기준 : 손에 물을 묻히고 거품을 내고 손을 닦은 후 수건 등으로 말릴 때까지의 전체(entire) 시간을 40~60초 정도로 규정함. CDC 기준과의 차이는 WHO에서는 닦는 시간을 규정한 것이 아니라 6단계 절차를 중요시함.

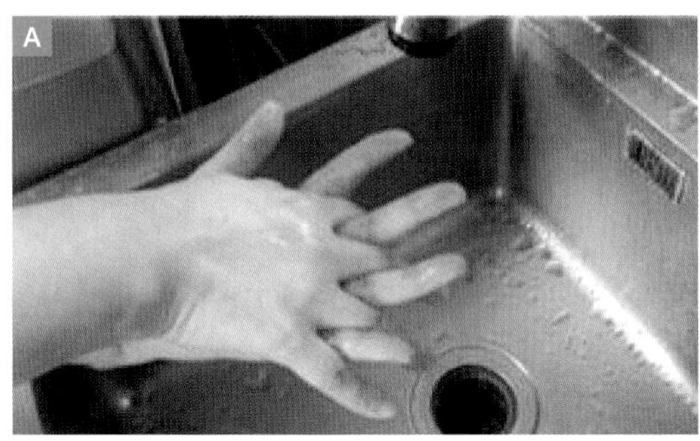

손바닥 및 손가락 사이 닦기

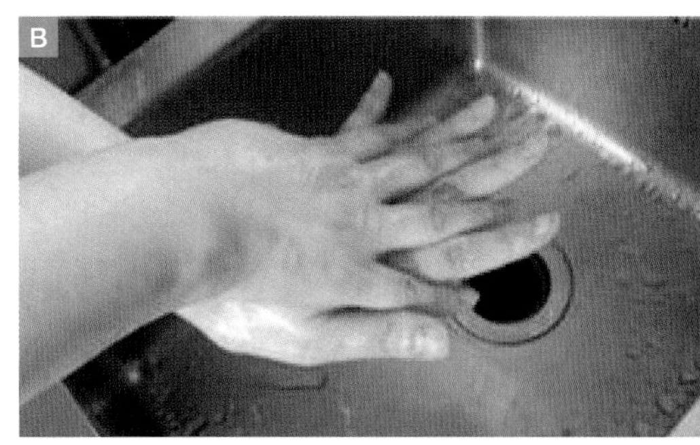

손등 및 손가락 사이 닦기 × 2

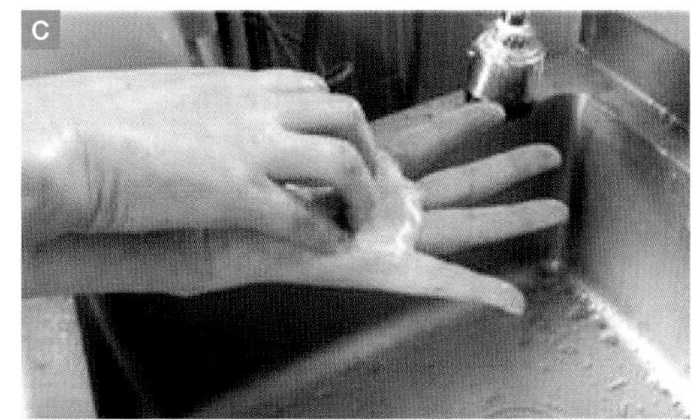

손바닥 및 손가락 사이 닦기

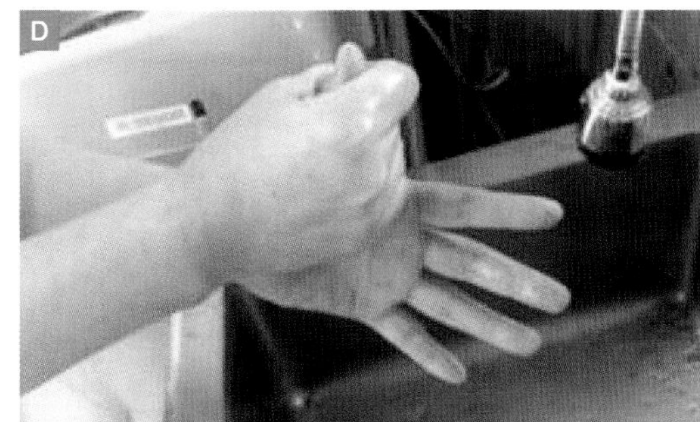

손등 및 손가락 사이 닦기 × 2

그림 12-3. **물과 비누로 손위생 하기**

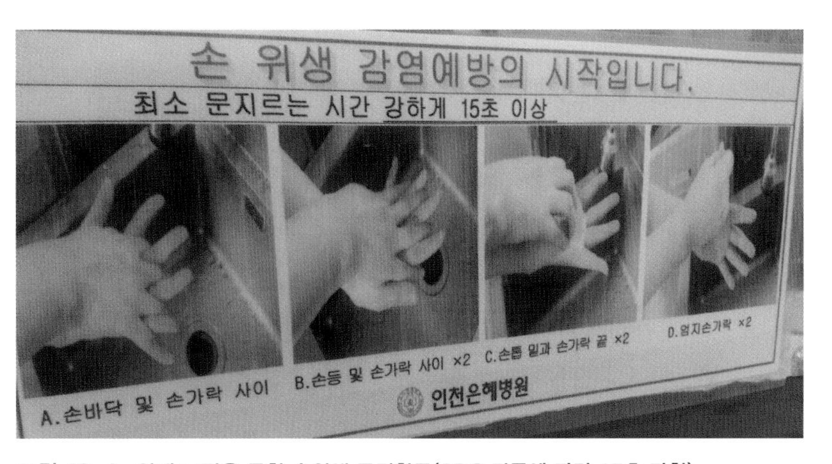

그림 12-4. **안내 그림을 통한 손위생 증진활동(CDC 기준에 따라 15초 마찰)**

8. 기준 1.3 ME4 손 위생 증진 활동의 성과 관리

1) 아래와 같이 인증원에서 제시한 지표인 "손위생 수행률"을 매년 조사한다.

손위생 수행률	정의	- 손위생 수행 시점에 손위생을 관찰한 건수 중에서 손위생을 수행한 건수의 비율 * 손위생 수행 시점 - 의료기관 규정에 따름
	분자	- 손위생 수행 건수
	분모	- 손위생 수행 시점의 손위생 총 관찰 건수
	조사방법	- 분기별 평일 1일 이상, 3개 장소*에서 표본 조사 * 병동, 검사실별 각각 10건 이상(외래나 검사실은 갖춘 병원만 해당) - 표본 수 : 전년도 일평균 재원 환자의 10% 이상(단, 최소 30건)

2장 진료전달체계와 평가

1. 기준 2.1.1 외래환자 등록 절차

1) 외래를 운영하는 병원에서는 외래 접수, 진료 시간 및 진료정보를 환자 및 보호자에게 정확히 공지하여야 한다. 의료기관 내 또는 홈페이지에 진료과목 및 진료의사, 진료일정 등을 안내한다.
2) 진료예약 가능 여부도 명시한다.
3) 요양병원의 주 환자군인 인지기능 저하자(치매환자)들의 경우에 보호자나 법정대리인이 대리진료를 받는 경우에 필요한 서류들(가족관계증명서, 환자 및 보호자 신분증 등)에 대한 안내를 한다. 요양원 직원이 대리 처방을 받는 경우에도 필요한 서류(처방전 대리수령 신청서, 직원의 재직증명서, 환자와 직원의 신분증[사본 가능])를 안내한다.
4) 외래 초진 시에 진료과를 선정하는 과정을 기술한다.

2. 기준 2.1.2 입원환자 등록 절차

1) 외래진료가 없는 요양병원은 있을 수 있지만, 입원 수속이 없는 요양병원은 있을 수 없다. 입원 절차는 실제 병원에서 이루어지는 입원 수속 절차를 순서대로 기록하면 되며, 굳이 복잡하게 만들 필요는 없다.

◆ 외래진료가 없는 요양병원에서의 입원 수속절차 규정의 예
① 환자 방문 전에 진료소견서나 보호자 면담을 통해 의사가 입원 결정.
② 원무직원은 보호자와 면담을 통해 입원일, 병실을 정하고 진료비 등 안내.
③ 환자가 병원을 방문하면 1층의 안내 직원(경비직)이 병실로 안내.
④ …

2) 입원 시에 원무과와 병동에서 각각 입원생활 안내를 한다. 특히 원무과에서는 진료비에 대한 정보를 제공한다.
- 원무직원 : 입원환자 등록방법, 입원 시 확인사항 및 구비서류, 입원지연 환자 여부 확인 및 관리 방법, 입원환자 등록 관련 전산 또는 문서, 진료비용 안내 자료
- 입원생활에 필요한 정보 제공

3. 기준 2.1.3 환자 담당 의료인 변경 시 정보 공유

1) "손이 바뀌는 순간"인 전과, 전동, 근무교대 시에 정확한 인계를 위한 규정이다.
2) "전과"의 의미는 "주치의가 바뀌는 순간"을 의미하며, 특히 새로 의사가 근무하는 시점은 전과에 해당되고, 의무기록(경과기록지)을 통한 인수·인계 기록이 모두 있어야 한다.
3) "전동"의 의미는 "담당 간호사가 속한 병동이 바뀌는 순간"을 의미하며, "의무기록(간호기록)"을 통한 인수·인계가 필요하다. 단순히 병실이 바뀌는 '전실'은 전동에 속하지 않는다.
4) "근무교대"란 간호인력간의 근무교대와 당직의사 간의

그림 12-5. 의사의 당직근무일지에는 당직근무 중 환자에게 발생한 특이사항을 기록한다.

근무교대를 의미한다. 근무표를 마련해야 하며, 의무기록 또는 별도의 기록(간호인력은 카덱스나 flow sheet, 의사는 경과기록지나 당직근무일지)을 통해 환자 상태를 인계한다.

4. 기준 2.1.4 퇴원 및 전원 절차

1) 퇴원 시에는 의사에 의한 '퇴원요약지'가 필요하다. 퇴원요약지는 퇴원 전에 작성하는 것이 원칙이지만 '사망으로 인한 퇴원' 시에는 '미해당'으로 간주한다. 그러나, 사망한 환자라도 퇴원요약지 작성이 원칙이다.
2) 전원 시에는 '진료의뢰서' 등을 통해 전원하는 병원에 환자의 정보를 전달해야 한다.
3) 퇴원요약지에는 다음과 같은 사항을 기록한다.
   - 환자명/환자ID
   - 퇴원 시 진단명
   - 처치 명
   - 입원사유 및 경과 요약
   - 퇴원 시 환자 상태
   - 추후관리 계획
   - 작성일/작성자 서명

5. 기준 2.2 입원환자 초기평가

1) 의학적 초기평가 : 의사가 24시간 이내에 초진기록을 작성한다.
   - 환자명/환자ID
   - 병력(주 호소/현병력/과거력)
   - 신체검진(PE/ROS)
   - 추정진단 및 치료계획
   - 작성일/작성자 서명
2) 간호 초기평가 : 간호사가 24시간 이내에 초기평가 기록을 작성한다.
3) 영양 초기평가 : 의사, 간호사, 영양사 중에서 영양 관련 정보(체중 감소, 키, 체중, 삼킴 장애 여부 등)를 이용하여 영양부족 여부를 평가하여 영양불량 환자를 가려낸다. 영양 초기평가는 반드시 24시간 이내에 완성하지 않아도 된다. 보통 72시간 정도의 기한을 둔다. 영양 초기평가는 '선별검사'의 개념이므로 가능하다면 간호사가 간호초기평가 시에 '체중 감소 여부'와 '식

사량 감소 여부'와 같은 간단한 설문을 통해 평가하는 것이 합리적이다. 영양 초기평가에서 '영양불량' 의심으로 의사가 영양상담을 의뢰하는 경우에만 영양사가 환자를 만나는 것이 요양병원 업무 환경에서는 효율적인 경우가 많다. 25장에 소개한 CNST 영양불량 선별검사를 선별검사로 활용하면 좋다.

4) 입원 시 초기검사 수행 – CBC, 흉부X선검사, 소변검사 등

6. 기준 2.3.1, 2.3.3 검체검사체계 및 안전관리

1) 채혈 과정에서 환자를 확인하는 방법을 마련한다. 특히 외래환자의 채혈 시, 이름을 먼저 부르지 않고 개방형 질문, 즉 "성함이 어떻게 되십니까?"라고 질문하여야 한다.
2) 검체용기의 유효기간 확인 필요.
3) 검사실에 보관된 검체에는 환자ID가 기재되어 있어야 하며, 검체 보관일자가 지난 검체는 폐기한다.
4) 정확한 검사를 위해 소변은 채취 후 1시간 이내, 혈청검사(LFT 등)는 2시간 이내에 검사를 하여야 한다. 물론 병원 사정에 따라 위탁검사를 하는 등의 제약이 있을 수 있으나, 그런 경우에도 가능한 한 검체 수거 직전에 검체를 채취하도록 하여야 한다.
5) 주삿바늘 찔림의 예방을 위해 한 번 사용한 주사기에 Recapping하지 않고 의료폐기물함에 버리도록 하며, 내용물이 80% 정도 차면 버리도록 한다.

기준 2.3.1

- 검체검사를 모두 외부 의뢰하는 경우 : ME 5, 6 미해당
- 검체검사를 일부 외부 의뢰하는 경우 : 미해당 없음
- 검체검사를 모두 외부 의뢰하지 않는 경우 : ME 7 미해당

7. 기준 2.3.2, 2.3.3 영상검사체계 및 안전관리

1) 검사 전에 금식 여부 등의 전 처치 여부를 확인하는 절차를 마련한다.
2) 조영제를 사용할 경우 의사가 동의서를 받도록 하며, 조영제 투여는 방사선 기사가 아니라 의사 혹은 간호사나 간호조무사가 하도록 한다.

3) 방사선사나 환자에 대한 차폐설비를 갖추고, 방사선사는 개인용 방사선 피폭선량 측정기(TLD)를 필히 착용하여야 한다.
4) 방사선사는 매년 필수적으로 말초혈액측정을 포함한 특수 검사를 시행한다.

기준 2.3.3
- 내부에서 검체검사, 영상검사 모두 실시하지 않는 경우: ME 1~3 미해당
- 내부에서 검체검사를 실시하지 않는 경우: ME 2 미해당
- 내부에서 영상검사를 실시하지 않는 경우: ME 3 미해당

3장 환자 진료

1. 기준 3.1.1 입원환자 치료계획

1) 의사의 의학적 초기 평가 이후에 환자의 상태 변화에 따른 변화를 기록한 '경과기록지'와 의사오더지의 충실도를 본다.
2) 처방 일시와 처방 기간, 의사의 서명 등을 빠짐 없이 기록해야 하며, 직원 간 치료계획 공유를 위해 알아볼 수 있는 용어를 사용해야 한다.
3) 경과기록은 최소 월 1회 정기적으로 작성하며, 다음과 같은 시점에서는 반드시 기록을 남기는 것이 원칙이다.
   - 특수검사 결과, 처치 시행
   - 침습적 시술 직후 상태 변화
   - 환자상태 변화

2. 기준 3.1.2 통증관리

1) 모든 환자에게 통증 평가를 하는 것이 원칙이다. 다만, 통증을 호소하지 않는 경우에는 환자평

가표의 통증 표시(통증 없음)만으로 통증 평가가 된 것이고, 통증을 호소하는 경우에만 FPS (Faces Pain Scale; 얼굴통증척도), VAS (Visual Analogue Scale), NRS (Numerical Rating Scale), FLACC (Face–Legs–Activity–Cry–Consolability Scale) 등을 이용하여 통증의 정도를 측정한다.

2) 통증 정도에 따라 필요한 경우에 통증에 대한 적절한 중재를 할 수 있도록 규정에 정해 놓아야 한다.

3) 의사소통 가능한 경우와 어려운 경우 사용하는 도구의 구분.

▶ FPS(얼굴통증척도)는 환자의 평가자가 보고 평가하는 것이 아니라, 환자 스스로 본인의 통증 정도와 일치하는 얼굴을 가르키는 방식으로 평가하는 도구이다.

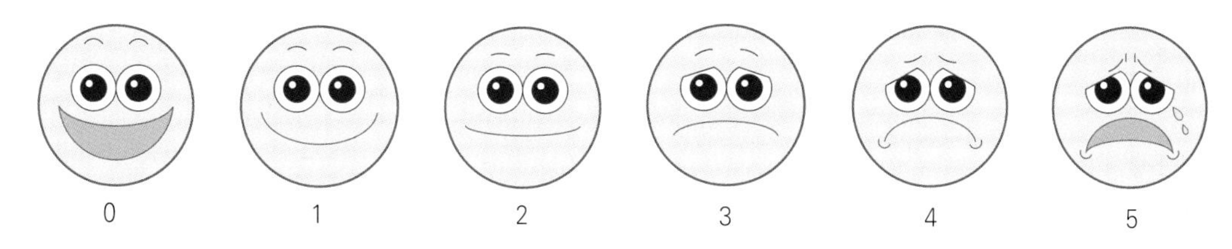

그림 12-6. **FPS(얼굴통증척도).** 환자 스스로 본인의 통증 정도와 일치하는 얼굴을 고르도록 한다.

▶ 의사소통 불가능한 경우에 사용하는 통증평가 도구로는 FLACC등급, PAINAD, DS–DAT 등이 있다.

평가 요소	0점	1점	2점
얼굴(Face)	특별한 표정이 없거나 웃음	가끔 얼굴을 찡그림. 눈살을 찌푸림, 움츠림, 무관심함	자주 또는 지속적인 턱의 떨림, 이를 악물고 있음
다리(Legs)	정상 자세 또는 이완됨	불안함, 거북함, 긴장됨	발로 차거나 다리를 끌어올림
활동(Activity)	조용히 누워있거나 정상자세, 쉽게 움직임	꿈틀댐, 몸을 앞,뒤로 뒤척거림, 긴장됨	몸을 구부리고 뻣뻣함, 또는 경련
울음(Cry)	울지 않음	끙끙댐, 흐느낌 또는 훌쩍댐	지속적인 울음, 소리침, 흐느낌, 잦은 불편감 호소
마음의 안정도 (Consolability)	이완됨	가끔 안아주거나 접촉을 하여 안심시키는 것이 필요함. 관심을 다른 곳으로 돌리기 위해 대화가 필요함	안정되기 어려움

그림 12-7. FLACC 등급. 원래는 대화가 불가능한 수술 후 소아 환자의 통증평가 도구임.
출처: Merkel S. A behavioral scale for scoring postoperative pain in young children. Pediatric Nusring. 23(3), 1997.

Behavioral Indicators	Frequency # episodes	Intensity** Low/High	Duration Short<1, Long>1 min
Noisy Breathing: negative sounding noise on inspiration or expiration; breathing looks strenuous, labored, or wearing; respirations loud, harsh, or gasping; difficulty breathing or trying hard at attempt to achieve a good gas exchange; episodic bursts of rapid breaths or hyperventilation			
Negative Vocalization: noise or speech with a negative or disapproving quality; hushed low sounds such as constant muttering with a guttural tone; monotone, subdued, or varying pitched noise with a definite unpleasant sound; faster rate than a conversation or drawn out as in a moan or groan; repeating the same words with a mournful tone; expressing hurt or pain			
Content Facial Expression: pleasant calm looking face; tranquil, at ease, or serene; relaxed facial expression with a slack unclenched jaw; overall look is one of peace.			
Sad Facial Expression: troubled looking face; looking hurt, worried, lost or lonesome; distressed appearance; sunken, "hang dog" look with lackluster eyes; tears; crying.			
Frightened Facial Expression: scared, concerned looking face; looking bothered fearful or troubled; alarmed appearance with open eyes and pleading face.			
Frown: face looks strained; stern or scowling looks; displeased expression with a wrinkled brow and creases in the forehead; corners of mouth turned down.			
Relaxed Body Language: easy openhanded position; look of being in a restful position and may be cuddled up or stretched out; muscles look of normal firmness and joints are without stress; look of idle, lazy or "laid back" appearance of "just killing the day"; causal.			
Tense Body Language: extremities show tension; wringing hands, clenched fist, or knees pulled up tightly; look of being in a strained and inflexible position.			
Fidgeting: restless impatient motion; acts squirming or jittery; appearance of trying to get away from hurt area; forceful touching, tugging, or rubbing of body parts.			

*Hurley, A.C., Volicer, B.J., Hanrahan, P.A., Houde, S., & Volicer, L. (1992). Assessment of discomfort in advance Alzheimer patients. Research in Nursing & Health, 15, 369-377.

**Intensity, Low=barely to moderately perceptible; high=present in moderate to great magnitude Scoring: 1 point for each episode; 1 for high intensity, 1 for long duration.

그림 12-8. DS-DAT (Discomfort Scale - Dementia of Alzheimer Type). 알츠하이머형 치매환자에게 특화된 통증검사도구.

3. 기준 3.1.3 영양관리

1) 식사처방, 치료식 식단 작성, 임상영양관리 등에 대한 규정을 의미하며, 기존에 영양과에 관련 지침서가 있다면 이를 활용하면 된다. ⇒ [부록. 인천은혜병원 식사처방지침서와 임상영양관리지침서]

4. 기준 3.1.4 욕창관리

1) 모든 입원 환자에 대해 Braden Scale 등의 과학적인 평가 도구를 이용하여 욕창위험도 평가를

시행한다. 단, 재평가의 대상 및 기준은 각 의료기관에서 정할 수 있다. 예를 들어 고위험환자는 재평가를 하지 않을 수 있다.

2) 욕창위험도에 따른 욕창 예방활동을 수행하며, 이러한 수행의 근거를 기록(간호기록 등)으로 남긴다.

3) 욕창 예방 관리활동의 성과관리: 지표의 선정은 인증원에서 제시하는 지표를 기준으로 각 병원에서 성과 관리하는 것이 원칙이다. 욕창 예방활동의 성과 관리 지표는 아래와 같은 "1,000 재원일당 욕창발생 보고율"이다.

욕창 발생 보고율 [1,000재원일당]	정의	- 1,000재원일당 욕창이 발생한 보고 건수의 비율
	분자	- 욕창 발생 보고 건수 * 입원 시점의 욕창은 분자에서 제외 * 동일 환자에게서 발생한 모든 욕창은 발생 시마다 각각 분자에 포함
	분모	- 총 재원일수 (분기별 일일 재원 환자 수를 모두 합한 수)
	조사방법	- 분기별 욕창 발생 보고 전체 건수

5. 기준 3.1.5 생애말기환자 관리

1) 생애말기환자의 정의는 의료기관에서 정함. '연명의료결정법'의 말기환자의 정의와는 별개의 개념이며, 요양병원에서의 임종을 앞둔 환자를 위한 생애말기돌봄 의료서비스를 의미함

2) 생애말기환자 진료에 참여하는 직원에 대해 교육을 시행하고 그 근거를 남긴다.

6. 기준 3.1.6 결핵 예방 및 관리

1) 모든 입원환자에게 매년 결핵검진 – 흉부X선 검사.

2) 신규 입원환자에게 결핵검진. 단, 최근 1개월 이내 실시한 경우는 제외 가능.

3) 결핵 의심환자는 1인실 격리 후 타 병원으로 전원 의뢰 및 이송.

4) 결핵 발생 시 역학조사 및 방역조치.

5) 결핵 유행 시 면회객 제한, 추가 실내소독, 결핵 예방 관련 추가교육.

7. 기준 3.1.7 한방 서비스

1) 한방 서비스의 종류 : 침, 뜸, 부항, 수기요법(추나요법 및 노인운동용법 등), 매선요법, 훈증요법 등
2) 한방 서비스의 내용 : 정확한 환자 확인, 시술절차, 약재관리, 소독 및 멸균, 주의사항, 부작용 발생 시 대처방안
3) 탕전실 관리 : 탕전, 탕전용수, 탕전기기, 구충/구서, 곰팡이, 직원 복장준수 및 손위생, 직원안전
4) 제환(산)시설 관리 : 청소, 기능점검 및 관리
   ※ 탕전실 : 공인된 기관 인증을 획득한 경우(예 ; 우수건강기능식품제조기준(GMP) 지정 등) 인정
5) 기타 조사 가능 : 침 재사용 여부, 낙상 예방 관리, 신체노출 관리 등

8. 기준 3.2.1 심폐소생술(CPR)

1) 환자와 접하는 모든 직원들은 심폐소생술 발생 시의 초기 대응 방법과 원내 연락체계를 숙지해야 한다. 병원에 방송 시스템이 작동한다면 원내 방송을 통해 알리는 것이 효율적이다.
2) 심폐소생술 시에 필요한 물품 및 약물도 지정하여 관리해야 한다.
3) 제세동기는 병원 내 어디에서든 4분 이내에 사용이 가능해야 하며, 자동제세동기(AED)도 가능하다.

9. 기준 3.2.2 수혈환자 관리

1) 수혈 전 검사 지정.
2) 혈액 보관 : 혈액 보관만을 위한 냉장고(1℃~6℃ 유지)를 마련해야 하며, 상온에 30분 이상 혈액이 노출되도록 하지 않는다.
3) 수령한 혈액 및 수혈 직전에 정확한 환자 여부를 확인한다(2인 이상의 의료인).
4) 수혈 시 부작용에 대한 대처를 한다.

10. 기준 3.2.3 신체보호대 관리

1) 의료법 시행규칙 제39조 별표4의2를 참조하여 규정을 만든다.
2) 신체보호대의 적용 대상을 규정하고, 의사와 간호사는 담당 환자가 신체보호대를 적용받고 있는 경우에 그 이유를 명확히 인지하고 있어야 한다.
3) 신체보호대의 적용은 반드시 의사의 지시에 의함을 원칙으로 한다. 이때 1일 1회 처방이 원칙이다.
4) 의료인은 환자나 보호자로부터 동의서를 확보한다.
5) 신체보호대 사용 환자를 주기적으로 관찰, 기록하며, 부작용 예방활동을 수행한다.
6) 의료인은 환자의 상태를 주기적으로 평가하며, 중단할 필요가 있을 때에 중단하여야 한다.
7) 1년에 1회 이상 관련 직원들에게 신체보호대 사용에 대해 교육을 시행한다.
8) 1년에 1회 이상 신체보호대 사용을 줄이기 위한 활동을 수행 : 신체보호대 사용 건수 조사, 신체보호대 사용 제로 환경 캠페인, 관련 포스터 제작 등

4장 의약품 관리

1. 기준 4.1 ME1 의약품 보관 및 관리 규정

1) 냉장이 필요한 의약품(인슐린, 리도카인, 헤파린 등)은 냉장고에 보관한다.
2) 약물 별로 약물명이나 성분명 등을 라벨링하며, 특히 유효기간을 절대 넘기지 않도록 장치를 마련한다.
3) 마약과 향정신성 의약품은 “마약류 관리에 관한 법률”에 의하여 견고한 잠금장치가 있는 보관소에 보관한다. 야간 및 휴일에는 병동에서 보관할 수 있다.
4) 입원 시 지참약 중 의사의 처방에 따라 환자에게 투여되는 약물은 원내 약물과 같은 기준에 의거하여 보관한다.

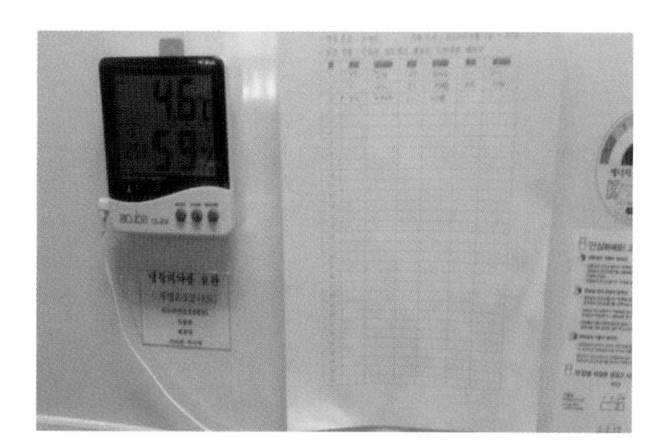

그림 12-9. **냉장고용 온도계를 이용한 냉장고 온도 관리**

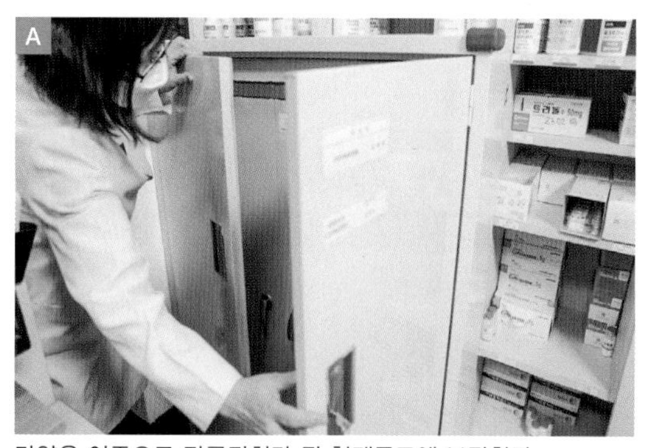

마약은 이중으로 잠금장치가 된 철제금고에 보관한다.

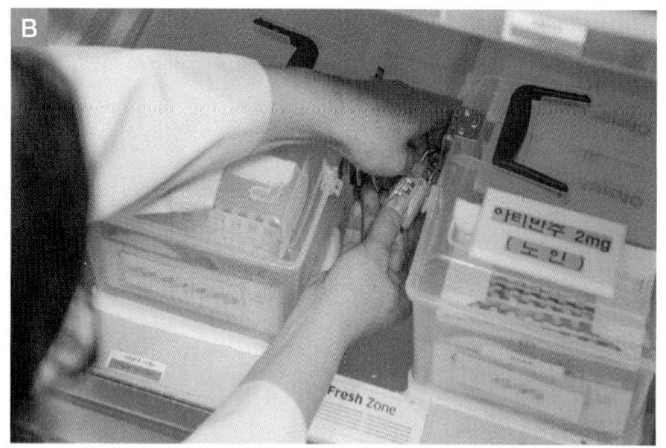

냉장보관을 해야 하는 향정신성의약품인 아티반주(로라제팜주) 제제 보관함은 약품전용 냉장고 안에 견고하게 고정시킨 후 잠금장치를 설치해야 한다.

그림 12-10. **마약류(마약과 향정신성의약품)의 보관**

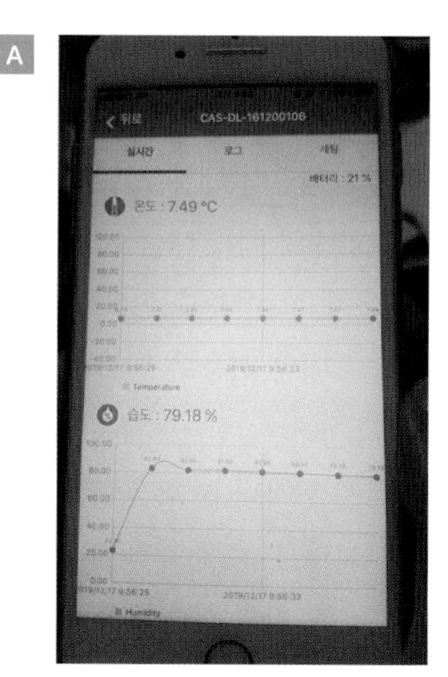

스마트폰 앱에 연속으로 표시되는 온도와 습도

온도, 습도 측정을 위한 칩

그림 12-11. **온도, 습도 체크를 원격으로 확인할 수 있는 제품을 이용하면, 야간이나 휴일에 약국에 출입하지 않고도 온도, 습도를 확인할 수 있다.**

2. 기준 4.1 ME3 의약품의 보관 상태 정기적 감사

1) 약국 및 병동 모두 약사가 주기적인 점검을 시행하고 감사 기록을 남긴다.
2) 대상 : 의약품 보관창고, 조제실, 병동의 비치의약품, 응급키트 및 주사실 등의 의약품
3) 내용 : 보관 방법(냉장, 냉동, 차광) 준수, 유효기관 관리, 목록의 수량 일치 여부 등
4) 감사 결과에 따라 불량 및 파손 의약품, 유효기간 경과 의약품 등에 대한 회수 여부

3. 기준 4.1 ME5 응급의약품 관리

1) 주기적으로 응급키트를 관리한다.
2) 응급키트는 봉인하고, 봉인상태의 유지 여부를 매일 체크리스트로 점검하면 효율적이다. 이 때에는 [봉인 상태 양호]에 체크하는 식으로 하면 된다. 단, 봉인한 재료(띠나 종이 등)는 개봉 시에 반드시 찢어져야 하며, 최소한 수개월마다 주기적으로(정기 감사 시에) 뜯어서 확인을 하는 시스템이 필요하다.
3) 응급의약품과 같이 보관하는 응급물품의 예
   ① Ambu bag, bag mask
   ② E-tube 와 stylet (각 사이즈 내경 6.5~8.0 mm)
   ③ Laryngoscope set (건전지 삽입하여 즉시 불이 들어오도록 한다)
   ④ IV set + Angio needles
   ⑤ Oral airway
   ⑥ O2 Line
4) 응급의약품의 예

약물명	형태	개수
Epinephrine 1 mg/1 ml	Amp	2
Atropine sulfate 0.5 mg/ 1 ml	Amp	2
Digoxin 0.25 mg/1 ml	Amp	2
Dopamine 200 mg/5 ml	Amp	2
생리식염수 1,000 ml, 500 ml	Amp	2

4. 기준 4.1 ME5 마약류의 안전한 보관

1) 마약류 관련 서류

◆ 마약류관리에 관한 법률 제11조(기록의 정비)

③ 마약류관리자가 있는 의료기관의 경우 그 의료기관에서 마약류취급의료업자가 투약하거나 투약하기 위하여 제공하는 마약 또는 향정신성의약품에 대하여는 제1항과 제2항에도 불구하고 해당 마약류관리자가 기록하여야 한다.

④ 제1항부터 제3항까지의 규정에 따른 장부는 2년간 보존하여야 한다.

◆ 마약류관리에 관한 법률 시행령 제12조의2(마약류취급자의 준수사항)

1. 마약류취급자가 보관·소지 또는 관리하는 의료용 마약류의 입고·출고 및 사용에 대한 기록을 작성할 것
2. 의료용 마약류의 저장시설에는 마약류취급자 또는 마약류취급자가 지정한 종업원 외의 사람을 출입시켜서는 아니 되며, 저장시설을 주 1회 이상 점검하여 점검부를 작성·비치하고 이를 2년간 보존할 것

■ 마약류 관리에 관한 법률 시행규칙 [별지 제24호서식] <개정 2012.6.15>

의료용 마약류 저장시설 점검부

연번	일시	점검내용	이상유무	점검자	서명 또는 인

297mm×210mm[백상지 80g/㎡]

그림 12-12. **의료용 마약류 저장시설 점검부.** 병원의 마약류관리자(약사)는 1주일에 1회 이상 마약류 저장시설을 점검하여 이와 같은 점검부에 기록한다.

2) 향정신성약물(졸피뎀 등)을 포함한 마약류는 일반약과 같이 보관하면 안 된다. 이는 병동 보관약물의 경우에도 예외가 아니다.

◆ **마약류관리에 관한 법률 제15조(마약류의 저장)**
마약류취급자와 제4조 제2항 제3호부터 제6호까지 및 제5조의2 제4항 각 호에 따라 마약류나 임시마약류를 취급하는 자는 그 보관·소지 또는 관리하는 마약류나 임시마약류를 보건복지부령으로 정하는 바에 따라 다른 의약품과 구별하여 저장하여야 한다. 이 경우 마약이나 임시마약은 잠금장치가 되어 있는 견고한 장소에 저장하여야 한다.

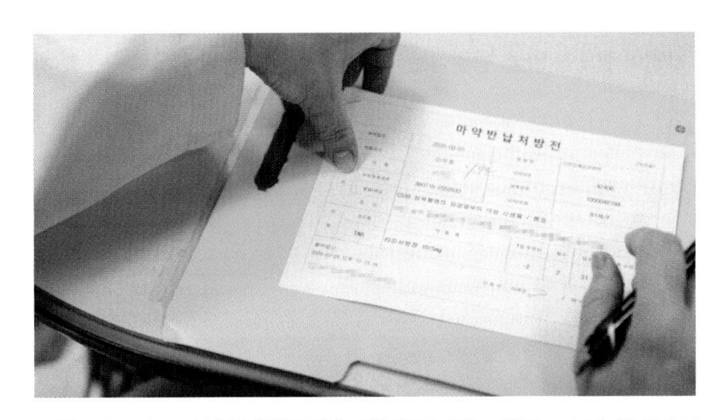

그림 12-13. **마약반납처방전을 확인하고 있는 약사.** 이미 처방된 마약의 처방이 중단된 경우에는 반드시 마약반납처방전과 함께 마약을 약국으로 반납함으로써 투약되지 않는 마약이 병동에 남아있지 않도록 해야 한다.

5. 기준 4.1 ME7 주의를 요하는 의약품의 보관

1) 고농축 전해질 제제(KCl, NaCl), 헤파린 등의 세부 관리사항은 표로 만들어 보관 장소에 부착하도록 한다.
2) 유사모양, 동일성분이나 용량이 다른 의약품, 차광약품 등 주의를 요하는 약물은 색으로 구분하여 보관하면 더욱 안전하다.

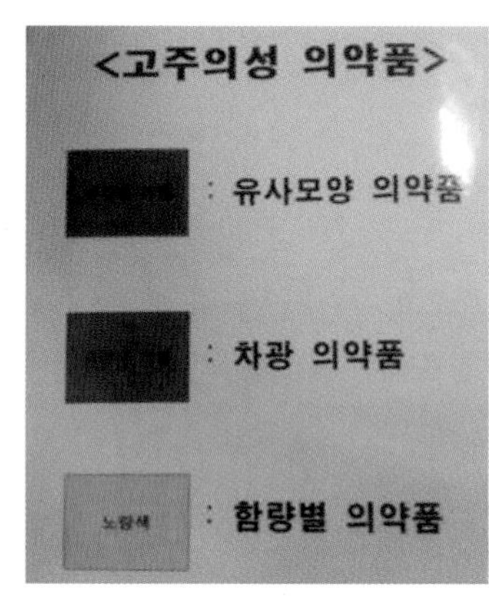

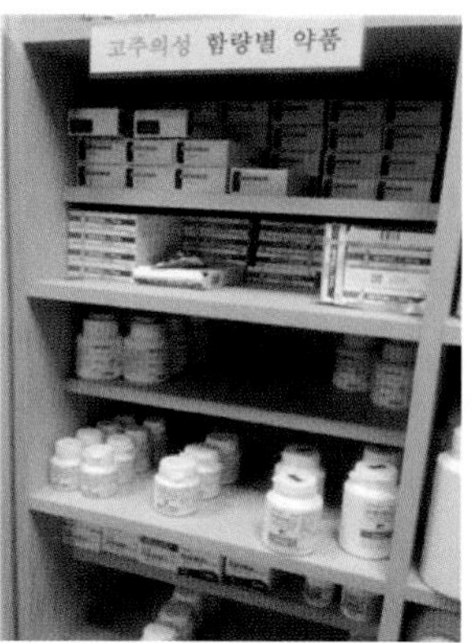

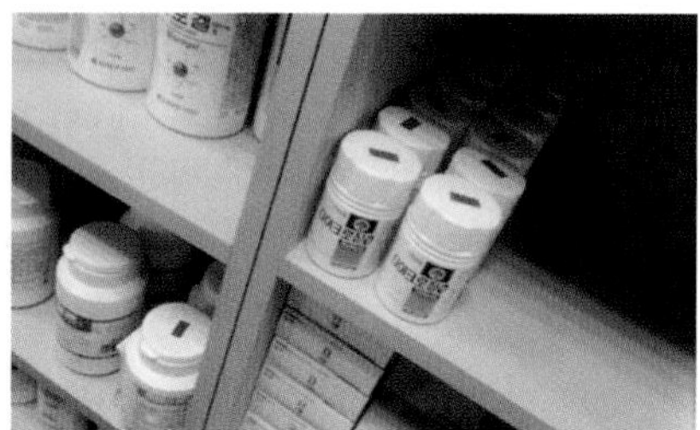

그림 12-14. **유사모양, 차광이 필요한 약물, 동일성분 다른 함량의 약물들을 색으로 구분했다.**

3) 병동에서 차광약품 보관 요령으로는, 아예 모든 약물 보관 장소를 차광하는 것이 간편하고 안전하다. 의외로 차광이 필요한 약물들이 많다.

그림 12-15. **병동에 보관한 모든 약물을 차광필름으로 차광한 모습**

그림 12-16. **고위험약물 중 KCl, NaCl은 일반 의약품과 구분하여 보관하며, '반드시 희석 후 사용'이라는 문구를 보관 용기에 표시한다.**

6. 기준 4.1 ME8 의약품 회수 절차

1) 규정에 따라 행정당국(식품의약품안전처장, 시/도지사, 시장, 군수, 구청장 등) 또는 제조업자 등(품목허가를 받은 자, 제조업자, 수입자 등)의 회수 요청을 받은 의약품을 공문, 전산 등을 통해 관리. 즉, 의료기관에 회수 약품이 없더라도, 위 기관 등에서 공지된 의약품 리스트를 장부로 관리해야 함.

7. 기준 4.2 ME2 적격한 자에 의한 의약품 처방

1) 의약품 처방의 자격이 있는 자 : 의사나 치과의사
2) 그런데 요양병원에는 한의사가 당직이 가능하며 200병상 이하 요양병원은 약사가 주당 16시간만 근무가 가능하므로, [구두처방]과 [PRN 처방]을 활용할 수밖에 없는 경우가 많고, 따라서 병동비치약물에 의존할 수밖에 없는 경우가 있다.
3) 처방 시에 의무기록지에 처방 일자와 시간, 처방 의사의 성명을 기록하며, 처방전에는 다음과 같은 내용이 포함되어야 한다.
   ① 처방의사 및 담당간호사 서명
   ② 환자의 정보 : 등록번호, 성명, 성별/나이, 입원병동 등
   ③ 약물명 : 상품명 혹은 원내에 정해진 약자(約字)를 사용한다.
   ④ 투여량과 단위(제형 단위 또는 함량 단위)
   ⑤ 투여경로(경구, PO, IV, IM, SQ, 네뷸라이저 등)
   ⑥ 투여간격(예, 하루 3회 한 알씩 투여된다면 3T/#3, 혹은 1T tid 등으로 표기)
   ⑦ 주입약물의 희석액, 희석농도 및 투여속도

8. 기준 4.2 ME3 적격한 자에 의한 조제 전 처방 감사

1) 처방전의 구성 요소

의료법 시행규칙 제12조(처방전의 기재 사항 등)

① 법 제18조에 따라 의사나 치과의사는 환자에게 처방전을 발급하는 경우에는 별지 제9호서식의 처방전에 다음 각 호의 사항을 적은 후 서명(「전자서명법」에 따른 공인전자서명을 포함한다)하거나 도장을 찍어야 한다. 다만, 제3호의 사항은 환자가 요구한 경우에는 적지 아니한다.(개정 2015. 1.2., 2015.12.23.)

1. 환자의 성명 및 주민등록번호
2. 의료기관의 명칭, 전화번호 및 팩스번호
3. 질병분류기호
4. 의료인의 성명·면허종류 및 번호
5. 처방 의약품의 명칭(일반명칭, 제품명이나 대한약전에서 정한 명칭을 말한다)·분량·용법 및 용량
6. 처방전 발급 연월일 및 사용기간
7. 의약품 조제 시 참고 사항

② 의사나 치과의사는 환자에게 처방전 2부를 발급하여야 한다. 다만, 환자가 그 처방전을 추가로 발급하여 줄 것을 요구하는 경우에는 환자가 원하는 약국으로 팩스·컴퓨터통신 등을 이용하여 송부할 수 있다.
③ 의사나 치과의사는 환자를 치료하기 위하여 필요하다고 인정되면 다음 내원일(內院日)에 사용할 의약품에 대하여 미리 처방전을 발급할 수 있다.
④ 제1항부터 제3항까지의 규정은「약사법」제23조 제4항에 따라 의사나 치과의사 자신이 직접 조제할 수 있음에도 불구하고 처방전을 발행하여 환자에게 발급하려는 경우에 준용한다.

2) 그러나, 의료법에 정의된 처방전은 [외래처방전]만을 의미하며, 요양병원에서 흔히 작성되는 **'입원 처방서식'에 대한 법적 규정은 없다.** 따라서, 만일 전자챠트(EMR)을 이용하여 원내처방을 내릴 때에 약사는 모니터상에 나오는 처방을 보고 의약품 조제를 할 수 있다. 하지만, 어떤 형태로든 입원 처방서식을 사용 중이라면 투약 오류를 줄이기 위하여 반드시 2가지 이상의 정보로 환자 확인이 되어야 하고 정확한 의약품 용량, 투여 방식 등 5R 원칙에 따라 기재되어야만 하고 **처방 의사의 서명**이 있어야 한다.

3) 약사는 조제 전 처방 감사 절차(감사 시점, 감사요소), 처방 감사 결과 검토 절차, 위험한 결과 예상되는 처방의 중재가 실패한 경우 대처방안 등을 숙지할 것.

9. 기준 4.2 ME4 적격한 자가 의약품 조제

1) 약사 부재(공휴일, 야간 등) 시 의약품 조제 절차 및 근거 자료
2) 조제 후 감사 절차 및 감사 자료(전산화면 사용, 봉투에 수기 표시 등)

10. 기준 4.2 ME5 청결한 의약품 조제환경

1) 출입통제
2) 조제공간의 구획 및 청결상태 유지(물기 등 오염 유발요인 제거 등)
3) 환기시설(가루약 조제구역의 집진장비 설치) 유지 및 관리
4) 판정기준

판정 내용	상	중	하
출입통제 * 병동 : 의약품 준비 구역	• 약제부서 : 물리적 통제 유지 • 병동 : 직원이 상주함 (직원이 상주하고 있지 않은 경우, 의약품 준비 구역이 일반인 접근이 어렵도록 관리)	• 약제부서 : 물리적 통제 유지 • 병동 : 일부 병동이 미흡	'상'과 '중'에 해당하지 않는 경우
조제공간의 구획	• 약제부서 : 조제 구역 구분 (공간, 가벽, 파티션, 아크릴 판 등)	• 약제부서 : 조제 구역 구분 (공간, 가벽, 파티션, 아크릴 판 등)	
조제공간 청결상태 및 조제도구 관리	• 약제부서 : 청결 • 병동 : 청결	• 약제부서 : 청결 • 병동 : 일부 미흡	
환기시설 (가루약 조제구역)	• 약제부서 : 환기시설 구비 및 관리 적절	• 약제부서 : 환기시설 구비 및 관리 일부 미흡	

11. 기준 4.2 ME6 안전하고 청결한 의약품 조제

1) 의약품 조제 자격이 있는 자 : 약사, 의사
2) 약물조제 전에 손위생을 시행하고, 필요시에 청결장갑을 착용한다.
3) 조제대는 약물조제 전, 후에 청소를 한다.
4) 자동포장기(ATC; Automatic Tablet Counting & packing system)는 주 1회 카세트를 분리 후 청소하고, 필요시에 수시로 청소한다.
5) 파우더용 반 포장 기계는 매일 오후 정규 처방 조제 후 내부를 분리하여 청소한다.
6) 퇴근 전에 기계를 점검하고 조제실을 정리, 정돈한다.

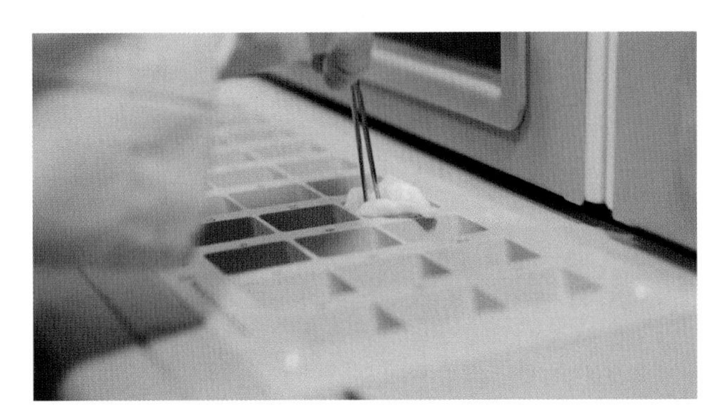

그림 12-17. **자동포장기(ATC) 소독 모습.** 소독액을 분무기로 뿌리지 말고 소독액을 적신 거즈를 핀셋으로 잡아 조제대를 닦고 있다. 약물 조제대는 비위험기구에 속하므로 낮은 수준의 소독(에탄올 70-90%)을 적용한다.

12. 기준 4.2 ME7 의약품 라벨링

1) 라벨링 정보 : 환자명, 의약품명, 용량 및 투여 경로, 용법(투여 횟수)
2) 투여 전까지 냉장보관이 필요한 경우 별도 보관 방법 명기
3) 판정기준

판정 내용	상	중	하
경구약	• 약제부서에서 개별 약포지마다 라벨링 함	• 약제부서에서 대봉투에 라벨링 함 • 약제부서에서 개별 약포지에 환자 확인을 위한 두 가지 이상의 지표(예시: 환자명, 등록번호)를 라벨링 함	'상'과 '중'에 속하지 않는 경우
주사제	• 약제부서 또는 병동에서 수액제제, 주사기에 재어 즉시 투여하지 않는 주사제에 라벨링 함		

그림 12-18. **약물 자동포장기(ATC)**

13. 기준 4.3 ME2 적격한 자에 의한 의약품 투여

1) 약물투여 직원의 자격 : 의사, 간호인력(간호사, 간호조무사), 약사

◆ 간호조무사도 투약이 가능한가?

의료법 제2조에서는 간호사의 업무를 '진료의 보조' 등으로 규정하고 있으며, 간호조무사 및 의료유사업자에관한규칙 제2조에서는 간호조무사의 업무를 '간호의 보조, 진료의 보조'로 규정(구체적 규정x).
대법원 판례 및 그간의 유권해석에 따르면, '진료보조'라 함은 의료인의 지시 · 감독 하에 이루어지는 의료행위 또는 의료행위에 준하는 행위들.

㉑ 간단한 문진 · 활력징후 측정 등 진단 보조 행위, 피하·근육·혈관 등 주사행위, 병동/진료실에서의 소독 · 마취 · 혈관로/소변로 확보 · 관장 · 깁스 등 치료보조행위, 입원실이 있는 의료기관에서의 투약 등

의료법 적용에 있어 간호사에 관한 규정을 간호조무사에게 준용토록 하고 있음.
특히 요양병원에서는 간호사 정원의 2/3를 간호조무사로 대체 가능!

2) 안전한 약물투여 과정 : 5 Rights of Medication (Right D-P-D-R-T) 원칙에 의해 투여한다.

① 정확한 약물(Drug)
② 정확한 환자(Patient)
③ 정확한 용량(Dose)
④ 정확한 경로(Route)
⑤ 정확한 시간(Time)

5R의 확인(정확한 약물, 환자, 용량, 경로, 시간)

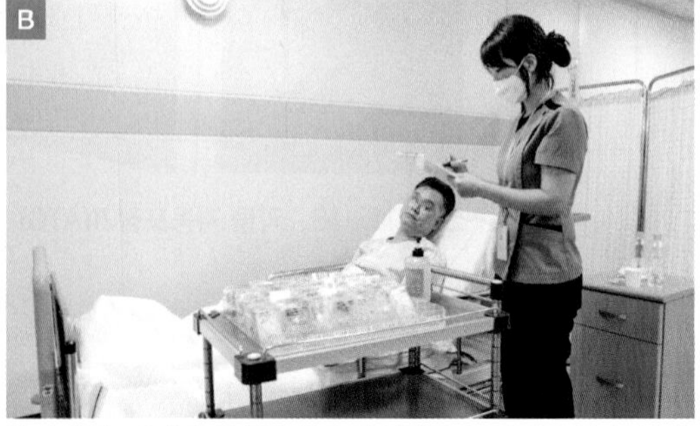

환자 확인 : 2가지 이상의 환자정보(이름, 주민번호 앞자리 등)를 개방형질문을 통해 확인. 의사소통이 안 되는 환자라면 환자팔찌의 정보와 대조한다.

투약할 의약품의 라벨링 확인. (유효기간 등)

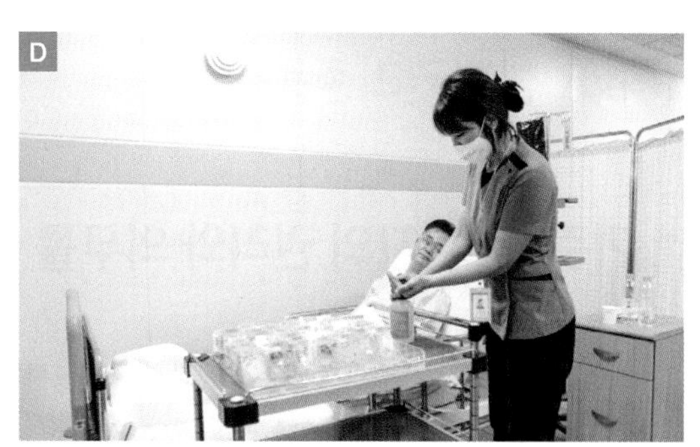

투약 전, 알코올 손소독제를 이용한 손위생

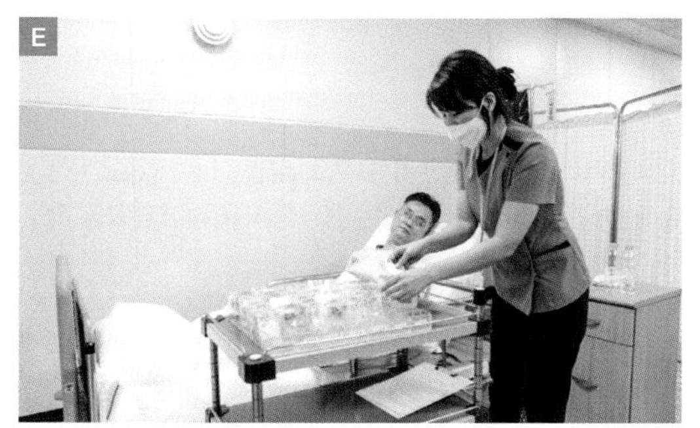

투약카드의 처방 내역과 투약 의약품을 다시 한번 비교하여 확인.

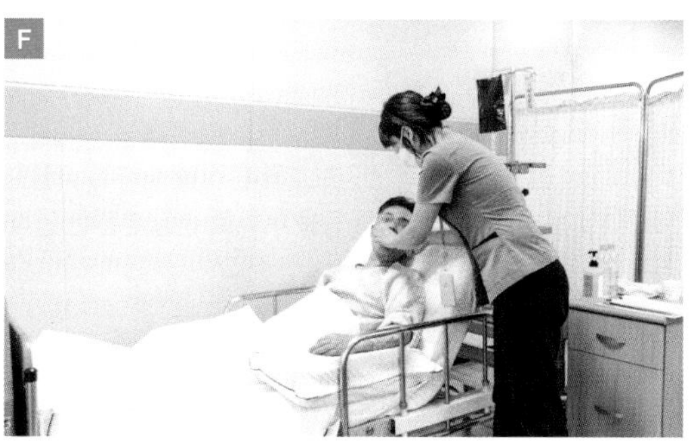

혼자 의약품 복용이 힘든 환자는 직원이 복용을 도와준다.

그림 12-19. **5R (Rights) 확인 후 안전하게 투약하기.**

그림 12-20. **병동에서의 정확한 투약을 위한 아이디어**

6장 환자권리존중

1. 기준 6.1 환자의 권리와 의무를 존중하고, 개인정보를 보호한다

의료법 시행규칙 제1조의제1항에 있는 다음과 같은 내용을 원내에 게시한다.

◆ 환자의 권리와 의무(의료법 제1조의2제1항 관련)

1. 환자의 권리
   가. 진료받을 권리
   환자는 자신의 건강보호와 증진을 위하여 적절한 보건의료서비스를 받을 권리를 갖고, 성별 · 나이 · 종교 · 신분 및 경제적 사정 등을 이유로 건강에 관한 권리를 침해 받지 아니하며, 의료인은 정당한 사유 없이 진료를 거부하지 못한다.
   나. 알 권리 및 자기결정권
   환자는 담당 의사 · 간호사 등으로부터 질병 상태, 치료 방법, 의학적 연구 대상 여부, 장기이식 여부, 부작용 등 예상 결과 및 진료 비용에 관하여 충분한 설명을 듣고 자세히 물어볼 수 있으며, 이에 관한 동의 여부를 결정할 권리를 가진다.
   다. 비밀을 보호받을 권리
   환자는 진료와 관련된 신체상 · 건강상의 비밀과 사생활의 비밀을 침해 받지 아니하며, 의료인과 의료기관은 환자의 동의를 받거나 범죄 수사 등 법률에서 정한 경우 외에는 비밀을 누설 · 발표하지 못한다.
   라. 상담 · 조정을 신청할 권리
   환자는 의료서비스 관련 분쟁이 발생한 경우, 한국의료분쟁조정중재원 등에 상담 및 조정 신청을 할 수 있다.

2. 환자의 의무
   가. 의료인에 대한 신뢰 · 존중 의무
   환자는 자신의 건강 관련 정보를 의료인에게 정확히 알리고, 의료인의 치료계획을 신뢰하고 존중하여야 한다.
   나. 부정한 방법으로 진료를 받지 않을 의무
   환자는 진료 전에 본인의 신분을 밝혀야 하고, 다른 사람의 명의로 진료를 받는 등 거짓이나 부정한 방법으로 진료를 받지 아니한다.

1) 병동, 로비 등 눈에 잘 띄는 곳에 환자의 권리와 의무를 게시하여 직원, 환자, 보호자 등이 쉽게 인지할 수 있도록 한다.
2) 커튼, 스크린 등을 이용하여 환자의 신체노출을 보호한다. 특히 물리치료실, 방사선실 등에서의 치료, 진단 행위 시에도 신체노출에 대한 대처를 하도록 한다.

3) 2가지 이상의 진료정보 노출을 통해 어떤 환자가 입원했는지를 노출하지 않도록 한다.

◆ 의료법 시행규칙 제1조의2 (환자의 권리 등의 게시)

② 의료기관의 장은 법 제4조제3항 후단에 따라 제1항에 따른 사항을 접수창구나 대기실 등 환자 또는 환자의 보호자가 쉽게 볼 수 있는 장소에 게시하여야 한다.

2. 기준 6.2 ME2 학대 및 폭력피해자 발생 시 절차 준수

1) 취약환자(노인학대 피해자, 신체장애 환자)에 대한 대책 및 편의 시설을 마련한다.
2) 특히 노인학대 환자의 신고는 의료인의 법적 의무이기도 하다(노인복지법 제39조의6제2항).

그림 12-21. **노인학대 신고 전화번호(1577-1389)**

3. 기준 6.2 ME3 의사소통이 어려운 환자에 대한 지원체계

1) 청각, 언어 장애인 등 의사소통이 어려운 환자에 대한 대책 마련.
2) 대형병원 인증기준에는 외국어 사용자에 대한 통역서비스도 포함되어 있으나, 요양병원 인증기준에는 포함되지 않았다.

4. 기준 6.5 동의서

1) 병원 상황에 맞는 동의서 양식을 마련한다.
2) 동의서 확보가 필요한 상황 : 심폐소생술 거부 동의서, 수혈 동의서, 신체보호대 동의서, 조영제

사용 동의서, 고위험시술(subclavian catheterization) 동의서 등.

3) 동의서가 필요한 상황이 발생할 때마다 동의서를 받을 필요는 없고, 처음 발생 시에만 확보한 후, 이후에는 보호자에게 알리는 것으로 충분하다.

4) 모든 동의서는 원래 환자 본인에게 서명을 받는 것이 원칙이다. 따라서 부득이하게 대리인으로부터 동의를 받는 경우에는 본인에게 동의를 받지 못하는 원인을 표시할 수 있도록 서식을 마련해야 한다.

5. 기준 6.6 ME1 [필수] 입원실 적정면적을 준수한다

1) 입원실 적정 면적: 1인실 6.3 m^2(신축, 증축 시 10 m^2) 이상, 2인실 이상은 4.3 m^2(신축, 증축 시 7.5 m^2)/1인 이상(신축의 기준일은 2017년 2월 4일 이후)

2) 입원실의 면적은 기존의 건축법상 도면의 벽 중앙으로부터가 아니라, 벽체, 기둥, 화장실의 면적을 제외한 유효면적으로 한다(개정 예고된 의료법).

6. 기준 6.6 ME3 침대용 엘리베이터를 설치한다

1) 의료법 시행규칙 별표 4. 승강기 시설 안전관리법 시행규칙 별표1

2) 장애인, 노인, 임산부 등의 편의증진 보장에 관한 법률 시행령 별표2

◆ 침대용 엘리베이터 설치 미해당

1. 지상1층에 개설하여 1층만 운영하는 요양병원
2. 개설 운영하는 층을 포함하여 모든 층에 경사로가 설치되어 있는 요양병원
3. 2014년 4월 5일 이전에 개설된 요양병원

◇ 2014년 4월 5일 이전 개설이라도 다음에 해당하면 설치해야 한다.

1) 요양병원 건물에 대하여 건축법 제11조에 따른 허가를 받아 건축 또는 대수선을 하는 경우(개설자가 해당 건물의 전부 또는 일부를 소유한 경우만 해당한다)
2) 요양병원의 개설 장소를 이전하거나 요양병원 건물을 새로 소유 또는 임차하는 경우
3) 요양병원 개설자가 변경되는 경우

7장 지속적 질 향상 및 환자안전

1. 기준 7.1 ME1,2 질 향상과 환자안전 활동을 위한 위원회

1) 환자안전법에 따른 환자안전위원회

① 구성 주체(시행규칙 제6조) : 요양병원(정신병원 포함)은 200병상 이상
② 전담 인력(법 제12조) : 200병상 이상 요양병원은 1명 이상 배치 의무
- 전담 인력의 자격(원칙상 겸임 불가)
⇨ 의사, 치과의사, 한의사 : 전문의, 혹은 5년 이상 보건의료기관 근무
⇨ 간호사 : 5년 이상 보건의료기관 근무
- 전담부서 설치는 필수가 아님(시행규칙 제11조제1항: "할 수 있으며")

③ 환자안전위원회의 역할
- 의료 질 향상 활동 및 환자안전체계 구축 및 운영
- 질 향상 활동 계획 수립, 시행 및 평가
- 환자안전사고의 예방 및 재발방지를 위한 계획 수립 및 시행
- 환자안전사고의 보고 체계 구축 및 활성화에 관한 사항
  - 내부 및 외부 보고체계 구축 및 운영
  - 보고자 및 보고내용의 보호
- 환자안전기준 준수에 관한 사항
- 질 향상과 환자안전 지표의 선정 및 관리에 관한 사항
- 환자안전 전담인력의 선임 및 배치
- 환자와 보호자의 환자안전 활동 참여를 위한 계획 수립 및 시행
- 환자안전 활동 교육에 관한 사항
- 그 밖에 질 향상 및 환자안전 활동에 필요한 사항

④ 환자안전활동 교육(법 제13조)
- 교육대상 및 방법(법 제13조)
  - 정기교육 : 전담인력
  - 비정기교육 : 전담인력 및 보건의료인 (복지부장관이 필요하다 인정 시)
- 교육기관(시행규칙 제13조)
  - 의료기관단체, 환자안전 및 의료 질 향상 학회, 보고학습시스템 운영기관

– 전담인력 교육실시 방법(시행규칙 제14조)
  • 매년 12시간 이상(최초 시행교육은 배치된 날로부터 6개월 이내 24시간)

2. 기준 7.3 ME1 질 향상 활동 주제 선정

1) 요양병원 질 향상 활동 주제의 후보들

요양병원 업무환경에서 선정할 수 있는 주제들로는 다음과 같은 것들이 있다.

환자안전과 위험관리(낙상 예방활동, 손위생 등...)	병원정보화 및 의무기록관리
간호업무 개선(욕창예방활동 등...)	병원자원관리
진료과정 개선(투약오류 등...)	약무업무 개선
임상 질 지표	환자교육 및 정보제공
진료표준화	행정업무 개선
고객만족도 향상	영양업무 개선

3. 기준 7.3 ME2 질 향상 활동 주제 선정

1) FOCUS-PDCA

미국병원법인(Hospital Corporation of America)에서 개발한 대표적인 질 향상 활동방법이다. 이때, FOCUS 단계는 PDCA 단계 중 P(Plan)를 준비하는 단계로 생각하면 이해하기 쉽다.

F : 개선이 필요한 과정을 발견하는 것(Find)	S : 과정의 개선사항을 선택하는 것(select)
O : 과정을 파악하고 있는 팀을 조직하는 것(Organize)	P : 개선과 자료수집을 명확히 하는 것(Plan)
C : 과정에 대한 현재의 지식을 명확히 하는 것(Clarify)	D : 개선, 자료수집, 자료 분석을 실행하는 것(Do)
U : 과정의 변화가 필요한 이유를 이해하는 것 (Understand)	C : 실행을 통한 개선과정의 자료를 점검하는 것(Check)
	A : 이익을 유지하면서 개선을 계속하는 것(Act)

2) FOCUS-PDCA 방법을 이용한 질 향상 활동 예시

(1) F : 주제선정(Find) – "낙상사고 예방"을 질 향상 활동 주제로 선정

주제선정 배경

재원 환자에게서 발생하는 안전사고 중 가장 많이 보고되는 것이 낙상이나 미끄러짐으로 인해 발생하는 사고이다. 이러한 사고결과 간단하게는 타박상이나 찰과상 등의 신체상의 상해를 입지만 심각한 경우 골절이나 뇌 손상의 결과를 초래하여 환자의 안위와 질병의 치료적 과정에 큰 영향을 미친다.
이에 본원에서 발생하는 낙상사고의 기여요인을 파악하여 주요 원인을 분석하고, 원인에 따른 개선활동을 시행하여 근본적인 낙상사고 발생을 감소시키고자 한다.

(2) O : 팀 구성(Organize) – 주제를 정했으면 각 병원의 구성인원에 따라 팀원을 구성

구분	부서	이름	역할
팀장	간호국(안전관리 담당자)		• 총괄 지휘
간사	간호국		• 지침개발 및 정리 • 회의록 작성 및 팀원연락
팀원	간호국(5병동)		• 지침개발 및 교육
	간호국(3병동)		• 지침개발 및 교육
	물리치료실		• 지침개발 및 교육
QI coordinator	QI 간사		• 자료수집 및 분석 • 전반적인 지원

(3) C : 문제의 원인 밝혀내기(Clarify) – "생선뼈(fishbone) 챠트" 활용 가능

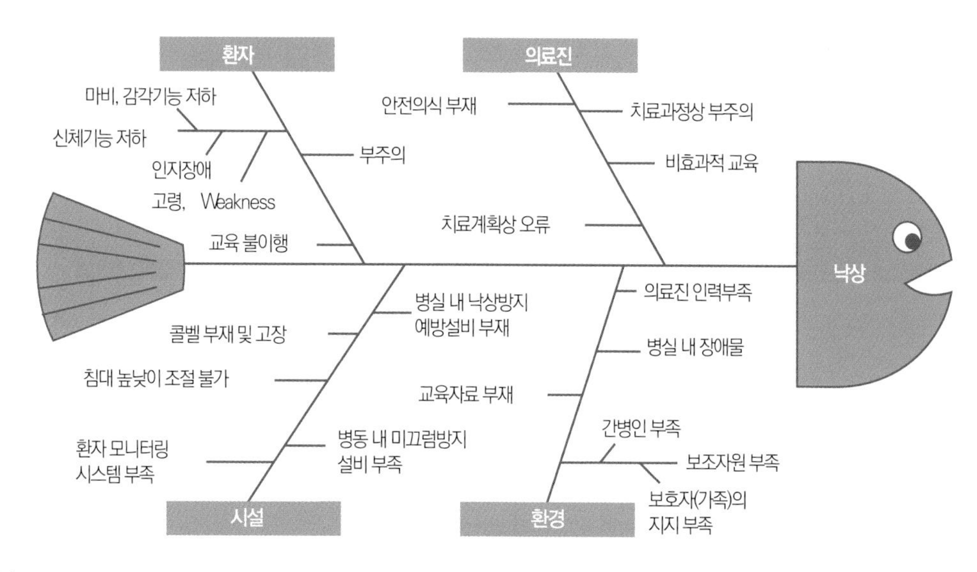

그림 12-22. 생선뼈(fishbone) chart. 문제의 요인을 큰 주제로 구분 후, 각 요인별 원인을 가지치기의 방식으로 나열하여 문제해결의 단서를 깨우치는 방법.

(4) U : 현재상황 파악(이해)하기(Understand) – 현재의 상황을 "사전조사"의 형식으로 분석한다.

① 사전조사

자료수집방법	QI위원회에 보고된 안전사고 보고서
자료수집기간	2016년 7월 ~ 12월
분석	안전사고 보고 건수, 낙상사고 보고 건수, 부서별 낙상사고 보고 건수, 낙상사고 관련 요인

② 보고 건수 분석

사전조사 기간 동안 보고된 낙상사고는 월 평균 OO건으로, 전체 보고된 안전사고의 OO.O%로 많은 부분을 차지. 특히, 낙상사고 중 월 평균 O건인 OO.O%가 A병동, B병동에서 발생

③ 낙상사고 관련요인

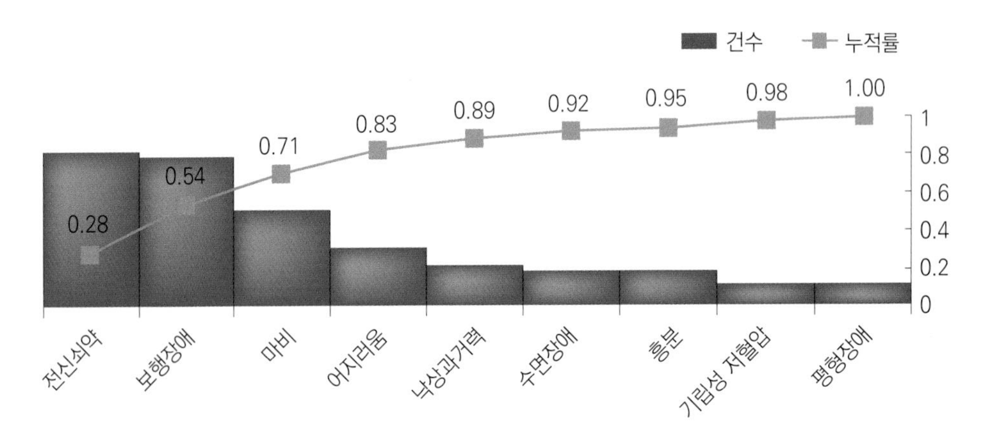

(5) S : 개선활동 선정하기(Select) – 시행부서와 관련 인원 등을 구체적으로 선정한다.

① 대상부서 및 팀원 선청 ② 개선활동 선정

1. 낙상관리 프로세스 구축
2. 낙상 경고표지 및 낙상 예방 포스터 제작 및 부착
3. 낙상 고위험 환자 침상용 체크리스트 제작 및 부착

(6) P : PLAN – "실행계획서" 작성

목표 : 2017년 낙상사고 발생률을 0.5% 이내로 감소시킨다

2017년 QI사업계획서

팀명 : 작성일: 2016년 11월 1일 운영위원장: (인)

주 제	표준화된 낙상예방지침을 통한 낙상사고 예방활동
주제선정 배경	재원환자에게서 발생하는 인전사고 중 가장 많이 보고 되는 것이 낙상이나 미끄러짐으로 인해 발생하는 사고이다. 이러한 사고 결과 간단하게는 타박상이나 찰과상 등의 신체상의 상해를 입지만 심각한 경우 골절이나 뇌손상의 결과를 초래하여 환자의 안위와 질병의 치료적 과정에 큰 영향을 미친다. 이에 본원에서 발생하는 낙상사고의 기여요인을 파악하여 주요 원인을 분석하고 원인에 따른 개선활동을 시행하여 근본적인 낙상사고 발생을 감소시키고자 본 활동을 시행하였다.

팀운영

팀구성	성명	소속	직종	연락처	팀구성	성명	소속	직종	연락처
팀장		간호국	간호직	0000	팀원1		o병동	간호직	3456
간사		물리치료실	물리치료사	1234	팀원2		물리치료실	물리치료사	7891
회의일정	매월 15일, 30일								

문제분석

환자
시설
→ 낙상
의료진
환경

사업내용 및 추진일정

사업내용 및 일정	1월	2월	3월	4월	5월	6월	7월	8월
사업계획 및 팀구성	●							
문제분석(문제의 개요)	●							
사전조사 및 원인분석		●	●	●				
개선안 선정 및 개선활동				●	●	●		
사후조사 및 결과분석							●	
사후관리계획								●

그림 12-23. **실행계획서의 예.** F-O-C-U-S 5단계에서 결정한 내용들을 정리하여 계획서(P: Plan)로 작성한다.

(7) D : DO – 계획에 따라 개선활동하기

① 낙상관리 프로세스 구축

② 환자교육용 낙상 예방지침서 제작

③ 낙상 경고표지 및 낙상 예방 포스터 제작 및 부착

(8) C : CHECK – 개선활동 효과 평가하기

① 개선활동 후 낙상관련 지표 분석

자료수집방법	질향상위원회에 보고된 안전사고 보고서
자료수집기간	2017년 1월 ~ 10월
분석	안전사고 보고 건수, 낙상사고 보고 건수, 부서별 낙상사고 보고 건수, 낙상사고 관련 요인

② 자료의 분석은 통계적 기법과 도구를 이용하여 분석한다. (기준 2.2 ME3 참조)

(9) A : ACT – 개선활동 결과에 따라 조치하기

① 기록 남기기

What	Who	When
낙상관리 프로세스 전병동 확대 실시	병동간호팀장	완료
낙상관리 프로세스 신규교육 자료 작성	교육간호팀장	완료
낙상관리 프로세스 표준화된 자료 게시	병동 수간호사	완료

② 모니터링

What	Who	When
낙상관리 프로세스 실시 확인	Night 근무간호사	매일
낙상관리 프로세스 실시 재확인	병동수간호사	매일
병동별 평가	간호국 기본간호위원회	매월 3째주
낙상사고 보고서 결과분석	QI실 환자안전관리자	발생시

③ 계획

What	Who	When
낙상관리 프로세스 전병동 확대 실시	병동간호팀장	2017년 11월
낙상관리 프로세스 변경 시 교육 및 시행	병동수간호사	변경 시
효과적인 교육방법 개발(환자 및 보호자)	QI위원회	2017년 12월

그림 12-24. **질향상 활동을 위한 회의.** 원내에서 이루어지는 회의 시에는 기록과 사진을 남겨서 추후에 근거로 간직한다. 이 때 가능하면 벽에 걸린 달력을 보이도록 사진을 찍으면 신뢰있는 기록이 된다.

4. 기준 7.3 ME3 통계적 기법과 도구를 사용하여 자료를 분석

1) 엑셀(Excel) 프로그램을 이용하여 간단히 그래프(히스토그램=막대그래프) 그리기 요령

질 향상 활동방법 PDCA 중 C(Check) 단계에서 질 향상 활동 결과를 그래프로 제시하는데, 아래에 간단히 그래프 그리는 방법을 제시하였다. 이해를 돕고자 실제 작업 화면을 그대로 보여드리겠다.

① Microsoft사의 엑셀 프로그램을 클릭하여 연다.

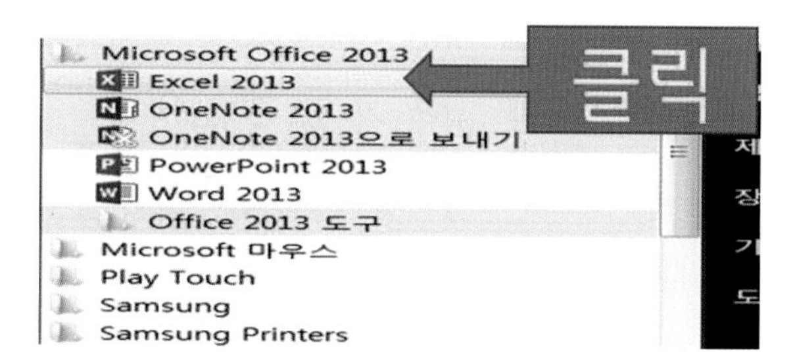

② 엑셀 프로그램이 열리면 아래 그램처럼 가장 왼쪽의 위 칸부터 숫자를 입력한다.

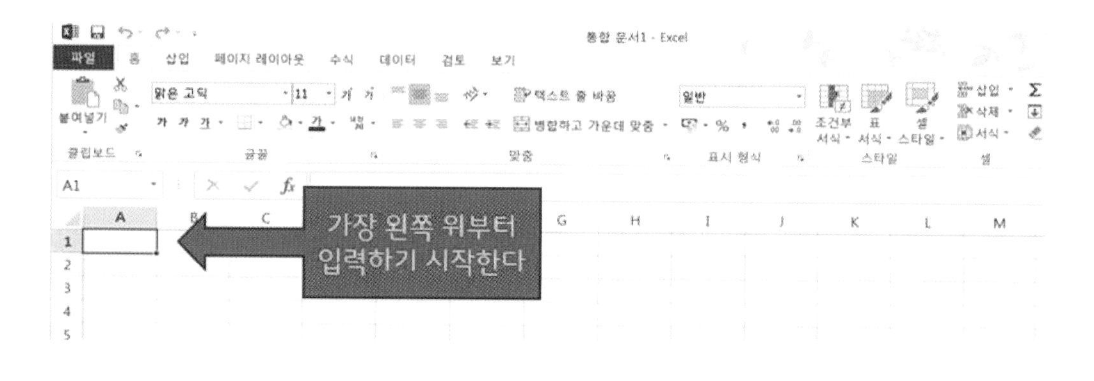

③ 이때, 위에는 시간, 아래는 결과를 입력한다.

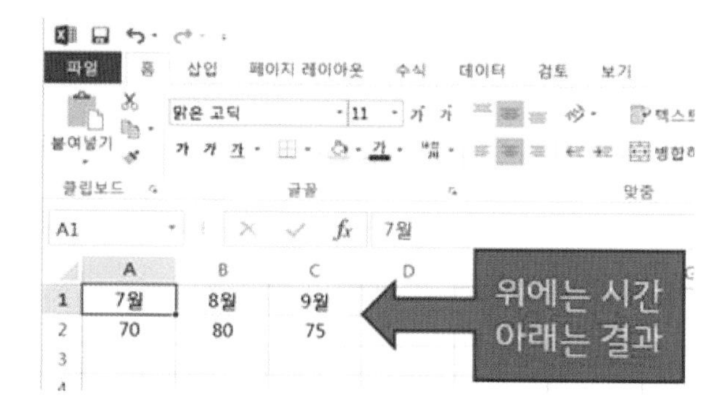

④ 마우스 왼쪽 버튼을 누르고 드래그 기능을 이용하여 블록을 잡는다.

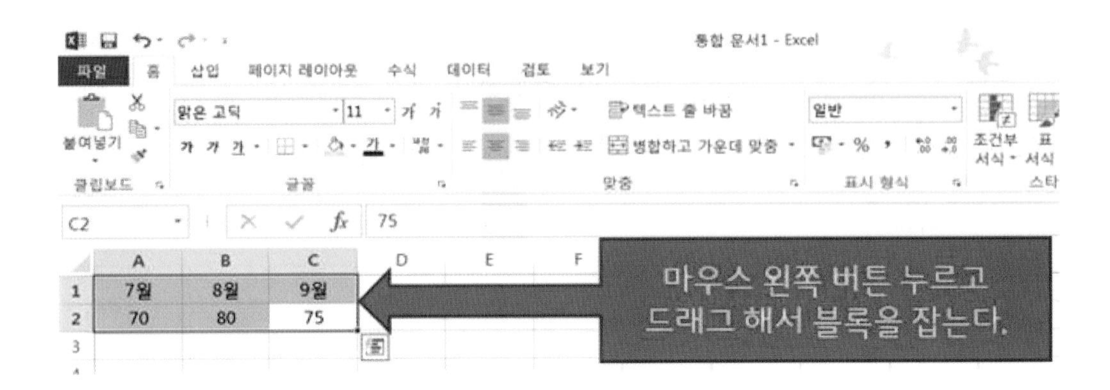

⑤ [삽입] 메뉴를 클릭하면 다양한 그래프(차트)를 선택할 수 있는데, 이 중에서 원하는 차트를 선택해서 클릭한다.

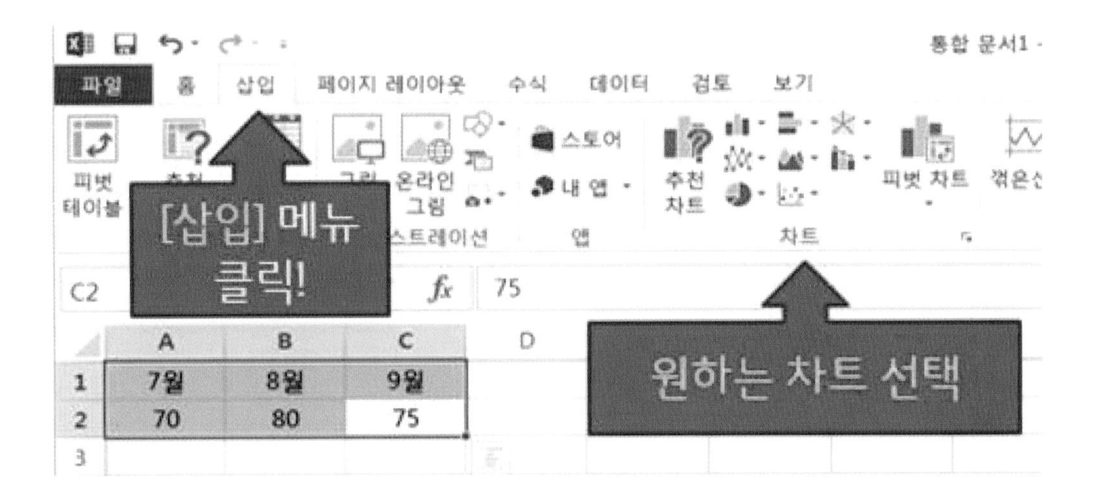

⑥ 만일 세로 막대 그래프를 선택했다면 그중에서도 마음에 드는 모양을 선택할 수 있다.

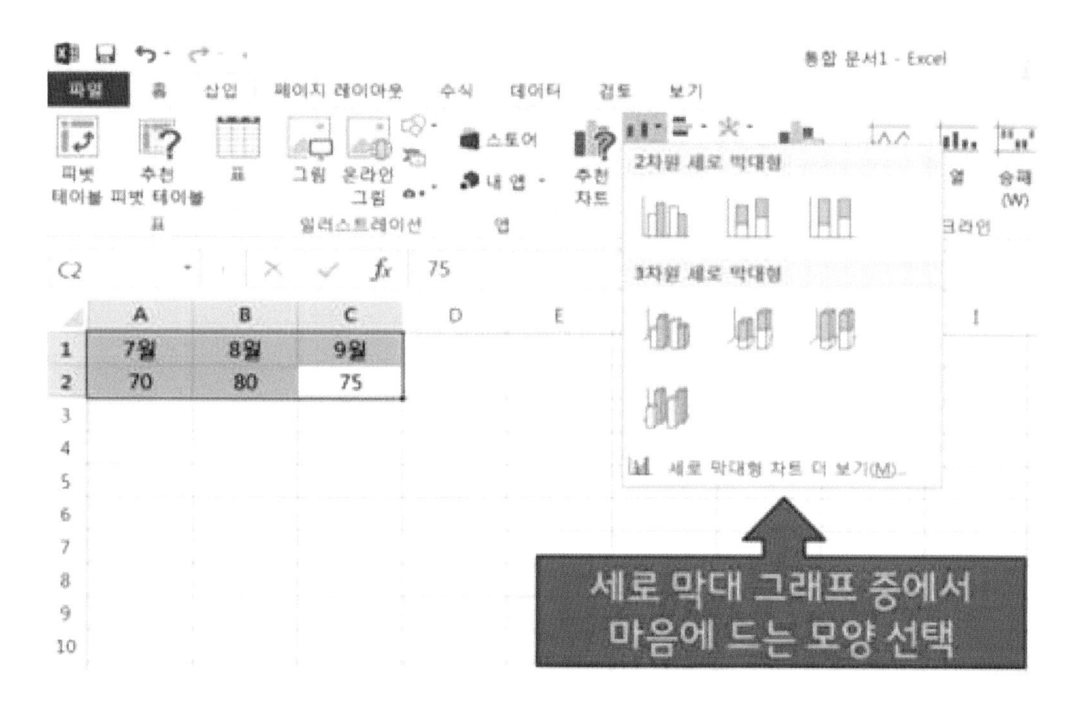

⑦ 선택하여 클릭하면 아래와 같은 그래프가 화면에 뜬다.

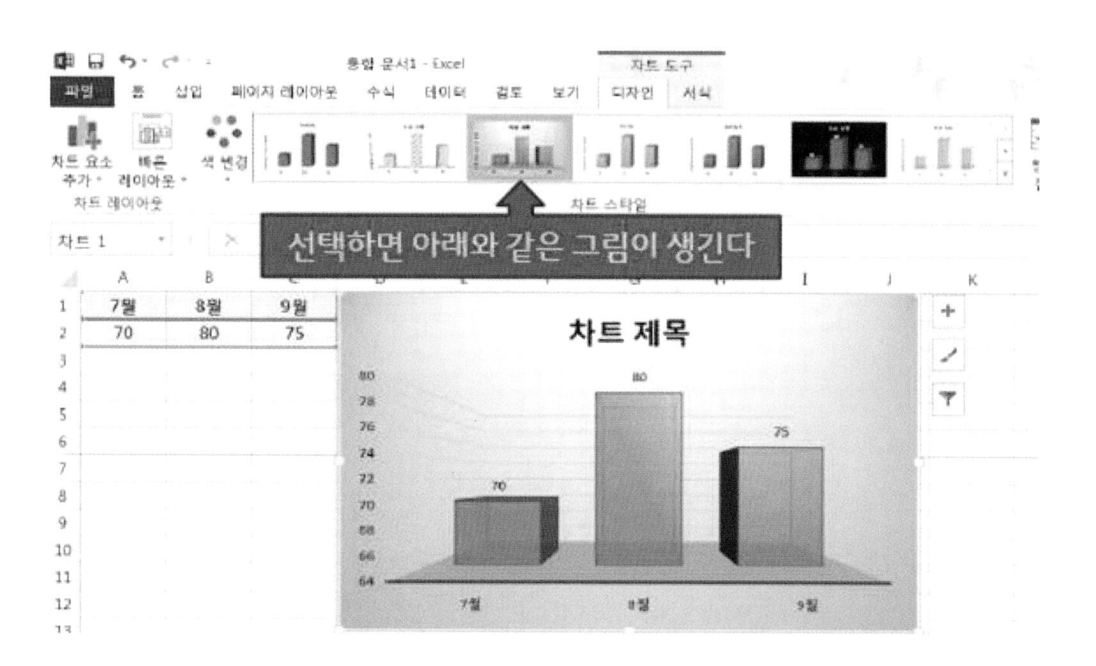

⑧ 차트 제목을 수정할 수 있고, 완성되면 그림으로 복사(CTRL+C)하여 원하는 문서 파일(아래한글, WORD 등)에 붙이면(CTRL+V) 된다.

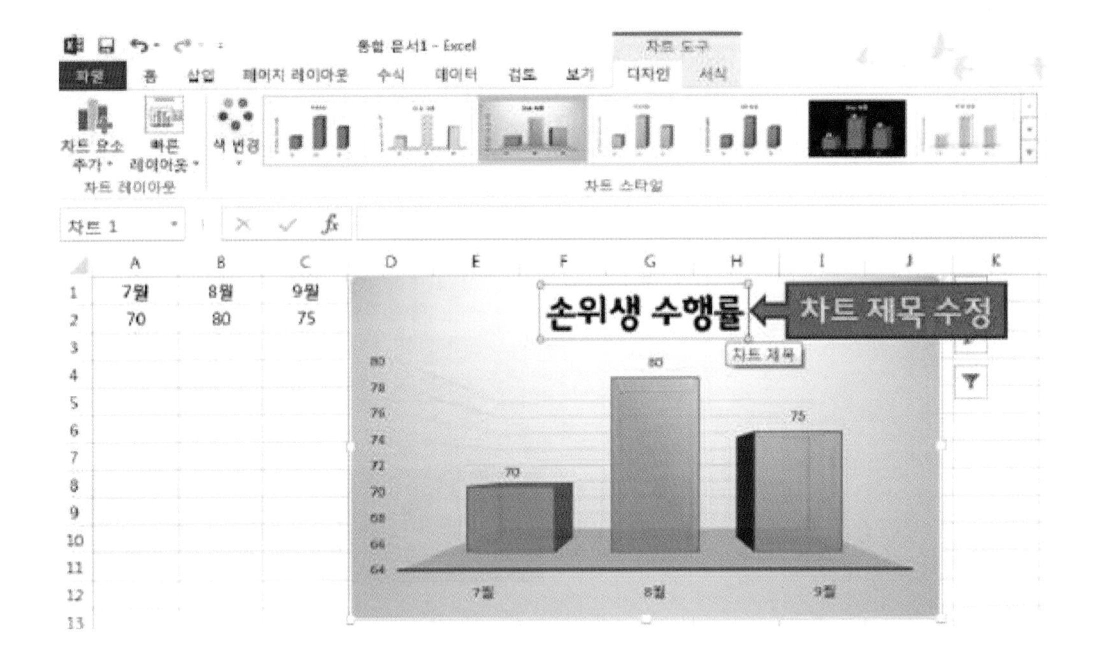

8장 감염관리

1. 기준 8.1 감염관리 운영체계

1) 2017년 4월부터 감염관리실 설치병원 확대(의료법 시행규칙 개정) ⇒ 법적으로 요양병원은 미해당(복지부 답변). 인증기준은 법과는 별개임(인증원 답변).
2) 의료기관 근무경력 3년 이상의 적격한 자를 배치. 담당자는 감염 관련 전문 학회에서 주관하는 학술대회, 워크숍 등에서 교육 및 훈련을 받아야 한다.

① 감염관리실 설치대상병원 확대(시행규칙) ⇒ 요양병원은 "병원"에 속하지 않으므로 법적으로 무관!
(1단계) 2017년 4월부터 중환자실과 무관하게 200병상 이상 병원에 설치한다.
(2단계) 2018년 10월부터 중환자실과 무관하게 150병상 이상 병원에 설치한다.

④ 입원환자 병문안 기준 마련(시행규칙)
일선 병원의 입원환자 병문안 제한조치를 뒷받침하기 위하여 병문안 기준을 선언적 주의사항으로 의료법 시행규칙에 반영한다.
▷ 의료기관의 장은 감염예방 등을 위하여 환자 병문안 기준 마련·이행
▷ 환자 보호자 등은 의료기관의 병문안 기준 준수

2. 기준 8.2 의료기구 감염관리

1) 기도흡인 관리 : 흡인 카테터와 흡인 시 사용하는 생리식염수는 매번 사용 시마다 교체한다.

그림 12-25. 기도흡인을 위한 생리식염수용 멸균통은 1회 사용 시마다 교체하며(혹은 1회용 생리식염수 사용), 석션 라텍스 튜브는 사용하지 않을 때에 청결하게 보관한다.

2) 방광 내 유치도뇨관 관리 : 폐쇄된 배출 시스템(closed drainage system)을 유지하는 것이 가장 중요한 원칙이다.

● 소변검체 채취방법

i. 소변 채취 2~3시간 전에 미리 도뇨관을 잠가서 소변이 고이도록 한다.

ii. 손위생 수행.

iii. Ballooning 입구 부위를 뒤로 젖힌 후 노출되는 고무(latex) 부분을 베타딘으로 소독.

iv. 고무 부분을 주사기로 찔러서 소변을 채취한다.

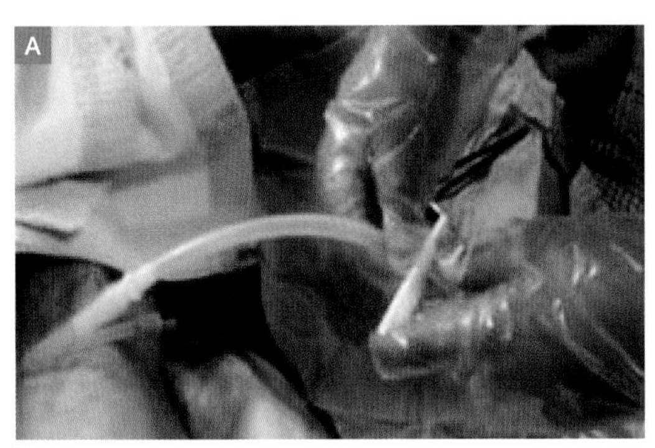

2~3시간 전에 도뇨관 잠가놓기

B

손위생 수행

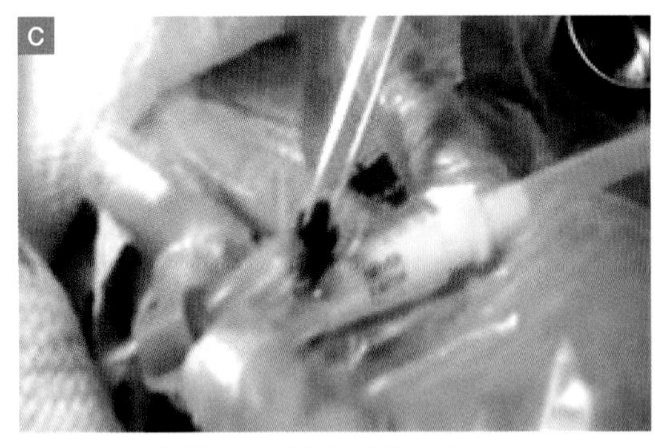

Ballooning 부위를 뒤로 젖힌 후 베타딘 소독

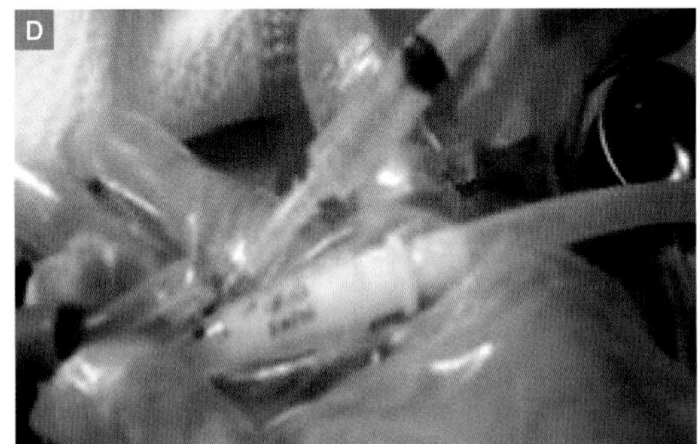

주사기로 소변 채취

그림 12-26. **유치도뇨관에서 안전하게 소변검체 채취하기**

3) 말초정맥관, 중심정맥관 관리 : CDC 권고에 따르면, 말초정맥관은 72−96시간(3일)마다 교체하며, 중심정맥관은 임상적으로 필요한 경우에만 교체하는 것이 원칙이다.

4) 일회용 주사관련 의료용품 관리 : 주사침, 주사기, 수액세트. 투여되는 의약품 변경 시 교환할 것.

3. 기준 8.3 의료기구 세척, 소독, 멸균

1) 세척 시에는 환자의 분비물에 노출될 소지가 크므로 반드시 보호장구를 착용하고 세척 업무를 시행해야 하며, 세척 후 멸균실로 옮길 때에는 밀봉하여 옮기도록 한다.
2) 소독과 멸균의 가장 큰 차이는 '아포'까지 죽이는지의 여부이다.
3) 소독의 수준을 결정할 때에 '준위험' 기구인가 '비위험' 기구인가의 구분은 '점막에 접촉'하는지, '피부에 접촉'하는지의 여부이다.
4) 의료기관 사용 기구 및 물품 소독 지침(보건복지부 고시 제 2010-61호)

[2010년 보건복지부 지침 : 멸균 및 소독방법]

	멸 균	높은 수준의 소독	중간 수준의 소독	낮은 수준의 소독
대상	고위험기구	준위험기구	일부 준위험기구 및 비위험기구	비위험기구
노출시간	각 방법 마다 ( )안에 표시	20℃ 이상에서 12-30분[1,2]	1분 이상[3]	1분 이상[3]
종류 및 방법	고열멸균: 증기 혹은 고열의 공기 (제조업자의 권고 사항 준수, 증기멸균의 경우 3-30분)	글루타르알데히드 혼합제품 (1.12% 글루타르알데히드 + 1.93% 페놀, 3.4% 글루타르알데히드 +26% 이소프로판올 등)	에탄올 또는 이소프로판올 (70-90%)	에탄올 또는 이소프로판올 (70-90%)
	에틸렌옥사이드 가스 멸균 (제조업자의 권고사항 준수, 1-6 시간의 멸균시간과 8-12시간의 공기정화 시간 필요)	0.55% 이상의 올소-프탈 알데하이드	차아염소산 나트륨 (1:500으로 희석하여 사용, 검사실이나 농축된 표본은 1:50으로 희석)	차아염소산 나트륨 (1:500으로 희석하여 사용)
	과산화수소 가스프라즈마 (제조업자의 권고사항 준수, 내관 구경에 따라 45-72분)	7.5% 과산화수소	페놀살균세정제 (제조회사 지침에 따라 희석)	페놀살균세정제 (제조회사 지침에 따라 희석)
	글루탈알데하이드 혼합제품 (1.12% 글루타르알데히드 + 1.93% 페놀, 3.4% 글루타르알데히드 + 26% 이소프로판올 등) (온도와 농도 유의, 20-25℃에서 10시간)	과산화수소/과초산 혼합제품 (7.35% 과산화수소 + 0.23% 과초산, 1% 과산화수소 + 0.08% 과초산)	아이오도퍼 살균 세정제 (제조회사 지침에 따라 희석)	아이오도퍼 살균 세정제 (제조회사 지침에 따라 희석)
	7.5% 과산화수소 (6시간)	세척 후 70℃에서 30분간 습식 저온 살균	-	4급 암모늄세정제 (제조회사 지침에 따라 희석)
	0.2% 과초산 (50-56℃에서 12분)	차아염소산염(사용장소에서 전기분해로 제조된 것으로 활성 유리염소가 650-675ppm 이상 함유)	-	-
	과산화수소/과초산 혼합제품 (7.35% 과산화수소 + 0.23% 과초산, 1% 과산화수소 + 0.08% 과초산) (3-8시간)	-	-	-

[주1] 소독제에 노출시간이 길수록 미생물 제거가 잘된다. 내관이 좁거나 유기물이나 박테리아가 많이 존재하는 곳은 세척이 어렵기 때문에 10분간 노출이 불충분 할 수 있다. 결핵균과 비정형성 마이코박테리아를 사멸하는데 필요한 최소 노출시간은 2% 글루타르알데히드는 20℃에서 20분, 2.5% 글루타르알데히드는 35℃에서 5분, 0.55% 올소-프탈알데하이드는 25℃에서 5분이다.

[주2] 튜브제품들은 소독제에 충분하게 잠겨야 하며, 공기로 인해 잠기지 않는 부분이 없도록 주의한다.

[주3] 제품회사에서 과학적 근거에 의해 제시된 시간을 준수한다.

5) EO 가스가 없는 병원의 경우에는 플라스틱 제품은 화학적 멸균(글루타르알데하이드 등)으로, 고무 제품은 고압증기멸균(autoclave)으로 대체할 수 있다.

그림 12-27. **고압증기멸균기(autoclave)**

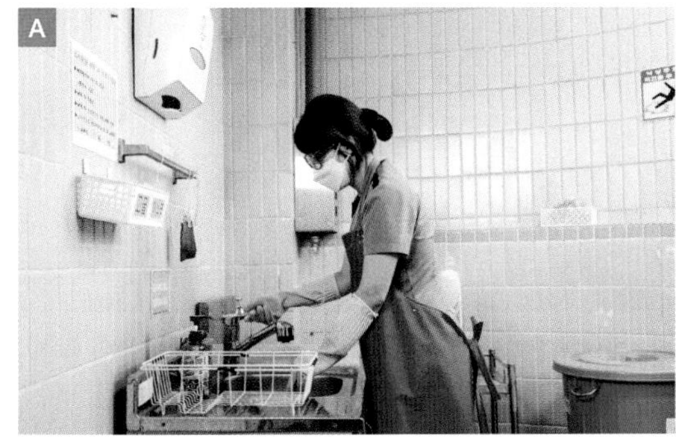

A 세척시에는 마스크, 장갑, 방수 앞치마, 고글(보안경) 등의 개인 보호구를 착용해야 한다. 물에 담가서 세척하는 것이 직원안전을 위해서는 더 좋다.

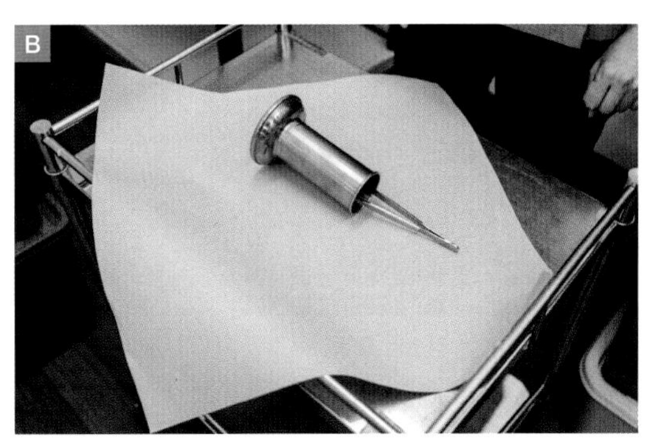

B 같은 용도의 의료기기는 함께 포장

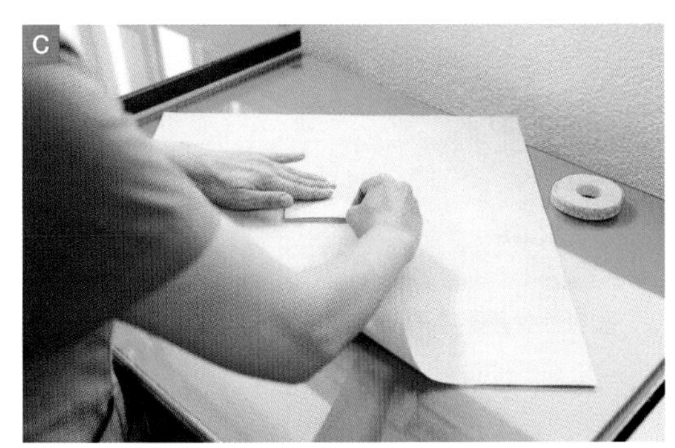

C 세척한 의료기기를 포장

D 포장지에 CI를 붙인 후 소독 전(비소독) 물품 운반용기에 담는다.

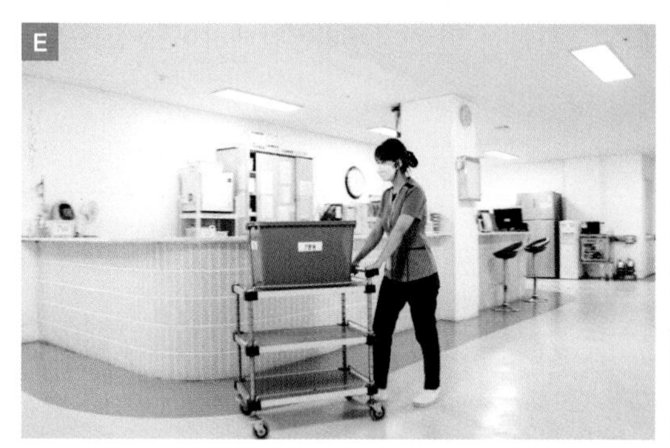

비소독 물품 전용용기에 넣어 엘리베이터로 이동

대부분의 요양병원에는 소독물품 전용 엘리베이터가 없으므로 급식차, 의료폐기물, 세탁물 등으로 각각 구분하여 이동 시간을 정하며, 여러 사람이 공유하도록 엘리베이터 안에 시간표를 부착한다.

멸균소독기가 있는 장소로 이동

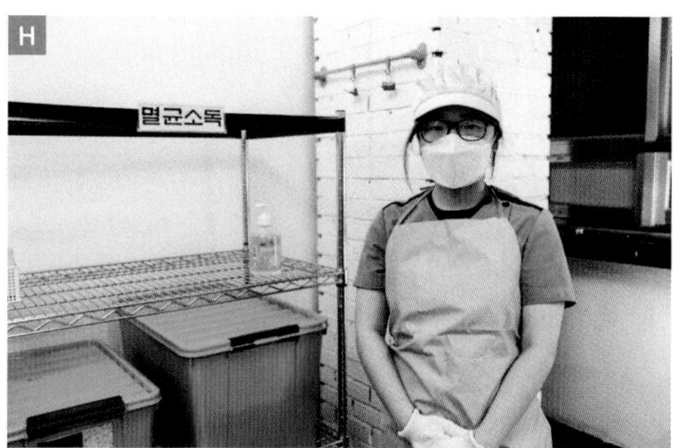

멸균소독실 직원의 복장 - 면장갑(고압증기멸균 후 화상 방지), 앞치마, 마스크, 고글, 모자.

멸균실 직원은 비소독물품 운반용기(빨간색)와 소독을 마친 소독물품 운반용기(녹색)을 구분하여 비치한다. 공간이 비좁다면 시간으로 구분할 수 있다.

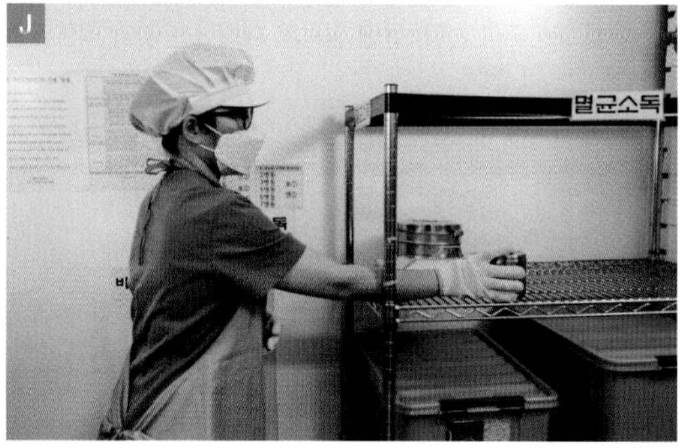

멸균을 마친 물품을 멸균소독 구역으로 옮긴다.

소독을 마친 소독물품을 전용 운반용기(녹색)에 넣어 병동으로 이동

소독된 물품을 개방되지 않은(문이 달린) 보관장소에 넣기

소독물품은 포장 외부에 멸균표시, 유효기간 표시하여 보관하며, 선입선출(가장 먼저 소독한 물품을 가장 먼저 사용하기) 원칙을 따른다.

멸균물품은 바닥으로부터 20-25 cm, 천장에서 45 cm, 벽에서 5 cm 이상 떨어져서 보관한다.

그림 12-28. **의료기구의 세척, 멸균 및 멸균물품 보관 과정**

4. 기준 8.3 멸균기 관리

1) 기계적 지표(MI = Mechanical Indication)

- 멸균기가 기계적 결함은 없는지를 검사로서, 멸균과정 동안의 진공, 압력, 시간, 온도 등이 측정되어 그래프, 압력수치, 출력물 등을 통해 멸균기의 기능을 확인하는 방법. 즉, 멸균기가 균을 죽이는지를 보는 검사는 아니고, 오로지 멸균기가 기계적으로 스팀이 작용되는 구조인지를 파악하는 지표임. 매일 시행.

2) 화학적 지표(CI = Chemical Indication)

– 소독 물품이 멸균기 안에 들어갔다 왔는지를 확인하는 지표. 이 역시 스팀소독을 했다는 증거는 되지만 실제로 균이 멸균되었는지를 확인하는 것은 아님. 모든 소독물품에 적용하며, 내부(Internal CI)와 외부(External CI)를 모두 시행.

3) 생물학적 지표(BI = Biological Indication)

– 해당 멸균방법에 대해 가장 내성이 강한 표준화된 미생물을 이용하여 멸균 유무를 확인하는 방법으로서, 멸균방법에 따라 다른 균주가 사용됨. 적어도 1주 간격으로 조사.

BI용 배지는 매번 2개를 준비한다. 배지 안에는 Bacillus균과 같은 저항력이 강한 세균이 들어 있다. 한 개는 멸균기 안에 넣고, 대조군인 다른 한 개는 멸균기 안에 넣지 않는다.

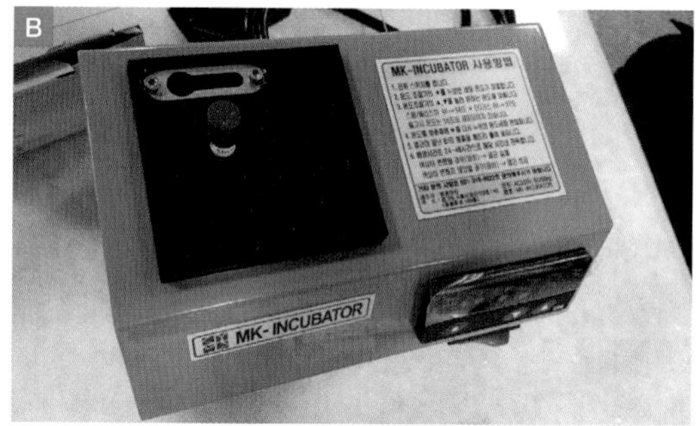

멸균이 끝난 후에 인큐베이터에 넣고 56도의 온도로 24~48시간 배양한다.

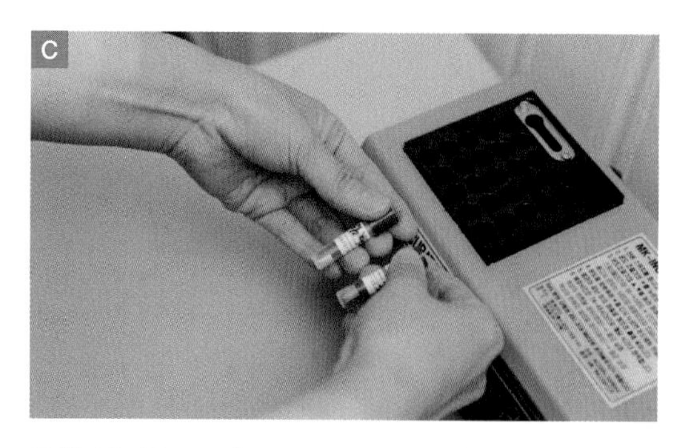

대조군 배지에서는 균이 배양되어야 하고, 멸균기 안에 들어갔던 배지 안에서는 균이 배양되지 않아야 정상이다. 멸균기가 정상적으로 작동되었다면 균을 죽이므로 배양이 되지 않아야 하기 때문이다. 멸균기에 넣은 배지의 생상이 변했을 경우(양성)는 멸균 실패이고, 변하지 않았을 경우(음성)에는 멸균 성공으로 해석한다.

그림 12-29. BI (Biological Indicator)의 해석.

5. 기준 8.3 세탁물 관리

1) 수집

- 세탁물 수집장소는 다른 시설과 구획되고, 위생적이어야 한다.
- 세탁물 수집자루는 세탁과 소독이 쉬운 구조이어야 하고, 오염세탁물 수집자루는 기타세탁물과 구분이 가능하도록 유색 용기(붉은색이나 노란색)나 "오염세탁물"이라고 표시된 용기를 사용하여야 한다.
- 세탁물이 혈액이나 분비물 등으로 젖어 있을 때에는 혈액이나 분비물 등이 새지 아니하는 별도의 수집용기를 사용하여야 한다.
- 세탁물 수집장소에는 누구나 쉽게 알 수 있도록 세탁물의 분류방법 등을 게시하여야 한다.

2) 보관

- 의료기관은 세탁물을 입원실·식당·휴게실 및 환자나 의료기관 종사자의 왕래가 빈번한 장소 등과 떨어진 구분된 장소에 보관하여야 하고, 처리업자는 세탁물을 일반세탁물과 구분된 장소에 보관하여야 한다.
- 오염세탁물이 있는 보관장소에는 오염세탁물이 있음을 표시하고, 취급상 주의사항을 게시하여야 하며, 관계자 외의 출입을 금하여야 한다.
- 의료기관이 세탁물을 자체 처리할 경우 보관장소는 별표 3 제1호바목에 따른 오염작업구역과 중복하여 지정할 수 있다.
- 의료기관이 처리업자에게 위탁하여 처리하려는 세탁물은 수집자루 등 밀폐된 용기에 넣어서 보관하여야 한다.
- 오염세탁물은 수집 즉시 소독하여 보관하고, 보관장소는 주 2회 이상 소독하여야 한다.
- 세탁이 끝난 세탁물은 별도의 시설에 종류별로 정리하여 위생적으로 보관하여야 한다.
- 세탁물 보관장소 외의 장소에서는 수집된 세탁물을 분류하거나 헤치는 작업을 하지 아니하여야 한다.

그림 12-30. **세탁물 보관 용기**

3) 운반

- 세탁물은 위생적인 수집자루 또는 운반용기에 넣어 운반하여야 한다.
- 운반용기는 주 1회 이상 소독하여야 한다.
- 세탁물 운반차량의 적재고는 주 2회 이상 소독을 하여야 한다.
- 오염세탁물은 기타세탁물이 오염되지 아니하도록 별도의 용기에 넣어 운반하여야 한다.
- 처리업자가 세탁물을 운반할 경우에는 의료기관세탁물관리규칙 별표 4 제6호의 기준에 맞는 운반차량으로 하여야 한다.

6. 기준 8.4 환자치료영역의 청소 및 소독, 환경관리

1) 조사방법

○ 조사장소 : 회의실, 병동, 치료실

○ 조사대상 : 감염관리 ST 관련 직원, 간호사, 의료기사, 청소 및 소독 담당직원

○ 관련근거 : 감염병의 예방 및 관리에 관한 법률 제51조(소독의무) 및 동법 시행령 제24조(소독을 하여야 하는 시설)

조사항목		구분	조사내용
1	환경관리에 대한 감염관리 규정이 있다.	S	〈감염관리 ST〉 • (규정 검토)
2	환자치료영역의 청소 및 소독을 수행한다.	P	〈감염관리 ST〉 • (관련 자료 확인) -청소 및 소독 주기 관리 자료 • (관찰) 병동, 치료실 - 청결상태 확인 ✓ 침대 및 침구류, 환자 가구, 탁자 및 식탁, 병실바닥, 화장실, 샤워실, 프로그램실, 에어컨(선풍기), 냉장고 등 - 소독방법 및 소독제 관리 확인 - 청소 및 소독용구 관리 상태 확인
3	청소 및 소독 직원은 개인보호구를 착용한다.	P	〈감염관리 ST〉 • (관찰) 병동, 치료실 - 보호구 비치, 청소 및 소독 시 보호구 착용 여부 확인

그림 12-31. **청소도구 보관장**

7. 기준 8.5 내시경실 및 인공신장실 감염관리

1) 내시경실 감염관리 : scope은 위 점막에 접촉하는 준위험기구에 속하므로 높은 수준의 소독이 필요하다. 내시경 scope과 생검용 겸자는 바닥이나 벽에 닿지 않도록 보관한다.
2) 인공신장실 감염관리 : 만성신부전 환자들은 면역력이 저하되어 있으므로, 간염이나 AIDS 등의 감염성 질환에 전염되지 않도록 안전한 관리가 필요하다.

8. 기준 8.6 급식서비스 관련

1) 음식재료 위생관리
2) 식기 및 조리기구 위생관리
3) 냉장고 및 냉동고 위생관리
4) 조리장 환경 위생관리
   - 오염 구역 : 검수구역, 전처리구역, 식기세척구역
   - 청결 구역 : 조리구역, 상차림구역
5) 개인위생관리 : 유증상 직원 관리 – 설사, 고열 등
6) 복장준수

9장 경영 및 조직운영

1. 기준 9.1 ME2 의사결정조직을 정기적으로 운영

○ 의사결정조직(회의체) 운영 * 예시 : 경영진 회의
   - 구성
   - 정기적 운영

○ 의사결정조직(회의체)의 역할

- 운영(경영) 전략과 관리계획 수립 및 예산 관리
- 규정의 제정 및 개정
- 인적자원 관리 : 직원 채용 및 배치, 교육 등

○ 규정(정책과 절차) 관리
- 제정 및 개정 절차 : 입안 → 검토 → 승인
- 규정 서식(형식과 구성) 마련
- 규정 목록 관리 시행
- 주기적 검토 시행

2. 기준 9.2 미션

1) 의료기관의 미션(사명)이 있다.
   - 직원, 환자 및 보호자, 지역사회의 건강증진 등을 고려하여 제정
2) 의료기관의 미션은 전 직원 및 환자 또는 보호자, 지역사회에 공지한다. 공지방법은 인트라넷, 게시판, 병원의 홈페이지 등을 포함할 수 있다.
3) 직원은 의료기관의 미션을 알고 있다.

10장 인적자원 관리

1. 기준 10.2 직원교육

1) 신규직원 필수교육 : 환자의 권리와 책임, 질 향상과 환자안전, 소방안전, 감염관리, 신체보호대
2) 심폐소생술 - 온라인교육은 불인정(그러나 코로나19 사태 등의 특수상황에서는 가능)
   : 의료직, 의료기사직, 환자이송직 등 환자와 직접 접촉하는 부서의 근무자
3) 교육의 주기도 지정함(보통 1년에 1회, 심폐소생술 교육은 2년에 1회)
4) 교육의 형태 : 집체교육(강의), 문서 회람, 동영상 시청 등 다양한 형태가 가능하며, 교육 받았다는 근거를 남겨 놓아야 한다.

2. 기준 10.3 ME4 [필수] 당직 근무인력 법적기준을 준수한다

1) 의료법 제39조의9(당직의료인)

입원환자 300명까지는 의사·치과의사 또는 한의사의 경우에는 1명, 간호사의 경우에는 입원환자 80명까지는 1명, 입원환자 80명을 초과하는 80명마다 1명을 추가한 인원 수를 **두되, 입원환자 300명을 초과하는 300명마다 의사·치과의사 또는 한의사의 경우에는 1명을 추가한 인원 수로 한다.**

2) 2016년 법제처의 해석 : "당직간호사를 간호조무사로 대체할 수 없다".

3) 반면 2016년, 고등법원에서는 '죄형법정주의'에 입각, 의료법 제41조에 의해 단 한 명의 당직의료인(의사 혹은 간호사)만 있다면 시행령 제18조제1항을 위반하더라도 죄를 물을 수 없다고 판결하였다. 그러나 이러한 판결이 인증평가 기준에 영향을 미치기 위해서는 우선 의료법 개정이 선행되어야 한다는 것이 보건복지부의 입장이다.

◆ **3주기 인증조사 시 당직의료인 조사 방법**

3주기 인증조사에서는 다음과 같은 '당직의료인 조사표'를 이용하여 각각의 조사위원이 각자 임의로 5일을 지정하여 그 날의 당직의료인 충족여부만 조사하게 되었다. 예를 들어 한 조사팀이 3인의 조사위원으로 구성되어 있다면, 지난 1년간 15일(3인 x 5일)의 당직의료인 수 준수 여부만 조사한다는 것이다.

[당직의료인 조사표 (관련기준 10.3 ME.4)**]**

※ 조사결과 표시방법 : Y(예) / N(아니오)

구분	확인일 1		확인일 2		확인일 3		확인일 4		확인일 5	
	날짜: 00.00.00		날짜: 00.00.00		날짜: 00.00.00		날짜: 00.00.00		날짜: 00.00.00	
입원환자 수										
필요 의사인력 수										
필요 간호인력 수										
당직 의사인력 수										
당직 간호인력 수										
구분	Y	N	Y	N	Y	N	Y	N	Y	N
당직의사 종족여부										
당직 간호사 종족여부										
당직의료인 종족여부										

11장 시설 및 환경관리

1. 기준 11.1 시설환경 안전관리체계

시설환경 안전관리(관련기준 11.2 ME.2-5)

기준	요양병원	구 분	결과		
			충족	미충족	미해당
전기설비 (11.2 ME2)	전기설비 안전점검	전기설비 검사기관 안전점검			
		자체안전점검			
	자가발전기	설치			
		발전기 자동 전환 차단기 설치			
		발전기 무부하 및 부하운전 기록			
		발전기에서 각층(병원)으로 공급하는 차단기에 명판 부착			
	전기실 안전관리	통제구역 표시			
		청소 상태			
		위험요인 점검(동물침입, 누수 등)			
	발전기실 안전관리	통제구역 표시			
		청소 상태			
		위험요인 점검(동물침입, 누수 등)			
급수설비 및 수질감시 (11.2 ME3)	저수조 관리	수질 검사 (연1회)			
		저수조 청소 및 소독 (연2회)			
		저수조 위생관리 상태 점검 (월1회) — 저수조 주위 상태 점검			
		저수조 뚜껑 관리 : 잠금 상태			
		저수조 사다리 안전			
		저수조 통제구역 표시			
	냉 · 온수기 및 정수기 관리	필터교체			
		주변 환경관리			
	냉각탑 관리	레지오넬라 검사			
		약품 투입			
의료가스 및 진공설비 (11.2 ME4)	의료가스 안전점검	검사기관의 안전점검			
		자체 안전점검 — 의료가스 재고량, 사용압력, 공급압력 일일점검			
		진공탱크 및 진공펌프의 작동상태 일일점검			
	의료가스 안전관리	의료가스 용기 충전기한 경과여부			
		의료가스 용기 고정 및 전도위험 자체점검 : 보관실			
		의료가스 용기 고정 및 전도위험 자체점검 : 사용장소			
		위험한 상황(산소 감소) 발생 시 알람 여부			
		배관에 가스 명칭 및 흐름 방향 표시			
		의료가스 보관실 통제구역 표시			
실내 공기질 (11.2 ME5)	공기질 안전점검	실내공기질 측정			
	공기질 안전관리	기계실(공기조화기계실) 안전관리			
		공기조화장치 필터 관리			
		냉난방시스템(에어컨) 실외기 및 필터 관리			
		디퓨져 청소			

※ 점검결과(미해당 제외) 중 '충족'으로 판정된 항목의 비율로 결과 판정

1) 시설 = 시설물(건물 자체 : 껍데기) + 설비(전기, 냉난방, 가스, 수도, 공기질 등 : 알맹이)
   (1) 시설 안전관리 규정은 현행법을 따른다.
   (2) 부서 및 담당자의 업무책임을 명시한다.
   (3) 직원에게 시설 안전(소방 안전 포함) 관련 교육을 제공한다.

2) 환경 = 물리적 환경(보안) + 화학적 환경(유해물질)

건축법 시행령 : 병원건축 관련 법률적 시설 기준	
의료시설의 범위(법령 2조, 3조) 피난계단의 설치(49조, 35조) 옥상광장 등의 설치(49조, 40조) 방화구획 설치(49조, 46조) 복도의 유효너비(49조, 48조) - 양 옆에 거실이 있는 경우 1.8m 이상 거실의 채광 등(51조) - 거실 창문은 바닥면적의 1/10 이상	병실의 칸막이 벽(49조, 53조) 건축물의 내화 구조(50조, 56조) 건축물의 높이 제한(60조, 82조) 승용승강기의 설치(4조, 6조) 장애인 편의시설(8조, 4조) - 주차구역, 화장실, 점자 블록 등 부설주차장의 설치(6조) - 요양병원은 제외

2. 기준 11.4 환자안전을 위한 보안체계

1) 환자안전을 위한 보안체계는 다음의 내용을 포함한다.
   ○ 인지저하 환자의 보안사고 발생 예방 및 관리
      – 병원 외 출입 관리, 원내 이동 시 환자 관리
      – 담당부서 지정
      – 보안사고 발생 시 처리절차 : 신고, 사고처리, 처리결과 경영진 보고 등
   ○ 통제구역* 지정 및 모니터링**
     * 예시 : 의약품 창고, 의무기록 보관장소, 기계실, 서버실 등
     ** 예시 : 출입자 관리, 정기적인 순찰, CCTV 운영 등
   ○ 병문안객 관리

2) 체계에 따라 인지저하 환자의 보안사고를 예방하기 위해 환자의 이탈을 방지하고 관리한다. 보안사고 발생 시 직원은 절차에 따라 신고하고 담당부서는 처리한다.
3) 체계에 따라 통제구역을 지정하고 관리한다.

4) 규정에 따라 병문안객을 관리한다.

○ 입원환자 병문안 관리

※ 참고 : 의료기관 입원환자 병문안기준 권고

- 일일 병문안 허용 시간대
- 병문안 제한이 필요한 대상군
- 병문안객이 지켜야 할 감염예방수칙
- 외부물품 반입금지 사항
- 환자, 보호자에게 적극적인 홍보 및 안내, 교육 실시
- 병문안객 명부 작성 및 관리 등

그림 12-32. **인지저하 환자의 이탈을 막기 위해 엘리베이터 버튼에 설치한 장치**

3. 기준 11.5 의료기기 관리

1) 일상점검 : 주로 실무 담당자(간호사, 물리치료사, 방사선사, 임상병리사 등)가 각 의료기기가 작동하는지 여부를 확인하는 정도의 점검

2) 예방점검 : 전문가에 의한 점검을 의미한다.

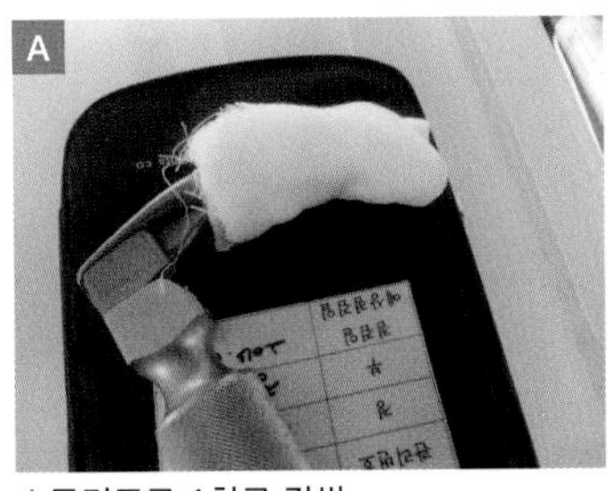

소독거즈로 1차로 감쌈

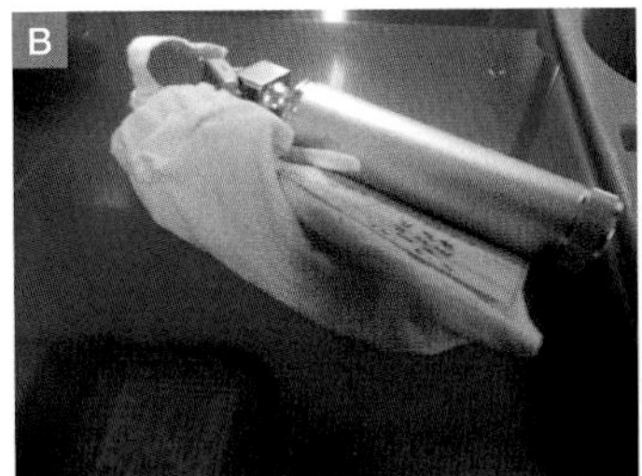

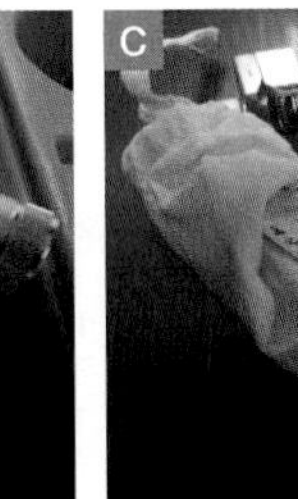

헝겁 주머니로 2차로 감쌈

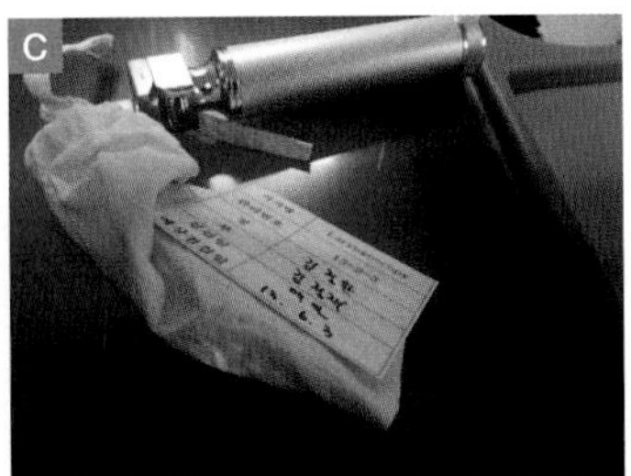

blade 젖혀서 불이 켜짐 확인

그림 12-33. **후두경(laryngoscope)의 작동 일상점검의 예.** Blade는 높은 수준의 소독액으로 화학적멸균을 하고, 블레이드를 감싸고 있는 거즈는 고압증기멸균기로 소독한 상태임. 이와 같이 하면 블레이드를 노출시키지 않고 간단히 전구에 불이 들어오는지를 매일 확인할 수 있다.

4. 기준 11.6 ME3 화재 예방점검

1) 화재예방점검 조사표의 활용

2014년에 대규모 인명피해를 가져온 모 요양병원에서의 방화사건 이후에 특히 요양병원 화재안전에 관한 사회적 관심이 증가하면서 1주기 요양병원 인증평가 시행 중이던 2015년에 인증원에서는 요양병원 화재 관련 조사항목을 강화하고 화재예방 관련 조사표를 개발하였으며, 2주기에는 이를 보강한 새로운 조사표를 발표하였다. 따라서 다음과 같은 인증원에서 제시한 조사표를 각 병원의 화재예방점검 도구로 활용하면 좋다.

【 화재 예방점검 (관련기준 11.6 ME.3-4) 】

Ⅰ. 기본정보				
건물정보	사용승인일	년 월 일		□ 소유 □ 임대
	건물전체층	지상 ( )층 / 지하 ( )층		
	사용층	지상 ( )층 / 지하 ( )층		
면 적	바닥면적	연면적	층면적	
			최대	최소
	㎡	㎡	㎡	㎡
안전관리자	소방안전관리(보조)자			
	안전관리자			
	보건관리자			
소방시설 완공검사증명서			□ 유 □ 무	
법정점검 시행서류			□ 유 □ 무	
점검일자	년 월 일	점검기관명		

※ 건축물대장상 사용승인일(과거 건축물준공검사일) 기재
※ 층면적은 사용층 중 최대, 최소층 면적 기재
※ 2개동 이상인 경우 건물정보 및 면적란 줄 추가하여 기재
※ 소방안전관리(보조)자 선정 대상 : 화재예방, 소방시설 설치・유지 및 안전관리에 관한 법률 참고
※ 안전관리자 및 보건관리자 선정 대상 : 산업안전보건법 참고

Ⅱ. 소방시설 예방점검					
구 분		점검결과			비 고
		적합	부적합	미해당	
소화설비	소화기	□	□		비치된 소화기 종류별 및 개수 기입
	옥내소화전	□	□		
	스프링클러	□	□		□ 간이스프링클러
경보설비	자동화재 탐지설비	□	□		
	자동화재 속보설비	□	□		
	비상방송설비	□	□		
	비상경보설비	□	□	□	연면적 400㎡이상이거나 지하층 또는 무창층의 바닥면적이 150㎡이상인 의료시설
	사각경보기	□	□		
	가스누설경보기	□	□		
피난설비	피난구유도등, 통로유도등, 유도표지	□	□		
	인명구조기구	□	□	□	지하층을 포함한 5층 이상 병원
	피난기구	□	□	□	3층 이상부터 10층 이하의 장소
피난 안내도 부착 및 관리		□	□		
직통계단 확보		□	□	□	
대피로 점검 (피난경로)		□	□	□	
비상구 점검		□	□		
출입문 자동개폐장치		□	□		옥상

※ 관련법상 설치의무 없는 경우 미해당(단, 설치의무 없으나 설치한 경우에는 기재
※ 점검결과(미해당 제외) 중 '적합'으로 판정된 항목의 비율로 결과 판정

5. 기준 11.6 ME4 화재예방 시설 관리

1) 요양병원에서 갖추어야 할 소방시설

2015년 이후에 전면적인 요양병원 화재안전 관련 법안들이 개정 혹은 신설되기 시작하였는데, 2020년 현재 요양병원에서 갖추어야 할 소방시설(소화설비, 경보설비, 피난설비)의종류와 대상시설을 정리하면 다음과 같다.

표 12-3. **요양병원 소방시설(소방시설법 시행령 별표5). 2019.8.6.**

구분	설비 종류	대상 시설
소화설비	옥내소화전	의료시설 중 연면적 1,500 m^2 이상이거나, 지하층, 무창 층 또는 4층 이상인 층 중 바닥면적이 300 m^2 이상인 층이 있는 것은 모든 층
	스프링클러	의료시설로 사용되는 바닥면적의 합계가 600 m^2 이상 모든 층
	간이스프링클러	의료시설로 사용되는 바닥면적의 합계가 600 m^2 미만인 시설(정신병원: 300~600 m^2)
경비설비	자동화재탐지설비	요양병원(정신의료기관은 300 m^2, 기타 의료기관은 600 m^2 이상만 해당)
	자동화재속보설비	의료시설(정신병원은 500 m^2 이상만)
	시각경보기	의료시설
	가스누출경보기	의료시설
피난구조설비	유도등	피난구유도등, 통로유도등, 유도표지, 비상조명등
	인명구조기구	지하층을 포함하는 층수가 5층 이상인 병원
	피난기구	피난층, 지상1층, 지하2층 및 11층 이상 제외

12장 의료정보/의무기록 관리

1. 기준 12.1 의료정보/의무기록 관리

1) 직원별, 의무기록 접근권한을 규정한다.
2) 의무기록의 사본 발급이나 대출 시에 필요한 서류 등, 개인정보보호 및 보안에 관한 교육을 시행한다.
3) 의무기록 작성의 원칙을 정하고, 미완성된 의무기록에 대한 대책을 정한다.
4) 의무기록의 보관은 의료법에 의거한다.

◆ 병원에 여러 개의 CCTV가 있을 때 촬영 안내문은 어디에 부착해야 하나요?

◇ 개인정보보호법 시행령 제24조(안내판의 설치 등)

① 법 제25조 제1항 각 호에 따라 영상정보처리기기를 설치 · 운영하는 자는 영상정보처리기기가 설치 · 운영되고 있음을 정보주체가 쉽게 알아볼 수 있도록 법 제25조 제4항 본문에 따라 다음 각 호의 사항이 포함된 안내판을 설치하여야 한다. 다만, 건물 안에 여러 개의 영상정보처리기기를 설치하는 경우에는 출입구 등 잘 보이는 곳에 해당 시설 또는 장소 전체가 영상정보처리기기 설치지역임을 표시하는 안내판을 설치할 수 있다.

1. 설치 목적 및 장소
2. 촬영 범위 및 시간
3. 관리책임자의 성명 및 연락처

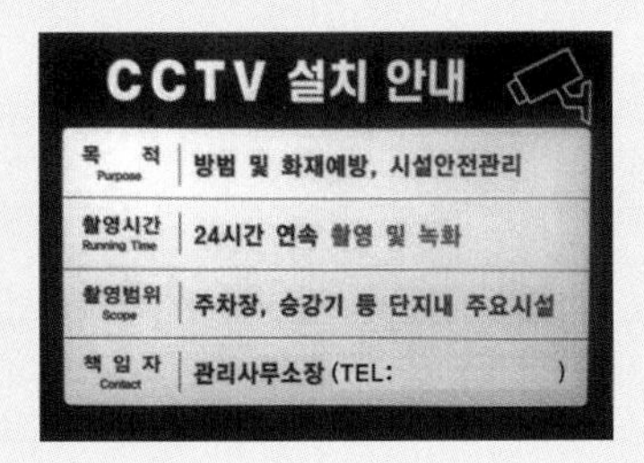

CCTV 설치 안내판의 예. 설치목적, 장소, 촬영시간, 범위, 책임자 성명 및 연락처를 적어야 한다.

2. 기준 12.2 의무기록 완결도 관리

1) 다음의 조사표를 활용한다.

[퇴원환자 의무기록 현황(관련기준 12.2 ME.1-5)]

※ 조사결과 표시방법 : Y(예) /N(아니오) /NA(미해당)

기준	필수 작성 내용	의무기록 1 환자ID ____ Dx:	의무기록 2 환자ID ____ Dx:	의무기록 3 환자ID ____ Dx:	의무기록 4 환자ID ____ Dx:	의무기록 5 환자ID ____ Dx:
입원 초기평가 (3.2 ME2)	24시간 이내 기록 작성 여부					
	환자이름					
	환자 등록번호					
	주호소					
	현재 및 과거병력					
	신체검진					
	초기검사					
	추정진단					
	작성자 서명					
경과기록 (4.1.1 ME3)	환자이름					
	환자 등록번호					
	환자상태 변화					
	상태 변화에 따른 치료계획 재수립					
간호 초기평가 (3.2 ME3)	24시간 이내 기록 작성 여부					
	환자이름					
	환자 등록번호					
	일반정보					
	입원정보					
	환자 과거력 및 가족력					
	최근 투약					
	입원 및 수술경험					
	알러지 여부					
	신체사정					
	사회력					
	작성자 서명					
간호기록 (4.1.1 ME4)	환자이름					
	환자 등록번호					
	환자상태변화에 따른 기록					
	작성일					
	작성자 서명					
퇴원요약 (3.1.4 ME2)	퇴근 전 기록 작성여부					
	환자이름					
	환자 등록번호					
	진단명					
	치료 및 처치					
	입원사유					
	경과요약					
	퇴원 시 환자상태					
	추후관리계획					
	작성자 서명					

13 규정집 제작에서 조사 당일까지

- 인증원에서 제시한 조사기준은 간단해 보이지만 우리만의 규정집을 만들기는 쉽지 않네요.

– 3가지 원칙을 제안합니다.
1) Simple – 요양병원 환경에 맞게
2) Easy – 누구라도 이해하기 쉽게
3) Evidence–based – 관련 법률, 제도 등의 근거에 입각

인증원에서 배포한 '요양병원 인증조사 기준집'의 [기준의 이해]에서 제시한 지침을 기반으로 각 병원 사정에 맞추어 제작하시면 됩니다. 다른 병원의 멋져 보이는 규정이 정작 우리 병원 상황과는 맞지 않는 규정인 경우가 많습니다.

1. 규정집 만들기의 실제

1) 규정집 책자의 사이즈

A4용지 크기보다는 소책자 사이즈로 제작하는 것이 가격도 저렴하고 직원들이 휴대하기 좋아 실용적이다. 하지만 A4용지 크기로도 일부 제작하여 큰 글씨를 선호하는 분들께 배포할 수 있도록 한다.

2) 목차 만들기

워드프로세서(한글, MS Word)의 '목차 만들기' 기능을 이용하면 보다 편리하게 목차를 만들 수 있고, 페이지가 변하더라도 자동으로 페이지를 설정해준다. 그리고 가능하다면 각 장별로 페이지를 따로 만드는 것이 규정 제작 단계에서 좋다(예를 들어, 2장 첫 페이지를 II-1로 새로 매긴다). 목차의 순서는 인증원에서 배포한 기준집의 순서와 일치시키는 것이 좋다.

3) 색인 만들기

목차 만들기와 마찬가지로, 각 워드프로세서의 색인 만들기 기능을 활용하면 좋다. 그래야만 규정집 제작 과정에서 페이지가 바뀌더라도 자동으로 각 색인별 페이지가 바뀐다. 색인에 넣을 단어들은 너무 적으면 색인의 의미가 적고, 너무 많아도 부적절하다. 각 장 별로 중요한 키워드나 주요 평가 도구 등의 이름을 색인으로 정하면 활용도가 높아진다.

4) 규정집 틀(frame) 만들기

다음과 같은 형식으로 헤딩을 작성한다.

5.1-1 약물관리

제 정 일	2013-02-28	관련근거	요양병원 인증조사기준 5.1
시 행 일	2013-03-01		
개 정 일	-	해당부서	약국, 간호국, 진료부
검토주기	2년	담당위원회	약물관리 소위원회
검토예정일	2015-02-28	승인책임자	병원장

▣ 목적 (Purpose)

의약품을 보관하는 모든 부서는 약품의 특성에 따라 규정된 보관 조건에 맞게 보관하고 의약품의 유효성 및 안정성을 확보하여 안전한 의약품 사용을 하기 위함이다.

▣ 용어정의 (Definition)

- 마약류 : 마약, 향정신성 의약품 및 대마를 말한다.
- 마약 : 코데인, 펜타닐 패취, 모르핀 등.
- 향정신성의약품 : 디아제팜, 로라제팜, 알프라졸람, 클로나제팜, 졸피뎀 등.

▣ 지침 및 절차 (Guidelines & Process)

제 1조 (약물 보관)

그림 13-1. 인천은혜병원 규정집의 틀(1주기 규정집 사례)

A. 조사기준의 제목 표기 : 인증원에서 배포한 조사기준집의 각 조사기준 및 조사항목(M.E.)의 번호와 일치시키는 것이 좋다.

B. 제정일, 시행일 : 인증조사 기간 3개월 이전부터는 시행할 수 있도록 하는 것이 바람직하다.

C. 검토주기 : 1~2년 정도의 주기가 적당하다.

D. 목적(Purpose) : 장황하게 기술하지 말고 간결, 명확하게 요약한다.

E. 용어의 정의(Definition) : 세세한 설명보다는 구체적인 예를 들어 설명하는 편이 좋다.

5) “기준의 이해”를 이해하기

이 ‘기준의 이해’ 부분은 조사기준별로 각 병원에 맞는 규정을 만드는 구체적인 지침으로 활용할 수 있다. 규정집을 만들거나, 인증평가 대비 시에 객관적인 기준을 찾아보고자 한다면 이 ‘기준의 이해’가 기준이 될 수 있으므로, 이를 적극 활용해야 한다.

2. 조사 당일까지의 준비 사항들

1) 대청소
2) 직원교육 일자 및 핵심 내용 등 필수 암기사항들을 직원들에게 배포한다.
3) 조사위원별 책상, 컴퓨터(인터넷 사용 가능), 프로젝터, 스크린, 프린터, 필기도구 등

그림 13-2. **조사위원 책상 및 필요물품 준비**

4) 조사위원들의 조사 편의를 위해 각종 서류들(교육자료, 지침서 등의 근거서류)을 분류하여 모아 놓는다. 어떤 서류들을 준비할지는 조사위원과 협의하도록 한다.

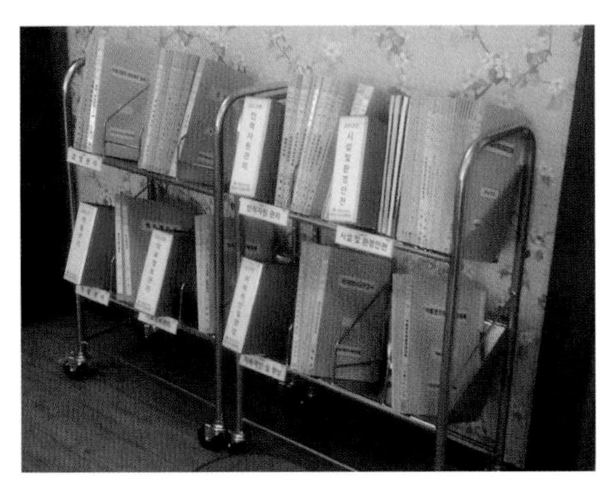

그림 13-3. **검토 및 추적조사를 위한 각종 서류들을 주제 별로 구분함**(경상남도립 양산노인전문병원 사진 제공)

5) 현수막이나 조사위원실의 화분 등에는 '환영' 등의 문구는 지양하되 '평가 기간' 정도는 표시해도 된다.

그림 13-4. **'환영' 등의 문구 없이 '조사기간'만 명시함**

3. 시스템 추적조사(System Tracer) 대비하기

1) 동시에 여러 곳에서 시스템 추적조사가 이루어질 수 있으므로, 조사위원과 사전에 협의하여 스케줄을 정한다. 1주기 인증에서는 병원 직원에 의한 발표(프레젠테이션)가 필요했으나 2주기 이후에는 조사위원과 관련 직원 간의 인터뷰로 진행된다. 따라서 시스템 추적조사 장소에는 컴퓨터나 빔프로젝터는 필요하지 않고 책상과 의자 정도만 있으면 된다.
2) 실제 업무 담당자가 각 ST 인터뷰를 하는 것이 바람직하다.

그림 13-5. 시스템 추적조사를 위한 별도의 공간 마련

4. 조사 당일

1) 조사위원들과의 첫 만남이 이루어지는 장소에서 조사위원들과 병원장 및 각 부서별 책임자들이 인사를 나눈다.
2) 간단한 소개 후, 병원 현황 발표를 한다. 필요한 문서로는 병원 조직도 및 현황, 진료실적, 질 향상 사례 등이 있다.
3) 병원현황 발표 후, 조사위원들은 바로 규정 검토에 들어가는데, 이때 원활한 조사를 위해 조사위원실로부터 가까운 위치에 안내직원을 대기시키거나 바로 연락할 수 있는 연락처를 남기도록 한다.
4) 의료기관평가인증원의 인증조사위원의 구성은 크게 전담조사위원과 자원조사위원으로 구분되는데, 대부분의 조사위원이 급성기병원 출신이다. 인증조사라는 것이 피조사기관 입장에서는 매우 긴장되고 예민할 수 있는 이벤트이지만, 결국은 사람과 사람 사이의 의사소통 과정이므로 원만한 화술과 밝은 표정으로 부드러운 분위기 속에 이루어지는 조사가 바람직할 것이다.

그림 13-6. **조사위원과 병원 직원들의 첫 만남이 이루어진 장소**

완료

[투표] 인증 조사위원에게 바라는 점

조사위원 개인의 의견을 최소화 바랍니다.
37표 28.0%

조사 시에 부드러운 분위기를 이끌어 주시기 바랍니다.
13표 9.8%

요양병원의 여건을 고려해 주시기 바랍니다.
61표 46.2%

조사 하시면서 조언(교육)도 시켜주시면 좋겠습니다.
21표 15.9%

A. 2013년 12월 투표 결과

완료

요양병원 인증조사 위원에게 바라는 점

조사위원 개인의 주관적 생각을 최소화 바랍니다.
56표 29.0%

조사 시에 부드러운 분위기를 이끌어 주시기 바랍니다.
25표 13.0%

요양병원의 여건을 고려해 주시기 바랍니다.
71표 36.8%

조사 하시면서 조언(교육)도 시켜주시면 좋겠습니다.
41표 21.2%

B. 2016년 6월 투표 결과

그림 13-7. 본 저자가 요양병원 실무자들을 대상으로 인증 조사위원에게 바라는 점에 대해 투표한 결과. "요양병원의 여건을 고려해달라"가 1위를 차지한 배경에는 "1주기 인증조사에서는 요양병원의 여건, 혹은 특수한 상황을 충분히 고려해주지 않았다"는 서운함이 스며있다. 2위 의견은 "조사위원 개인의 주관적 생각을 최소화 해달라"는 의미는 "어떤 조사위원이 조사를 나오느냐에 따라 점수의 기준이 달라지기도 한다"는 의미가 내포되어 있다. 그런데 이 투표 결과는 2013년 12월에 본 저자가 같은 방식으로 투표한 결과와 거의 일치한다(출처: 가혁. 전국요양병원 실무자 모임 네이버카페).

5. 조사 마지막 시간 : 총평

1) 인증조사의 마지막 시간은 조사팀장의 총평 발표 시간이다. 이때, 병원 측에서 사회를 맡아 가능하면 원만한 분위기 속에서 진행될 수 있도록 한다. 구체적인 스케줄은 역시 조사위원과 사전에 협의하도록 한다.
2) 인증조사가 다 끝난 후에는 조사위원 및 직원들과 기념사진 촬영할 수 있다.

그림 13-8. **인증조사 총평 광경**

14 인증평가에서 IT(개별환자추적조사) 준비하기

Q. **인증평가를 앞두고 있는데, 효율적인 IT 준비 요령이 있을까요?**

- 가상의 환자 시나리오를 만들어 그 환자가 본인 앞에 있을 때에 본인의 역할을 설명하는 연습을 해봅니다.
- 동료 직원이 조사위원의 역할을 맡아서 질문을 주시면 집중도를 높여줍니다.
- 짤막짤막한 '폐쇄형 질문'을 여러번 하는 것보다는 큼직큼직한 '개방형 질문'을 주제별로 몇 개 던져놓고 관련 답변을 스스로 만들어보는 연습이 큰 도움이 될 수 있습니다.

1. IT는 인증평가의 꽃이다

개별환자추적조사(Individual Tracer) 즉 IT는 의료기관에서 제공하는 서비스를 환자가 겪게 되는 경로를 따라 '서비스 제공 직원 면담, 환자(또는 보호자) 면담, 의무기록 검토, 수행과정 관찰 등'을 통해 조사하는 방법이다. 여러 직원들이 모여서 하는 시스템추적조사(ST)나 리더십인터뷰와는 달리 낯선 조사위원으로부터 개별적으로 질문을 받게 되므로 조사를 받게 되는 직원 대부분은 매우 긴장되고 두려움을 느끼게 된다. 개인의 순간적인 답변 실수로 소속 의료기관에 폐를 끼칠 수도 있다는 생각이 앞서기 때문일 것이다. 반면, IT 연습을 통해 직원 각자의 역할을 객관적으로 정리하는 기회가 되며 인증평가와 별개로 업무의 효율성을 높이는 계기가 되기도 한다.

이 장에서는 인증평가를 준비하는 과정에서 쉽고 재미있게 IT를 준비하는 방법을 소개하고자 한다.

2. 전체 조사항목을 파악한다

흔히 직종 별로 관련된 조사항목만 교육하다 보니 직원들은 다른 직종 관련 조사항목에 대해서는 파악을 못 하는 경우가 많은데, 본인의 직종에 직접 관련된 조사항목 외에 다른 부서 관련 항목들도 최소한 어떤 내용이 있는지를 파악하면 인증평가의 전체적인 그림을 그려볼 수 있고 부서 간에 유기적인 관련이 있음을 알게 되고 자신감과 흥미가 유발된다.

3. 두려움 없이 IT 준비하기 팁!

1) 조사위원보다 내 일은 내가 더 잘 알고 있다는 자신감 갖기!
   A. 내가 하는 일을 외부 손님에게 설명해준다는 마음가짐으로 임하면 마음이 편해진다.

2) 모의 연습은 필수!
   A. 인증평가일 1개월 전부터는 본격적으로 동료들과 조사위원 역할을 해가며 연습한다.
   B. 실제 인증평가일에 가까워오면, 조사위원 역할 직원 2~3명 정도를 정하여 실전과 같은 연습을 한다.
   C. 반복적인 질문과 연습을 하다 보면 어느 순간에 '이제 지겨우니 그만하자' 하는 순간이 온다. 그때까지 연습하면 된다.

3) 예상 질문지 작성!
   A. 내가 조사위원이라면 어떤 질문을 할 것인지를 적어보고, 그에 따른 본인의 답을 준비한다.

4) 폐쇄형 질문으로 연습한 후 개방형 질문으로 마무리 연습!
   A. 이 방법은 관련 조사항목이 많은 간호직원들에게 적용하면 효율적이다. 필자의 경우는 다음의 표에서 제시한 6가지 정도의 질문을 한다.

B. 간호인력 외의 직원들에게는 단 하나의 개방형 질문을 하면 된다. 바로 “선생님이 이 병원에서 하시고 계신 일을 설명해주세요”이다.

C. 처음에는 조사항목 하나하나 짚어가며(폐쇄형으로) 질문을 한다.

D. 폐쇄형 질문과 답변하기에 익숙해지면 ‘개방형’ 질문으로 바꾼다.

E. 개방형 질문 = 조사항목 하나하나 세세히 질문하는 것이 아니라, 주제별로 큼직큼직하게 질문하기.

표 14-1. 직종별 개방형 질문 예시

직종	개방형 질문
간호사, 간호조무사	1. 환자 입원부터 퇴원까지 전 과정을 말씀해주세요. 2. 환자 및 직원 안전을 위해 어떤 일들을 하십니까? 3. 병동에서의 의약품 관리에 대해 알려주세요. 4. 중증 환자 대책에는 어떤 것들이 있나요? 5. 감염관리를 위해 하시는 일을 알려주세요. 6. 환자의 인권을 위해 이 병동에서는 어떤 노력을 하십니까?

[활용 방법]

1. 예를 들어 병동에 6명의 간호직원이 있다면 첫 주에는 A직원에게 1번 질문만 하고, B직원에게는 2번 질문, C직원에게는 3번 질문…식으로 반복 질문을 한다.
2. 6명의 간호직원 모두 익숙해졌다면, 2주 째에는 B직원에게 1번 질문, C직원에게 2번 질문…A직원에게 6번 질문을 한다.
3. 위와 같은 방식으로 모든 직원이 모든 개방형 질문에 답할 수 있다면, 마지막 주에는 다음과 같은 질문을 한다.
   “선생님이 이 병동에서 하시는 일을 말씀해주세요”
   그러면, 간호직원은 앞서 연습한 1~6번 답변을 한꺼번에 이야기하면 된다.

[개방형 질문 연습의 효과]

조사위원이 폐쇄형 질문을 하더라도 그동안 연습한 개방형 답변을 통해 긴장하지 않고 대처할 수 있다.

그림 14-1. 2주기 인증평가 준비 당시 회의 모습

4. 직종별 IT 연습용 질문지

다음의 표는 각 직종별 예상 질문지 사례이다. 앞서 제시한 '개방형 질문'에 따른 '폐쇄형 질문'이 무엇인지 파악하면 '개방형 답변' 연습하는 데에 도움이 될 수 있다. 특히 3주기 인증조사기준의 번호도 첨부하였으니 인증조사기준집을 통해 각자의 답을 찾아보기 바란다.

IT 질문지를 통한 IT 연습 방법

* 1열의 Box는 체크박스로 활용한다. 즉, 답변에 자신이 있는 부분은 V 표시하여 채워나간다.
* 폐쇄형 질문에 대한 답은 조사기준 번호를 참조하여 각 병원에 맞게 답하는 연습을 한다.
* 폐쇄형 질문에 대한 답이 익숙해지면, 개방형 질문에 대한 포괄적 답변을 연습한다.
* 본 질문지의 답변 준비내용은 사용 방법을 위한 사례일 뿐이므로 각 병원의 상황에 맞게 답변을 준비한다.

병동 간호직원 IT 연습용 질문지 (우리 병원 규정과 상황에 맞게 준비) - 3주기 요양병원 인증평가 기준

	폐쇄형 질문	조사기준	답변을 위해 준비할 내용
1. 개방형 질문: 환자 입원부터 퇴원까지 전 과정을 말씀해 주세요. [입원]-[초기평가]-[초기검사]-[전동]-[퇴원]			
	입원생활 안내를 어떻게 하나요?	2.1.2-3	입원생활안내문, 설명여부 기록 준비
	환자 확인은 어떻게 하나요?	1.1-1	개방형 질문, 2가지 이상 지표, 환자팔찌
	낙상 재평가의 원칙은 무엇인가요?	1.2-4	정기적 재평가, 환자상태변화시 비정기적 재평가
	욕창위험도(Braden) 재평가 주기?	3.1.4-4	욕창위험 재평가 기록. 고위험환자 제외 가능.
	욕창위험도 따른 욕창 예방?	3.1.4-3	고위험환자에 대한 욕창예방활동 수행 기록
	욕창이 있는 환자의 의무기록 보여주세요.	3.1.4-5	욕창환자 간호기록.
	통증 초기평가? 재평가?	3.1.2-2,4	통증 없는 환자는 환자평가표에서 '통증없음'으로 갈음.
	통증 - 의사소통 불가능자? FPS 평가방법?	3.1.2-1	의사소통 안 되는 환자는 FLACC 사용. FPS는 의사소통이 가능한 자에게 사용.
	영양 초기평가 기준? 실제로 했는지?	2.2-4	영양 초기평가 항목? 팔 길이 재는 줄자 있는지?
	검체를 안전하게 획득하고 검체적합성 확인 절차?	2.3.1-2,3	정확한 환자 확인, 검체용기 라벨링, 전달 방법. 부적합 검체 처리?
	영상검사(X-ray) 전 사전정보 확인 방법?	2.3.2-3	영상검사 절차 설명하기 - 금식 여부, 조영제 사용?
	구두처방 절차는 어떻게 되나요?	1.1-2	환자 확인(등록번호 대신 진단명) ➞ 받아적기 ➞ 되읽기 ➞ 의사확인
	병동간 전동 시 절차가 어떻게 되나요?	2.1.3-3	간호기록(혹은 전동기록지)에 공유하는 내용, 방법, 범위
	퇴원절차 설명해주시고, 퇴원 시 간호정보 제공?	2.1.4-1,3	우리병원 퇴원절차. 퇴원간호기록지.
2. 개방형 질문: 환자 및 직원 안전을 위해 어떤 일들을 하십니까? [화재예방]-[환자안전]-[직원안전]-[위험물질]			
	병동에서 화재 발생 시 어떻게 하실 겁니까?	11.6-7	불끄기-연락하기-피난하기(환자 포함) 3가지로 나누어 대답.
	병동에서 화재 예방을 위해 어떤 노력을 하시나요?	11.6-4	소방, 피난, 방화시설 관리 상태 확인. 비상계단, 방화문, 소화기 점검.

	소방훈련은 받으셨나요?	11.6-6	최근 언제, 어떤 교육을 받았는지 설명해보기.
	보호자가 흡연을 원하시면 어떻게 안내하시나요?	11.6-9	건물 출입구에서 10 m 떨어진 곳, 혹은 옥상을 흡연구역으로 지정
	환자나 직원이 금연구역에서 흡연하면?	11.6-8	우리 병원의 금연 관련 규정에 따른 조치.
	낙상 고위험자 예방활동?	1.2-5	낙상 고위험자 공유 방법. 낙상 가능장소의 예방활동.
	치매환자의 무단 이탈 방지 방법은?	11.4-2	출입문 자동개폐장치, 엘리베이터 버튼 관리 등 우리병원 대책.
	병문안객 출입관리 어떻게 하세요? (200병상 이상)	11.4-4	병문안 시간대. 의료기관 입원환자 병문안기준 참고.
	간호처치 중 주삿바늘에 찔리면 어떻게 하시나요?	10.4-5	우리 병원의 직원안전사고 발생 시 보고체계에 따라 보고 및 치료.
	환자나 보호자로부터 언어적, 신체적 폭력 피해 시?	10.5-3	폭력상담 및 신고절차에 따라 상담과 신고. (병동에 안내문 소지)
	병동에 MSDS로 관리하는 유해화학물질이 있나요?	11.3-1,3	MSDS는 유해화학물질 근처에 비치하고, 노출 시 응급조치 숙지.
	의료폐기물 수집과 보관, 처분은 어떻게 하나요? (기저귀, 수액세트, 찢어진 세탁물, 한방침, 주삿바늘, 깨진 바이알)	11.3-5	수액백은 일반쓰레기(항생제: 의료폐기물) 기저귀는 의료폐기물 제외지만 따로 배출. 의료폐기물 박스 개봉일 표시? / 찢어진 세탁물 = 의료폐기물 주삿바늘+라인은 30일 / 깨진 바이알(백신)-손상성 폐기물
3. 개방형 질문: 병동에서의 의약품 관리에 대해 알려주세요. [보관]-[처방]-[투약]			
	병동의 의약품을 어떻게 안전하게 보관하시나요?	4.1-2	비치의약품 목록. 라벨링 (약품명, 유효기간, 필요시 경고문 표시)
	연고, 안약의 개봉 후 유효기간은 어떻게 되나요?		예시〉 안약 1개월, 시럽 3개월, 연고 6개월 (스테로이드는 1년).
	인슐린, 리도카인 처음 사용 후 유효기간은?		조제회사 설명서에 따르되, 특별한 언급 없으면 28일 (미국질병관리본부 기준)
	응급의약품(응급키트) 관리	4.1-4	유효기간, 봉인지 관리, 목록 수량 일치 여부 확인
	병동에서 마약과 향정신성의약품 보관 방법?	4.1-5	마약-2중철제. 향정 중 아티반은 냉장+잠금장치. 일반의약품과 마약류는 따로.
	고위험의약품의 종류 및 보관 방법?	4.1-6	진정제, 항암제, 고농도 전해질(KCl, NaCl), 인슐린, 헤파린, 조영제 등
	KCl, NaCl은 어떻게 보관하시나요?		“반드시 희석 후 사용” 라벨링. ‘고위험’ 표시. 다른 의약품과 떨어져서 보관.
	주의를 요하는 의약품의 종류와 보관 방법은?	4.1-7	냉장보관, 차광 의약품. 투약오류 가능(유사외관, 유사발음), 백신.
	병동 비치의약품 보관 상태 정기적 감사 방법은?	4.1-3	병동자체 점검 및 약사에 의한 점검 주기 및 방법.

	질문	기준	답변
	지참약 보관 및 투여 방법을 말씀해주세요.	4.3-8	처방전 없다면 약사(의사)의 식별 필요. 지참약 의사오더 시 의약품명 기입.
	필요시처방(p.r.n) 절차를 설명해주세요.	1.1-3	병원 p.r.n 목록 확인. 의사오더지에 적응증 명시. 1회용량, 최대용량, 투여경로
	안전하게 투약하는 과정을 설명해주세요.	4.3-3	환자 확인-손위생-5R원칙.
	복약지도 해야 할 약물을 알고 있나요?	4.3-6	병원에서 정한 의약품 투여 시 복약(투약) 설명하거나 복약설명서 등 정보제공.
	인슐린 주사 후 부작용은 무엇이 있으며 대처 방법?	4.3-4	저혈당 증상 파악 후 병원에서 정한대로 대처(주스 마시기, 포도당 주사 등)
	투약오류 시 근접오류 보고서 쓰기 연습	7.2-6	병원 QPS위원회 규정에 따라 환자안전사건(투약오류사건) 보고서 작성.
4. 개방형 질문: 중증 환자 대책에는 어떤 것들이 있나요? [응급환자]-[수혈]-[생애말기환자]			
	환자가 갑자기 숨을 안 쉬면 어떻게 하시겠어요?	3.2.1-2	호흡/맥박 확인 - 연락 - 가슴압박(흉골하단, 수직, 분당 100회, 5~6 cm 깊이)
	응급물품/응급의약품 관리. 후두경 불 켜지나?	3.2.1-3	건전지 교체? 후두경(laryngoscope)의 tip 부분이 노출되지 않도록 보관.
	제세동기(AED) 보관, 점검, 사용법	3.2.1-4	전원버튼 확인, 충전여부 확인 방법, 어디서든 4분 이내 가져올 수 있는 위치?
	수혈 전 어떤 검사를 하나요?	3.2.2-2	ABO, RH, 비예기항체검사, 교차적합시험(cross matching) 검사
	혈액 냉장고에서 꺼낸 후 몇 분 이내 수혈?	3.2.2-3	30분 이내 수혈. 30분 이상 보관은 혈액전용냉장고(1~6도 유지)에 보관.
	수혈직전 혈액제제 확인은 어떻게 하나요?	3.2.2-4	2인 의료인(의사나 간호사)이 혈액 유효기간, 혈액의 양, 색깔, bag 상태 확인
	수혈직전 환자를 정확하게 확인한다는 의미는?	3.2.2-5	이름/등록번호/ABO, RH 혈액형 확인. 2인 의료인이 소리내어 비교, 재확인.
	수혈 도중 주의관찰하는 방법은?	3.2.2-6	아나필락시스, 용혈성수혈부작용, 패혈성 쇼크 대비 수혈 15분 이내 V/S 체크.
	수혈 도중, 호흡곤란, 두드러기 발생하면?	3.2.2-7	병원규정 숙지. 예시> 수혈중지-생리식염수 IV-의사보고
	생애말기환자 관리 교육을 받으셨나요?	3.1.5-2	병원에서 규정한 생애말기환자? 정서적 지지, 대증적 치료 등 교육내용 숙지.
	생애말기환자 정서사회적 지지 제공은 어떻게?	3.1.5-4	환자 말을 잘 들어주고 공감해주는 것.
5. 개방형 질문: 감염관리를 위해 하시는 일을 알려주세요. [손위생]-[호흡기]-[도뇨관]-[IV]-[세탁물]-[감염병 예방]			
	병동에서 손씻기는 언제 하나요?	1.3-2	1) 환자(면역저하, 카테터, 튜브, 격리, 접촉주의, 비말주의) 접촉 전, 후. 2) 청결/무균 처치 전, 3) 체액/분비물 노출 위험 행위 후, 4) 접촉주의 격리환자 주변환경 접촉 후
	손위생 절차를 설명해주세요.		공인된 기관의 지침을 바탕으로 병원에서 규정한 방법 숙지.
	호흡기 치료기구 감염관리 방법 설명해주세요.	8.2-2	손위생-장갑 착용-흡인 시 멸균 카테터-생리식염수 일회용.

	질문	기준	답변
	유치도뇨관(Foley cath) 감염관리 방법은?	8.2-3	손위생-장갑 착용-소변백은 방광 아래-폐쇄 유지. 삽입부위 관리. 소변채취법.
	유치도뇨관의 교체 주기는?		특별한 이유 없이 너무 자주(2주 이내) 가는 것은 권고되지 않음.
	혈관카테터 관련 감염관리 방법 설명해주세요.	8.2-4	말초정맥관: 삽입부위 확인, 삽입일시 기재. 중심정맥관: 멸균드레싱 상태 기록.
	의료기구 세척, 소독, 멸균 장소의 적절성?	8.3-2	출입관리, 오염vs청결 구역 구획 구분, 동선, 환기관리. 오염vs멸균물품 구분.
	사용한 기구의 세척 및 소독은 어떻게 하나요?	8.3-3	방수가운, 마스크, 장갑, 눈보호구. 세척 : 공간분리, 방법. 소독제. 멸균기 종류.
	멸균기 관리 방법은?	8.3-4	MI, BI, CI 방법 및 주기. 멸균기 제조사 지침에 따라 일상관리, 예방관리.
	멸균 후 멸균물품 보관은 어떻게 하세요?	8.3-5	하수, 창문, 통풍구에서 떨어진 장소. 포장외부에 '멸균' 표시. 유효기간. 선입선출.
	세탁물 수집장소 점검	8.3-8	별도 구획, 세탁물 분류방법 게시. 오염세탁물 표시. 수집용기 적합?(방수. 표식).
	세탁물 보관장소 적절?		왕래가 빈번하지 않은 곳. 오염세탁물 있음 표시. 관계자외 출입금지. 주2회 소독
	VRE, 코로나, 활동성 결핵 환자, 옴환자 발생하면?	8.1-5	격리방법, 직원 간 정보공유 방법, 보호장구 착용, 환경관리
6. 환자 인권을 위해 어떤 노력을 하십니까? [환자권리 안내]-[취약환자]-[불만고충처리]-[동의서]-[신체노출]-[신체보호대]			
	환자 권리와 책임을 어떻게 안내하나요?	6.1-2	게시판 "권리, 책임"
	환자의 개인정보 보호를 어떻게 하시나요?	6.1-4	공개된 장소에서 개인정보 게시 않기. PC 화면보호기 등.
	신체적 학대나 경제적 착취(아들이 보조금 착취)?	6.2-2	병원의 취약환자(노인학대) 신고 체계에 따라 신고.
	고객의 소리함 있다면 어떻게 관리하나?	6.3-3	관리주체? 점검주기? 답변 기한?
	신체노출 보호 대책은 무엇인가요?	6.1-3	환자를 충분히 가릴 수 있는 스크린이나 커튼 설치.
	이 환자는 왜 신체보호대를 적용했나요?	3.2.3-2	신체보호대 적용한 환자는 그 이유를 알고 있어야 함.
	신체보호대를 대신할 다른 방법은 없었나요?		신체보호대 적용 전에 다른 조치를 취했는지 확인.
	신체보호대 적용 절차를 설명해주세요.		의사의 지시오더는 필수. 동의서 필수. 1일 1회 처방하나 약물처방방법에 준함.
	신체보호대 적용 중인 환자를 관찰하고 기록하는지	3.2.3-3	보호대 외취 변화, 사지말단부위 맥박, 체온, 피부색 등 관찰, 기록.
	신체보호대 적용 중인 환자 주기적 평가	3.2.3-4	주기적 평가하고 관찰 사항을 기록.
	신체보호대 부작용 예방활동을 하시나요?	3.2.3-5	주기적으로 풀어주고 부작용 예방활동 수행기록.
	신체보호대 사용 줄이기 위한 활동을 하시나요?	3.2.3-7	1년에 한번 이상 - 신체보호대 사용 건수 조사, 줄이기 캠페인, 포스터 제작 등.

의사 IT 연습용 질문지 (우리 병원 규정과 상황에 맞게 준비) - 3주기 요양병원 인증평가 기준		
폐쇄형 질문	조사기준	답변을 위해 준비할 내용
1. 개방형 질문 : 안전한 진료를 위한 대처방법을 알려주세요. [안전한 처방]-[소방안전]-[폭력 대응]		
식사 중에 병동에서 전화왔을 때 처방 방법은?	1.1-2	환자 확인(등록번호 대신 진단명) ➡ 받아적기 ➡ 되읽기 ➡ 의사확인
필요시처방(p.r.n) 절차를 설명해주세요.	1.1-3	병원 p.r.n 목록 확인. 의사 오더지에 적응증 명시. 1회용량, 최대용량, 투여경로
처방전이 비슷한 이름의 다른 환자에게 가면 대책?	7.2-6	병원 QPS위원회 규정에 따라 환자안전사건(투약오류사건) 보고서 작성.
진료실에서 화재 발생 시 어떻게 하셔야 하나요?	11.6-7	불끄기-연락하기-피난하기(환자 포함) 3가지로 나누어 대답.
소방훈련은 받으셨나요?	11.6-6	최근 언제, 어떤 교육을 받았는지 설명해보기.
환자나 보호자로부터 언어적, 신체적 폭력 피해시?	10.5-3	폭력상담 및 신고절차에 따라 상담과 신고. (병동에 안내문 소지)
2. 개방형 질문 : 의무기록 작성과 공유 방법을 설명해주세요. [경과기록]-[의료진 간에 정보 공유]-[금기약어, 금기기호]		
입원환자 치료계획 수립 시기	3.1.1-2	환자의 주요상태 변화시 및 정기적 치료계획을 재수립 (최소 월 1회)
경과기록지에는 무엇을 기록하나요?	3.1.1-3	치료계획에 영향을 줄 수 있는 환자의 상태변화, 특수검사 결과, 처치, 침습적 시술 후 환자상태 변화 등
치료식의 종류는 무엇이며 치료식 처방 이유는?	3.1.3-2	치료식이 필요한 환자에게 처방하지 않은 경우는 명확한 사유를 기재.
환자상태 파악 위해 간호기록에 접근 가능한가요?	3.1.1-5	EMR에서 간호기록에 접근하는 방법을 설명한다.
당직의사와 주치의의 환자정보 공유 방법은?	2.1.3-4	근무교대 시 의무기록이나 인수인계 자료 작성.
주치의가 바뀔 때 어떻게 인수인계 하나요?	2.1.3-2	의무기록(경과기록이나 전출기록)을 통하여 인계.
이 병원은 X-ray 판독을 언제까지 해야 하나요?	2.3.2-4	병원에서 정한 영상판독 기한 확인.
병원에서 정한 금기약어, 금기기호를 아시나요?	12.1-5	의무기록 작성 시 금기약어, 금기기호를 사용하면 안됨. 숙지할 것.
3. 개방형 질문: 감염관리와 중증 환자 대처법은? [손위생]-[감염병 대처]-[CPR]-[생애말기환자]		
병동에서 손씻기는 언제 하나요?	1.3-2	1) 환자(면역저하, 카테터, 튜브, 격리, 접촉주의, 비말주의) 접촉 전, 후. 2) 청결/무균 처치 전, 3) 체액/분비물 노출 위험 행위 후, 4)접촉주의 격리환자 주변환경 접촉 후
손위생 절차를 설명해주세요.		공인된 기관의 지침을 바탕으로 병원에서 규정한 방법 숙지.
VRE, 코로나, 활동성 결핵 환자, 옴환자 발생하면?	8.1-5	격리방법, 직원 간 정보공유 방법, 보호장구 착용, 환경관리
인슐린 주사 후 부작용은 무엇이 있으며 대처방법?	4.3-4	저혈당 증상 파악 후 병원에서 정한대로 대처(주스 마시기, 포도당 주사 등)
환자가 갑자기 숨을 안 쉬면 어떻게 하시겠어요?	3.2.1-2	호흡/맥박 확인 - 연락 - 가슴압박(흉골하단, 수직, 분당 100회, 5~6 cm 깊이)
제세동기(AED) 사용법	3.2.1-4	전원버튼 확인, 패드 부착, 제세동 직전까지는 CPR 시행, 제세동 시에는 떨어지기.

	생애말기환자 관리 교육을 받으셨나요?	3.1.5-2	병원에서 규정한 생애말기환자? 정서적 지지, 대증적 치료 등 교육내용 숙지.
	생애말기환자 정서사회적 지지 제공은 어떻게?	3.1.5-4	환자 말을 잘 들어주고 공감해주는 것.
4. 개방형 질문 : 환자 인권을 위해 어떤 노력을 하십니까? [신체보호대]-[개인정보 보호]-[노인학대]			
	이 환자는 왜 신체보호대를 적용했나요?	3.2.3-2	신체보호대 적용한 환자는 그 이유를 알고 있어야 함.
	신체보호대 적용 절차를 설명해주세요.		의사의 지시오더는 필수. 동의서 필수. 1일 1회 처방하나 약물처방방법에 준함.
	신체보호대 사용 줄이기 위한 활동을 하시나요?	3.2.3-7	1년에 한번 이상 - 신체보호대 사용 건수 조사, 줄이기 캠페인, 포스터 제작 등.
	환자의 개인정보 보호를 어떻게 하시나요?	6.1-4	공개된 장소에서 개인정보 게시 않아기. PC 화면보호기 등.
	신환 진찰 시에 신체적 폭력의 흔적이 의심되면?	6.2-2	병원의 취약환자(노인학대) 신고 체계에 따라 신고.

한의사 IT 연습용 질문지 (우리 병원 규정과 상황에 맞게 준비) - 3주기 요양병원 인증평가 기준			
	폐쇄형 질문	조사기준	답변을 위해 준비할 내용
1. 개방형 질문 : 안전한 진료를 위해 어떤 노력을 하십니까? [환자 확인]-[낙상 예방]-[손위생]			
	환자 확인은 어떻게 하나요?	1.1-1	개방형 질문, 2가지 이상 지표, 환자팔찌
	낙상 고위험자 예방활동?	1.2-5	낙상 고위험자 공유 방법. 한방치료 시 낙상 예방을 위해 어떻게 하는지 설명.
	병원에서 수행하시는 한방치료를 설명해주세요.	3.1.7-2	우리 병원에서 하는 한방서비스 종류, 시술절차. 약발침 누락 예방(발침계수 확인) 자료.
	병동에서 손씻기는 언제 하나요?	1.3-2	1) 환자(면역저하, 카테터, 튜브, 격리, 접촉주의, 비말주의) 접촉 전, 후. 2) 청결/무균 처치 전, 3) 체액/분비물 노출 위험 행위 후, 4)접촉주의 격리환자 주변환경 접촉 후
	손위생 절차를 설명해주세요.		공인된 기관의 지침을 바탕으로 병원에서 규정한 방법 숙지.
2. 개방형 질문 : 특수한 상황 대처법은? [화재안전]-[폭력상담]-[심폐소생술]			
	진료실에서 화재 발생 시 어떻게 하셔야 하나요?	11.6-7	불끄기-연락하기-피난하기(환자 포함) 3가지로 나누어 대답.
	소방훈련은 받으셨나요?	11.6-6	최근 언제, 어떤 교육을 받았는지 설명해보기.
	환자나 보호자로부터 언어적, 신체적 폭력 피해 시?	10.5-3	폭력상담 및 신고절차에 따라 상담과 신고. (병동에 안내문 소지)
	환자가 갑자기 숨을 안 쉬면 어떻게 하시겠어요?	3.2.1-2	호흡/맥박 확인 - 연락 - 가슴압박(흉골하단, 수직, 분당 100회, 5~6 cm 깊이)
3. 개방형 질문 : 환자 인권을 위해 어떤 노력을 하십니까? [신체보호대]-[개인정보 보호]-[노인학대]			
	신체노출 보호 대책은 무엇인가요?	6.1-3	환자를 가릴 수 있는 스크린이나 커튼 설치.
	신환 진찰 시에 신체적 폭력의 흔적이 의심되면?	6.2-2	병원의 취약환자(노인학대) 신고 체계에 따라 신고.

시설 담당 직원 IT 연습용 질문지 (우리 병원 규정과 상황에 맞게 준비)		
폐쇄형 질문	조사기준	답변을 위해 준비할 내용
1. 개방형 질문 : 환자의 권리 유지를 위해 어떻게 시설을 갖추었나요? [입원실 면적]-[환자편의시설]-[안전시설]-[장애인 시설]		
입원실 면적 근거서류를 가져다주세요.	6.6-1	입원실 도면, 방상 수 근거서류(개설허가증 등). 도면과 실제 면적이 차이나지는 않은지 실측해보기. (1인실 6.3 m^2, 2인실 이상 4.3m^2/인 이상. 단, 2017년 2월 4일 이후 개설은 각각 10m^2, 6.3m^2/인)
이 병원에는 환자 편의 시설이 어디 있나요?	6.6-2	환자편의시설이란 '환자들이 쉴 수 있는 휴게실(실내,실외 무관)' 또는 '환자용 식당'을 의미.
안전손잡이 설치되어 있나요?		복도, 계단, 화장실 대,소변기, 욕실에 반드시 설치.
비상연락장치 작동 여부 확인해보겠습니다.		입원실 각 병상마다, 화장실(대,소변기 근처), 욕실(욕조 주변)
모든 편의시설에 휠체어가 들어갈 수 있나요?	6.6-4	벽면과 벽면 사이가 1.2 m 이상. 단, 복도 양옆으로 병실이 있으면 1.5 m 이상 확보되는지 확인. (근거: 보건복지부 의료기관정책과. 요양병원 시설기준 세부 안내, 2014)
복도에 병상이 이동가능한 공간이 확보되었나요?		벽면과 벽면 사이 1.5 m 이상. 단, 당해 층 거실의 바닥면적 합계가 200 m^2 이상이면 1.8 m 이상 확보.
장애인 분들을 위한 편의시설은 갖추어져 있나요?	6.6-5	화장실에 장애인용 대변기 1개 이상 설치. 장애인 전용 주차공간(폭이 1.5배)
2. 개방형 질문 : 안전한 시설 관리를 위해 어떻게 하시나요? [화재 예방]-[흡연 관리]-[사고 관리]-[위험물질]		
화재 발생 시 대책이 어떻게 되나요?	11.6-7	불끄기-연락하기-피난하기(환자 포함) 3가지로 나누어 대답.
화재 예방을 위해 어떤 노력을 하시나요?	11.6-4	소방, 피난, 방화시설 관리 상태 확인. 비상계단, 방화문, 소화기 점검.
소방훈련은 받으셨나요?	11.6-6	최근 언제, 어떤 교육을 받았는지 설명해보기.
환자나 보호자가 흡연을 원하시면 어떻게 안내하시나요?	11.6-9	건물 출입구에서 10 m 떨어진 곳, 혹은 옥상을 흡연구역으로 지정
환자나 직원이 금연구역에서 흡연하면?	11.6-8	우리 병원의 금연 관련 규정에 따른 조치.
병원 구조물 중 안전사고 우려되는 곳은 없는지?	11.1-4	낙상 우려 구조물? 옥상 난간 높이는 90 cm 이상.
인지저하 있는 치매환자의 무단 이탈 방지 방법은?	11.4-2	출입문 자동개폐장치, 엘리베이터 버튼 관리 등 우리병원 대책.
병문안객 출입관리 어떻게 하세요? (200병상 이상)	11.4-4	병문안 시간대. 의료기관 입원환자 병문안 기준 참고.
이 병원의 통제구역은 어디이며 어떻게 모니터링 하나요?	11.4-3	의약품 보관장소, 의무기록 보관장소, 기계실, 서버실 등. / 출입자 관리, 정기 순찰, CCTV 등
직원이 환자나 보호자로부터 언어적, 신체적 폭력 피해 시?	10.5-3	폭력상담 및 신고절차에 따라 상담과 신고.
MSDS로 관리하는 유해화학물질이 있나요?	11.3-1,3	목록 관리. MSDS는 유해화학물질 근처에 비치하고, 노출 시 응급조치 숙지 교육.
의료폐기물 수집과 보관, 처분은 어떻게 하나요?	11.3-5	의료폐기물 박스 개봉일 표시되었는지 확인.
의료폐기물 보관창고에 가봅시다.		내부가 보이지 않는 구조. 출입 제한. 의료폐기물 종류, 수량, 보관기란 기재 표지판. 주 1회 이상 약물 소독 실시. 소독약품 및 장비 비치.

원무직원, 보건의료정보관리사(구 의무기록사) IT 연습용 질문지 (우리 병원 규정과 상황에 맞게 준비)		
폐쇄형 질문	조사기준	답변을 위해 준비할 내용
1. 개방형 질문 : 원무직 업무와 화재 예방활동에 대해 설명해주세요. [외래업무]-[입원등록]-[화재안전]		
외래환자 처음 오셨을 때의 등록절차를 설명해주세요.	2.1.1-2	환자 확인 방법(주민번호상 생일, 이름), 외래접수, 진료예약 방법, 환자에게 무엇을 설명하는지 설명.
외래등록 시 설명하는 정보는 무엇인가요?		개인정보보호 수집 및 동의 절차, 요양급여 및 의료급여의뢰서 지참, 진료비 확인 방법. 관련 서류 준비
외래에서 사용한 주삿바늘, 수액백, 항생제 앰플 사용 후 처리?	11.3-5	주삿바늘, 항생제 앰플은 손상성 폐기물통. / 수액백, 거즈, 알콜솜은 일반의료폐기물에 버림.
외래진료과목 및 진료일정 안내는 어떻게 하고 있나요?	2.1.1-3	병원 내 또는 홈페이지에 진료과목 및 진료의사, 진료일정 안내.
외래에 의무기록 사본 발급을 하러 오시면 어떻게 하나요?	12.1-3	병원 내규에 따른 사본 발급 원칙, 보안관리, 발급 절차 설명.
의사가 과거 입원환자 의무기록 대출 신청했을 때의 절차는?	12.1-4	진료용인지 진료 이외용인지 구분. 병원 내규 및 EMR 시스템에 따른 절차. 대출 중 손상 예방 절차.
입원환자 등록 절차를 설명해주세요.	2.1.2-2	병원의 입원결정, 입원예약, 입원수속 방법. 진료비용 안내(비급여 포함). 입원지연환자 관리.
입원 시에 어떠한 정보를 어떻게 제공하나요?	2.1.2-3	면회시간, 회진시간, 응급호출방법, 금연원칙, 화재시 대처방법, 보안 등 - 안내문으로 준비하면 좋음.
입원 상담하러 온 노인환자가 신체적 학대가 의심되면?	6.2-2	병원의 노인학대 신고 체계에 따라 신고. 1577-1389(노인학대 신고전화)로 직접 신고할 수도 있음.
고객의 소리함에 접수된 요구사항은 어떻게 관리하고 있나요?	6.3-3	담당부서가 어디이고 언제 확인하여 회신하는지 표시할 것. 불만 및 고충사항 접수, 처리 및 회신 자료.
화재 발생 시 대책이 어떻게 되나요?	11.6-7	불끄기-연락하기-피난하기(환자 포함) 3가지로 나누어 대답.
화재 예방을 위해 어떤 노력을 하시나요?	11.6-4	소방, 피난, 방화시실 관리 싱태 확인. 비상계단, 방화문, 소화기 점검.
소방훈련은 받으셨나요?	11.6-6	최근 언제, 어떤 교육을 받았는지 설명해보기.
환자나 보호자가 흡연을 원하시면 어떻게 안내하시나요?	11.6-9	건물 출입구에서 10 m 떨어진 곳, 혹은 옥상을 흡연구역으로 지정

약국 IT 연습용 질문지 (우리 병원 규정과 상황에 맞게 준비)		
폐쇄형 질문	조사기준	답변을 위해 준비할 내용
1. 개방형 질문 : 의약품의 보관 방법에 대해 설명해 주세요. [라벨링]-[감사]-[마약류]-[고위험]-[주의]-[회수]		
라벨링을 어떻게 하고 있나요?	4.1-2	의약품명, 유효기간, 경고문(필요시) 표시.
수액제 보관은 어떻게 하고 있나요?		바닥에서 20~25 cm, 벽으로부터 5 cm, 천장에서 45 cm 간격.
의약품 보관에 대한 감사는 어떻게 이루어지나요?	4.1-3	병원 내규에 따른 약국과 병동의 의약품 감사 자료. 서명.
마약과 향정신성 의약품은 어떻게 관리하시나요?	4.1-5	잠금장치. 마약은 2중철제. 일반의약품과 별개 보관 마약류관리에 관한 법률 숙지.
마약류 입고, 출고, 사용 기록과 저장시설 장부 관리를 어떻게 하시나요? (마약류취급자 준수사항)		(마약류관리에 관한 법률 시행령 제12조의2) 1. 마약류취급자가 의료용 마약류의 입고·출고 및 사용에 대한 기록 작성, 2년 보관 - 단, 식품의약품안전처장에게 보고한 경우는 제외. 2. 마약류 저장시설을 주 1회 이상 점검, 점검부 작성·비치. 이를 2년간 보존
고위험의약품의 종류 및 보관 방법?	4.1-6	진정제, 항암제, 고농도 전해질(KCl, NaCl), 인슐린, 헤파린, 조영제 등
KCl, NaCl은 어떻게 보관하시나요?		"반드시 희석 후 사용" 라벨링. '고위험' 표시. 다른 의약품과 떨어져서 보관.
주의를 요하는 의약품의 종류와 보관 방법은?	4.1-7	냉장보관(온도계), 차광 의약품. 투약오류 가능(유사외관, 유사발음), 백신.
약국의 적절한 온도와 습도는 얼마인가요?		실온 15~25도, 상온 1~30도, 냉장 2~8도. 습도주의 약물은 습도 60% 이하 보관.
야간, 휴일의 온도 체크는 어떻게 하시나요?		야간, 휴일 당직자가 체크하거나, 원격 온도확인 앱 등을 활용.
의약품 회수 절차를 알려주세요.	4.1-8	행정당국(식약처, 시도지사 등)이나 제조업자 등에 의해 회수가 결정된 의약품. 회수요청 의약품 리스트를 관리해야 함. (우리 병원 미해당 의약품이더라도)
2. 개방형 질문 : 의약품의 처방, 조제 방법에 대해 설명해 주세요. [처방감사]-[조제]-[약국 관리]-[청결조제]-[라벨링]		
조제 전 처방 감사 절차를 설명해주세요.	4.2-3	감사 요소(의약품, 용량, 빈도, 경로, 중복처방, 알러지, 상호작용, 병용금기, 체중 고려). 감사 시점, 처방감사 결과 의문이 생기면 의사와 어떻게 검토를 하는지? 위험한 결과 예상되는 처방 중재가 실패한 경우 대처방안?
야간, 휴일의 의약품 조제는 어떻게 하나요?	4.2-4	비치의약품에 없다면 의사가 대체 조제 가능.
약국을 어떻게 안전하고 청결하게 관리하나요?	4.2-5	출입통제, 조제공간 구획 및 청결 유지, 환기시설, 조제도구(조제대, 조제기기) 청결.

	의약품을 안전하고 청결하게 조제하는 방법은?	4.2-6	손위생, 필요시 장갑 착용. 필요시 개인보호구. 조제 후 의약품 감사.
	조제 시 라벨링 하는 절차는?	4.2-7	환자명, 의약품명, 용량, 경로, 용법. 투여 전까지 냉장보관 필요하면 별도로 명기.
3. 개방형 질문 : 의약품의 투약 방법에 대해 설명해 주세요. [투약설명]-[폐기]-[지참약]-[부작용 보고]			
	복약지도 해야 할 약물을 알고 있나요?	4.3-6	병원에서 정한 의약품 투여시 복약(투약) 설명하거나 복약설명서 등 정보제공.
	일반의약품 및 마약류 폐기 절차는?	4.3-7	고위험의약품은 남은 용량 즉시 폐기 (헤파린, 인슐린은 병원 내규 따름). 마약류-마약류통합관리시스템으로 식약처에 보고: 2주 이내, 성상을 변화시켜. 2인 이상 직원 입회. 근거 남기기. (식약처: 사용하고 남은 마약류의 폐기 및 보고 절차)
	지참약 식별 절차를 알려주세요.	4.3-8	병원 내규에 따라 지참약 식별절차 설명. (의뢰 과정 및 회신 방법 포함)
	의약품 부작용 발생 시 보고방법은?	4.3-9	원내 보고절차 및 원내/원외 보고자료 있다면 준비.

물리치료사 IT 연습용 질문지 (우리 병원 규정과 상황에 맞게 준비)			
	폐쇄형 질문	조사기준	답변을 위해 준비할 내용
1. 개방형 질문 : 물리치료실 업무 설명을 부탁합니다. [기기점검]-[낙상 예방]-[신체노출]-[CPR]-[직원안전]-[흡연안내]			
	치료기기의 정기점검, 예방점검을 어떻게 하시나요?	11.5-3,4	매일 사용 전 작동여부 점검(점검표). 예방점검 확인 후 확인 라벨 부착.
	방사선실에서 낙상 고위험자의 낙상 예방 대책은?	1.2-5	병원 나름대로의 대책 마련. 낙상 고위험자 표시 방법 숙지 (손목밴드 표시 등).
	물리치료 시에 신체노출 보호 대책이 있나요?	6.1-3	신체노출을 예방할 수 있는 대책 마련.
	치료실 청소와 침대 소독은 어떻게 하고 있나요?	8.4-2	청소와 소독을 누가 하는지. 청결상태 확인. 소독방법 및 소독제 관리.
	물리치료 도중 환자가 갑자기 숨을 안 쉰다면?	3.2.1-2	호흡/맥박 확인 - 연락 - 가슴압박(흉골하단, 수직, 분당 100회, 5~6 cm 깊이)
	물리치료 도중 치매환자가 할퀴거나 깨물어서 상처가 나면?	10.4-5	우리 병원의 직원안전사고 발생 시 보고체계에 따라 보고 및 치료.
	보호자가 흡연을 원하시면 어떻게 안내하시나요?	11.6-9	건물 출입구에서 10 m 떨어진 곳, 혹은 옥상을 흡연구역으로 지정
	환자나 직원이 금연구역에서 흡연하면?	11.6-8	우리 병원의 금연 관련 규정에 따른 조치.

영양사 IT 연습용 질문지 (우리 병원 규정과 상황에 맞게 준비)			
	폐쇄형 질문	조사기준	답변을 위해 준비할 내용
1. 개방형 질문 : 영양평가 및 영양상담 과정을 말씀해 주세요. [영양 초기평가]-[치료식]-[영양상담]			
	영양 초기평가는 어떻게 하나요?	2.2-4	영양 초기평가 항목 및 평가지(초기평가는 의료진이 해도 됨).
	치료식의 종류는 무엇이며 치료식 제공 과정은?	3.1.3-2	병원의 식사처방지침에 따라 의사 처방에 의해 제공.
	환자나 보호자에게 치료식 안내를 어떻게 하시나요?	3.1.3-3	리플렛 준비하거나 설명환자 명단, 업무일지 등 제시.
	영양 상담 사례가 있나요?	3.1.3-4	영양상담 기록지 - 객관적 자료 평가, 식습관 조사, 치료계획 등 기록.
2. 개방형 질문 : 급식서비스 관련 감염관리를 설명해 주세요. [식재료]-[조리기구]-[조리장 환경]-[화재]-[직원 개인위생]			
	식재료 검수는 어떻게 하시나요?	8.6-2	식재료 검수 일지 준비. 제품 상태 유지 여부.
	식재료의 안전한 보관 방법을 설명해주세요.		종류별 분리 보관, 보관일자 및 내용 표시, 선입선출 관리. 경관유동식 관리. 보관장소 환경(온도, 습도, 청소상태) 점검. 전처리 전,후 보관상태 확인. (예: 전처리: 채소류 ➡ 육류 ➡ 어류) 음식물은 바닥에서 15 cm 위에, 벽에서 떨어져 보관. 음식 취급 등의 작업은 바닥에서 60 cm 이상에서 수행.
	보존식 관리 방법을 설명해주세요.		배식 전 1인분. -18도 144시간 이상 보관. 기록 남길 것.
	조리기구 및 장비 관리 방법을 설명해주세요.	8.6-3	식재료별 조리기구 분리 사용 및 보관 상태 확인. 배식차, 식기세척기, 냉장고 및 냉동고 관리 상태 확인. 음식 맛 볼 경우는 별도의 수저와 그릇을 사용할 것.
	식기 소독을 해야 하는 감염병에는 어떤 것들이 있나요?		콜레라, 장티푸스, 파라티푸스, 세균성이질, 장출혈성대장균, A형간염, 성홍열, 디프테리아, 수막구균성수막염, 페스트 (감염병예방 및 관리에 따른 법률 시행규칙 [별표 5])
	조리장 환경 점검 내용은?	8.6-4	오염구역과 청결구역 구획 구분, 동선. 청소 상태. 음식물 쓰레기 처리 방법. 조리장 환경관리 자료 준비. 구충, 구서 관련 방역 또는 소독 확인서.
	조리장의 적정 온도는?		주방 18~26도 (여름 28도)
	조리장에서 화재 발생 시 어떻게 하실 겁니까?	11.6-7	불끄기-연락하기-피난하기 3가지로 나누어 대답.
	조리실 직원이 고열이 있을 때 어떻게 하십니까?	8.6-5	병원 내규로 정한 감염관리 방법 설명.
	조리장에서의 직원 감염관리 방법을 설명해주세요.		구역별 직원 복장준수. 손위생(손소독제, 세면대 등)이 가능한 환경인지 확인
	소독실	**ME**	**비고**
1	EO가스 소독실 환풍기? 독립된 공간?	10.2.4-2	시설 점검
2	EO가스 소독실 작업환경측정, 특수건강검진	1.2-3	작업환경측정 및 특수건강검진 수검자료
3	멸균기 관리? CI 안팎, BI?	9.1.2-3	
4	멸균 온도 및 시간.	9.1.2-2	증기 121도-3분 / 건식 121도-10시간
5	멸균기 장소 온도, 습도?	9.1.2-3	24~29도/30~70%
6	멸균물품 보관장소(중앙공급실) 온도, 습도?	9.1.2-4	18~24도/35~70%

임상병리사 IT 연습용 질문지 (우리 병원 규정과 상황에 맞게 준비)			
	폐쇄형 질문	조사기준	답변을 위해 준비할 내용
1. 개방형 질문 : 검체검사 관련 임상병리사로서 어떤 일들을 하십니까? [검체 채취]-[검체보관]-[기기점검]-[응급상황]			
	혈액, 소변검체 채취하여 검사실 전달하는 과정 설명해주세요.	2.3.1-2	환자 확인 방법. 채혈시 주의사항. 검체용기 라벨링. 안전한 검사실로의 전달방법.
	검체적합성 확인 방법, 부적합검체 처리 방법, 사전정보 확인?	2.3.1-3	병원 규정에 절차를 정하고 숙지할 것.
	검체검사 결과 보고를 정확하고 신속하게 하기 위한 절차는?	2.3.1-4	전산화면이나 관리대장으로 검체검사 결과 자료 제시 가능. TAT 관리자료 제시가 필수는 아님.
	필요시 검사 결과를 재확인하기 위해 검체보관 하시나요?	2.3.1-5	검체(혈청, 혈장, 수혈후 관분절 등) 별 보관 기간을 정하여 냉장보관한 후 폐기.
	검체검사 기계의 정도관리를 어떻게 하시나요?	2.3.1-6	내부 정도관리 - 검사종류, 관리 방법(주기, 결과치, 허용범위,이상치 발견시 조치 등), 보고체계 외부 정도관리 - 평가결과 제시 (예: 진단검사의학재단인증 등). 내부정도관리만 해도 됨.
	외부 의뢰체계를 적절히 활용하시나요?	2.3.1-7	수탁기관 인증서 또는 정도관리 결과 제시. 의뢰기간별 검사리스트 제시.
	검체검사실을 안전하게 관리하는 방법을 알려주세요.	2.3.3-2	감염관리(손위생 등), 유해물질 및 유해환경관리(노출량이 적으면 미해당). 검체용기 폐기절차. 안전관리 교육 확인서류. 보호구 착용 및 보관 상태 확인.
	검체검사기기의 정기점검, 예방점검을 어떻게 하시나요?	11.5-3,4	매일 사용 전 작동여부 점검(점검표). 예방점검 확인 후 확인 라벨 부착.
	수혈 후 관분절 보관 기간은?	3.2.2-2	예) 5일 이상 냉장보관
	채혈 도중 환자가 갑자기 숨을 안 쉰다면?	3.2.1-2	호흡/맥박 확인 - 연락 - 가슴압박(흉골하단, 수직, 분당 100회, 5~6 cm 깊이)
	채혈 도중 주삿바늘에 찔리면 어떻게 하시나요?	10.4-5	우리 병원의 직원안전사고 발생 시 보고체계에 따라 보고 및 치료.

방사선사 IT 연습용 질문지 (우리 병원 규정과 상황에 맞게 준비)		
폐쇄형 질문	조사기준	답변을 위해 준비할 내용
1. 개방형 질문 : 영상검사 관련 방사선사로서 어떤 일들을 하십니까? [영상검사 준비]-[확인할 것]-[기기점검]-[의뢰]-[안전관리]		
영상검사 전 준비사항은 무엇이 있을까요?	2.3.2-2	환자 확인. 필요시 금식. 조영제 사용 시 부작용 경험 여부.
영상검사 전 확인할 정보는 무엇이 있나요?	2.3.2-3	검사종류별 수행방법. 필요시 확인할 사전정보(검사요청일, 검사의뢰 복적, 의뢰의사명)
영상검사 결과 보고를 정확하고 신속하게 하기 위한 절차는?	2.3.2-4	규정에 따른 시간 이내에 판독이 보고되는지 확인. (꼭 방사선사가 확인할 필요는 없음)
영상검사 기기의 정기점검, 예방점검을 어떻게 하시나요?	11.5-3,4	매일 사용 전 작동여부 점검(점검표). 예방점검 확인 후 확인 라벨 부착.
영상검사 기기의 정도관리를 어떻게 하시나요?	2.3.2-5	내부 정도관리 - 검사종류, 관리 방법(주기, 결과치, 허용범위, 이상치 발견시 조치 등), 보고체계 외부 정도관리 - 평가결과 제시 (예: 한국의료영상품질관리원 등).
영상검사를 외부에 의뢰하는 절차가 있다면 알려주세요.	2.3.2-6	외부 의뢰 절차 설명. 수탁기관의 안전성 인증서 또는 정도관리 자료 준비.
영상검사 촬영 후 환자이름 표기가 잘못된 것을 알았다면?	7.2-2	환자안전사건 중 근접오류로 구분하여 환자안전사건보고서를 작성하는 방법을 설명할 수 있다.
방사선실에서 낙상 고위험자의 낙상 예방 대책은?	1.2-5	병원 나름대로의 대책 마련. 낙상 고위험자 표시 방법 숙지(손목밴드 표시 등).
방사선실 안전관리 방법을 설명해주세요.	2.3.3-3	감염관리(손위생, 접촉면 소독), 방사선구역 표시, TLD 착용, 보호구(납 가운, 목 보호대) 등
방사선 촬영 전·후로 신체노출 보호 대책이 있나요?	6.1-3	탈의 공간을 마련하거나 신체노출 예방할 수 있는 대책 마련.
MSDS로 관리하는 유해화학물질(필름 현상액 등)이 있나요?	11.3-1,3	MSDS는 유해화학물질 근처에 비치하고, 노출 시 응급조치 숙지.
특수건강검진을 하십니까?	10.4-2	특수검진(방사선) 대상으로 특수건강검진(1회/2년) 필수.

15 인증평가에서 ST(시스템추적조사), 리더십인터뷰 준비하기

• 인증조사 시 시스템추적조사나 리더십인터뷰 대비는 어떻게 할까요?

– 시스템추적조사(ST) 분야별로 담당자를 파악하고 해당 조사기준을 보며 규정과 관련문서, 성과관리 현황을 정리합니다. 특히 O(성과관리)나 S(구조)로 구분된 조사항목에 대한 준비가 핵심입니다.

1. 시스템추적조사란?

시스템추적조사(ST: System Tracer)란 질 관리와 안전을 요하는 6개 주요 영역(의약품관리, 질향상 및 환자안전, 감염관리, 인적자원관리, 시설 및 환경관리, 의료정보/의무기록관리)에 대한 의료기관 차원의 체계를 갖추고 있는지 확인하기 위해서 '담당자 면담, 관련자료 확인, 관련 영역에 대한 현장확인 등'을 통해 조사하는 방법이다. 6개 주제별로 관련 직원들에게 조사위원이 인터뷰를 통해 질문을 하고 답변을 받는 형식으로 진행한다. 해당 주제별로 스케줄에 따라 담당 조사위원과 해당 직원들이 따로 장소를 마련하여 우선 병원 직원 소개 후에 인터뷰를 진행한다. 인터뷰 후에는 현장 확인이 이루어진다. 3주기 인증조사부터는 '표준조사지침서'에 구체적인 시스템추적조사 준비 방법이 기술되어 있다.

2. 시스템추적조사 별 대비 방법

1) 지속적 질 향상 시스템추적조사

a. 참석자

- 질 향상과 환자안전 활동을 위한 위원회 위원장 및 진료부서, 간호부서, 지원부서의 위원
- 질 향상과 환자안전 담당자
- 질 향상과 환자안전 관련된 부서의 직원 등

b. 준비 서류

- 위원회 운영 규정 및 회의자료, 위원회 운영 경영진 결과보고 관련자료
- 질 향상과 환자안전 활동 담당자 배치, 교육 및 훈련 관련자료
- 질 향상과 환자안전 활동 계획 및 수행 관련자료
- 질 향상과 환자안전 교육 계획 및 수행 관련자료
- 질 향상과 환자안전 활동 자원 지원 관련자료
- 주제별 질 향상 활동 계획·수행·성과관리 관련자료
- 주제별 질 향상 활동성과 경영진 보고 및 관련 직원 공유 관련자료
- 의료기관 차원의 환자안전사건 보고·학습시스템 관련자료
- 환자안전사건 유형별 관리 관련자료
- 환자안전사건 유형별 관리 결과 경영진 보고 및 관련 직원 공유 관련자료
- 만족도 조사 계획
- 환자(보호자) 만족도 조사 결과 분석 및 개선활동 결과 관련자료
- 환자(보호자) 만족도 조사 결과·개선활동 결과 경영진 보고 및 직원 공유 관련자료
- 낙상 예방활동 성과관리 관련자료
- 낙상 예방활동 성과 경영진 보고 및 관련 직원 공유 관련자료
- 욕창 예방활동 성과관리 관련자료
- 욕창 예방활동 성과 경영진 보고 및 관련 직원 공유 관련자료
- 신체보호대 사용 관리활동 수행 관련자료
- 불만 및 고충 처리 관련 규정
- 불만 및 고충 처리 및 분석 관련자료
- 불만 및 고충관리 결과 경영진 보고 및 직원 공유 관련자료

C. 관련 조사항목

기준	ME	조사항목	구분
7.1	질 향상과 환자안전을 위한 운영체계가 있다.		
	1	질 향상과 환자안전을 위한 위원회를 운영한다.	P
	2	질 향상과 환자안전 활동을 수행하는 적격한 자가 있다.	S
	3	질 향상과 환자안전 활동 계획을 수립한다.	S
	4	질 향상과 환자안전 활동을 위해 필요한 자원을 지원한다.	P
7.2	환자안전사건을 관리한다.		
	1	환자안전사건 관리절차가 있다.	S
	2	직원은 환자안전사건에 대한 정의와 보고절차를 알고 있다.	P
	3	보고된 환자안전사건을 분석한다.	P
	4	분석결과에 따라 개선활동을 수행한다.	P
	5	환자안전사건에 대한 결과를 경영진에게 보고한다.	P
	6	환자안전사건에 대한 결과를 관련 직원과 공유한다.	P
	7	[시범]적신호사건 발생 시 환자와 보호자에게 관련정보를 제공한다.	P
	8	환자안전주의경보 발령 시 관련직원과 공유한다.	P
7.3	의료기관의 질 향상 및 환자안전 활동 계획에 따라 개선활동을 수행한다.		
	1	우선순위에 입각한 질 향상 활동 주제를 선정한다.	P
	2	의료기관에서 선정한 질 향상 활동방법을 사용한다.	P
	3	선정된 주제에 따른 통계적 기법과 도구를 사용하여 자료를 분석한다.	P
	4	[시범] 질 향상 활동을 통해 얻은 성과를 지속적으로 관리한다.	O
	5	[시범] 질 향상 활동성과를 경영진에게 보고한다.	P
	6	[시범] 질 향상 활동성과를 관련 직원과 공유한다.	P
7.4	의료서비스 만족도 조사를 수행하고 관리한다.		
	1	의료서비스 만족도 조사 계획을 수립한다.	S
	2	의료서비스 만족도 조사를 수행한다.	P
	3	의료서비스 만족도 성과를 관리한다.	O
1.2	낙상 예방활동을 수행한다.		
	6	낙상 예방활동의 성과를 지속적으로 관리한다.	O
3.1.4	욕창예방 및 관리활동을 수행한다.		
	6	[시범] 욕창 예방 관리활동의 성과를 지속적으로 관리한다.	O
3.2.3	신체보호대를 적절하고 안전하게 사용한다.		
	7	신체보호대 사용을 줄이기 위한 활동을 수행한다.	O
6.3	환자의 불만 및 고충을 관리한다.		
	2	환자에게 불만 및 고충관리 절차에 대한 정보를 제공한다.	P
	3	불만 및 고충사항을 처리한다.	P
	4	환자의 불만 및 고충유형을 분석하여 보고한다.	O

d. 현장 확인 장소

- 질 향상, 환자안전 활동 수행 부서
- 병동, 외래, 물리치료실, 검사실 등(낙상 예방활동 수행, 욕창 예방 관리활동 수행, 신체보호대 사용을 줄이기 위한 활동 수행과 관련된 장소)
- 불만 및 고충관리 수행 부서, 불만 및 고충 접수 장소

2) 의약품 관리 시스템추적조사

a. 참석자

- 약사, 약국 직원, 간호부서 등

b. 준비 서류

- 의약품 보관 및 관리 규정
- 의약품 보관 관련자료 : 비치의약품 목록, 모든 의약품 보관상태 정기적 감사(응급의약품, 주의를 요하는 의약품, 마약류, 고위험의약품 포함)
- 의약품 회수 관련자료
- 의약품 처방 및 조제 규정
- 의약품 조제 전 감사 및 조제 적격한 자(약사)의 교육 및 훈련 관련자료
- 의약품 투여 관련 규정

c. 관련 조사항목

기준	ME	조사항목	구분
4.1	모든 의약품을 적절하고 안전하게 보관한다.		
	1	의약품 보관에 대한 규정이 있다.	S
	2	모든 의약품을 안전하게 보관한다.	P
	3	모든 의약품의 보관 상태를 정기적으로 감사한다.	P
	4	응급의약품의 보관 및 보충사항을 점검한다.	P
	5	마약류는 관련법을 준수하여 안전하게 보관한다.	P
	6	고위험의약품을 안전하게 보관한다.	P
	7	주의를 요하는 의약품을 안전하게 보관한다.	P
	8	의약품 회수 절차를 준수한다.	P

4.2	의약품을 안전하게 처방하고 조제한다.		
	1	의약품 처방 및 조제에 대한 규정이 있다.	S
	2	관련법을 준수하여 의약품을 안전하게 처방한다.	P
	3	적격한 자가 의약품조제 전에 처방을 감사한다.	P
	4	적격한 자가 의약품을 조제하고 확인한다.	P
	5	의약품 조제환경을 안전하고 청결하게 관리한다.	S
	6	의약품을 안전하고 청결하게 조제한다.	P
	7	의약품 조제 시 라벨링한다.	P
4.3	안전하게 의약품을 투여한다.		
	1	의약품 투여에 대한 규정이 있다.	S
	2	적격한 자가 의약품을 투여한다.	P
	3	의약품의 안전한 투여를 위해 필요한 정보를 확인하고 투여 후 기록한다.	P
	4	고위험의약품 투여 시 주의사항 및 부작용 발생 시 대처 방안을 관련 직원이 알고 수행한다.	P
	5	주사용 의약품 취급 시 감염 및 안전관리를 준수한다.	P
	6	투약 설명을 수행한다.	P
	7	의약품 사용 후 안전하게 폐기한다.	P
	8	지참약을 관리한다.	P
	9	시범 의약품 부작용 발생 시 절차에 따라 보고한다.	P
3.1.7	한방 서비스를 안전하게 제공한다.		
	3	탕전실을 안전하게 관리한다.	P
	4	제환 산 시설을 안전하게 관리한다	P

d. 현장 확인 장소

- 의약품관리 부서 : 조제 장소, 의약품 및 한약재 보관 장소
- 환자 진료 영역 : 병동, 주사실
- 탕전실, 제환(산) 시설

3) 인적자원관리 시스템추적조사

a. 참석자

- 진료부서, 간호부서, 지원부서 인사관리 책임자
- 인사관리 부서 담당자

b. 준비 서류

- 인사정보 관리를 위한 규정
- 인사 정보 관리 관련자료
- 연간 교육 계획
- 신규직원 교육 수행 관련자료
- 필수교육 수행 관련자료
- 특성화교육 수행 관련자료
- 법적 인력 기준 준수 관련자료
- 당직 근무인력 배치 근거 관련자료(야간 및 휴일 의사 당직표, 간호인력 근무표, 시설 안전관리 담당자 근무표 등)

c. 관련 조사항목

기준	ME	조사항목	구분
10.1	직원의 인사정보를 관리한다.		
	1	질 향상과 환자안전을 위한 위원회를 운영한다.	S
	2	질 향상과 환자안전 활동을 수행하는 적격한 자가 있다.	P
	3	질 향상과 환자안전 활동 계획을 수립한다.	P
	4	질 향상과 환자안전 활동을 위해 필요한 자원을 지원한다.	P
	5	환자안전사건에 대한 결과를 경영진에게 보고한다.	P
10.2	직원에게 지속적인 교육 및 훈련을 제공한다.		
	1	연간 교육 계획을 수립한다.	S
	2	신규직원 교육을 시행한다.	P
	3	직원의 직무수행에 필요한 필수교육을 시행한다.	P
	4	직원의 직무수행에 필요한 특성화교육을 시행한다.	P
10.3	법적 인력 기준을 준수한다.		
	1	의사인력 법적기준을 준수한다.	S
	2	간호인력 법적기준을 준수한다.	S
	3	기타인력에 대한 법적기준을 준수한다.	S
	4	[필수] 당직 의료인력의 법적기준을 준수한다.	S
	5	시설 안전관리를 담당하는 당직근무자 법적기준을 준수한다	S

인증조사 표준지침서의 다음 표를 이용하여 준비하면 좋다.

직원 인사정보 현황 (관련기준 10.1 ME.3-5) 】

* 신입직원일 경우 Y(예) 표시 ** 환자 치료를 제공하는 직원 혹은 소생술 훈련을 받고 이를 실행할 능력을 갖춘 사람 ※ 조사결과 표시방법 : Y(예) / N(아니오) / NA(미해당)

구분	번호	신입 직원*	부서명	직원명	자격검증	교육 및 훈련								
						필수 교육						특성화 교육		
						환자 권리와 의무	질향상과 환자안전	소방 안전	감염 관리	심폐 소생술**	개인정보 보호/보안	신체 보호대	의약품 교육	말기환자 관리
의사	1													
	2													
	3													
치과의사	1													
한의사	1													
간호사	1													
	2													
	3													
	4													
	5													
간호 조무사	1													
	2													
	3													
약사	1													
영양사	1													
행정	1													
	2													
	3													

4) 감염관리 시스템추적조사

a. 참석자

– 감염관리위원회 위원장 및 위원, 감염관리 담당자(의료기구, 세탁물, 병실, 내시경실, 인공신장실, 물리치료실, 조리장), 직원 건강유지·안전 관련 담당자

b. 준비 서류

- 감염관리위원회 운영 규정 및 회의자료, 위원회 운영 경영진 결과보고 관련자료
- 감염관리 담당자 배치, 교육 및 훈련 관련자료
- 감염예방 및 관리활동 계획 및 수행 관련자료
- 의료기구 사용 관련 감염관리 규정
- 의료기구 사용 감염관리 관련자료 : 호흡기 치료기구, 유치(인공)도뇨관, 혈관 내 카테터, 일회용 주사관련 의료용품
- 기구의 세척, 소독, 멸균 관리에 대한 감염관리 규정

- 의료기구의 세척, 소독, 멸균과정에 대한 감염관리 관련자료
- 부서별 감염관리 규정 : 내시경실, 인공신장실, 조리장
- 부서별 감염관리 수행 관련자료 : 내시경실, 인공신장실, 조리장
- 세탁물 관리에 대한 감염관리 규정
- 세탁물 관리 수행 관련자료
- 감염성 질환의 격리에 관한 규정
- 격리 수행 관련자료
- 손위생 수행을 위한 규정
- 손위생 수행을 돕기 위한 자원 지원 관련자료
- 손위생 증진활동 성과 관리 관련자료
- 손위생 증진활동 성과 경영진 보고 및 관련 직원 공유 관련자료
- 직원 건강유지 및 안전 관리활동 규정
- 직원 건강유지 및 안전 관리활동 계획 및 수행 관련자료
- 직원 안전사고 관리 규정
- 직원 안전사고 발생 시 보고 관련자료
- 직원 안전사고 분석 및 개선활동 수행 관련자료
- 직원 안전사고 분석 및 개선활동 결과 경영진 보고, 관련 직원 공유 관련자료

c. 관련 조사항목

기준	ME	조사항목	구분
8.1	감염예방 및 관리를 위한 운영체계가 있다.		
	1	감염관리 운영 규정이 있다.	S
	2	감염예방 및 관리를 위한 위원회를 운영한다.	P
	3	감염예방 및 관리활동을 수행하는 적격한 자가 있다.	S
	4	감염예방 및 관리활동 계획을 수립한다.	S
	5	감염병 전파경로에 따른 절차를 준수하여 환자를 관리한다.	P
8.2	의료기구와 관련된 환자의 감염관리활동을 수행한다.		
	1	의료기구 관련 감염관리 규정이 있다.	S
	2	호흡기 치료기구 관련 감염관리를 수행한다.	P
	3	유치 인공 도뇨관 관련 감염관리를 수행한다.	P
	4	혈관 내 카테터 관련 감염관리를 수행한다.	P
8.3	의료기구의 세척 소독 멸균과정과 세탁물을 적절히 관리한다.		
	1	의료기구의 세척 소독 멸균과정에 대한 감염관리 규정이 있다.	S
	2	세척 소독 멸균 관리를 위한 적절한 환경을 갖추고 있다.	S
	3	사용한 기구의 세척 및 소독을 수행한다.	P

	4	멸균기를 정기적으로 관리한다.	P
	5	멸균물품을 관리한다.	P
	6	세척직원은 보호구를 착용한다.	P
	7	세탁물 관리에 대한 감염관리 규정이 있다.	S
	8	세탁물을 적절하게 관리한다.	P
8.4	환자치료영역의 청소 및 소독을 수행하고 환경을 관리한다.		
	1	환경관리에 대한 감염관리 규정이 있다.	P
	2	환자치료영역의 청소 및 소독을 수행한다.	S
	3	청소 및 소독 직원은 개인보호구를 착용한다.	P
8.5	내시경실 및 인공신장실 감염관리		
	1	내시경실의 감염관리 규정이 있다.	S
	2	내시경과 내시경 부속물 세척 소독 및 멸균을 수행한다.	P
	3	내시경을 적절하게 보관한다.	P
	4	인공신장실의 감염관리 규정이 있다.	S
	5	투석기 및 환경을 관리한다.	P
	6	투석용수 및 투석액을 관리한다.	P
8.6	급식서비스와 관련하여 발생할 수 있는 감염을 관리한다.		
	1	급식서비스 관련 감염관리 규정이 있다.	S
	2	식재료를 관리한다.	P
	3	조리기구 및 장비를 관리한다.	P
	4	조리장 환경을 관리한다.	P
	5	직원의 개인위생을 관리한다.	P
1.3	손위생을 철저히 수행한다.		
	1	[필수] 손위생 수행을 위한 규정이 있다.	S
	2	[필수] 올바른 손위생을 수행한다.	P
	3	[필수] 손위생 수행을 돕기 위한 자원을 지원한다.	P
	4	[필수] 손위생 증진 활동의 성과를 지속적으로 관리한다.	O
10.4	직원의 건강유지와 안전을 위한 관리활동을 수행한다.		
	1	[필수] 직원 건강유지 및 안전 관리활동을 위한 규정이 있다.	S
	2	[필수] 직원 건강유지 및 안전 관리활동 계획을 수립한다.	S
	3	[필수] 직원 건강유지와 안전 관리활동을 수행한다.	P
	4	[필수] 직원 안전사고 관리 규정이 있다.	S
	5	[필수] 직원 안전사고 발생 시 보고체계에 따라 보고하고 치료 및 관리	P
	6	직원 안전사고를 분석하여 지속적으로 관리한다.	O

d. 현장 확인 서류

- 중앙공급실(멸균실) 멸균 관련자료, 멸균기 관리 관련자료, 멸균물품 관리 관련자료, 병동 멸균 및 소독물품 청구(교환) 관련자료
- 부서별 감염관리 관련자료 : 세탁물 관리 부서, 병실(또는 병동), 내시경실, 인공신장실, 조리장

e. 현장 확인 장소

- 환자 진료 영역 : 병실(또는 병동), 내시경실, 인공신장실, 격리실
- 이외 영역 : 세척실, 소독실, 멸균실, 세탁물 관리 부서, 조리장

5) 시설 및 환경안전 시스템추적조사

a. 참석자

–시설 및 환경안전 관리 담당자 : 시설물, 설비, 위험물질, 보안, 의료기기, 화재 및 금연

b. 준비 서류

- 시설 및 환경안전에 대한 규정
- 시설 및 환경안전에 대한 계획 : 시설물, 설비, 보안, 위험물질, 의료기기
- 시설 및 환경안전 계획 수행 관련자료
- 시설 및 환경안전 관련 담당자 업무구분, 교육 및 훈련 관련자료 : 시설물, 설비, 위험물질, 보안
- 시설 및 환경안전 관리 교육 계획 및 수행 관련자료
- 시설물 안전점검 수행 관련자료
- 설비시스템에 대한 감시체계
- 설비시스템 안전관리 수행 관련자료 : 전기설비, 급수설비 및 수질감시, 의료가스 및 진공설비, 실내공기질
- 환자, 내원객 보호 및 사고 예방 수행 관련자료 : 환자관리, 통제구역 지정 등
- 보안사고 발생 시 신고 및 처리 관련자료
- 유해화학물질 목록 및 관리 관련자료
- 의료폐기물 관리 수행 관련자료
- 의료기기 목록 및 관리 관련자료
- 의료기기 점검 및 관리 수행 관련자료
- 입원실 도면 관련자료
- 침대용 엘리베이터 설치 기준 및 안전점검 장부 관련자료
- 병원 편의시설 및 복도 도면 관련자료
- 장애인 편의시설 관련자료

- 화재안전 관리를 위한 규정
- 화재안전 관리 계획
- 화재 예방점검 수행 및 결과에 따른 개선활동 관련자료
- 소방훈련 수행, 소방안전 교육 수행 관련자료
- 금연에 대한 규정

c. 관련 조사항목

기준	ME	조사항목	구분
11.1	시설 및 환경과 관련된 안전관리를 수행한다.		
	1	시설 및 환경안전에 대한 규정이 있다.	S
	2	시설 및 환경안전에 대한 계획을 수립한다.	S
	3	시설 및 환경안전 관리에 대한 교육을 시행한다.	P
	4	계획에 따라 시설물을 안전하게 관리한다.	P
11.2	설비시스템을 안전하게 관리한다.		
	1	설비시스템 안전관리 절차가 있다.	S
	2	전기설비 안전관리를 수행한다.	P
	3	급수설비 및 수질감시 관리를 수행한다.	P
	4	의료가스 및 진공설비 안전관리를 수행한다.	P
	5	실내공기질 관리를 수행한다.	P
11.3	위험물질을 안전하게 관리한다.		
	1	유해화학물질 안전관리 절차가 있다.	S
	2	유해화학물질 목록을 정기적으로 관리한다.	P
	3	유해화학물질을 안전하게 관리한다.	P
	4	의료폐기물 안전관리 절차가 있다.	S
	5	의료폐기물을 안전하게 관리한다.	P
11.4	환자의 안전을 위한 보안체계를 갖추고 운영한다.		
	1	환자안전을 위한 보안체계가 있다.	S
	2	인지저하 환자의 보안사고를 예방하고 관리한다.	P
	3	환자안전을 위한 통제구역을 지정하고 모니터링 한다.	P
	4	병문안객을 지속적으로 관리한다.	P
11.5	의료기기를 정기적으로 점검한다.		
	1	의료기기의 안전관리 체계가 있다.	S
	2	의료기기 목록을 관리한다.	P

	3	의료기기를 정기점검하고 관리한다.	P
	4	의료기기를 예방점검 한다.	P
11.6	화재안전 관리활동을 수행한다.		
	1	[필수] 화재안전 관리를 위한 규정이 있다.	S
	2	[필수] 화재안전 관리 계획을 수립한다.	S
	3	[필수] 화재 예방점검을 수행하고 결과에 따라 개선활동을 수행한다.	P
	4	[필수] 화재예방을 위해 시설을 안전하게 관리한다.	P
	5	[필수] 소방훈련을 실시한다.	P
	6	[필수] 소방안전 교육을 시행한다.	P
	7	[필수] 직원은 화재 발생 시 대응체계를 알고 있다.	P
	8	[필수] 금연에 대한 규정이 있다.	S
	9	[필수] 금연에 대한 규정을 준수한다.	P
6.6	의료기관은 환자의 권리를 보호하기 위한 시설을 갖추고 운영한다.		
	1	[필수] 입원실 적정면적을 준수한다.	S
	2	환자 편의 및 안전을 위한 시설을 구비한다.	S
	3	침대용 엘리베이터를 설치한다.	S
	4	휠체어 및 병상 이동 공간을 확보한다.	S
	5	장애인 편의를 위한 시설을 구비한다.	S

d. 현장 확인 서류

- 유해화학물질 목록 및 관리 관련자료
- 의료기기 예방점검(정기점검, 일상점검) 수행 관련자료
- 입원실 도면 관련자료
- 침대용 엘리베이터 설치 기준 및 안전점검 장부 관련자료
- 병원 편의시설 및 복도 도면 관련자료
- 장애인 편의시설 관련자료

e. 현장 확인 장소

- 시설 투어 : 옥상에서 지하까지
- 환자 진료 영역 : 병동, 외래
- 이외 영역 : 조제실, 조리장, 보안구역, 편의시설(식당 또는 휴게실), 장애인 편의시설 등

시설환경 안전관리 (관련기준 11.2 ME.2-5) 】

기준	구분			결과 충족	결과 미충족	결과 미해당
전기설비 (11.2 ME2)	전기설비 안전점검	전기설비 검사기관 안전점검				
		자체안전점검				
	자가발전기	설치				
		발전기 자동 전환 차단기 설치				
		발전기 무부하 및 부하운전 기록				
		발전기에서 각층(병원)으로 공급하는 차단기에 명판 부착				
	전기실 안전관리	통제구역 표시				
		청소 상태				
		위험요인 점검(동물침입, 누수 등)				
	발전기실 안전관리	통제구역 표시				
		청소 상태				
		위험요인 점검(동물침입, 누수 등)				
급수설비 및 수질감시 (11.2 ME3)	저수조 관리	수질 검사 (연1회)				
		저수조 청소 및 소독 (연2회)				
		저수조 위생관리 상태 점검 (월1회)	저수조 주위 상태 점검			
			저수조 뚜껑 관리 : 잠금 상태			
		저수조 사다리 안전				
		저수조 통제구역 표시				
	냉 · 온수기 및 정수기 관리	필터교체				
		주변 환경 관리				
	냉각탑 관리	레지오넬라 검사				
		약품 투입				
의료가스 및 진공설비 (11.2 ME4)	의료가스 안전점검	검사기관의 안전점검				
		자체 안전점검	의료가스 재고량, 사용압력, 공급압력 일일점검			
			진공탱크 및 진공펌프의 작동상태 일일점검			
	의료가스 안전관리	의료가스 용기 충전기한 경과여부				
		의료가스 용기 고정 및 전도위험 자체점검 : 보관실				
		의료가스 용기 고정 및 전도위험 자체점검 : 사용장소				
		위험한 상황(산소 감소) 발생 시 알람 여부				
		배관에 가스 명칭 및 흐름 방향 표시				
		의료가스 보관실 통제구역 표시				
실내공기질 (11.2 ME5)	공기질 안전점검	실내공기질 측정				
	공기질 안전관리	기계실(공기조화기계실) 안전관리				
		공기조화장치 필터 관리				
		냉난방시스템(에어컨) 실외기 및 필터 관리				
		디퓨저 청소				

※ 점검결과(미해당 제외) 중 '충족'으로 판정된 항목의 비율로 결과 판정

【 화재 예방점검 (관련기준 11.6 ME.3-4) 】

Ⅰ. 기본정보					
건물정보	사용승인일	년 월 일		□ 소유 □ 임대	
	건물전체층	지상 ( )층 / 지하 ( )층			
	사용층	지상 ( )층 / 지하 ( )층			
면 적	바닥면적	연면적	층면적		
			최대	최소	
	㎡	㎡	㎡	㎡	
안전관리자	소방안전관리(보조)자				
	안전관리자				
	보건관리자				
소방시설 완공검사증명서			□ 유 □ 무		
법정점검 시행서류			□ 유 □ 무		
점검일자	년 월 일		점검기관명		

※ 건축물대장상 사용승인일(과거 건축물준공검사일) 기재
※ 층면적은 사용층 중 최대, 최소층 면적 기재
※ 2개동 이상인 경우 건물정보 및 면적란 줄 추가하여 기재
※ 소방안전관리(보조)자 선정 대상 : 화재예방, 소방시설 설치·유지 및 안전관리에 관한 법률 참고
※ 안전관리자 및 보건관리자 선정 대상 : 산업안전보건법 참고

Ⅱ. 소방시설 예방점검					
구 분		점검결과			비 고
		적합	부적합	미해당	
소화설비	소화기	□	□		비치된 소화기 종류별 및 개수 기입
	옥내소화전	□	□		
	스프링클러	□	□		□ 간이스프링클러
경보설비	자동화재 탐지설비	□	□		
	자동화재 속보설비	□	□		
	비상방송설비	□	□		
	비상경보설비	□	□	□	연면적 400㎡이상이거나 지하층 또는 무창층의 바닥면적이 150㎡이상인 의료시설
	사각경보기	□	□		
	가스누설경보기	□	□		
피난설비	피난구유도등, 통로유도등, 유도표지	□	□		
	인명구조기구	□	□	□	지하층을 포함한 5층 이상 병원
	피난기구	□	□	□	3층 이상부터 10층 이하의 장소
피난 안내도 부착 및 관리		□	□		
직통계단 확보		□	□	□	
대피로 점검 (피난경로)		□	□	□	
비상구 점검		□	□		
출입문 자동개폐장치		□	□		옥상

※ 관련법상 설치의무 없는 경우 미해당(단, 설치의무 없으나 설치한 경우에는 기재
※ 점검결과(미해당 제외) 중 '적합'으로 판정된 항목의 비율로 결과 판정

6) 의무기록 및 의료정보 관리 시스템추적조사

a. 참석자

– 의료정보/의무기록 관리부서 책임자 및 담당자

b. 준비 서류

- 의료정보/의무기록 관리 규정
- 의료정보/의무기록 접근권한 관리 관련자료
- 의무기록 사본발급 관리 관련자료
- 의무기록 대출, 열람 및 반납 관리 관련자료
- 영상/전자의무기록 열람 관리 관련자료
- 금기약어 및 금기기호 목록 및 관리 관련자료
- 퇴원환자 명부 : 조사 전 월로부터 6개월 간

c. 관련 조사항목

기준	ME	조사항목	구분
12.1	의료정보 의무기록에 대한 규정을 수립하고 관리한다.		
	1	의료정보 의무기록 관리 규정이 있다.	P
	2	의료정보 의무기록의 접근 권한 절차를 준수한다.	S
	3	의무기록 사본 발급 절차를 준수한다.	S
	4	의무기록 대출 열람 및 반납 절차를 준수한다.	P
	5	금기약어 및 금기기호 사용절차를 준수한다.	
12.2	의무기록의 작성을 완결한다.		
	1	의학적 초기평가 기록을 작성한다.	S
	2	간호 초기평가 기록을 작성한다.	P
	3	경과기록을 작성한다.	P
	4	간호기록을 작성한다.	P
	5	퇴원요약을 작성한다.	P

d. 현장 확인 장소

– 의무기록 보관 장소, 의무기록 관리 수행 부서

[퇴원환자 의무기록 현황(관련기준 12.2 ME.1-5)]

※ 조사결과 표시방법 : Y(예) /N(아니오) /NA(미해당)

기준	필수 작성 내용	의무기록 1 환자ID ____ Dx:	의무기록 2 환자ID ____ Dx:	의무기록 3 환자ID ____ Dx:	의무기록 4 환자ID ____ Dx:	의무기록 5 환자ID ____ Dx:
입원 초기평가	24시간 이내 기록 작성 여부					
	환자이름					
	환자 등록번호					
	주호소					
	현재 및 과거병력					
	신체검진					
	초기검사					
	추정진단					
	작성자 서명					
경과기록	환자이름					
	환자 등록번호					
	환자상태 변화					
	상태 변화에 따른 치료계획 재수립					
간호 초기평가	24시간 이내 기록 작성 여부					
	환자이름					
	환자 등록번호					
	일반정보					
	입원정보					
	환자 과거력 및 가족력					
	최근 투약					
	입원 및 수술경험					
	알러지 여부					
	신체사정					
	사회력					
	작성자 서명					
간호기록	환자이름					
	환자 등록번호					
	환자상태변화에 따른 기록					
	작성일					
	작성자 서명					
퇴원요약	퇴근 전 기록 작성여부					
	환자이름					
	환자 등록번호					
	진단명					
	치료 및 처치					
	입원사유					
	경과요약					
	퇴원 시 환자상태					
	추후관리계획					
	작성자 서명					

7) 리더십 인터뷰

a. 참석자

- 의료기관 : 의료기관에서 정한 경영진(병원장, 부원장, 진료부장, 질 향상과 환자안전을 위한 위원회 위원장, 기획실장, QI실(팀)장 등)
- 조사팀 : 전원

b. 준비 서류

- 의료기관 운영에 관한 규정
- 의사결정조직(회의체) 구성 및 운영 회의자료, 경영진 승인 및 결과보고 관련자료
- 규정(정책과 절차) 관리 수행 관련자료

c. 관련 조사항목

기준	ME	조사항목	구분
9.1	경영진은 합리적 의사결정을 하고 체계적인 계획 하에 의료기관을 운영한다.		
	1	의료기관 운영에 관한 규정이 있다.	S
	2	의사결정조직을 구성하고, 정기적으로 운영한다.	P
	3	의료기관의 규정을 관리한다.	P
9.2	의료기관의 최고책임자는 기관의 운영방향을 공유한다.		
	1	미션 사명이 있다.	S
	2	미션을 공지한다.	P
	3	직원은 미션을 알고 있다.	P
7.1	질 향상과 환자안전을 위한 운영체계가 있다.		
	1	질 향상과 환자안전을 위한 위원회를 운영한다.	P
	3	질 향상과 환자안전 활동 계획을 수립한다.	S
	4	질 향상과 환자안전 활동을 위해 필요한 자원을 지원한다.	P
7.3	의료기관의 질 향상 및 환자안전 활동 계획에 따라 개선활동을 수행한다.		
	4	[시범] 질 향상 활동을 통해 얻은 성과를 지속적으로 관리한다.	O
	5	[시범] 질 향상 활동성과를 경영진에게 보고한다.	P
	6	[시범] 질 향상 활동성과를 관련 직원과 공유한다.	P
1.2	낙상 예방활동을 수행한다.		
	6	낙상 예방활동의 성과를 지속적으로 관리한다.	O

1.3	손위생을 철저히 수행한다.		
	3	[필수] 손위생 수행을 돕기 위한 자원을 지원한다.	P
	4	[필수] 손위생 증진 활동의 성과를 지속적으로 관리한다.	O
10.4	직원의 건강유지와 안전을 위한 관리활동을 수행한다.		
	6	직원 안전사고를 분석하여 지속적으로 관리한다.	O
6.3	환자의 불만 및 고충을 관리한다.		
	4	환자의 불만 및 고충유형을 분석하여 보고한다.	O

참고문헌

⓫ 3주기 요양병원 인증평가 개요

1. 석승한. 노인병원인증제. 노인병 2011;15(suppl. 3):1-5.
2. 보건복지부, 의료기관평가인증원. 3주기 요양병원 인증기준, 2019.

⓬ 3주기 요양병원 인증평가 조사기준별 핵심 체크

1. 인천은혜요양병원 운영위원회. 인천은혜요양병원 규정집. 인천은혜요양병원;2020.
2. Hand washing: Clean Hands Save Lives [Internet]. Centers for Disease Control and Prevention; c2013 [cited 2013 Mar 24]. Available from: http://www.cdc.gov/handwashing/.
3. Partners HealthCare System Fall Prevention Task Force. The Morse Fall Scale Training Module. Available from: http://free-doc-lib.com/book/the-morse-fall-scale-training-module-boston-hospital-medical-1.pdf.
4. 의료기관평가인증원. Available from: https://www.koiha.or.kr/home/notice/doView.act.
5. 보건복지부, 의료기관평가인증원. 3주기 요양병원 인증기준, 2019.

⓭ 규정집 제작에서 조사 당일까지

1. 인천은혜요양병원 운영위원회. 인천은혜요양병원 규정집. 인천:인천은혜요양병원;2020.

⓮ 인증평가에서 IT(개별환자추적조사) 준비하기

1. 의료기관평가인증원. 3주기 요양병원 인증조사 표준지침서(안), 2020.
2. 보건복지부, 의료기관평가인증원. 3주기 요양병원 인증기준, 2019.

⓯ 인증평가에서 ST(시스템추적조사), 리더십인터뷰 준비하기

1. 보건복지부, 의료기관평가인증원. 3주기 요양병원 인증기준, 2019.

Ⅳ

노인증후군

노인의 정의와 임상적 특성

- 84세 남자 환자.

  당뇨가 있어 경구 혈당강하제 투여 중이던 혈관성 치매환자. 1주 전 혈액검사에서 이상 소견 없었고 의사소통 가능했으며 Vital Sign은 stable 했고 특별한 증상 호소는 없었으며 혈당 조절도 잘 되던 환자였음. 어제 오전에 갑자기 호흡곤란(깊은 숨) 동반한 의식장애(혼수) 발생하면서 전신에 청색증의 소견을 보여 시행한 응급 혈당 검사 결과 glucose = 26 mg/dL 로 저하되어 "저혈당증(Hypoglycemia)" 진단 하에 포도당 용액 정맥 주사하며 관찰하기로 함. 그러나 저혈당은 잘 교정되지 않았고, 소변이 나오지 않아서 도뇨관을 삽입했더니 "콜라 색의 소변"이 관찰됨. 수 시간 후 결과가 나온 혈액 검사상 AST/ALT가 각각 3,000 IU 이상이었고, T-bilirubin은 1.7 mg/dL였음. Fulminant Hepatitis 진단 하에 lactulose 복용 등의 처치를 시행하였으나 환자는 당일 밤에 사망하였음.

– 황달, 발열, 복통 등의 전형적인 증상을 보이지 않아 진단이 늦어진 fulminant hepatitis.

노화 vs 노인의 질병

노화 자체에 의한 생리적 변화와 질병에 의한 병리적 변화를 명확히 구분하는 것은 매우 어렵다. 노화와 관련된 생리적 변화는 어떤 한 가지 세포, 조직, 계통, 기관의 기능 부전에 의한 것이 아니라, 세포와 세포 간 또는 조직, 기관 상호 간 기능의 통합을 맡아주는 수많은 통제 과정의 붕괴라고 생각된다. 여러 가지 손상이 상호 작용을 통하여 종합적인 영향을 나타내기 때문에 단순히 각 손상들과의 합과는 다른 모습으로 나타난다. 질병의 측면에서도 이전에 앓고 있던 전신성 홍반성낭창이나 다발성경화증 등의 질병의 증상이나 정도가 완화되는가 하면 파킨슨병이나 치매는 그 증상이 악화된다. 질병의 증상도 폐렴, 허혈성 심장질환, 우울증, 갑상선기능항진증, 당뇨병, 류마티스양 관절염 등의 증상이 젊은 성인들과는 달리 나타난다.

1. 언제 노인이 되는가?

언제부터를 '노인'이라고 칭해야 하는지에 관해서는 아직도 논란이 된다. 즉, 일반적으로 노인이라고 불리는 65세라는 연대기적 나이(chronological age)에 이르렀다고 해서 어떤 '마법과 같은' 일이 일어나는 것은 아니라는 말이다. 실제로 "65세"는 "생물학적 변화(biologic process)"에 의해서라기보다는 사회인구학적(sociodemographical)차원에서 정의되었다.

만일 65세부터 사망에 이르는 개개인의 집단을 "노령화 인구(ageing population)"로 개념화한다면 노년기의 범위는 대략 35년 이상에 이를 것이다. 그래서 일부 노인학자들은 노인환자 집단을 다음과 같은 몇 개의 연령 코호트(age cohorts)로 세분화하기도 한다.

◇ 초로기(young-old) : 65세~74세
◇ 노년기(middle-old) : 75세~84세
◇ 만년기(old-old) : 85세 이상

위 각각의 시기에 속하는 개인들은 각각 특유의 역사적 관점을 가지게 되며 의학적 문제들뿐만 아니라 사회적 지지, 심리적 요구 면에서도 독특함을 보인다. 예를 들어, 만년기 노인들은 초로기 노인들에 비해 인지기능 장애를 더 많이 가지고 있고, 신체적으로 건강하지 못하고, 재정적 혹은 사회적 자원이 불충분하며 소비자-중심적인 생활을 하지 못할 확률이 높다.

2. 노인차별주의(Ageism); 노인, 노령화, 노인환자에 대한 편견들

노인들에 대한 잘못된 믿음으로부터 생겨나는 "노인차별주의(Ageism)"적인 관점은 의료계 전반에 퍼져 있다. 의료 현장에서 맞닥뜨려지는 노인차별주의는 다음과 같은 여러 가지 형태로 발현된다.

1. 의사들이 노인들의 의학적 문제들을 도외시하거나 별것이 아닌 것으로 간주하거나, 그들의 문제를 "자연적인 노화 과정"으로 부적절하게 치부해 버린다.
2. 환자가 노인인 경우에 의사들은 예방적 처방을 덜 하게 되고, 의학적 혹은 정신적 문제들에 대해 덜 적극적으로 대처한다.
3. 의료인들은 노인환자들을 지칭할 때에 "경멸적인 호칭"을 사용하기도 한다.("늙은이, 영감님, 할머니, 할아버지, 노인네, 노친네, Elderly(영어권에서는 이 단어 대신 older adults, senitor citizens 등의 중립적인 단어 선택을 권고하기도 한다))
4. 어떤 의사들은 노인환자들을 진료할 경우에 시간을 덜 할애하거나 덜 주의 깊게 진료하기도 한다.
5. 어떤 의사들은 젊은 환자들에 비해 노인환자들을 다루기가 어렵다고 느끼기도 한다.

노인차별주의자들(Ageist)의 편견은 다차원적인 근원을 가지고 있다. 특히 아직도 우리 사회에서 금기화되고 있는 주제인 "우리 자신도 늙고 죽는다는 것에 대한 두려움"은 차별주의자들로 하여금 그러한 태도를 가지게 만드는 데에 큰 역할을 한다. "생산성"과 "젊음"이 미덕인 사회에서 육체적, 정신적으로 도태되어 감에 대한 두려움은 결국 노인차별주의적 관점을 수용하게 만든다. 여성차별주의나 인종차별주의 등의 여타 "*–주의(–ism)*"와는 달리 노인차별주의는 위험스럽게도 개인적인 것에 초점이 맞추어져 있다; 즉, 우리가 "운 좋게도" 살아남는다면, 우리는 모두 결국 우리가 차별하는 대상인 '노인'이 된다는 모순에 빠지는 것이다. 이러한 "스스로를 향한" 편견은 "성공 노화(successful ageing)"에 대한 위협적인 요소가 된다. 즉, 노인들 자신이 정상적 노화 과정에 대해 잘 이해하지 못하거나 노인차별적인 신념을 갖게 되면 의료적 처치에도 영향을 미치게 된다. 예를 들어, 어떤 노인이 요실금이나 기억력 장애를 정상적인 노화 과정의 일부라고 믿고 있다면, 그 사람은 병원을 찾지 않을 것이며, 그러한 문제들에 대해 가능한 치료를 받지 못하게 될 것이다.

노인차별주의적 편견은 특히 의료 환경에서 작용하는 경우가 많은데, 이러한 태도가 보건의료인들로 하여금 노인환자들을 무시하거나 그들의 문제를 대수롭지 않게 생각하도록 만들기 때문이다. 보건의료 전문가들은 일반인들에 비해 노인차별주의적 태도를 지니게 될 가능성이 더욱 높다. 그들의 업무 특성상 그들은 주로 가장 쇠약한 노인들을 접할 기회가 많을 수밖에 없다: 즉 아프거나, 노쇠하거나, 혼돈된 상태에 있거나, 치매 상태이거나, 입원해 있는 사람들 말이다! 따라서, 노인차별주의는 보건의료전문가들의 직업적 위험 요소(hazard)가 될 수 있으며 의료적 처치를 소극적으로 제공하게 만든다. 예를 들어, 우울증이 정상적 노화의 일부라고 믿는 의사는 비교적 쉽게 치료되는 상태를 치료할 수 있는 기회를 놓칠 수 있다. 몇몇 연구들에 의하면 노인들은 유방암의 치료에 있어서 덜 적극적으로 치료되며, 관상동맥질환에 있어서도 혈전용해치료가 덜 적극적으로 시행된다고 한다. 그러나 아직까지 노인환자들에 대한 의료인들의 부정적 신념들이 그들의 의학적 처치에 얼마나 많은 영향을 주는지에 대해서는 밝혀진 사실이 거의 없다.

3. 노인이 되면 어떤 문제들이 흔히 생기는가?

노인은 몸의 여러 기관과 기능이 퇴행성 변화를 겪고 있어 일반 성인과 달리 다양한 증상과 여러 질병이 다발적으로 발생하거나 복합적으로 존재하고 있는 경우가 많다.

1) 신체적 항상성 유지가 어렵다.

즉, 젊은이들은 주위의 환경이나 신체의 자극에 대하여 빠른 적응 변화를 하지만, 노인은 그 변화에 대하여 적응하지 못하거나 적응하는데 훨씬 많은 시간을 보내게 된다.

2) 감각기능 약화

여러 감각기관의 기능 약화에 따라 일상생활에서 쉽게 다칠 수가 있고, 많은 불편을 겪게 되어 잘 움직이시 않게 된다.

A. 시각의 변화

a. 40세 이후 노화로 인한 시각 변화

b. 눈의 모양 변화

- 수정체 색소가 엷어지고 지방 축적
- 수정체 주위에 회색 링(Arcus Senilis)

c. 눈 주위 근육 약화(Senile ptosis ; 노인성 안검 하수)

d. 눈물 생산 감소

e. 눈 구조의 변화 ; 동공이 작아져 망막 도달 빛이 50% 감소

f. 렌즈의 원근조절력 저하 ⇒ 노인성 원시

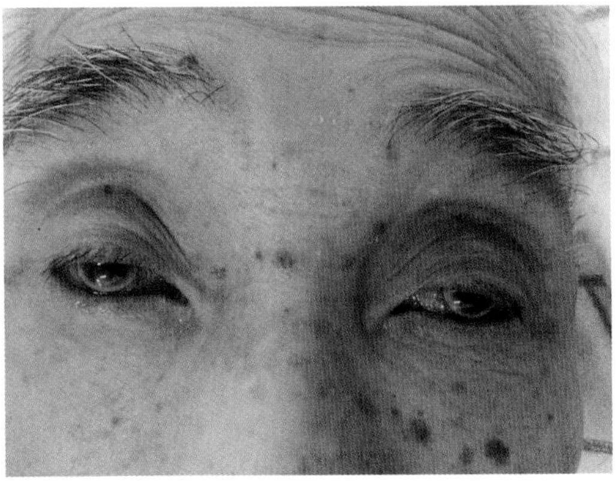

그림 16-1. **Arcus Senilis.** 수정체 주위로 회색 링이 보인다.

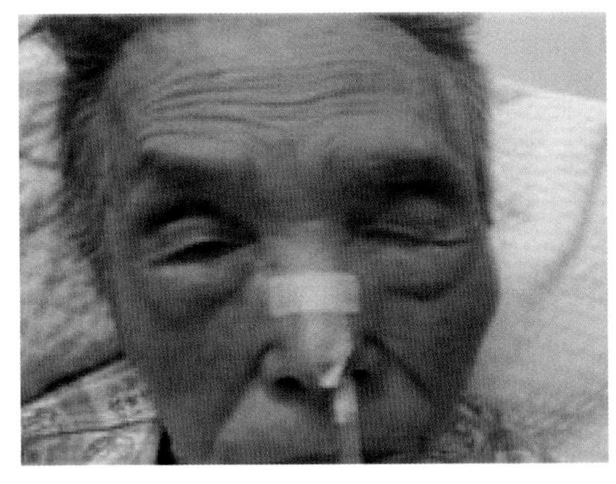

그림 16-2. **Senile ptosis.** 이분은 눈을 감고 있는 것이 아님

B. 청각의 변화

a. 노화에 따른 청각 변화

- 40세 이후 청력 감퇴
- 중이와 고막이 두꺼워지고 경직
- 귀지가 두껍게 쌓여서 고착화
- 코르티기관의 섬모 수 감소
- 달팽이관의 혈액공급 감소

b. 노인성 난청

- 노인들에게서 흔히 볼 수 있는 청각장애
- 양측 대칭적
- 달팽이관의 형태조직학적인 변성: 가장 흔함
- 65~75세 노인의 23%, 75세 이상 40% → 고주파음인 자음 구별이 어렵게 된다.
- 초기에 고주파장애 → 저주파까지 장애
- 남성 > 여성
- 청각검사 결과보다 본인이 생활에서 불편해하는 정도가 관심의 대상!!
- 예방 : (부족한 경우) vit.B12/엽산, 저포화지방식; 항산화제인 Coenzyme Q10, α-lipoic acid가 도움 된다는 보고

c. 청력 장애에 대한 중재

- 귀지에 의한 난청 : 액체를 몇 방울 귀에 넣고 귀지를 긁어냄

- 노인성 난청 : 보청기 삽입
- 청각장애 노인과의 대화법
  ⇨ 말을 천천히 한다.
  ⇨ 얼굴을 마주 보고 이야기한다.
  ⇨ 낮은 목소리로 말한다(고음 불가).
  ⇨ 조용한 곳에서 대화한다.
  ⇨ 필기도구를 이용하여 이해를 돕는다.

◆ 청각장애의 신호들
- 노인이 목청을 높여서 이야기
- 다른 사람들이 노인에게 큰 소리로 이야기
- 노인이 타인이 이야기한 것을 반복해서 이야기하라고 함
- 노인이 말수가 적어지고 어떤 일에 참여하는 횟수가 적어지고 다른 사람들이 하는 일에 무관심, 무시하는 경향
- 타인들이 이야기하는 것에 대해 의구심

그림 16-3. 버스 안에서 목청을 높여서 이야기를 나누고 있는 두 노인과 이를 바라보고 있는 두 명의 젊은 승객. 이 두 노인 중 최소한 1명은 청각 장애가 의심된다.

3) 영양 부족

치아를 비롯한 소화기관의 기능 약화에 따라 영양 상태가 부실하거나 변비로 고생하는 경우가 많다. 또한 관절염, 근감소증, 운동 부족 등으로 인해 식욕이 줄며, 특히 노인들은 노부부가 단둘이 거주하거나 독거하는 경우도 많고 경제적인 문제, 식사준비의 어려움 등의 다양한 원인이 영양 부족을 일으킨다.

4) 면역기능 약화

작은 감염에도 질병이 진행되어 생명이 위험하게 되는 경우가 많다. 그런데, 노인은 항상성의 저하로 인해 면역기능이 떨어지므로 감염이 되더라도 열이 안 나는 등 전형적인 증상을 보이지 않으므로 임상에서 진단이 늦어지는 경우가 많다.

5) 뇌기능 약화

지적인 능력이 감소하고, 정신적으로 불안정하다. 그로 인해 알츠하이머형 치매, 섬망, 우울증 등의 정신,신경학적 질환이 잘 생긴다.

6) 요로계 문제

요로계의 조직 변화나 기능 약화로 성기능 장애나 실금 등으로 고생하는 경우가 많다. 노인에서는 남,녀 무관하게 요실금 문제가 매우 흔하며, 이로 인해 화장실 사용이 잦아져서 낙상의 위험이 높아지기도 하고, 사회적으로 소외되기도 하는 등 요로계 문제는 노인의 건강에 매우 중요한 영향을 끼치므로, 노인의 건강을 평가할 때 빠지지 않는 요소이다.

7) 불면증

수면 생리의 변화로 깊은 잠을 들기 어렵고, 신체나 생활환경의 변화로 인하여 불면증에 시달리는 경우가 많다. 요양병원 입원 중에는 특히 낯선 환경에 의해 더욱 수면장애가 발생하게 되는데, 이로 인해 야간 낙상 등의 사고가 발생하기도 하여 입원 시에 수면장애 여부의 평가가 중요하다.

8) 의원증(醫源症; iatrogenesis)

의학적인 약물 투여나 처치로 말미암아 오히려 이전에 없던 병들을 새로이 발생시킬 수 있다. 대표적으로 처방받은 약물의 부작용, 수술 합병증 등이 있다.

9) 약물 과용

여러 가지 질병이 복합적으로 발생하여 여러 의료기관을 이용하는 경우가 많고, 약을 중복, 과다 복용하는 경우가 많다. 특히 요양병원 입원 시에 그동안 복용 중이던 약물을 파악하여 다약제 복용으로 판단되면 조절할 필요가 있다. 이것은 요양병원 의료진의 중요한 역할이다.

10) 사회적 지지기반 약화

여러 사회, 문화적인 여건에 따라 고립되거나 빈곤 속에 살고 있어 질병을 제대로 관리하지 못하고, 방치되고 있는 경우가 많다. 이는 노인환자 치료 시에 반드시 고려해야 할 요소이다.

Kane 등은 노인에게 흔한 문제들을 다음과 같이 "I" 시리즈(Series of I's)로 소개했다.

표 16-1. 노인에게 흔한 "I" 시리즈

"I" 시리즈 [Series of I's]	
Immobility(거동 불능)	Instability(불안정성)
Incontinence(실금)	Intellectual impairment(지적 능력 저하, 인지 장애)
Infection(감염)	Impairment of vision & hearing(시력, 청력 장애)
Irritable colon(대장 민감성 증가)	Isolation(=depression, 우울증)
Inanition(=malnutrition, 영양실조)	Impecuniosity(=poverty, 빈곤)
Iatrogenesis(의인성 질환)	Insomnia(불면증)
Immune deficiency(면역 결핍)	Impotence(발기 부전)

Adapted from Kane RL, Ous1ander JG, Abrass IB, 2004.

4. 의료인 입장에서 본 노인환자들의 임상적 특성

1) 질병의 증상이 없거나 비전형적이어서 진단이 어려운 경우가 많다.

증상이 없거나 모호하여 노인환자에게서는 진단이 어렵고 늦어져서 병을 진단받았을 때에는 이미 병이 상당히 진행되어 있는 경우가 많다.

2) 동시에 여러 질병을 가지고 있다.

긴 세월 동안 여러 질병에 걸려 어떤 병은 낫고, 어떤 병은 만성화되어 현재까지 계속되기도 하고, 새로운 질병이 시작되기도 한다. Howell 등의 부검 결과 65세 이상 노인에게서는 평균 7가지 이상의 병을 갖고 있고, 나이가 들수록 질병의 수가 늘어남을 알 수 있었다. 따라서 노인환자를 진찰할 때에 한 가지 질병을 발견하게 될 때에는 그 질병의 발견에 한정하지 말고, 다른 질병이 함께 있을 수 있다는 것을 전제로 다른 질환의 유무를 청장년에서보다 더욱 광범위하고 자세하게 확인하여야 한다.

3) 의식 장애가 많다.

신경정신계의 노화, 항상성 부조화로 인한 탈수 가능성의 증가로 의식 및 정신질환이 많다. 노인에서 우울증은 보통 생각하는 것보다 훨씬 많으며, 우울증이 신체 불편 증상 및 육체적인 병의 시작으로까지 이어지고 있는 경우가 많다.

4) 개인차가 크다.

오랜 세월을 지내오는 동안 겪었던 여러 병력, 생활력 등에 의해 증상 발현의 주관적, 객관적 발현 강도가 다르다. 이는 병력 청취, 진단, 효과 판정에도 직접적으로 영향을 미친다.

5. 노인환자에서의 비전형적인 증상들

1) 갑상선 기능 항진증

a. 전형적인 안구 소견과 갑상선 종대가 없는 경우가 많다.
b. 체중 감소, 심계항진, 피부소견, 진전, 심방세동 등의 증상도 흔하지 않다.
c. 초조해 보이고 안절부절못하는 양상보다는 그저 처져 있는 경우가 많다.

2) 갑상선 기능 저하증

a. 체중이 증가하기보다는 오히려 감소
b. 인지기능 장애, 심부전, 변비가 흔히 나타남.

3) 부갑상선 기능 항진증

a. 비특이적인 피로, 지적 능력 저하, 감정 변화, 변비, 식욕부진, 고혈압 등의 증상으로 나타남.

4) 전신성 홍반성 낭창(SLE; Systemic Lupus Erythematosus)

a. 나비 모양 발진, Raynaud 현상, 신염이 적게 나타나는 반면, 폐실질염(pneumonitis), 피하 결절, 장 섬유증, 디스크양 루푸스(discoid lupus)는 흔함.
b. 발열, 체중 감소, 관절염과 같은 전신 증상으로 나타날 수 있다.

5) 섬유근육통 증후군(fibromyalgia)

a. 만성 두통, 불안증의 발현 빈도가 낮고 날씨, 정신적 스트레스, 수면 부족 등에 의해 증상이 심해지는 것이 특징

6) 균혈증(bacteremia)

a. 열이 나지 않는 경우가 많으며 전신 쇠약, 설명되지 않는 정신상태와 같은 비특이적 증상으로 나타나기도 한다.

7) 요로 감염

a. 열이 없을 수 있으며, 배뇨곤란, 빈뇨, 긴박뇨와 같은 증상이 없는 반면 현기증, 의식착란(confusion), 식욕부진, 피로, 쇠약감이 요로 감염의 증상으로 나타날 수 있다.

8) 뇌수막염

a. 뇌막자극 증상이 없는 경우도 있으며, 두통이나 경부 경직 없이 발열과 정신상태 변화가 올 수 있다.

9) 폐렴

a. 피로감, 식욕부진, 의식착란으로 발현할 수 있다.
b. 빈맥과 빠른 호흡은 흔하지만 발열은 없을 수 있다.
c. 화농성 가래가 없는 기침이 특징적이며, 폐결핵이 병발되어 있을 때에는 다른 양상의 증상.

10) 급성 충수돌기염

a. 우하복부에 국한된 통증보다는 복부 전체에 걸친 통증. 이때에도 우하복부의 압통은 충수돌기염을 의심할 수 있는 초기 증상이 된다.

11) 간, 담도계 질환

a. 황달, 발열, 복통 없이 비특이적인 정신적 변화나 신체 증상(피로감, 의식착란, 이동능력 감소)이 주 증상으로 나타날 수 있으며, 간기능의 이상 소견만이 유일한 담도계 질환의 징후일 수 있다.

12) 장경색(bowel infarction)

a. 복통이나 압통 대신에 급성 의식착란

13) 소화성 궤양

a. NSAIDs(비스테로이드성 소염진통제)를 복용하고 있는 노인에서는 통증을 못 느낄 수도 있다.
b. 식욕부진만이 증상으로 나타나기도 한다.
c. 위장관 출혈 시에도 통증이 없는 경우가 많다.

14) 심근경색

a. 전형적인 흉통보다 호흡곤란, 실신, 쇠약감, 구토, 의식착란이 나타나는 경우도 있다.

15) 심부전

a. 호흡곤란보다는 의식착란, 초조(agitation), 식욕부진, 불면증, 쇠약감
b. 치매 노인에서는 심부전에 의한 증상인 기좌호흡(orthopnea) 때문에 밤에 불편하고 초조해지며, 증상이 심해질 수 있다.

16) 우울증

a. 초기 증상으로 모든 일에 과민해지는 양상을 보이기도 함.
b. 우울증의 주요 증상이 인지기능 장애로 나타나는 경우 치매로 오진할 수 있는데, 이를 가성 치매(pseudodementia)라고 한다.

6. 사회, 경제, 문화적인 특성

개인의 사회, 경제, 문화적인 환경에 따라 증상의 발현이 다르고, 비용이 많이 드는 정확한 진단에 의한 치료보다 현재의 증상이나 기능의 개선을 선호하는 경우도 많다. 진료 방침의 결정에 환자 본인보다 배우자, 성인 자녀, 친척, 다른 친분이 깊은 친구들의 의견이 반영되는 경우가 많다.

17 노인증후군이란?

• 91세 여성. 치매로 입원하신 분으로, 배회가 주된 증상이었음. 평소에 요실금 증상이 있어 야간에도 수면장애가 있고 침대 밖으로 나와 화장실을 가시는 일이 많으셨음. 요실금에 대해 amitriptyline 10 mg hs 투여, 수면장애에 대해 zolpidem 5 mg hs 투여 중이었음. 약물 복용 이후로 입 마름으로 물을 자주 찾고, 어지럼증 호소하시면서 비틀거리는 일이 잦았음. 주치의는 어지럼증에 대해 2주 전부터 lorazepam(아티반)을 투여했는데, 그 이후 가끔 엉뚱한 소리를 하고 매우 산만해짐(섬망). 수면 시간에는 벨트 억제대로 환자를 보호하고 있으나, 10일 전 새벽 4시경에 환자 스스로 억제대 사이로 빠져나와 화장실을 가시다가 엉덩방아 찧으심(낙상). X-ray 검사 결과 좌측 대퇴골의 골절로 밝혀졌으나 보호자 분들이 수술을 원하지 않으셔서 침상 안정 중이었음. 골절에 의한 심한 통증으로 마약성 진통제가 들어가면서 식욕이 떨어지고 밥을 잘 안 먹게 되었으며 기운이 없어 보였음(노쇠). 3일 전부터는 coccyx area에 1 x 1 cm 크기의 욕창이 발생함. 요실금이 욕창을 악화시킨다고 판단되어 도뇨관을 삽입함.

– 노인증후군 : 다제약물, 치매, 요실금, 수면장애, 어지럼증, 섬망, 낙상, 욕창, 노쇠
– 좋지 않은 임상 결과 : 입 마름, 억제대 사용, 대퇴골절, 골절에 의한 통증, 도뇨관 삽입

노인들이 흔히 하는 증상 표현들

- 피로하다.
- 식욕이 떨어졌다.
- 체중이 줄었다.
- 자주 넘어진다.
- 잠이 안 온다.
- 머리가 아프다.
- 기억력이 떨어졌다.
- 기분이 우울하다.
- 걷기가 힘들다.
- 눈이 아프다.
- 귀가 잘 안 들린다.
- 어지럽다.
- 이가 아프다.
- 입이 마른다.
- 기침을 한다.
- 가래가 끓는다.
- 숨이 차다.
- 가슴이 아프다.
- 몸이 붓는다.
- 잘 삼키지 못한다.
- 변비가 있다.
- 설사를 한다.
- 대변을 지린다.
- 대변에 피가 나온다.
- 소변을 못 가린다.
- 소변보기가 힘들다.
- 소변이 자주 마렵다.
- 소변이 붉게 나온다.
- 부부관계 시 아프다.
- 무릎이 아프다.
- 허리가 아프다.
- 팔다리가 뻣뻣하다.
- 관절이 부었다.
- 밤에 돌아다닌다.
- 재정적 문제
- 집안 돌보기
- 말을 제대로 못 한다.
- 배우자와 사별
- 도와주는 가족이 부족

1. 노인의학의 주된 원칙 : 노화에 따른 모든 기관의 항상성(homeostasis) 저하 = HOMEOSTENOSIS

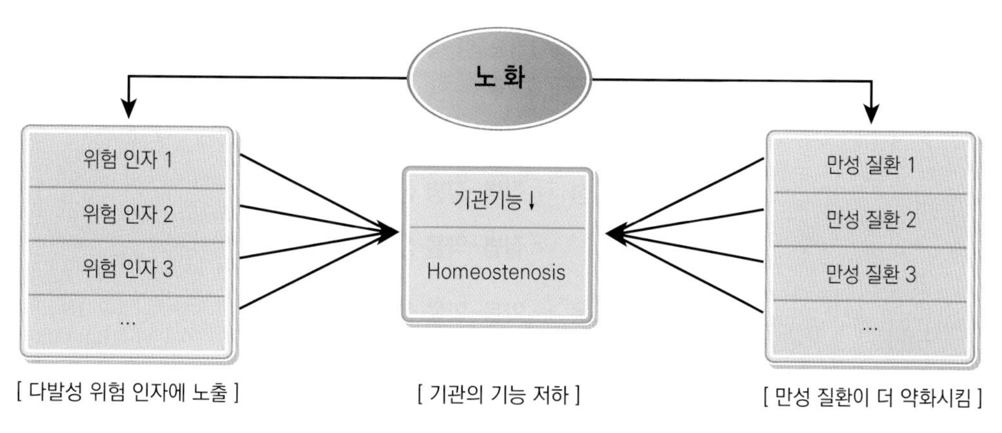

그림 17-1. Homeostenosis의 기전

2. 노인증후군의 정의?

노인증후군은 일반적으로 다음과 같이 정의할 수 있다.

> 노인에서 흔하면서 그 원인이 다양하고 치료와 동시에 돌봄이 중요한, 연속된 증상이나 소견

필자는 노인증후군(Geriatric Syndrome)은 노인포괄평가(Comprehensive Geriatric Syndrome, CGA)와 더불어 노인의학, 노인간호의 핵심이라고 생각한다. 노인증후군 개별 증상의 특성과 케어 방법을 이해하고 실무에 적용함으로써 유능한 노인의학 실무전문가가 될 수 있기 때문이다. 또한 CGA의 주요 대상이 노인증후군이기도 하여 상호 밀접한 연관성이 있다.

대한노인병학회의 기틀을 마련한 유형준 교수는 다음의 '노인병 열탕(Geriatric pot)' 그림을 통해 후학들에게 노인증후군의 기전을 명확하고 쉽게 묘사했다. 즉, 노인에서는 질병다발성(Multiple pathology = 질병–질병 상호작용)과 다약제복용(Polypharmacy = 약물–약물 상호작용), 그리고 질병–약물 상호작용에 의해 복잡한 양상의 의학적 문제가 일어나고, 의학적 요인 외에도 노인의 4중고(질병, 가난, 역할 상실, 우울과 소외)로 표현되는 경제적, 사회적, 심리적 이유들로 인해 그 복잡성이 증폭되며, 그 결과 기능 저하와 노인증후군으로 발현한다고 했다.

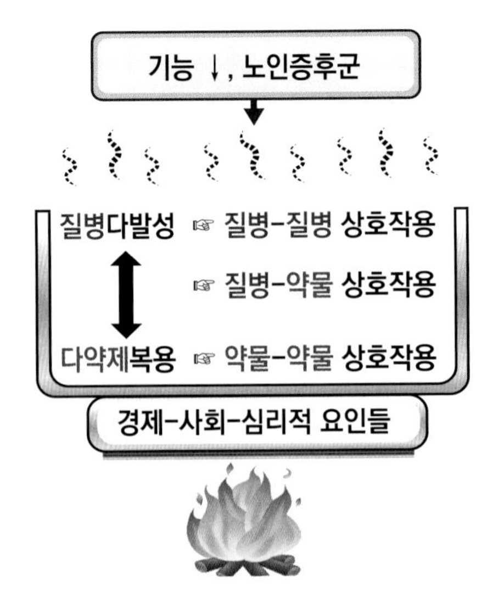

그림 17–2. **노인병 열탕(Geriatric Pot).** 노인증후군은 질병다발성과 다약제복용이 질병–질병 상호작용, 질병–약물 상호작용, 약물–약물 상호작용을 통해 다양한 의학적 문제를 일으키는데, 그 근본에는 경제,사회, 심리적 요인들이 기폭제가 되며, 그 결과 기능 저하와 노인증후군이 발생한다(유형준의 그림[HJ Yoo, 2001]을 필자가 변형함).

3. 노인증후군의 종류

1) 미국노인병학회의 ECWG(Education Committee Writing Group)에서는 의대 노인의학 과정의 필수 교육 내용으로 권고하는 13가지를 '노인의학의 거인들'(Geriatric Giants)이라는 별명으로 부른다. 노인의학의 거인들은 다음과 같다.

치매, 부적절한 처방, 요실금, 우울증, 섬망, 의인성(醫因性; iatrogenic) 문제, 낙상, 골다공증, 감각 변화(청각, 시각 포함), 유지실패(failure to thrive), 거동과 보행장애, 욕창, 수면장애

2) 아시아-태평양 지역 노인의학자들은 다음의 10가지를 노인증후군으로 제안하였다.

치매, 요실금, 섬망, 낙상, 청각장애, 시각장애, 근감소증, 영양불량, 노쇠, 부동(immobility),보행장애, 욕창

- 출처 : European Geriatric Medicine. 2013;4(5):335-338

3) 대한노인병학회 노인증후군 연구회에서는 '노인증후군 증례집(2016)'을 통해 다음과 같은 16가지의 소주제를 노인증후군 증례로 소개한 바 있다. 특히 노쇠(frailty)를 전형적인 노인증후군으로 소개하였다.

섬망 및 노쇠, 근감소증 및 노쇠, 실금, 변비, 낙상, 욕창, 기절, 보행기능 저하, 부동, 식욕부진, 연하곤란, 노인학대, 섬망과 저나트륨혈증, 탈수, 다약제, 우울증

이와 같이 노인증후군은 다양하게 정의되고 있지만, 그 중요성은 공히 강조되고 있다.

4. 노인증후군의 공통된 특징들

1) 노쇠한 노인들에게서 많이 생긴다.
2) 삶의 질과 기능에 막대한 영향을 준다.
3) 여러 원인들이 여러 장기에 영향을 주어 발생한다.

4) 환자의 주 증상(C.C.)은 특정한 병적 상태로 설명되지 않는 경우가 많다.

5) 어떤 경우는 서로 연관성 없이 떨어져 있는 두 기관에 동시에 관여하기도 한다.
(㉠ 요로 감염이 섬망을 유발함)

6) 노인증후군끼리 많은 위험 인자들을 공유한다(Shared Risk Factors).

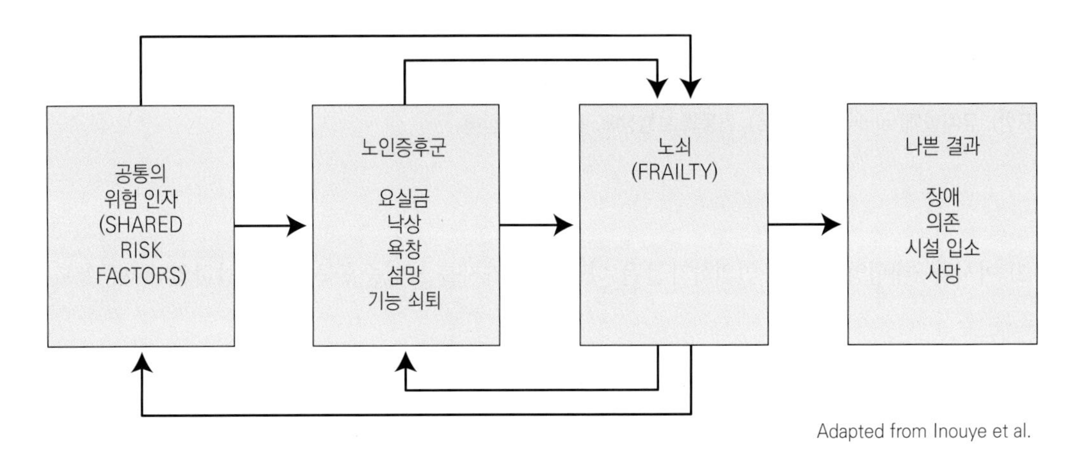

그림 17-3. Unifying Conceptual Model

5. 노인증후군과 다른 증후군과의 차이점?

1) (일반적) "증후군(syndrome)"의 개념

: "함께 모여 한 가지 질병분류학적 실재적 특징을 이루는 증상, 징후의 합체"

2) "노인증후군"

: "다발성 인자들이 상호 작용하는 병태 기전을 거쳐 하나의 단일 증상을 발현"
–'**단일 소견**'으로 나타나므로 final common pathway 혹은 end product로 정의하기도 함.

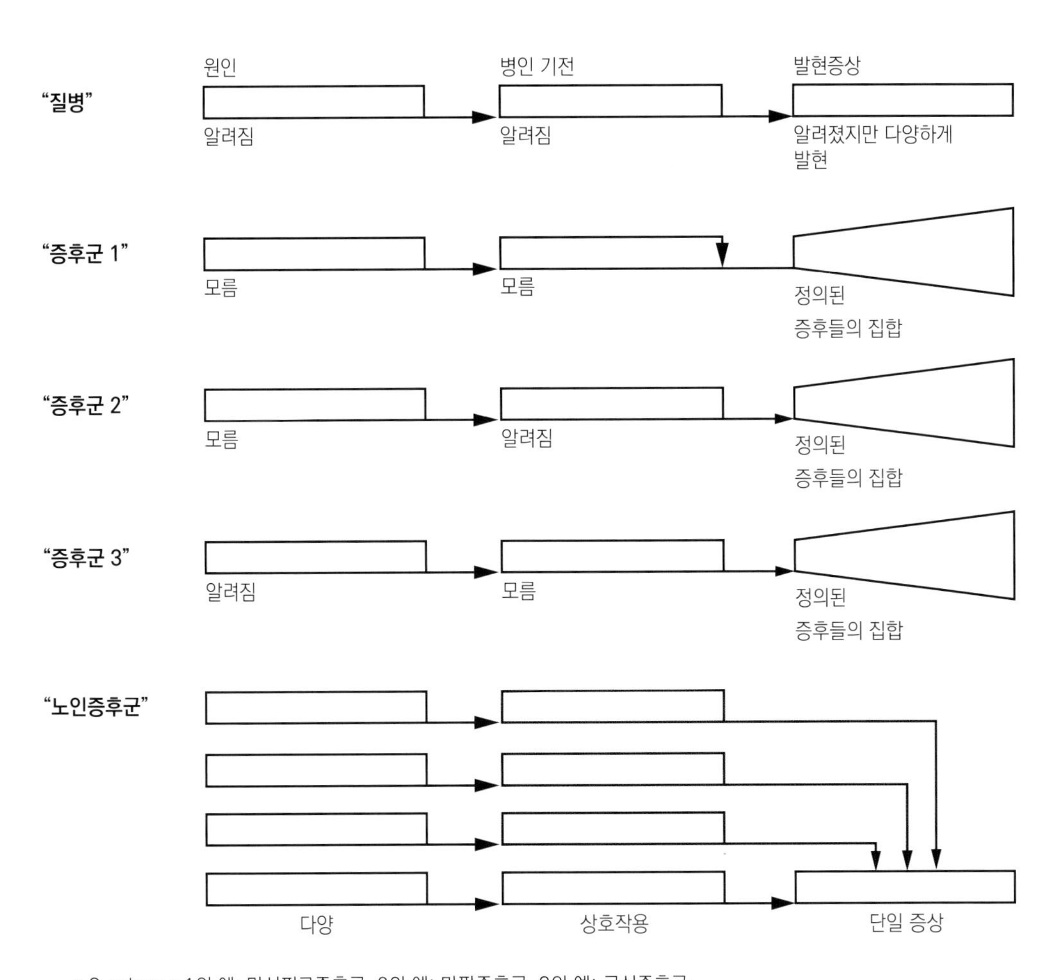

⇒ Syndrome 1의 예: 만성피로증후군, 2의 예: 마판증후군, 3의 예: 쿠싱증후군

Adapted from Olde Rikkert MGM et al.

그림 17-4. 노인증후군이 일반 질병이나 다른 증후군과 구별되는 특성

표 17-1. 노인에게 흔한 "I" 시리즈

	노인증후군	일반 증후군
유병률	높음	드물다
병인	다발	단일(대개)
타 노인증후군과 병인 중복	큼	없음
1인당 증후군 개수	> 1	1

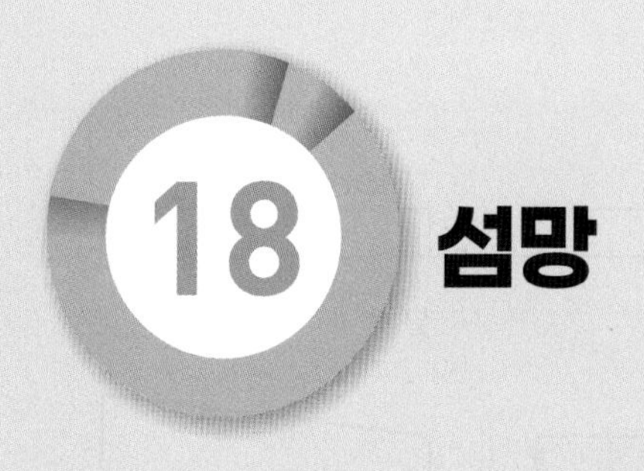

18 섬망

- 치매로 생각되어 보호자가 외래에 모시고 오는 환자들 중 실은 섬망인 경우가 많다!!
- 회진 시 : 주치의 : "오늘은 좀 어떠신가요, 홍길동 님?"
  환자 : "뭐, 괜찮아요"

– 이러한 대화만으로는 섬망을 발견해내기가 쉽지 않다!!

사례 1. 섬망

78세 남성이 며느리와 함께 치매 검사를 받기 위해 외래를 방문했다. 며느리 이야기로는 환자가 "갑자기" 1일 전부터 엉뚱한 이야기와 행동을 하신다고 했다. 당일 아침에도 갑자기 병원을 가신다며 집을 나서려다가 언제 그랬냐는 듯이 다시 방안에서 서성였다고 하고, 전날에도 엉뚱한 행동을 하시다가 오후에는 친구를 만나시러 나가셨다가 별일 없이 들어오셨다고 한다. 잠은 잘 주무신 편이고, 식사도 매우 양호하게 잘하시는 등 일상생활 능력에 큰 장애는 없다고 했다.
의사가 "성함이 어떻게 되세요?"라고 묻자 "뭐?"라며 따지듯이 대답하고, "여기가 어디인지 아시나요?", "이분은 누구세요?"라는 질문에 "몰라!"라고 짧게만 대답하시며 다소 산만한 모습이었다. 특별한 과거력은 없었으나, 간혹 속이 쓰리시다며 소화제를 드신다고 하며, 내원 당일에도 환자분의 방에 들어가 보니, 약봉지들이 여기저기 있었다고 한다.

사례 2. 망상장애 혹은 치매에 의한 망상

6개월 전에 '엉뚱한 소리를 한다'고 하여 입원한 77세 여자분이 회진 시에 가보니 이불을 뒤집어쓰고 누워 계신다. 주치의인 내가 다가가면 매우 예의 바르게 맞이해 주신다. 환자분과 대화를 해보니, "나는 사실 500년 전에 쓰여진 역사책에 나오는 인물이며, 이미 500년 전에 지금의 나의 생활에 대한 기록이 정확히 되어 있다"고 하셨다. 혹시 병원에 입원하신 것까지 기록이 되어 있느냐고 여쭤봤더니 "그렇다"라고 대답하셨다. 역사책에 본인이 '감옥소'에서 말년을 보낸다고 했는데 생각해보니 그 감옥소가 병원을 의미하는 것 같다고 하셨다. 현재 드시는 약물은 혈압약과 치매치료제인 아리셉트 5mg이다. 최근 시행한 K-MMSE 점수는 24점이었다.

사례 3. 혈관성 치매와 동반된 이상행동심리증상(BPSD)

69세 남성의 며느리와 아들이 상담을 하러 오심. 최근 들어 자주 엉뚱한 이야기를 하시고 기력이 없어 하시며, 옷을 벗고 다니신다고 하심. 약간 호전되는 듯하다가 내원 당일 다시 엉뚱한 소리 하심. 과거력상 당뇨 치료(아마릴+글루코파지) 받고 계시고, 3일 전 종합병원에서 뇌 MRI 검사 결과 lacunar infarction 있으셨음. 최근 들어 며느리를 이성으로 대하는 듯한 행동(만지기)을 보여서 며느리는 환자에게 엄격하게 대함. 인지기능 검사 결과 K-MMSE 17점, CDR 1, GDS(Global Deterioration Scale) 3.

1. 섬망의 진단 기준

1) DSM-5 기준

섬망의 DSM-5 (Diagnostic and Statistical Manual of Mental Disorders) 기준

A. 주의력 장애(즉, 주의를 기울이고 집중, 유지 및 전환하는 능력의 감소)와 의식의 장애(주변 환경에 대한 지남력 감소)
B. 장애는 단기간에 걸쳐 발생하고(대개 수시간~수일), 기저 상태의 주의력과 의식으로부터 변화를 보이며, 하루 중 중증도가 변동하는 양상을 보인다.
C. 부가적인 인지장애(예 : 기억력 결손, 지남력 장애, 언어 및 시공간 능력 또는 지각의 손상)
D. 위 진단 기준 A와 C의 장애는 이미 존재하거나 확진되었거나 진행 중인 다른 신경인지장애로 더 잘 설명되지 않고, 혼수와 같이 각성 수준이 심하게 저하된 상황에서는 일어나지 않는다.
E. 병력, 신체검진 또는 검사 소견에서 장애가 다른 의학적 상태, 물질중독이나 금단(즉, 약물남용이나 치료약물로 인한), 독소에의 노출로 인한 직접적, 생리적 결과이거나 다중 병인때문이라는 증거가 있다.

다음의 존재 여부를 명시할 것 :
물질중독 섬망 : 이 진단은 위 진단 기준 A와 C의 증상이 임상 양상에서 두드러지고 임상적 주목을 보증할 정도로 충분히 심할 때에만 물질 중독의 진단 대신에 내려져야 한다.

Adapted from American Psychiatric Association

2) CAM(Confusion Assessment Method) ⇐ 가장 많이 사용됨

Sharon K. Inouye M.D., M.P.H.

a. DSM-IV 기준보다 짧고 실용적 목적으로 만들어져서, 실제로 임상에서 널리 쓰이고 있다.

b. 노인의학 이론들을 실제적인 임상적 진료에 응용하고자 하는 연구들로 유명하며 Geriatric syndrome, 특히 delirium 연구로 많은 업적을 남긴 하바드 의대 Sharon K. Inouye 교수가 1990년에 예일대 재직 시절 개발

c. 양성예측도가 90%, 음성예측도가 90~100%.

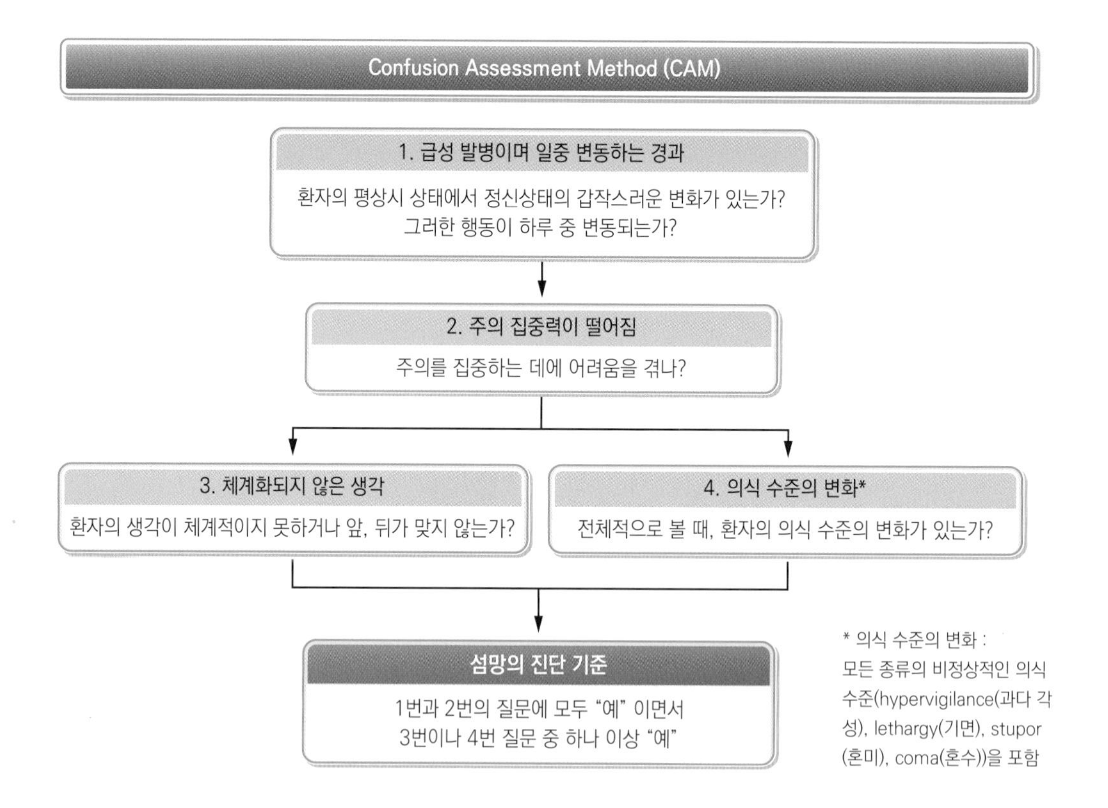

그림 18-1. Confusion Assessment Method by Inouye SK

2. 역학

1) 입원 당시 유병률 : 14~24%
2) 입원 후 새로운 발생률 : 6~56%
2) 섬망 환자의 66~70%는 의료진이 발견하지 못하고 있다!! 3%만 의무기록에 기록되고 있다!!!
3) 섬망 발생 3개월 후 : 63%에서 소실
4) 섬망 발생 6개월 후 : 68%에서 소실
5) 위험요인은 아래의 표와 같다.

표 18-1. **섬망의 위험요인**

섬망의 위험요인	- 노인, 남자, 치매 - 일상생활수행능력(ADL) 저하 - 동반 질환 - 알코올 남용 - 감각 장애(시력, 청력) - 와상(Bed rest) - 도뇨관 유치자	- 억제대 사용자 - 영양실조 - 3가지 이상의 약물 복용 - 저혈압(SBP < 80 mmHg) - 수술 후 통증 - 항콜린성 약물 사용

3. 섬망의 유형(Types)

1) 조용한(hypoactive) 섬망 - 50%

a. 환자가 타인의 관심을 끌 만한 행동을 보이지 않기 때문에 알아채기가 어렵다.
b. 결국 진단도 늦어지고 장기간 진행되는 경우가 많다!!

2) 시끄러운(HYPER-active) 섬망 - 25%

a. 섬망의 원인을 제대로 파악하여 치료하지 못하면 지나친 sedation과 PR (physical restraint)이 오히려 또 다른 문제를 일으키는 수가 많다.

3) 혼합성(mixed HYPERactive-hypoactive) 섬망 - 25%

a. 밤에 깨고 낮에는 잠만 자는 경우가 많다.

위 세 가지 유형 사이에 이환률이나 사망률의 차이는 없다.

표 18-2. 조용한(hypo-)섬망과 시끄러운(HYPER-)섬망의 구체적인 예들

조용한(hypoactive) 섬망의 증상들	시끄러운(HYPERactive) 섬망의 증상들
- 주변을 의식하지 못함 - 명료함이 감소함 - 혼미함 - 움직임이 느려짐 - 사람을 노려봄 - 무감동	- 과다 각성(Hypervigilance) - 들뜬 상태로 잠도 못 잠 - 말을 빨리하거나 목소리가 큼 - 짜증이나 화를 냄 - 분노 - 금방이라도 싸울 듯함 - 참을성이 없어짐 - 욕을 함 - 노래 부르기 - 소리 내어 웃기 - 비협조적임 - 이유 없이 행복해함 - 정처 없이 돌아다님 - 쉽게 깜짝 놀람 - 빠른 운동 반응 - 주의가 산만함 - 사고이탈(이야기가 '삼천포'로 빠짐) - 악몽을 꿈 - 특정한 생각에 집착

Adapted from Lipzin B, Levkoff S

4. 섬망의 원인

표 18-3. **섬망의 원인 : "THE DELIRIUM"**

T	Trauma	머리의 외상, 수술 후, 고온증 혹은 저온증
H	Hypoxia	빈혈, 저혈압, 폐색전
E	Endocrinopathy	고혈당, 저혈당, 갑상선기능 이상, 부신기능 이상, 부갑상선기능항진증
D	Drugs or heavy metals	여러 가지 약물들(표 12-4), 납, 망간, 수은
E	Electrolytes	고나트륨혈증 or 저나트륨혈증
L	Lack of drugs, water, or food	통증, 금단(알콜, 벤조다이아제핀), 탈수, 영양 결핍(비타민 B12, Thiamine)
I	Infection	패혈증, 요로 감염, 흡인성 폐렴
R	Reduced sensory input	시력 장애, 청력 장애, 신경병(neuropathy; 당뇨병성 신경병)
I	Intracranial	SDH, 뇌수막염, 간질, 뇌종양, 뇌졸중
U	Urinary / Fecal retention	약물, 변비
M	Myocardial	심근 경색, 심부전, 부정맥

표 18-4. **섬망을 유발하는 약물들 :"ABC"**

Analgesics(진통제)	Opioid(코데인, 메페리딘), Salicylates
Antiarrhtymics(항부정맥제)	Digoxin, Lidocaine, Procainamide, Amiodarone
Antibiotics(항생제)	Cephalexin, Gentamicin, Penicillin
Anticonvulsants(항경련제)	Phenytoin, divalproate, carbamazepine
Antidepressant(항우울제)	Amitriptyline(에나폰), imipramine
Antihistamine(항히스타민제)	Diphenhydramine(제놀), hydroxyzine(유씨락스), ranitidine, cimetidine
Antineoplastic(항암제)	5-fluorouracil, Methotrexate
Antipsychotics(항정신병제)	Haloperidol, thioridazine
Antismasmodic(진경제)	Oxybutynin(디트로판), belladonna(키미테 패취)
Benzodiazepine	Diazepam(발륨), chlordiazepoxide
Corticosteroids(스테로이드)	Prednisolone(소론도), dexamethasone
CNS drugs(중추신경계 관여)	Lithium, levodopa, indomethacin, methyldopa
기타	Bromide, Disulfiram, Timolol 점안액, 테오필린 등

표 18-5. 중추성 항콜린성 약물

항콜린성 부작용이 분명한 약물들	항콜린성 부작용 가능성 있는 약물들
imipramine, doxepin, loxapine, nortriptyline(센시발), amitriptyline(에나폰), amoxapine(아디센), chlorpromazine(네오마찐), clozapine, quetiapine(쎄로켈), chlorpheniramine, hydroxyzine(아디팜, 유시락스), meclizine, oxybutinin, meperidine, paroxetine	haloperidol, olanzapine, alprazolam(자낙스), diazepam(디아제팜), bupropion hydrochloride(웰서방정), codeine, colchicine, coumadin, dipyridamole, hydralazine, captopril, isosorbide, nifedipine, furosemide(라식스), digoxin, prednisolone, theophyline, cimetidine, ranitidine

항콜린성 부작용이란?
피부와 점막의 건조, 땀의 감소, 동공 확장, 장 운동 감소, 소변 축적, 부정맥, 고체온
⇒ 노인환자, 녹내장환자, 전립선비대증환자, 심장병 환자 등은 특히 주의해야 함.

5. 섬망 환자의 평가

1) 병력 수집 및 신체 검사

a. 섬망은 응급 상태로 간주되며, 즉각적인 평가와 치료가 필요하다.
b. 우선 환자, 가족, 간병인, 간호사 등으로부터 정확한 병력을 청취한다.
c. 혹시 심증이 가는 원인이 있다고 하더라도, 여러 가지 감별 진단을 배제해야 한다.
d. 현재의 증상을 정리해 보고, "새로운 치료, 환경의 변화, 동반 질환 등의 시작"이 있기 전의 상태와 비교해 본다.
e. 기존의 인지기능 지하, 감각 장애, 영양 상태, 탈수 여부, 변비 여부 및 소변량 등을 파악하면 감별진단의 범위를 좁힐 수 있다.
f. 최근 수일간 환자가 복용한 약물(약국, 한의원에서 산 약물 및 음주 여부 포함)을 꼼꼼히 파악한다.
g. 신체 검사
- 통증에 대한 평가
- Vital Sign 체크
; 빈맥? → 부정맥, 고열, 통증, 금단 증상(약물, 술)
; 산소포화도가 낮다? → 폐렴, 울혈성 심부전
- 진찰을 통해 심혈관계, 호흡기계, 복부, 신경계의 문제를 감별
- 2일 이상 대변을 보지 않았다면 rectal exam.을 통해 fecal impaction 진단

2) 추가 검사

a. 모든 환자에게 CBC, electrolyte, 소변검사, EKG 검사 시행.
b. 특별한 신경학적 이상이 없다면 Brain CT는 별로 필요 없다.

3) 병원 입원환자의 섬망 가능성 평가 도구

입원 기간 동안 섬망의 위험도
위험 인자들 (아래 항목 중 해당되면 체크하세요 .)

- ☐ 시력 장애(20/70 이하)
- ☐ BUN/Cr > 17
- ☐ 심각한 질병 상태(APACHE II 점수 〉 16점, 혹은 간호 사정 결과 심각한 질병 상태)
- ☐ MMSE < 24점

총 점수: ___________

점수(항목당 1점씩 합산)	입원 기간 중 섬망이 발생할 백분율(%)	
	입원환자	대퇴부 수술을 위해 입원한 환자
0점(낮은 위험)	3	4
1,2점(중간 정도의 위험)	16	11
3,4점(높은 위험)	32	37

Adapted from Inouye SK, et al. Ann Intern Med 1993;119:474-81.

6. 섬망의 치료

1) 비약물적 치료를 먼저 할 것

a. 필요 없는 모든 약물의 복용을 중단시킨다.
b. 약물 중단이 어렵다면 용량을 줄이거나 대체 약으로 바꾼다.
c. 가족들의 방문 권장
d. 적절한 자극을 제공하는 조용하고 잘 정돈된 병실이 도움
e. 밤에는 낮은 조도의 불빛이 종종 유용
f. 시계, 달력, 가족사진, 개인용품 등을 이용하여 지남력을 자주 일깨움

g. 의료진, 보호사가 수시로 지남력을 일깨워 줌; 각자의 이름을 소개, 병원 이름, 호실 등 알려줌
h. 인지기능 자극; TV 보기, 최근 뉴스거리에 대해 이야기하기
i. 감각 장애를 보이는 환자에게는 안경과 보청기 등이 도움
j. 환자를 침대에 머물게 만드는 억제대나 정맥 주사 카테터, 도뇨관, EKG 모니터용 전선 등으로부터 가능하면 벗어나서 보행을 시키면 좋다.
k. 탈수(I/O check, BUN/Cr > 18)가 있으면 물을 많이 마시게 함.

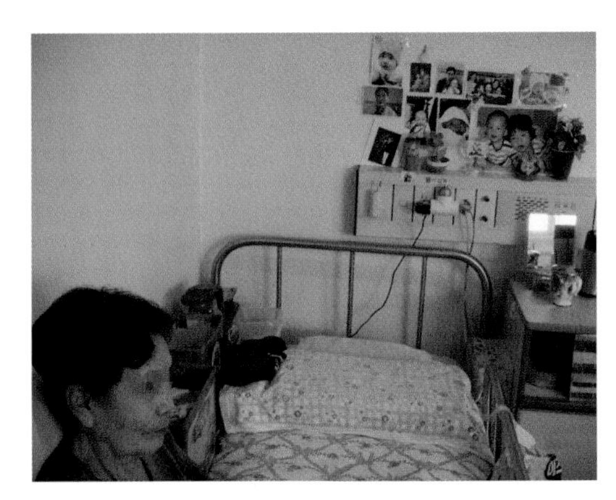

그림 18-2. 낯선 환경 극복을 위한 환자 머리맡의 가족사진들

2) 불안하거나 흥분한 환자에 대한 약물적 처치

a. 섬망 환자에게서 약물의 사용은 섬망 증상을 더욱 장기화시킬 수 있음을 명심!
b. 비약물적 처치가 실패하고 환자가 위험할 경우에만 약물치료를 한다.
c. Haloperidol
 - 0.25~0.5 mg IV or PO로 시작, 하루 5 mg가 넘지 않도록 한다.
 - 부작용 : QTc interval prolongation, EPS[1]), 항콜린성, 항도파민양 증상 등
 - 끊을 때에는 천천히 tapering
d. 비전형적 항정신병약(quetiapine, risperidone 등)
 - 비교적 부작용이 적음.
 - 아직 노인에서의 안정성 입증 안 됨.
e. Benzodiazepines
 - 섬망 증상을 악화시킬 수 있다.
 - 다른 치료에 반응 없을 때에 사용
 - Lorazepam(아티반) 0.5 mg~1.0 mg IV or PO

1) Extrapyramidal syndrome; Parkinsonism, akathisia, dystonia, tardive dyskinesia 등이 포함된다.

표 18-6. **섬망 시 의사의 오더의 예**

문제상황	오더
인지기능 장애	치매환자라면 Cholinesterase Inhibitor(도네페질 등) 투약 항콜린성 약물을 중지하거나 다른 약물로 대체
항콜린성 약물	항콜린성 약물을 중지하거나 다른 약물로 대체
벤조디아제핀	사용을 중지하거나 서서히 줄여나감
통증	진통제 사용을 통해 통증을 10점 만점에 3점 미만으로 줄임 Demerol이나 Codeine은 사용금지
변비	규칙적인 변비약 사용
수면장애	저용량 Trazodone이나 Mirtazapine 사용
활동	도뇨관이나 신체억제대 해제
알코올 금단증상	Lorazepam(아티반)과 같은 속효성 벤조디아제핀 사용
탈수	혈청 BUN/Creatinine(< 20/1), Na 유지.

7. 입원한 노인환자에게서 섬망의 예방

입원한 환자에서 발생한 섬망의 50% 이상이 입원 후에 처음 발생하므로, 입원 자체가 섬망의 원인이 된다고 추정된다. 1999년, Inouye 등은 “Elder life specialists”라는 팀을 구성해 “Yale–New Heaven Hospital”에서 다음의 6가지 중재 방법을 이용해 섬망의 발생을 성공적으로 예방하였다.

a. 인지기능 자극
b. 지남력 일깨움(reorientation)
c. 안경과 보청기의 사용(필요시)
d. 하루에 3회 보행시키기
e. 수분 섭취 프로토콜
f. 약 안 먹고 잠자기 프로토콜 ⇐ 가장 효과가 좋았던 방법!!

밤에 약 안 먹고 잠자기 프로토콜의 내용

- 밤에 형광등은 끄고 야간조명용 전등을 켠다.
- 따뜻한 우유나 허브 차를 마신다.
- 짧게 등을 마사지해 준다.
- 이완을 시켜주는 음악을 들려준다.

8. 섬망 vs 치매 vs 망상?

1) 섬망 vs 치매?

특히 섬망과 치매를 구분하는 것은 어려울 수 있다. 실제로 이 두 가지는 흔히 동시에 존재하는데, 치매환자들 중 많은 수가 경과 중에 섬망을 앓게 되고, 반대로 섬망을 일으키는 많은 임상적 상황(저산소증, 뇌막염, 뇌염 등)들이 결국은 치매로 발전한다.

표 18-7. 섬망과 치매의 감별점

임상 양상	섬망	치매
발생 시점	갑자기 발생	언제부터인지 모르게 천천히
주 증상	집중력 저하, 급성 인지기능 장애, 낙상, 안절부절, 흥분 증상의 과잉 혹은 감소	기억력 장애 말기에는 섬망의 증상이 가능
진행 상황	갑자기	수개월~수년에 걸쳐 천천히 나빠짐
경과	짧다. 원인이 제거되면 좋아진다. 늦은 밤과 이른 아침에 더 나쁘다.	매우 길며, 증상이 계속 나빠진다.
기간	수 시간 ~ 1개월(혹은 수년까지도)	수개월 ~ 수년
의식	명료하지 않음(lethargic, hypervigilant) 오르락내리락 변동이 심함.	초기에는 정상(alert)
주의 집중	쉽게 산만해지고 집중하지 못함.	초기에는 정상
사고	체계화되지 않고 느리거나, 두서없이 이야기를 늘어놓으며 빨라지기도 함.	판단력 장애 추상적 사고가 힘듦.
기억력	즉각적 및 단기간의 기억 상실	최근, 혹은 과거의 기억 상실
지남력	초기에 장애	말기에 장애
현실 자각	왜곡되어짐(망상, 환각)	초기에는 정상

사례	독거 중이던 89세 여성이 보호자(딸)와 함께 외래를 방문하였다. 보호자 말로는 어머니가 약 5년 전에 local clinic에서 치매진단을 받았다고 하였다. 환자의 상태가 점점 나빠지기는 하였지만 가정 방문 요양보호사의 도움으로 그럭저럭 집에서 생활을 하고 있었다. 그러던 중, 2일 전에 갑자기 소변을 지리게 되었고(평소 없던 일임), 요양보호사가 대화를 해보니 엉뚱한 말을 하며, 요양보호사가 보기에 환자분이 졸려 보였다고 했다.	78세 여성이 밤에 잠옷 차림으로 혼돈 상태에서 거리를 헤맴. 그녀의 차림은 단정치 못하고 헝클어져 있었다. 의식은 명료하나 시간, 장소의 지남력이 없었고 집 주소를 떠올리지 못했다. 그녀는 묻는 말에 잘 대답은 하였지만 대화를 하다 보면 그녀의 남편이나 아이들 문제로 화제를 돌리기 십상이었다. 그녀는 병원에 입원한 후 수시로 병원 복도를 목적 없이 돌아다니는데, 물어보니 "집에 가려고 버스 정류장을 찾는 길"이라고 대답하였다.
위 사례의 판단근거	- 졸려 함(lethargic) - "치매"는 섬망의 큰 위험 인자. - 최근 발생(2일 전) - 환자 상태를 잘 아는 보호사가 보기에 엉뚱한 내용의 말을 함.	- 의식이 명료했다(alert) - 대화에 집중을 잘했다. - 야간에 문제가 있었지만 "버스 정류장"으로 설명이 됨.
대처법	최근 요실금이 생겼으므로 섬망의 원인으로 요로 감염을 먼저 생각한다.	환자를 가장 잘 아는 가족이나 이웃들을 만나 좀 더 정확한 정보를 파악할 것.

최근의 연구들에 의하면 섬망이 수개월에서 심지어는 수년까지 지속될 수도 있다고 한다!!
Persistent Delirium vs Reversible Dementia 감별이 쉽지 않다.

2) 섬망 vs 망상 vs 망상장애?

- 망상이란? : 불합리하며 잘못된 생각 또는 신념

  정도가 약한 망상은 "overvalued idea"라고 하며 '편견'이나 '이데올로기' 등이 그 예가 된다. 망상으로 출발했으나 그 이후의 전개가 논리적일 때는 **"체계화된(systematized) 망상"**이라고 하며, 망상 내용이 매우 괴상하고 엉뚱할 때에는 **"괴이한(bizarre) 망상"**이라고 한다.

- 결국 괴이한 망상은 섬망의 일부가 될 수 있다!!!

  체계화된 망상은 섬망의 일부로 볼 수 없으며, DSM-IV에 의하면 체계화된 망상이 1개월 이상 지속되며 약물 등 섬망의 위험 인자가 없는 경우는 **"망상 장애(Delusional disorder)"**로 따로 분류될 수 있다.

Question: Are Delusions a Sign of Dementia, Delirium, or Both?
(망상은 치매, 섬망, 혹은 치매와 섬망 모두의 징후인가요?)

Answer

Leslie Kernisan, M.D., Geriatrician at the University of California, San Francisco.
모두 가능합니다!!

망상이 섬망의 일부인 경우

망상이 갑자기 찾아옵니다. 특히 의식이 혼돈되고 집중하지 못하는 등의 증상을 동반합니다.

망상이 치매의 일부인 경우

망상이 오랜 시간에 걸쳐 천천히 발생합니다. 실제로 없는 것을 보거나 듣는다고 하거나, 실제로 일어나지 않은 일을 일어났다고 하는 형태의 망상이 치매환자에서 흔합니다. 치매환자라면 기억력 장애, 체계적이지 못한 사고, 혹은 언어 구사의 문제점 등이 동반될 수 있습니다.

망상이 섬망 및 치매 모두의 일부인 경우

치매환자가 아프거나 입원을 하고 나서 섬망 증상을 보이는 경우, 그 환자를 처음 보는 의료진들은 그 증상을 치매 증상의 일부로 보는 실수를 범한다. 결국 그 환자를 줄곧 간호했던 보호자(간병인)가 "평소보다 더 엉뚱해요"라고 지적하기 전에는 섬망의 진단을 내리지 못하곤 합니다. 어떤 사람의 정신상태가 갑자기 악화된다면 다른 진단으로 확인되기 전까지는 일단 섬망으로 간주하고 환자를 평가해야 합니다. 섬망은 감염, 심장병, 약물의 부작용 등과 같은 위험한 의학적 상태의 단지 표면적인 증상일 수 있기 때문입니다.

Adapted from Caring.com

9. 결론

환자의 정신상태가 변하고 주의 집중력이 떨어지며 의식 수준이나 사고의 체계가 흐트러진 증상을 보이는 노인은 일단 다른 질환으로 판명되기 전까지는 '섬망'으로 간주하고 섬망에 대한 치료를 진행하면 될 것이다. 특히 치매와 연관된 이상행동심리증상(BPSD)과의 감별이 힘들지만, 우선 섬망의 비약물적 치료로 접근하고, 이에 반응이 없는 경우에는 적은 용량으로 약물 투여를 시도해 볼 수 있겠다.

19 어지럼증

- 노인들이 "어지럽다"고 하는 것이 무슨 의미인지를 파악해야 한다.

– 단순히 기운이 없거나, 구역질이 나거나, 현기증 등은 아닌지?

1. 어지럼증 vs 평형(Equilibrium)

- 자신 및 외부로부터의 자극을 뇌로 전달하여 평형 유지에 관여하는 감각신경계(그림 10-1)
  - 전정신경계(vestibular system) – 머리의 움직임과 중력에 대한 정보
  - 시각계(visual system) – 사물의 위치 및 움직임에 대한 정보
  - 고유감각계(proprioceptive system) – 자세에 대한 정보
- 소뇌, 뇌간 : 위의 정보들을 통합, 평형 유지에 필요한 명령을 근골격계, 안구운동계에 내림 (운동반사)
- 대뇌, 전정피질 : 위 정보들을 바탕으로 신체의 움직임과 위치에 대한 지각을 함.
- 이들 감각신경계나 중추신경계에서의 통합 기능에 이상 → 몸의 불균형 → 피질에서의 공간 지각에 혼란 → 어지럼증

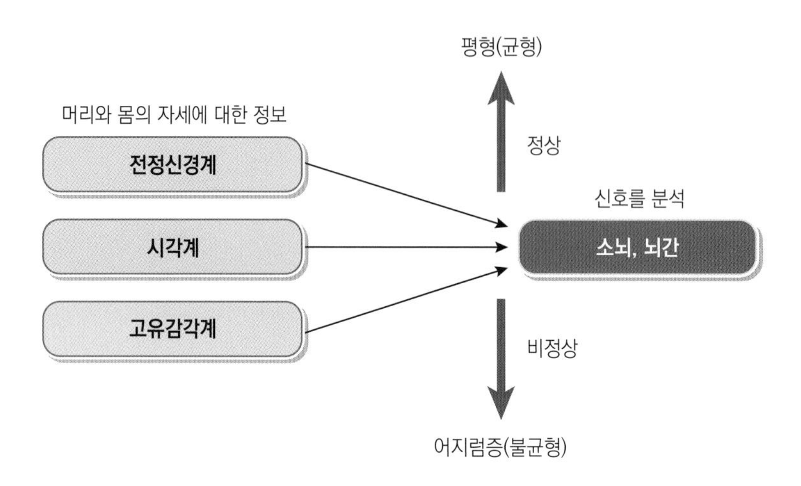

그림 19-1. **평형과 어지럼증에 관여하는 감각신경계**

2. 노인에서 어지럼증의 역학

1) 65세 이상 노년층의 약 30% 이상이 어지럼증이나 평형 장애를 호소
2) 매 5년마다 10%씩 증가
3) 75세 이상 노령에서 가장 흔히 호소하는 증상
4) 여자 > 남자
5) 하나의 감각기관의 이상에 의한 것보다는 여러 감각기관의 변성에 의한 복합적인 상승작용으로 인해 발생하는 경우가 더 흔하다.
   - 전정기관의 퇴화, 시력저하, 위치감 저하 등이 복합적으로 나타난다. 또한 노인에 흔한 동맥경화증, 고혈압, 그리고 고혈압약제의 복용 등도 이러한 복합적인 원인에 기여한다.
6) 특정 원인을 찾지 못하는 경우가 많다.
   - 이정구 등이 3차 의료기관 이비인후과에 어지럼증으로 내원한 70세 이상 노인을 대상으로 한 연구에서도 64%에서는 특정한 원인을 찾을 수 없었던 것에서 알 수 있듯이, 노인의 어지럼증은 다기관의 장애에 의해 발생하는 다요인 건강상태, 즉 노인증후군에 해당되는 경우가 흔하다.

3. 어지럼증의 구분

1) 현훈(Vertigo)

a. **전정 신경계**의 장애로 생기며 어지럼증의 증상이 매우 심하다.
b. **내이의 전정기관** → **전정신경** → **뇌간** → **대뇌** 중 어느 곳에 병이 생기더라도!!
c. 말초 전정기관이 귀 안쪽(내이)에 위치하여 머리의 회전(반고리관 ; semicircular canal)과 기울임 및 이동(전정 ; vestibule)을 감지하므로 전정신경계의 이상은 "자신이나 주위가 빙글빙글 도는 것과 같은 착각"을 유발
d. 머리의 움직임에 의해 악화

전정-척수반사(vestibulo-spinal reflex), 전정-안반사(vestibulo-ocular reflex)가 무너지면?

- **현훈 + 자세 불안** : 서 있거나 걸을 때 한쪽으로 쓰러짐
- **현훈 + 자율신경계 증상** : 기운 빠지면서 창백. 식은땀. 오심/구토
- **현훈 + 안진(nystagmus)**

2) 비현훈성 어지럼증(Non-vertigo dizziness)

a. 실조(Ataxia) → 소뇌의 이상을 의심
  - 눕거나 앉아있을 때는 괜찮지만, 걸을 때 비틀거림(술 취한 듯!)
  - 말도 어둔해지고 손의 움직임도 부자연스러움. 물건 잡을 때 겨냥 안 됨.
  - 걸음걸이만 불편?
    ⇨ 다리로부터의 감각 이상 or 평형기관 양쪽 모두 손상 가능성
    ⇨ 신경전도 검사, 전정기능 검사, 뇌 촬영 등 필요

b. "어질어질하고 쓰러질 것 같다"(현기증) → 가장 흔하게 접한다!!
  - 앉았다 일어나거나 갑자기 움직일 때 잠깐씩 발생
  - 심하면 "실신할 것 같은 느낌"이 들기도
  - 환자들은 "빈혈"이라고 생각하나, 실제로 빈혈에 의한 경우는 매우 드물다!
  - 피곤하거나 몸의 상태가 좋지 않은 상태에서 우리 몸의 감각들을 통합하는 기능이 일시적으로 저하되어 오는 경우가 많다.

- 노인에서는 감각 기능도 떨어져 있고, 대뇌의 통합 기능도 저하되어 흔함.
- 감별 : 심장 및 뇌 혈류 장애, 저혈당증, 혈압약, 중추신경계 작용 약물

c. "멍하다"(애매한 어지럼증; vague light-headedness)
- 정신질환(우울증, 불안 장애, 공황장애 등), 갑상선기능항진(hyperthyroidism)

4. 어지럼증 환자의 몇 가지 간단한 진찰

1) 안진(Nystagmus)

a. 물체의 상을 망막에 유지시키는 역할을 하는 안구운동계의 장애로 인한 현상
b. 안구가 원하는 위치에 머물러 있지 못하고 주시점으로부터 서서히 벗어나면(서상 ; slow phase), 이를 보상하려는 급속 안구 운동(속상 ; quick phase)이 발생
c. 안진의 방향 = 급속 안구 운동(quick phase)의 방향
d. Alexander's law : 안진의 방향 쪽을 쳐다볼 때 안진의 정도가 심해짐.

표 19-1. **섬망과 치매의 감별점**

특성	중추성안진	말초성안진
양상	다양(순수한 수직, 회선, 수평 또는 혼합형 안신). 양방향 또는 난방향	병변 반대편 "회선성 수평 안진" (torsional-horizontal nystagmus). 수직 안진 없음, 단방향
주시에 따른 변화	방향 전환(즉, 불규칙)	방향 고정
시선 고정 시	억제 안 됨.	억제됨

2) Head thrust 검사(그림 19-2)

a. 환자를 마주 본 후 고개를 한쪽으로 10~20도 정도 돌려놓는다.
b. 검사자의 코를 쳐다보게 한 후 머리를 빠르게 중앙으로 돌리며 눈을 관찰
c. 한쪽 전정기능에 이상 시 → 그쪽으로 머리를 돌릴 때 눈이 머리의 회전과 같은 방향으로 움직이므로, 다시 검사자의 코를 보기 위해 급속 안구 운동이 일어남.

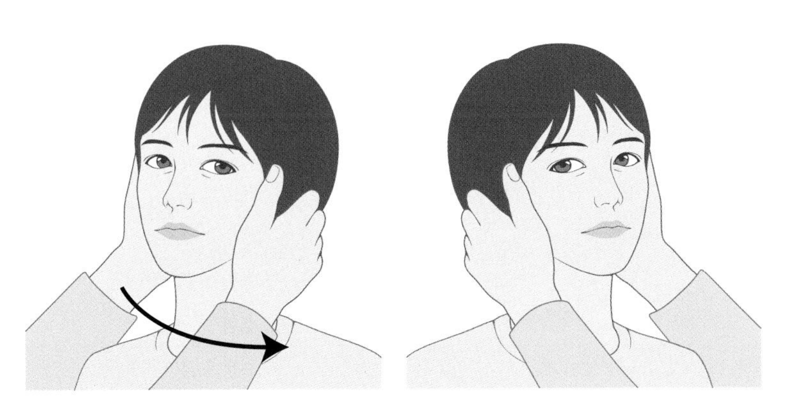

그림 19-2. Head thrust 검사

3) 지시 검사(Past pointing)

a. 첫 번째 방법
- 환자의 한쪽 팔을 앞으로 쭉 뻗은 상태에서 검지로 검사자 손가락을 가리키게 함.
- 이 때 환자의 눈을 감기면 일측성 전정기능장애 환자의 팔이 점점 병변 쪽으로 감.

b. 두 번째 방법(그림 19-3)

눈을 감은 상태에서 팔을 머리 위로 치켜들었다가 다시 원래의 위치를 가리킬 때, 원래 위치로부터 10 cm 이상 편위되면 양성으로 판다.

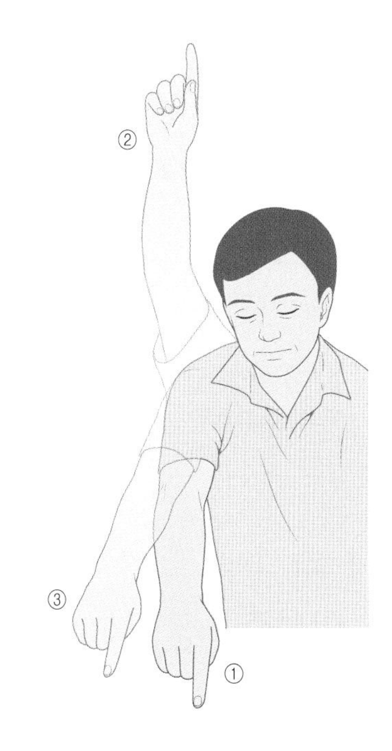

그림 19-3. 지시 검사(Past pointing)

5. 중추성 vs 말초성 현훈의 감별

표 19-2. **중추성 vs 말초성 현훈의 감별**

특성	중추성 현훈	말초성 현훈
다른 신경학적 이상	대부분 동반	없음
이명 및 난청 동반	보통은 없음	동반될 수 있음
어지럼증의 정도	다양함	심함
자세 불균형의 정도	심할 수 있음(ataxia)	보통은 심하지 않음
오심, 구토	때로는 없을 수도 있음	대부분 심함
어지럼증의 양상	불안정감이 흔함	회전감이 흔함
어지럼증에 대한 적응	느림	빠름
지속 시간	지속적	유한(수초, 수분, 수일)
흔한 원인들	종양, 편두통, 다발성경화증, 뇌졸중	BPV, 메니에르병, 약물, 전정신경염, 미로염

BPV: Benign Positional Vertigo

현훈 환자에서 뇌 촬영이 필요한 경우

- 신경학적 증상을 동반하는 현훈
- 심한 자세 불안을 동반하는 현훈
- 이전에 겪지 못했던 심한 두통을 동반하는 현훈
- 중추성 안진을 동반하는 현훈
- 48시간이 경과해도 현훈의 정도에 변화가 없는 경우

6. 이석증 / 양성 체위성 현훈(Benign Positional Vertigo; BPV)

1) 말초성 현훈 중 가장 흔하며, 여자에서 2배, 노인환자에서 특히 많다.
2) 약 50%에서 재발
3) 자세 변화에 의해 유발되는 발작적 현훈
4) **이석의 부스러기들**이 반고리관으로 들어가거나 팽대마루에 달라붙어 발생
5) 후 반고리관성 BPV (posterior canal BPV)가 가장 많다.
   a. 누울 때나 누웠다 일어날 때, 자다가 옆으로 돌아누울 때, 고개를 숙이거나 쳐들 때 발작적으로 발생

b. 보통 첫 증상은 아침에 일어나거나 자는 도중에 발생

c. **진단(Dix-Hallpike 현수 검사)** (그림 19-4)

- 검사자는 침대 옆에서 환자를 마주 보고 양손으로 머리를 잡고, 환자의 양손은 검사자의 안쪽 팔을 잡도록 한다.
- 검사자 방향으로 머리를 45도 돌린 상태에서 환자를 빠르게 눕히면서, 침대 끝에서 환자 머리가 45도 각도로 지면을 향하도록 한다.
- **수 초간의 잠복기 후에 현훈 및 안진이 발생, 대개 1분 후 사라짐.**
- 반대편으로도 똑같이 시행

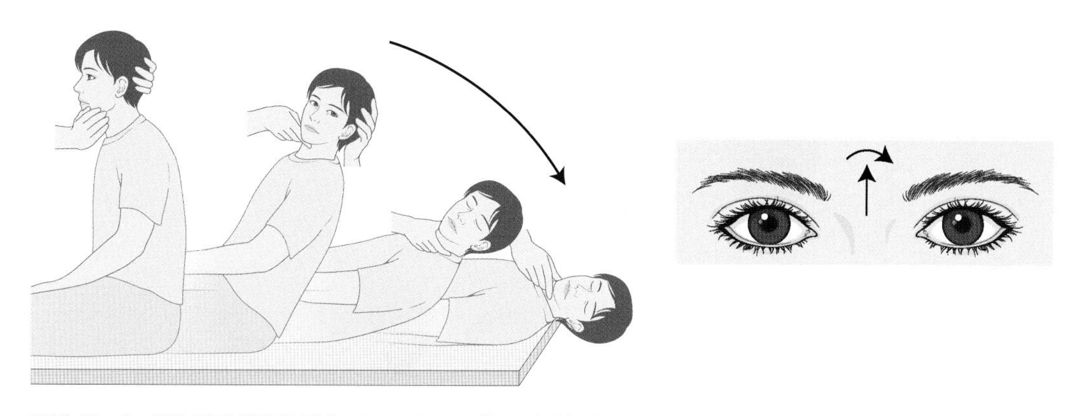

그림 19-4. 왼쪽 귀가 병변인 경우 Dix-Hallpike 현수 검사/ 회선성 상향 안진 발생

d. **치료(Epley 법)** (그림 19-5)

①, ②번 과정은 Dix-Hallpike 현수 검사와 같다.

③ 안진이 소실되고 15초 후 고개가 젖혀진 상태로 머리를 90도 병변 반대 방향으로 회전하여 병변 반대쪽 귀가 아래로 향하도록 한다.

④ 30초 후 같은 방향으로 90도 더 회전(환자는 옆으로 눕고, 코는 바닥을 향함)

⑤ 30초 후 바로 앉으며 머리도 정면을 향한다.

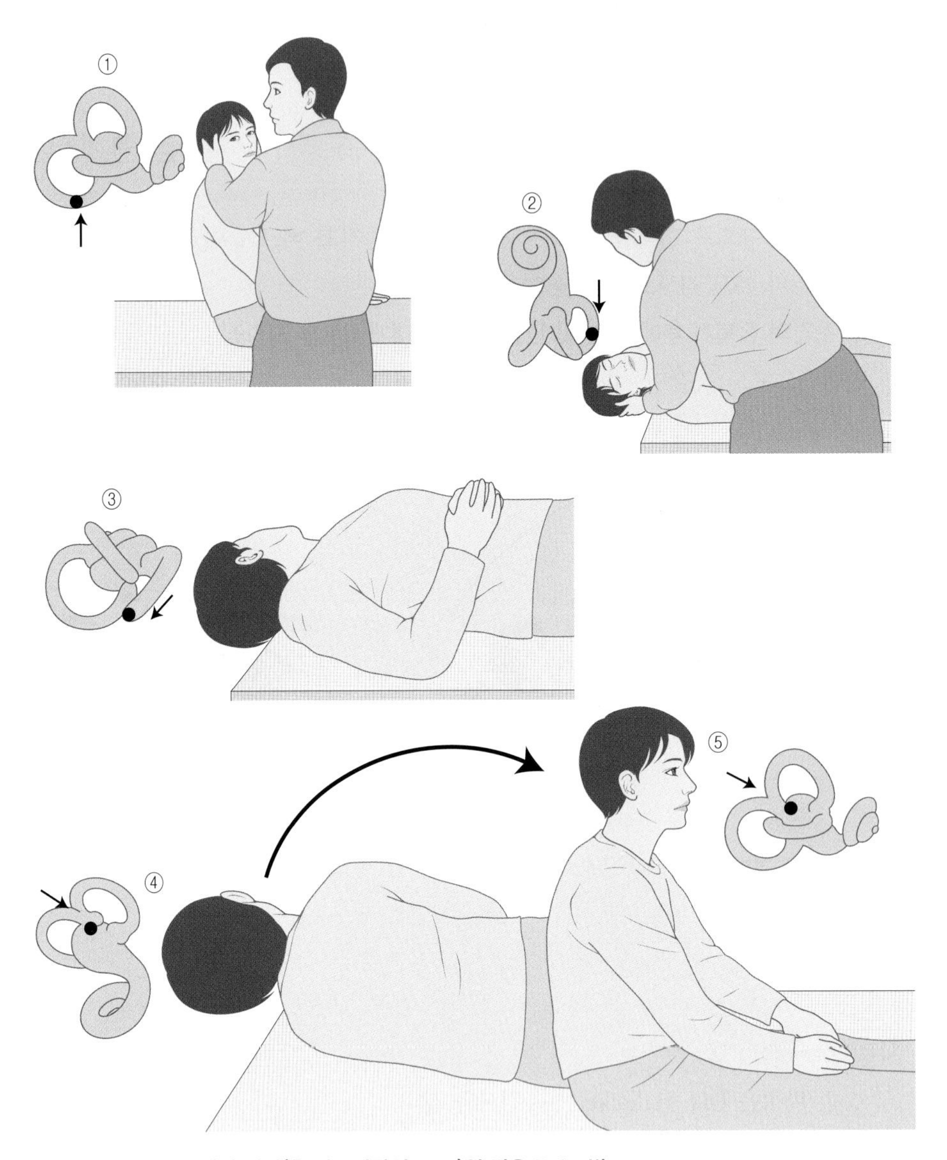

그림 19-5. **오른쪽 귀가 병변(후 반고리관성 BPV)인 경우 Epley법**

6) 수평 반고리관성 BPV

a. 주로 옆으로 돌아누울 때나, 눕거나 서서 고개를 옆으로 돌릴 때 현훈 발생

b. 진단 : 환자를 바로 눕힌 후 고개를 좌우로 갑자기 돌리면 수평 방향 안진 + 현훈(그림 19-6)

① 지향(地向) 안진성(Geotropic nystagmus) BPV : 누워서 고개를 옆으로 돌릴 때 지면을 향하는 안진이 후반고리관성 BPV에서와 마찬가지로 약간의 잠복기를 두고 나타나서

1분 이내로 지속. 병변 쪽으로 고개를 돌릴 때 안진 및 현훈이 더 강하게 유발되며, 변성된 이석의 부스러기가 수평반고리관으로 들어가 내림프액 사이를 떠다녀(Canalolithiasis) 발생

② 천향(天向) 안진성(Apogeotropic nystagmus) BPV : 누워서 고개를 옆으로 돌릴 때 하늘을 향하는 안진이 잠복기 없이 발생하며, 고개를 돌리고 있는 동안에는 지속되는 특징을 보이며, 이석의 부스러기가 수평반고리관의 팽대마루에 달라붙어(Cupulolithiasis) 발생

③ 수평 반고리관성 BPV에서는 양측으로 고개를 돌릴 때 안진의 방향이 바뀌므로 중추성 체위성현훈과의 감별에 유의하여야 한다.

c. 치료

① 지향 안진성 BPV의 치료

"바비큐 회전(Barbecue rotation)" (그림 19-7)

: 병변 반대쪽으로 각각 90도씩 총 270도 회전 후 일어나 앉는다. 각 단계 사이는 30초 혹은 안진이 사라질 때까지 기다린다.

Forced prolonged position (FPP) : 건측 귀를 바닥으로 12시간 동안 누워 있기

② 천향 안진성 BPV의 치료

치료적 두진(head–shaking)이나 유양돌기(mastoid process)에 진동(vibration)을 주어 결석을 팽대마루로부터 관내로 분리해 내기

두진이나 진동 후에 다시 머리회전검사를 시행하여 관내 결석에 의한 BPV 양상(지향 안진성)으로의 전환이 확인되면 지향 안진성 BPV에 준하여 바비큐 회전이나 FPP로 치료한다.

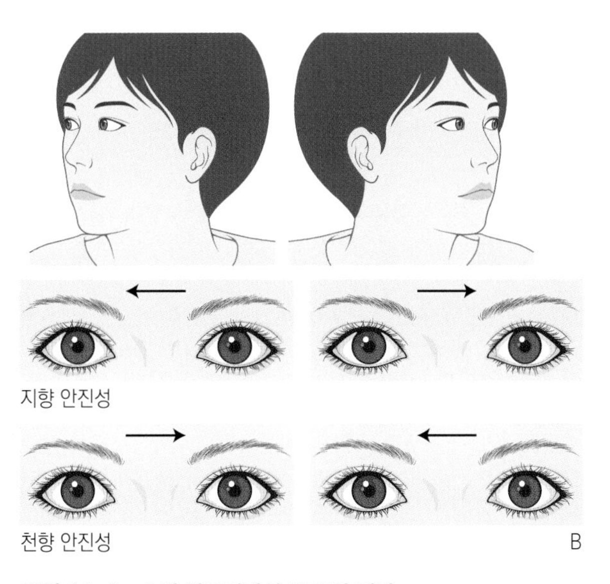

그림 19-6. 수평 반고리관성 BPV의 진단

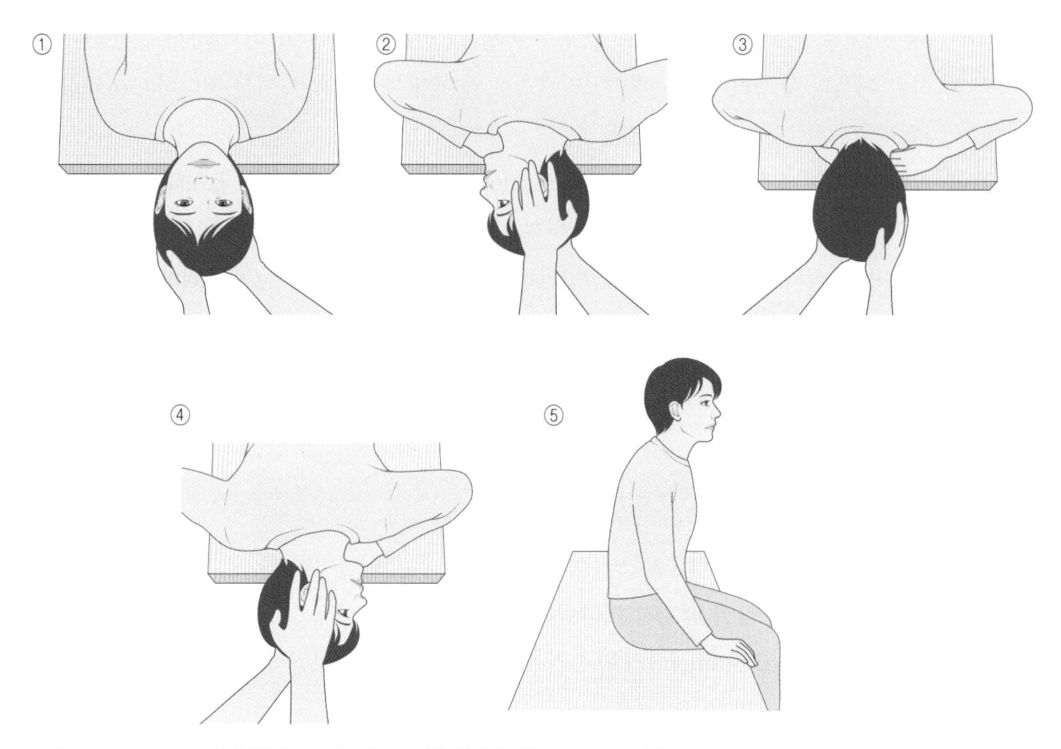

그림 19-7. **오른쪽 귀가 병변인 경우 바비큐 회전(지형 안진성 BPV의 치료법)**

20 낙상

- 치매로 입원 중인 84세 여성. 새벽에 변기 이용하시려고 침상에서 내려오다가 엉덩방아 찧고 좌측 엉덩관절 통증 하에 촬영한 X-ray에서 좌측대퇴골 경부 골절. T-score = −4.5였으며 Elcanin 근육주사를 주기적으로 투여하고 있었음. 주무실 때에도 가슴 억제대 사용 중이었으나 억제대 사이로 빠져나와 침상 밖으로 나오시다가 낙상한 경우임. 보호자와 어떤 대화를 나눌 것인가?

– 골다공증, 거동 저하 등에 의한 근감소증(sarcopenia) 등이 골절의 큰 위험 인자였고, 낙상 예방을 위해 억제대 적용도 했음을 설명한다.
– 대퇴골절의 수술 목적(보행 재개, 폐색전증, 욕창 예방 등) 및 수술의 합병증(사망 등) 등에 대해 설명하고 정형외과 전문의와 상담 후 수술 여부를 결정할 것

낙상은 노인에게서 사망 위험 증가, 기능감퇴, 병원 입원 및 요양원 입소의 증가, 의료 비용의 증가 등 다양한 심각한 문제들을 일으킴에도 불구하고 나이가 들어 자주 넘어지는 현상은 정상 노화의 일부로 받아들여지는 경향이 있으며, 환자와 의사 모두 이를 대수롭지 않은 것으로 여긴다. 의사들은 주로 낙상으로 인한 결과인 '타박상', '열상', '골절' 등에만 관심이 있다 보니, 자주 넘어지는 노인들을 어떻게 평가해야 하는지 몰라 당황하는 경우가 많다.

1. 용어의 정의 : 낙상(落傷)? 전도(顚倒)?

낙상은 **"균형을 잃은 후 바닥 등의 낮은 곳으로 신체가 이동하는 것"**으로 정의할 수 있다. 영어의 'fall'을 직역한 '낙상'이란 말이 '지상으로부터 일정거리 이상 높은 곳에서 추락하여 다친 것'의 의미가 강하기 때문에, 높은 곳에서 떨어지는 것보다 '미끄러져 다치는(전도)' 경우가 더 많은 노인의 손상을 표현하기에는 약간 어색함이 있다. 따라서 'fall'에 대한 해석을 '낙상과 전도'라고 표현하는 것이 정확한 번역이겠지만 이미 낙상이라는 용어가 보편적으로 사용되고 있으므로 본 장에서도 '낙상'이라는 단어를 그대로 쓰겠다.

2. 역학

1) 65세 이상의 30%, 80세 이상의 40%에서 경험
2) 의도하지 않은 손상(injury)의 가장 흔한 원인(2/3가량)
3) 노인의 6번째 사망 원인

낙상이 많이 발생하는 상황

a. 와상이나 의존적인 환자보다는 어느 정도 보행 및 이동이 가능한 노인에서 주로 발생
b. 50% 정도 : 자가 보행이나 이동 동작 중에 신체의 무게 중심이 동요하면서 발생
c. 25% 정도 : 몸을 앞으로 구부리거나, 전방이나 상위의 물건 쪽으로 손을 뻗거나, 의자에 앉거나 의자에서 일어서는 동작, 무게 중심의 이동 시에 발생
d. 심한 낙상 : 보행에 문제가 있는 환자가 의자, 침상, 변기에서 일어나거나 앉을 때, 또는 이동 동작 중에 주로 발생
e. 가정 : 실외<실내 - 침실, 욕실, 부엌, 계단(낙상의 최대 1/3이 화장실 이용과 관련)
f. 계단 : 내려갈 때가 더 많이 발생. 특히 첫걸음과 마지막 걸음
g. 병원, 요양원 : 화장실, 욕실, 침상에서 이동, 휠체어 타려고 할 때
h. 입원 초(1-2주)에 많이 발생
i. 침대에서 발생하는 낙상의 37-90%는 bed rail을 올린 상황에서 발생(이때 손상도 더 심각하다. 즉, rail을 넘으려다 걸리면서 머리가 먼저 떨어질 수 있다) 따라서 낙상의 위험이 높은 경우(예, 인지기능 장애)에 bed rail를 올려놓으면 안된다.

3. 젊은이보다 노인에서 낙상이 중요한 이유?

1) 발생률이 높다.
2) 더 중대한 합병증들을 유발한다.
   a. 나이가 들면 반응 시간이 느려짐.
   b. 방어 기제가 퇴행된 상태임.

4. 낙상의 위험 인자

1) 내인적 인자(Intrinsic factors) ⇐ 병원, 요양원 수용 노인들에 많다

표 20-1. 중추성 vs 말초성 현훈의 감별

환자의 나이가 많을수록	치매(균형, 판단력, 문제해결 능력에 문제)
감각기능 장애(시각, 청각, 고유감각)	전정기관 장애(BPV, 메니에르병, 급성 전정염)
뇌 질환(뇌졸중, 파킨슨병 등)	근골격계 장애
대사성 질환(당뇨병성 신경병증 등, vit.B12 결핍증)	심혈관계 질환
호흡기 질환	하지 근력 약화, 보행장애, 균형 장애
낙상의 과거력	

2) 외인적 인자(Extrinsic factors) ⇐ 지역사회 거주 노인들에 많다

표 20-2. 낙상의 외인적 위험 인자

특성	
각성 상태 저하	진통제(특히 마약성 진통제), 신경계 작용 약물(특히 항우울제, 벤조다이아제핀)
대뇌 혈류 장애	항고혈압제(특히 혈관확장제), 부정맥 약, 이뇨제
전정 기관 장애	Aminoglycoside, 고용량의 Lasix
추체외로증상(EPS)	페노티아진
환경적 요인들	
어두운 조명, 고르지 못한 지면, 문지방, 카펫 가장자리, 전기선, 전화선, 부적절한 위치의 가구, 집기, 적절하지 못한 계단 높이와 깊이, 미끄러운 바닥	

Adapted from 전민호

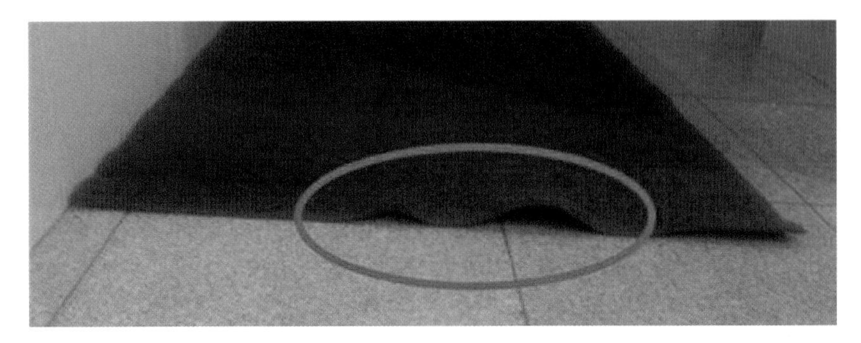

그림 20-1. **낙상 유발 환경적 요소.** 끝이 살짝 들린 카펫은 걸려 넘어지기 쉽다.

5. 낙상의 합병증

골절, 심각한 연부조직 손상, 두부 손상 등의 심한 합병증의 경우 지역 사회에서 발생한 낙상의 5~15%, 병원이나 보호시설에서 발생한 낙상의 10~25%에서 동반된다. 찰과상, 열상, 좌상 정도의 가벼운 손상까지 포함하면 합병증 발생 비율은 전체 낙상의 1/4~1/3에 이른다. 매년 65세 이상 노인의 8%에서 낙상과 관련된 손상으로 응급실에 내원하며, 그 중 절반가량이 입원 치료를 받는다. 나이가 많은 환자일수록 낙상 후 오랜 시간을 쓰러진 채로 있을 가능성이 높기 때문에 탈수, 폐렴, 근용해증(rhabdomyolysis) 등의 합병증이 발생하기도 한다.

1) 골절

a. 낙상의 2~10%에서 발생
b. 25% 가량이 고관절 부위 골절
c. 65세 이상 모든 골절의 87%, 고관절 부위 골절의 95%의 원인이 낙상
d. 골절 → 침상 생활 → 욕창, 탈수, 폐렴, 저체온증, 근용해증

2) 사망

a. 사고로 인한 사망의 가장 큰 원인이 낙상

3) 부동증

a. 낙상 후 노인의 20~40%에서 보조 도구 없이 기립이 불가능

b. 예측 인자

−80세 이상, 근력 약화, 균형감 감소, 관절염, 일상생활 동작의 의존성

4) 활동성 저하

a. 적어도 25%에서 일시적이나마 향후 활동에 제한

5) 낙상의 악순환

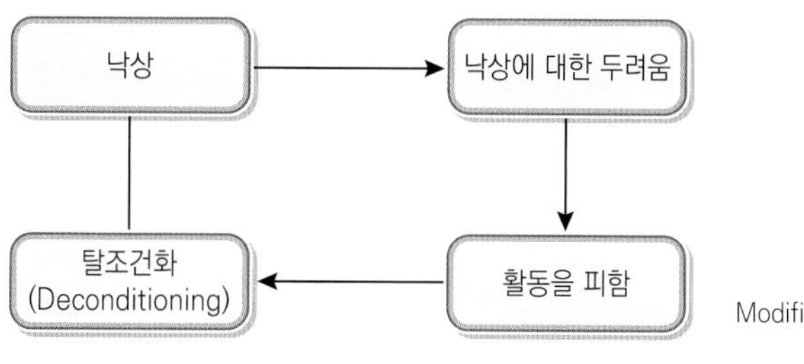

Modified from Kochar J, Bludau J.

그림 20-2. **낙상의 악순환 고리**

표 20-3. **낙상의 외인적 위험 인자**

폐용증후군
골절 등으로 장기간 누워 지내면 어느새 몸도 잘 움직여지지 않게 되고 전신의 기능도 쇠퇴한다. 이를 폐용증후군이라고 하며, 한 번 빠지면 다시 움직이는 것이 힘들어지며 더 심각한 폐용증후군이 되는 악순환이 계속된다.
폐용증후군의 증상들
- 혈압 조절 기능이 저하되어 기립성 저혈압을 일으키기 쉽다. - 심장 기능이 저하된다. - 폐활량이 저하되고 감염증에 걸리기 쉽다. - 근육이 쇠퇴하여 몸을 움직이거나 자세를 취하는 것이 어렵다. - 평형 감각이 저하되어 몸의 균형을 잡기 어렵다. - 음식을 잘 넘기지 못해 잘 못 삼키는 경우가 많다. - 배설 기능이 저하되어 방광염이나 변비 등이 생기기 쉽다. - 뇌의 자극이 떨어져 우울증에 걸리거나 인지 장애가 나타날 수 있다. - 바닥에 넘어지기 쉽다.

Adapted from 일본방문치과협회

6. 낙상의 위험 요소 평가 도구들

표 20-4. **낙상 위험 평가도구(Morse Fall Scale)**

평 가 항 목		점수	/ :	/ :				
3개월 이내에 낙상한 과거력이 있는가?	아니오 예	0 25						
2차적 진단 (주 진단 외 치료 중인 질환)	아니오 예	0 15						
사용하고 있는 이동 보조기구	없음/침상 안정/휠체어 Crutch/지팡이/ Walker 가구(Furniture)를 잡고 보행	0 15 30						
정맥 주사/헤파린 락 Foley관/ 모니터장치	아니오 예	0 20						
걸음걸이	정상/침상 안정/부동 약함 손상	0 10 20						
정신상태	본인 활동에 대한 지남력이 있음 제한이 있다는 것을 잊어버림	0 15						
총점								
평가								
MFS ≥ 51: 낙상 고위험 환자								

• Morse Fall Scale의 점수 산정 방법

◇ 2차적 진단 15점 : 주된 진단명(primary active diagnosis) 외에 추가적인 진단명(active diagnosis)이 있는 경우.

✓ 例〉 "당뇨"를 가진 환자가 "호흡곤란"을 주소로 입원했다면, "호흡곤란"과 관련된 진단명이 primary diagnosis가 되고, 당뇨는 "2차적 진단명"이 된다. 이때 당뇨를 치료 중인 환자에게서 낙상 위험 요인으로는 "당뇨약 투여 시점, 어지럼증, 불안정, 잦은 배뇨(실제로 화장실을 가려고 움직이는 상황) 등"이 있다.

◇ 활동 보조 기구 30점 : 보행 시에 보조기구가 필요한 상태인데도 보조기구를 사용하지 않고 침대 식판 등의 가구(furniture) 등을 잡고 이동하거나, 침상 안정하라는 권유를 따르지 않는 경우. 결국, 보행이 불안정하면서 병원 직원의 권유를 따르지 않는 환자.

◇ 정맥 주사 20점 : 헤파린 락(Lock)이나 생리식염수 락 유치자, Foley catheter, 몸에 부착하는 모니터장치(EKG monitoring 등) 포함.

◇ 걸음걸이 0점 : 머리를 세우고, 양손을 앞뒤로 흔들며, 머뭇거리지 않고 걷는 경우/ 혹은 아예 걸음 걸을 일이 없는 와상 환자

◇ 걸음걸이 10점 : 구부정하나 균형을 잃지 않고 머리를 들 수 있고, 걸을 때 가구를 이용한다면 단지 가이드용으로만 짚는 정도(깃털과 같이 가벼운 터치)이며, 종종걸음이나 발을 질질 끄는 걸음걸이.

◇ 걸음걸이 20점 : 의자에서 일어나기 힘든 정도, 땅을 보며 걷기, 스스로 걷지 못하고 가구 등을 잡아야 걸을 수 있고, 종종걸음이나 발을 질질 끄는 걸음걸이.

◇ 정신상태 15점 : 환자가 자신의 능력에 대해 과대평가하거나 한계를 망각할 때. 예를 들어, "환자분은 화장실에 혼자 가실 수 있습니까, 아니면 도움이 필요합니까?"라는 질문에 대한 환자의 대답이 의사의 오더나 카덱스(kardex)의 내용과 일치하지 않거나 비현실적인 경우.

표 20-5. Community and Home Injury Prevention Project for Seniors(San Francisco Department of Public Health)

거실	
1. 어두울 때 걷지 않고 불을 켤 수 있습니까?	(예□ 아니오□ 잘 모르겠음□)
2. 거실을 걸을 때 전등이나 전화선, 전화 코드가 발에 걸리지 않습니까?	(예□ 아니오□ 잘 모르겠음□)
3. 거실의 통행로에 물체, 가구, 종이 등이 널려 있지 않습니까?	(예□ 아니오□ 잘 모르겠음□)
4. 커튼과 가구가 바닥이나 이동식 열기구에서 12인치 이상 떨어져 있습니까?	(예□ 아니오□ 잘 모르겠음□)
5. 카펫은 평평하게 펴져 있습니까?	(예□ 아니오□ 잘 모르겠음□)
부엌	
6. 난로는 보기 쉽고 다루기 쉽습니까?	(예□ 아니오□ 잘 모르겠음□)
7. 옷, 수건, 커튼이 버너나 오븐에 불이 붙지 않게 떨어져 있습니까?	(예□ 아니오□ 잘 모르겠음□)
8. 자주 사용하는 물건들은 발판에 오르지 않고 꺼낼 수 있는 손에 닿는 거리에 있습니까?	(예□ 아니오□ 잘 모르겠음□)
9. 견고하고 고치기 쉬운 발판이 있습니까?	(예□ 아니오□ 잘 모르겠음□)
침실	
10. 방 천장에 화기 감지기가 있습니까?	(예□ 아니오□ 잘 모르겠음□)
11. 어두울 때 걷지 않고 불을 켤 수 있습니까?	(예□ 아니오□ 잘 모르겠음□)
12. 전등이나 불 켜는 스위치가 침대에 가까이 있습니까?	(예□ 아니오□ 잘 모르겠음□)
13. 침대에서 전화기가 손에 닿습니까?	(예□ 아니오□ 잘 모르겠음□)
14. 밤에 침대와 화장실 사이에 불을 켜 둡니까?	(예□ 아니오□ 잘 모르겠음□)
15. 커튼과 가구가 바닥이나 이동식 열기구에서 12인치 이상 떨어져 있습니까?	(예□ 아니오□ 잘 모르겠음□)
욕실	
16. 샤워기나 욕조 바닥이 미끄럽지 않습니까?(매트 혹은 표면이 거친 바닥)	(예□ 아니오□ 잘 모르겠음□)
17. 샤워기나 욕조 옆에 손잡이가 있습니까?(수건걸이는 제외함)	(예□ 아니오□ 잘 모르겠음□)
18. 뜨거운 물의 온도가 49도 이하입니까?	(예□ 아니오□ 잘 모르겠음□)
19. 욕실 바닥이 미끄럽지 않거나, 혹은 미끄럽지 않게 깔개를 깔아두었습니까?	(예□ 아니오□ 잘 모르겠음□)
20. 화장실을 쉽게 들어가고 나올 수 있습니까?	(예□ 아니오□ 잘 모르겠음□)

계단	
21. 계단의 시작과 끝나는 위치에 전등을 켜는 스위치가 있습니까?	(예□ 아니오□ 잘 모르겠음□)
22. 불을 켜면 계단의 윤곽을 명확하게 볼 수 있습니까?	(예□ 아니오□ 잘 모르겠음□)
23. 모든 계단의 양옆에 손잡이가 달려 있습니까?	(예□ 아니오□ 잘 모르겠음□)
24. 계단의 손잡이는 계단 전체에 걸쳐(계단의 길이보다 조금 더 길게) 설치되어 있습니까?	(예□ 아니오□ 잘 모르겠음□)
25. 계단은 잘 보수되어 있습니까?(헐렁하거나 부러진 곳 또는 빠진 곳 없이)	(예□ 아니오□ 잘 모르겠음□)
26. 계단의 발판(깔개 등)은 구멍 난 곳이나 헐렁하거나 찢어진 곳 없이 잘 보수되어 있습니까?	(예□ 아니오□ 잘 모르겠음□)
복도	
27. 깔개나 융단 등은 발로 밀었을 때 미끄러지거나 밀리는 곳 없이 잘 놓여져 있습니까?	(예□ 아니오□ 잘 모르겠음□)
28. 카펫은 평평하게 깔려 있습니까?	(예□ 아니오□ 잘 모르겠음□)
29. 걸을 때 전등이나 전화선, 전화 코드가 발에 걸리지 않습니까?	(예□ 아니오□ 잘 모르겠음□)
현관문과 후문	
30. 집의 모든 출입구에는 전등이 달려 있습니까?	(예□ 아니오□ 잘 모르겠음□)
31. 들어오는 길에 금이 가거나 움푹 파여져 구멍이 난 곳은 없습니까?	(예□ 아니오□ 잘 모르겠음□)
집안 전체	
32. 화재가 발생했을 경우 응급으로 끌 수 있는 장치가 준비되어 있습니까?	(예□ 아니오□ 잘 모르겠음□)
33. 당신의 전화기에 응급으로 걸 수 있는 전화번호가 저장되어 있습니까?	(예□ 아니오□ 잘 모르겠음□)
34. 집안에 이 점검리스트에 언급되어 있지 않은 위험 요소나 안전하지 못하여 걱정스러운 장소가 있습니까? 만약에 그렇다면 무엇입니까?	(예□ 아니오□ 잘 모르겠음□)
상기 리스트를 통해 낙상의 위험을 파악하고, 잘 모르거나 혹은 '아니오'라고 답한 문항은 교정하여야 한다.	

Department of National Health and Human Service. USA 2000

7. 낙상에 대한 평가 및 낙상의 예방

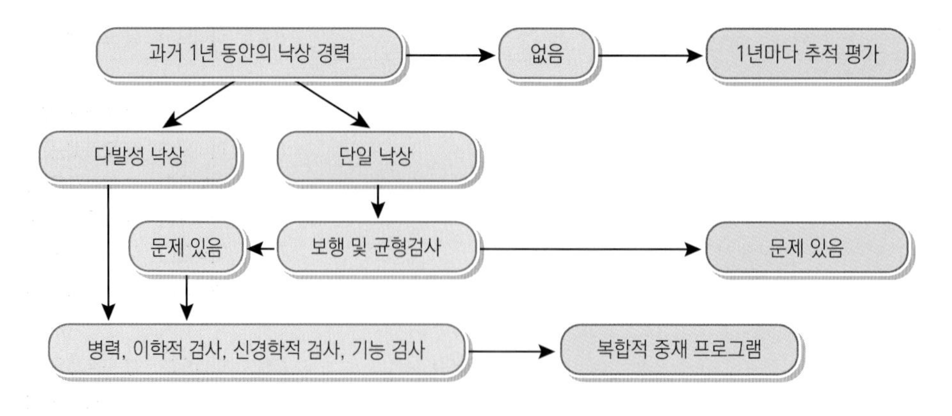

Adapted from 전민호

그림 20-3. **낙상의 평가 및 예방**

각 항목들의 세부 사항은 다음과 같다.

1) 병력

a. SPLATT

- S (Symptom) : 낙상 당시 어지럼증, 실신, 흉통, 호흡곤란 등의 증상
- P (Previous fall) : 과거 낙상 경력
- L (Location) : 실내, 실외 등의 낙상 장소
- A (Activity) : 낙상 당시의 활동
- T (Timing/length of Time) : 식후, 야간 등 낙상 시기 or 지면에 쓰러져 있던 기간
- T (Trauma) : 낙상으로 인한 외상 및 손상

b. 약물 복용력

- 투약 중인 모든 약물의 종류와 부작용
- 음주 내용도 파악
- 특히 최근에 투약 시작한 약물, 최근 용량 증가한 약물, 낙상 유발가능 약물 파악

c. 낙상 유발이 가능한 질병력

- 대사성 불균형, 어지럼증, 섬망, 기립성 저혈압, 실신, 경련성 질환, 알코올 중독, 인지장애, 감각장애, 수면장애 유발 질환, 심혈관계 질환, 배뇨, 배변 장애, 우울증

2) 이학적, 신경학적, 기능적 검사

a. 기립성 저혈압 : 누워서 재고, 기립 1, 2, 3분 후 혈압과 비교 – 20 mmHg 이상 차이
b. 부정맥, 시각, 청각 기능, 관절통, 관절운동범위 제한, 발의 변형이나 통증 여부
c. 신경학적 검사 : 의식 상태, 대뇌기능, 소뇌기능, 운동, 감각 기능, 반사 검사
d. 기능적 검사 : 간단한 검사들도 복잡한 검사 못지않게 유용하다.

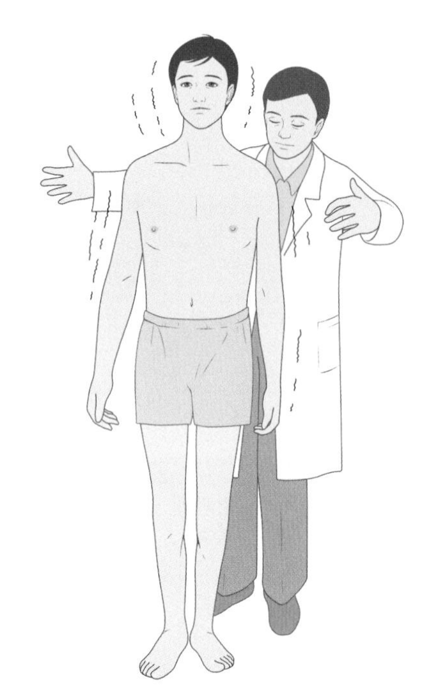

그림 20-4. Romberg 검사. 두 발을 모은 상태에서 똑바로 서게 하여 중심 유지 정도를 평가

* Berg 균형검사 : 1989년 캐서린 버그에 의해 만들어진 Berg 균형검사는 앉아 있는 동작에서부터 평가가 시작되며, 일상생활 동작을 응용한 항목들로 이루어져 있고 짧은 시간 내에 쉽게 시행 가능하다는 장점을 가지고 있어 국제적으로 널리 이용되고 있다. 국내에서는 정한영 등이 번역하여 신뢰도 조사를 마친 바 있다(표 20-6).

표 20-6. 한글화된 Berg 균형검사법

내용 / 날짜				
1. 앉은 상태에서 서기				
2. 도움 없이 서 있기				
3. 기대지 않고 스스로 앉기				
4. 선 상태에서 앉기				
5. 이동하기				
6. 눈 감고 서 있기				
7. 양발을 모으고 서 있기				
8. 선 자세에서 팔을 펴고 뻗기				

9. 선 상태에서 바닥에서 물건 잡아 올리기				
10. 서서 양쪽 어깨를 넘어 뒤돌아보기				
11. 360。돌기				
12. 서 있는 동안 발판에 양발을 교대로 놓기				
13. 한 발을 다른 발 앞에 놓고 지지 없이 서 있기				
14. 한 발로 서 있기				
합계 점수	/56	/56	/56	/56

Adapted from 정한영

표 20-7. 보행 및 균형 평가 방법

한 발로 서기 + Tandem 보행	30초 이상 눈뜨고 한 발로 서는 것이 가능하고, Tandem 보행(일직선으로 heel-to-toe) 10걸음 이상 可 ⇒ 균형 감각 장애는 거의 없는 것으로 평가
Romberg 검사 (그림 20-4)	눈을 감은 채로, 눈을 뜬 채로 시행 • 눈을 뜨고 있어도 불안정 → 중추성 불안정성(소뇌기능 이상) • 눈감을 때에만 불안정 → 말초 감각성 불안정성(전정 기관 이상)
Timed Up and Go test	앉아 있던 의자에서 손을 사용하지 않고 일어나 3 m를 걸어갔다가 되돌아와 의자에 앉는 동작 ⇒ 동적 균형 및 보행 기능 확인 • < 10초 : 보행 및 이동 능력이 매우 좋음 • 10~19초 : 양호 • 20~29초 : 약간 문제 • 30초 이상 : 문제가 있음
Berg 균형검사 (표 20-6)	각 항목별 5점 척도(0~4) 총점이 41-56 = 낮은 낙상 위험 21-40 = 중간의 낙상 위험 0 -20 = 높은 낙상 위험

3) 단일 중재

a. 낙상 예방 교육 프로그램 : 유의한 차이가 없었음.

b. 집안 환경 중 낙상 위험 인자를 방문을 통해 개선, 생활 습관 개선 : 유의한 차이 X

c. 신경계 약물 투여 중지 시 : 낙상의 빈도는 감소되었으나, 절반 가까이에서 신경계 증상 악화로 투약을 다시 시작

d. 운동 프로그램 : 근력 운동, 태극권(tai-chi) 등이 도움이 됨.

e. 균형 감각 검사 도구인 한 발로 서기 및 Tandem 보행, 8자 걷기 등도 도움

4) 복합적 중재

a. 환경 요소의 교정, 운동치료, 투여 약물 수의 감소, 낙상의 원인이 되는 여러 급, 만성 질환의 치료, 시력 교정 등 복합적 요소를 다양한 의료진이 포괄적으로 개입

5) 요양병원에서의 낙상의 예방

요양병원에서의 낙상 관련 유의 사항들

- 인지 장애가 많으므로 주로 보호자를 통해 병력 청취
- 급, 만성 질병 및 약물 복용력이 많음.
- 요로 감염, 폐렴 등이 인지기능 장애나 운동성 장애 유발 가능
- 직업 간병인이 환자를 간병하는 경우 낙상 위험이 높다는 연구 결과도 있음.
- 점심 식사 후 복도에서 발생한 낙상 ⇒ 식후 저혈압 가능성!
- 취침 시간에 즈음한 욕실에서의 낙상 ⇒ 간호사가 다른 환자 보호하는 동안 잘 발생

팀 접근법에 의한 다양한 원인 인자에 대한 포괄적 접근

◆ 균형 및 근력 향상을 위한 운동치료
◆ 감각 이상에 대한 보완적 치료
◆ 내재된 원인 질환 치료
◆ 투약 약물의 조정
◆ 관절염, 발 변형에 대한 치료
◆ 보조기 처방 및 교정
◆ 고관절 보호대 사용 : 골절을 60% 정도 줄여줌.

◆ 환자, 보호자에 대한 교육

- 기립 방법에 대한 교육 : 누운 자세에서 일어날 때에는 앙와위(바로 눕기) 자세에서 복와위(엎드려 눕기) 자세로 바꾼 후 사지 모두를 이용하여 몸을 일으키기

◆ 병원 내의 환경 개선

- 침대 높이 조정 : 환자가 무릎을 90도 굴곡하면 바닥에 발이 닿을 수 있을 정도
- 환자가 앉는 모든 의자는 팔걸이가 있는 딱딱한 것으로
- 욕실 벽에는 손잡이 설치
- 복도 및 욕실 바닥 : 부드러운 매트 깔기

• 결박(PR) ; 오히려 이를 풀려고 격한 반항을 하는 환자는 낙상이 증가될 수 있다.
• 침상 주변 알람 기구 : 낙상의 빈도를 유의하게 줄이지 못했음

그림 20-5. **요양병원 병실, 복도 등에 부착하는 침상 낙상 예방 수칙**(사진 제공: 안산시립노인병원)

a. 고관절 보호 장치

- 10가지 이상의 다양한 보호 장치들이 있다.

b. 보장구 사용법

- **지팡이**(그림 20-6)
  - 편마비 환자 등 균형을 잡기 힘든 환자가 사용
  - 체중을 싣기 위해서는 네발 지팡이를 사용하는 것이 좋다.
  - 편마비 환자의 경우 건강한 쪽 손을 사용
  - 지팡이 손잡이가 환자의 대퇴골 대전자(greater trochanter)까지 오는 것이 좋다.
  - 바로 섰을 때 팔목 관절이 20도 정도 굴곡 되는 정도가 좋다.
- **보행기(워커)**(그림 20-7)
  - 양쪽 다리에 어느 정도 몸을 지탱할 수 있는 환자가 사용
  - 30 cm 전방에 놓고 잡았을 때 양쪽 팔목 관절이 20도 정도 굴곡되는 정도
- **바퀴 달린 보행기**(그림 20-8)
  - 보행기를 사용하기에는 걷는 힘이 부족한 경우
  - 대부분 간병인이 옆에서 부축하며 쓰러지지 않게 보호해 준다.

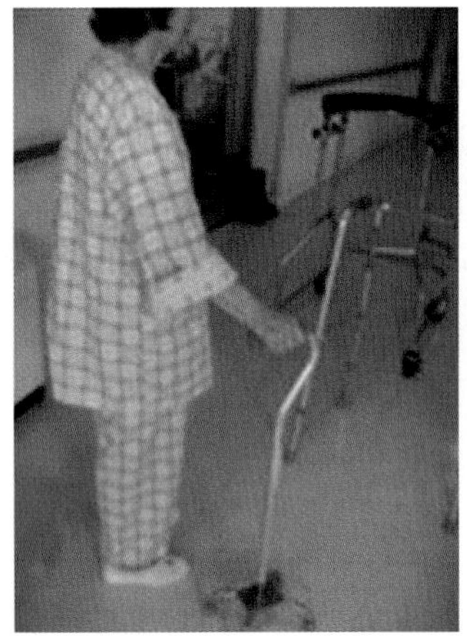

그림 20-6. **지팡이**

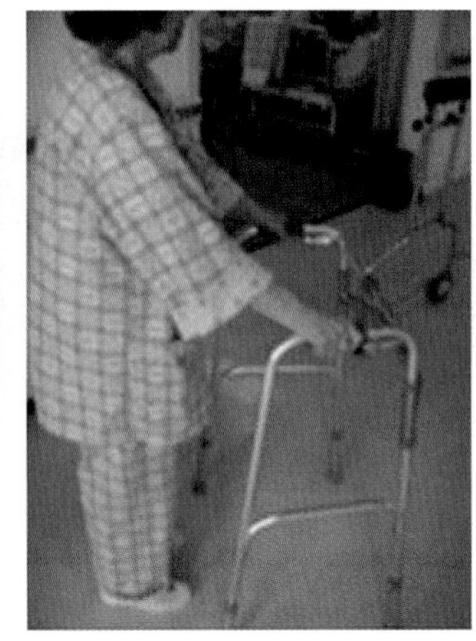

그림 20-7. **보행기(워커)**

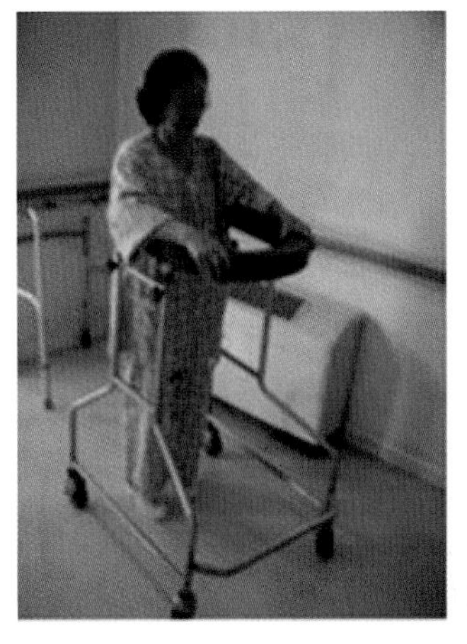

그림 20-8. **바퀴 달린 보행기**

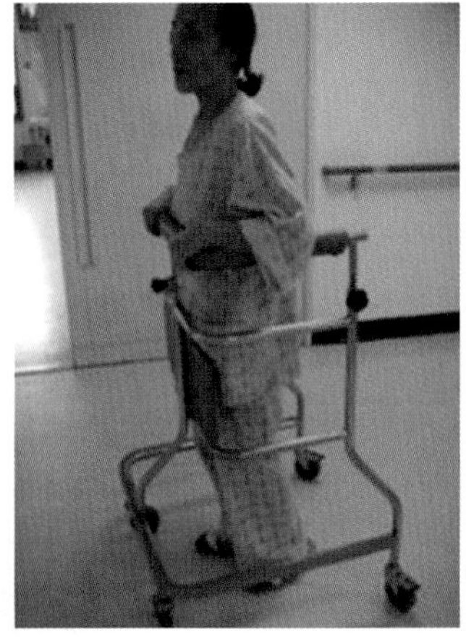

그림 20-9. **올바른 사용법**

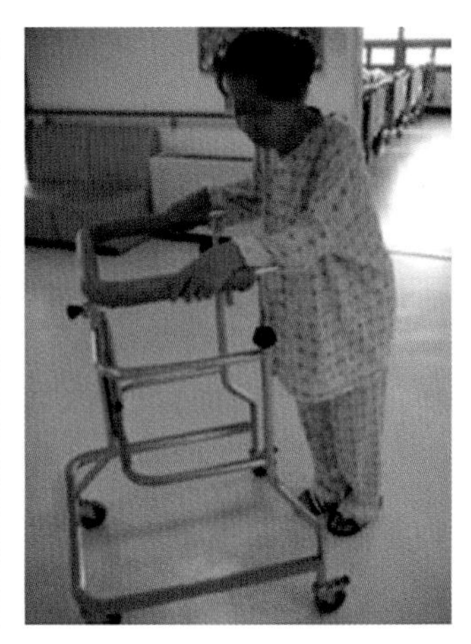

그림 20-10. **잘못된 사용법**

C. 낙상으로부터 안전한 환경 만들기

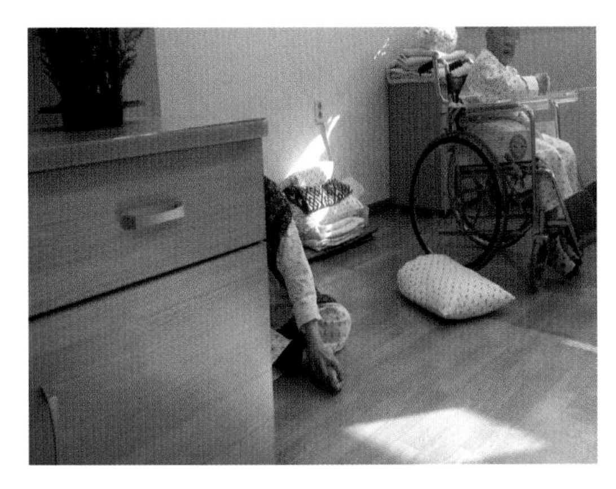

그림 20-11. 낙상 고위험자 전용 온돌 병실. 낙상 고위험자들은 침대에서 낙상할 확률을 줄이기 위해 온돌병실에 모시는 방법도 있다. 단, 온돌방은 욕창 위험이 높은 환자들에게는 더 안 좋을 수도 있다. (사진: 부천 가은병원)

그림 20-12. 창문을 통한 낙상 예방을 위해 설치한 철봉. (사진: 부천 가은병원)

그림 20-13. 경사로 바닥은 요철면으로 하고, 벽에는 충격 흡수용 쿠션을 대었다(인천은혜병원).

그림 20-14. 경사로 바닥에 마찰력 높은 밴드와 카펫을 대었다(사진 제공: 안산시립노인병원).

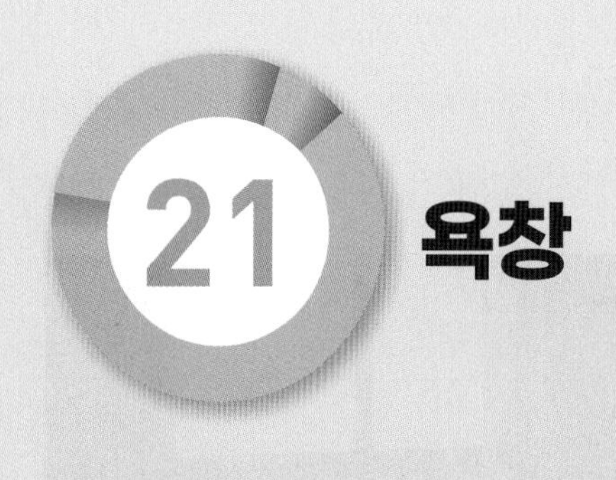

21 욕창

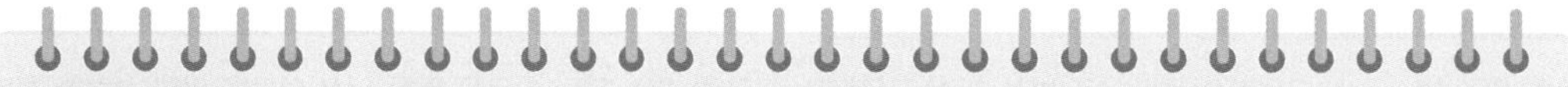

- 63세 남성. 1개월 전 술을 드시고 낙상하면서 경추 손상 이후 사지마비 발생. 대학 병원에서 치료받다가 보존적 치료 권유받고 본원으로 전원 됨. 신체 검사 상 coccyx area에 2 x 3 cm 정도의 홍반이 관찰되었으며 손으로 눌러도 창백해지지 않음.

– 현 단계에서 적절한 드레싱 및 기타 보조 요법은?

* 욕창(Bedsore)은 '누워 있는 상태'만을 의미하는 뉘앙스가 있다. 압창(Pressure ulcer)이 더 적절한 용어이다.

1. 주된 기전

: 지속적, 반복적인 기계적 힘이 뼈의 돌출부에 가해질 때

2. 위험 인자들

1) 외적 인자

a. 과도한 압력
b. 물(습기)에 의해 불려졌을 때(maceration) : 주로 요실금 환자
c. 전단력(shearing forces) : 미끄러지면서 비스듬하게 가해지는 힘
d. 마찰력

2) 내적 인자

a. 특히 척수 손상 환자(사지 마비, 하지 마비)
b. 혈관, 신경학적 질환자 – 일단 발생하면 치유도 늦다.
c. 저혈압, 탈수 등을 유발하는 병적 상태.
d. 노인 – 혈액 순환, 근력, 피부 상태 등이 약하므로 위험하다.

3. 호발 부위

1) 골격이 노출된 부위
- 앙와위 : 발뒤꿈치, 천골, 팔꿈치, 견갑골, 뒷머리
- 복와위 : 발뒤꿈치, 무릎, 가슴
- 반좌위 : 발뒤꿈치, 천골, 좌골

2) 연조직으로 싸인 부위(그림 21-1)
- 콧구멍, 입, 눈 주위, 도뇨관 삽입 주위, 항문 주위

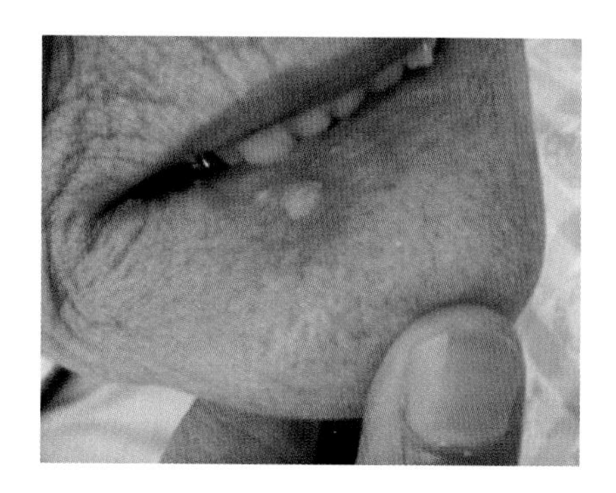

그림 21-1. **혈관성 치매환자로서, 반복적인 치아에 의한 자극으로 입 주위에 생긴 피부 궤양**

3) 피부끼리 맞닿는 부위
- 귀 뒤, 사타구니, 엉덩이

표 21-1. **자세별 욕창 호발 부위**

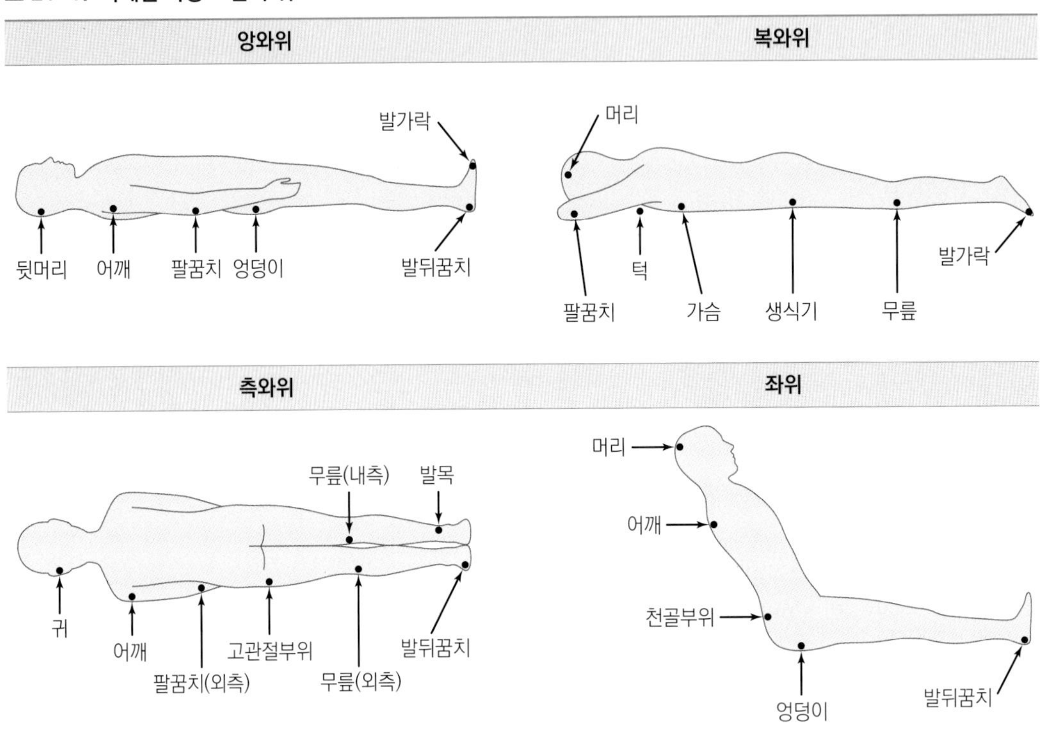

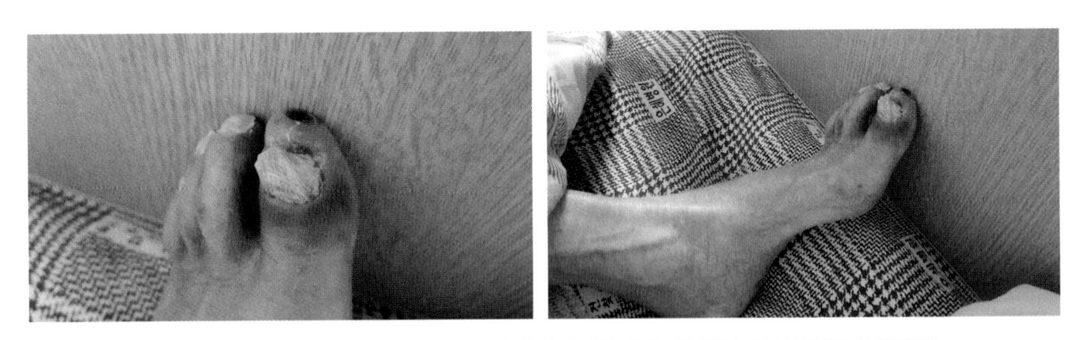

그림 21-2. **키가 큰 남자 환자의 엄지발가락 끝 부분이 침상의 접힌 식판 보드에 눌려서 욕창으로 진행됨.**

4. 욕창의 단계

1) 미국욕창권고위원단[National Pressure Ulcer Advisory Panel, NPUAP)의 체계

표 21-2. 욕창의 단계별 특징 및 치유 기간(미국욕창권고위원단[National Pressure Ulcer Advisory Panel, NPUAP]의 체계)

단계	특징	치유 기간
I	상피층에 국한된 급성의 염증 반응 손으로 눌렀을 때 창백해지지 않는 불규칙한 모양의 홍반, 또는 표재성 궤양 통증, 물렁거림, 주변에 비해 열감이나 냉감	1일~1주일
II	진피를 포함한 일부의 피부 손실. 찰과상, 물집 또는 명확한 경계를 가진 얕은 궤양(분화구 모양) 형태(crater)	5일~3개월
III	피부 전층 손실. 피하 조직(지방층)까지만 보임. 근막(deep fascia)을 넘지 않는다. 궤양 기저부에 감염이 되고 악취 나는 괴사조직이 있다.	1개월~6개월
IV	광범위한 손상, 조직 괴사, 또는 근육, 뼈, 결체조직(건, 관절낭) 손상 골수염과 패혈성 관절염이 생길 수 있다.	6개월~1년
판별불가단계 (unstageable)	조직의 전층이 소실되었으나 피부 궤양의 기저가 각질(황색, 황갈색, 회색, 녹색, 갈색)이나 딱지(황갈색, 갈색, 검은색)로 덮여 있는 상태. 각질이나 딱지를 충분히 제거하기 전에는 깊이를 판별할 수 없다.	
심부조직손상 의심 단계	피부 손상은 없으나 보라색이나 갈색의 국소적 변성이 온 상태, 혹은 혈액으로 채워진 수포의 상태로 진전되면 짙은 빛의 상처 위에 작은 수포들이 생기거나 얇은 가피로 덮여있을 수 있다.	

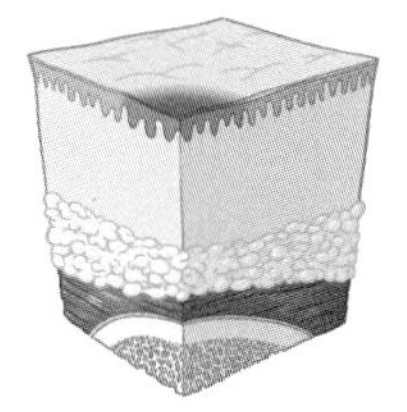

I단계 : 눌러도 창백해지지 않는 홍반

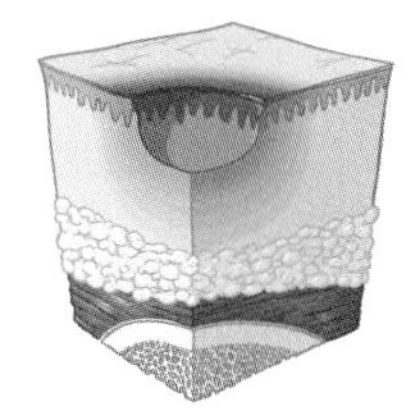

II단계 : 피부의 부분 소실 찰과상, 수포 정도

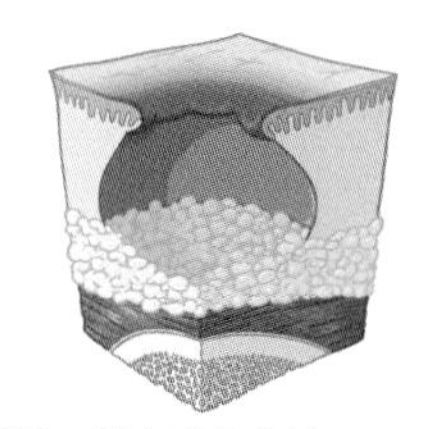

III단계 : 피부 전층 소실. 노란 피하지방층까지 보임

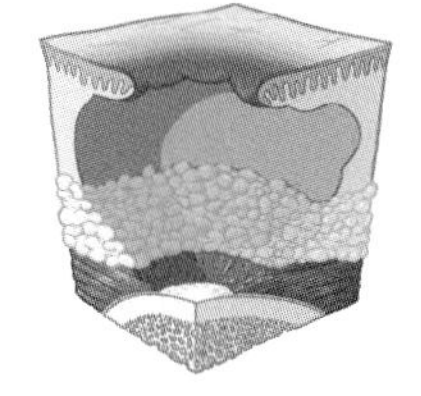

IV단계 : 근막을 뚫고 근육, 뼈까지 침범

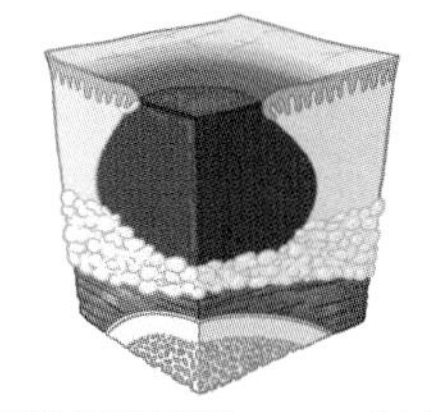

판별불가단계(Unstageable)

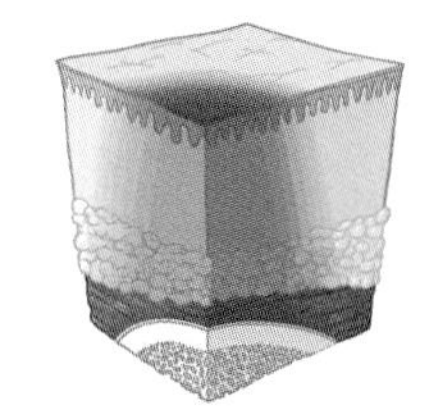

심부조직 손상 의심 단계 (Suspected Deep Tissue Injury)

그림 21-3. 욕창의 단계 ▶딱지(necrotic eschar)로 덮여 있어 단계를 알 수 없다면 debridement 수행 전까지는 4단계.

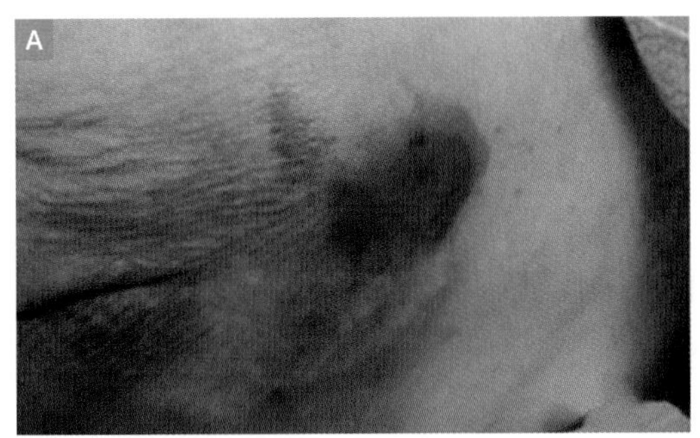

I단계 : 손으로 눌러도 창백해지지 않는 홍반

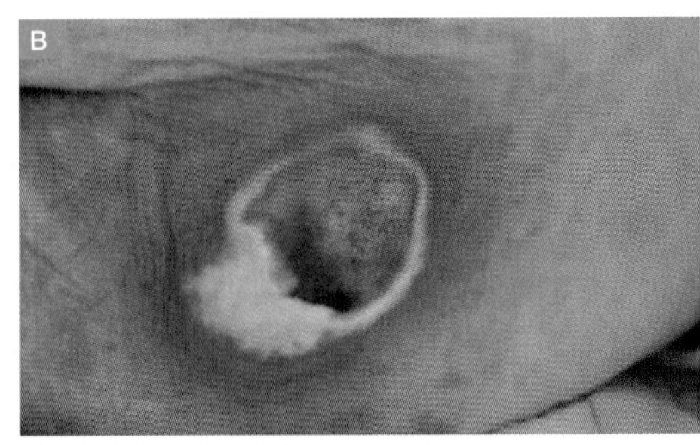

II단계 : 진피를 포함한 일부의 피부 손실

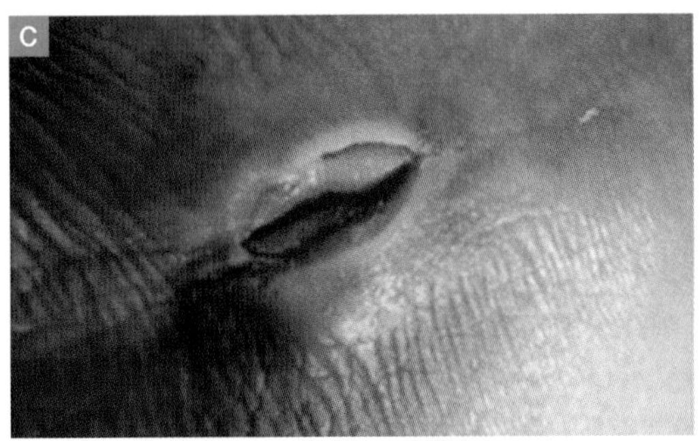

III단계 : 피부 전층 침범. 지방층까지 보임

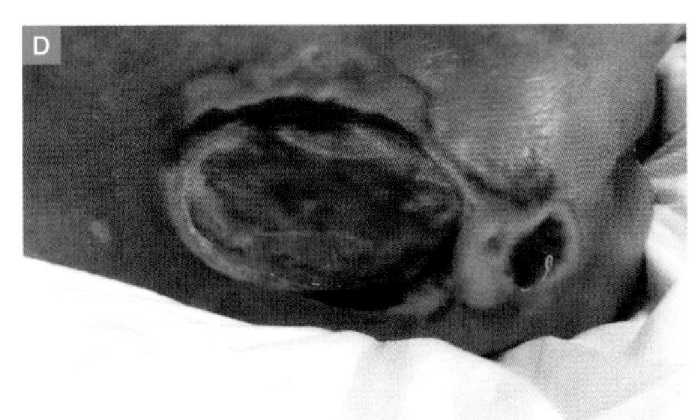

IV단계 : 근막을 뚫고 근육까지 침범

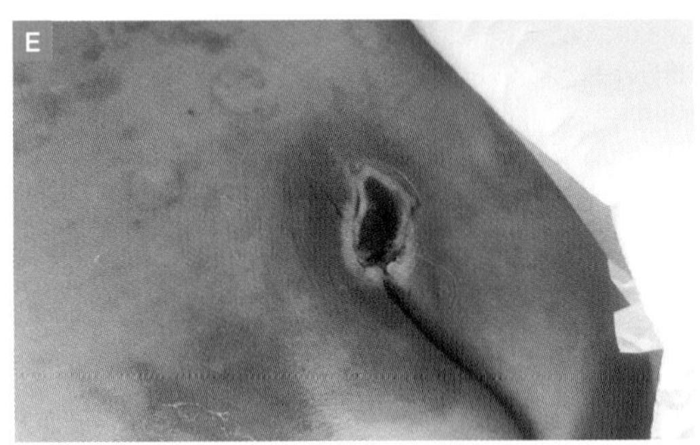

판별불가단계. 딱지(가피)로 덮여 있다.

그림 21-4. **실제 욕창 사례들**

2) PUSH(Pressure Ulcer Scale for Healing) 도구를 이용한 욕창치유점수

표 21-3. PUSH(Pressure Ulcer Scale for Healing) 도구

욕창 상태 평가 도구
(PUSH Tool 3.0 : Pressure Ulcer Scale for Healing)

성명 : (호)	날짜 :	성별 (남 / 여)

구분	점수 및 평가 기준						부분 점수
길이 × 너비	0점 0 cm^2	1점 < 0.3 cm^2	2점 0.3~0.6 cm^2	3점 0.7~1.0 cm^2	4점 1.1~2.0 cm^2	5점 2.1~3.0 cm^2	
		6점 3.1~4.0 cm^2	7점 4.1~8.0 cm^2	8점 8.1~12.0 cm^2	9점 12.1~24.0 cm^2	10점 > 24.0 cm^2	
삼출물 양	0점 없음	1점 적음	2점 중간	3점 많음			
조직의 유형	0점 폐쇄	1점 상피조직	2점 육아조직	3점 부육조직	4점 괴사조직		

총 점 : ______________

(직종) 작성자 : (서명)

※ 욕창을 관찰하고 측정한다. 상처 표면, 삼출물, 조직의 유형에 따라 분류한다. 각각의 욕창 특성에 부분점수를 기록하고, 이 부분 점수를 더하여 총점을 계산한다.

◎ 길이×너비 머리에서 발 방향으로 가장 긴 거리를 cm으로 측정해서 길이로, 양 측면에서 가장 긴 거리를 cm으로 측정하고 표시한다. 길이와 너비를 곱하여 표면적(cm^2)을 측정한다. 추측하지 말고 항상 cm자를 이용하여 매번 같은 방법으로 측정한다.

◎ 삼출물 양 : 드레싱을 제거한 후나 국소도포제를 적용하기 전에 삼출물 양을 측정한다.

◎ 조직의 유형 : 상처 기저부의 조직 유형을 말한다.

4점 - 괴사조직(가피) : 검고 갈색의 거무스름한 조직으로 상처 기저부나 가장자리에 단단히 붙어 있고 주변 피부보다 부드럽거나 단단할 수 있다.
3점 - 부육조직 : 누렇거나 흰 조직으로 상처 기저부에 두꺼운 덩어리나 점액같이 눌러 붙어 있다.
2점 - 육아조직 : 분홍이나 선홍의 조직으로 윤기가 있고 촉촉한 과립 모양이다.
1점 - 상피조직 : 상처 가장자리를 따라서 또는 상처 표면에서 섬처럼 자라나는 옅은 분홍색의 밝고 빛나는 조직이다.
0점 - 표면이 폐쇄/덮인 상태 : 새 피부나 상피 세포로 완전히 덮인 상태임.

5. 욕창의 예방 및 치료

표 21-4. 단계별 욕창 치료의 원칙

단계	특징
I, II 단계	외과적 중재 없이 체위 변경, 위생관리, 전단력 감소 등의 보존적 중재를 통해 손상부위가 자연치유될 수 있다.
III, IV 단계	다량의 괴사조직과 염증을 동반하고 있는 경우가 흔하므로 괴사조직을 제거하고 감염을 조절하는 것이 가장 중요. 상처를 통한 단백질 손실로 영양결핍이 동반될 수 있으므로 단백질 보충과 고열량 식이가 필요. 감염이 없는 궤양에서 약 2~4주간 적절한 치료 후에도 치유의 징후가 없을 경우, 2주간 silver sulfadiazine(일바돈 크림®)등의 국소 항생제를 사용하거나 성장인자요법(growth factor), 전기자극(electrical stimulation), 자외선(ultraviolet light), 국소적음압(negative pressure wound therapy) 등의 치료를 고려할 수 있다.

1) 영양 공급

a. 하루에 열량 30~35 kcal/kg, 단백질 1.25~1.5 g/kg 공급

b. 비타민 결핍 의심되면 비타민 C, 비타민 A와 아연, 철분 등의 미네랄 공급.

2) 체위 변경 및 압력의 최소화

a. 와상 환자는 매 2시간마다 체위 변경을 시킨다.

b. 30도 각도의 semi-Fowler 자세
  - 천골(sacrum)에 가해지는 마찰력 및 전단력을 최소화
  - 신체의 soft parts에 의해 압력을 흡수해주는 각도

c. 침대 위에서 환자를 끌지 말 것

d. 욕창 부위에 직접적 압력이 가지 않도록 할 것

e. 가능하면 의자에 2시간 이상 앉아 있지 않도록 할 것

f. 체위 변경이 불가능할 때 ⇒ 쿠션, 특수 침대

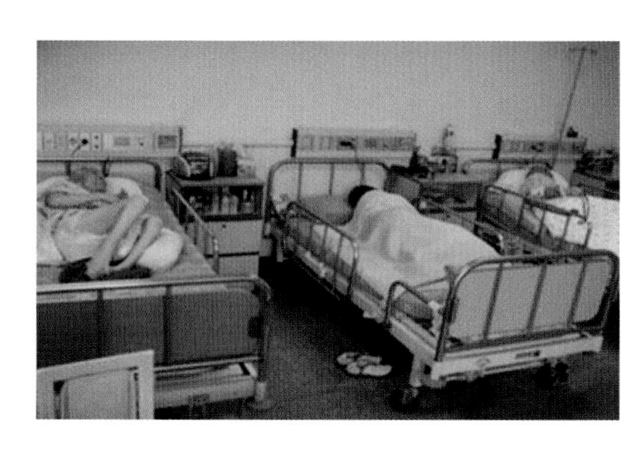

그림 21-5. 일괄적 체위 변경. 모든 환자를 같은 시각에 같은 자세로 눕히면 누락되는 환자 없이 시행할 수 있다.

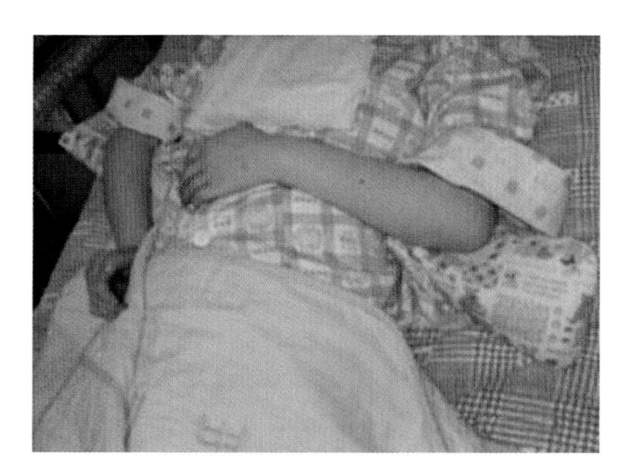

그림 21-6. 팔꿈치 압력 최소화(좌측 편마비 환자)

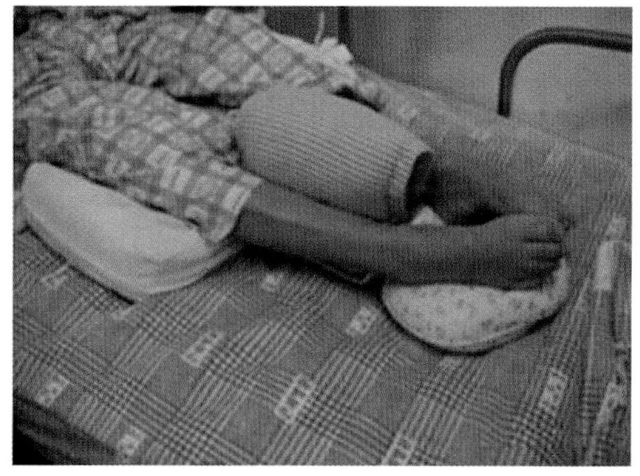

그림 21-7. 무릎 안쪽과 발뒤꿈치의 압력 최소화(하지 마비 환자)

3) 상처의 세척(Wound Cleansing)

a. 멸균된 생리식염수가 널리 쓰임(povidone, iodine, sodium hypochlorite, hydrogen peroxide, acetic acid 등의 소독약은 오히려 상처의 치유를 방해할 수 있다). 수돗물도 치료율이나 감염률 면에서 유의한 차이 없다고 알려짐.

b. 30 mL 주사기에 19 G 주사바늘이나 angio-catheter를 부착하여 궤양 기저부에 손상이 가지 않을 정도의 충분한 압력으로 세척하는 것이 좋다.

c. 물의 온도 : 차가우면 치유 과정을 저해하므로 따뜻한 물이 좋다.

4) 드레싱(Dressings)

a. 상처의 임상적 측면, 주변의 조직, 치료의 목적 등에 따라 달라짐.
b. 매일 드레싱 하면서 호전 정도를 관찰 및 기록(사진 등)으로 남김.
c. 드레싱의 단계
   ① 상처 주변의 피부를 깨끗이 한다.
   ② 괴사조직이 있는 경우는 제거한다.
   ③ 세척액으로 피부를 잘 닦는다. 깨끗한 상처는 환부의 안에서 밖으로 원을 그리며 닦고, 더러운 상처는 환부의 밖에서 안으로 닦되, 한 번 사용한 소독솜은 버리고 이 과정을 3회 반복한다.
   ④ 상처 주위의 피부를 마른 거즈로 가볍게 두드려서 말린다.
   ⑤ 각 상처 드레싱의 목적에 부합하는 드레싱을 수행한다.

(1) 거즈 패킹(Gauze packing)

욕창으로 인한 사강(dead space)을 없애는 것은 매우 중요한데 넓은 공간, 특히 분비물이 많이 나올 때는 거즈를 뭉쳐서 패킹하는 것보다 낱장으로 풀어서 느슨하게 채워주는 것이 분비물의 흡수를 돕는다. 과도한 패킹은 궤양 기저부 조직에 압력을 주어 부가적인 조직 손상을 야기할 수 있으므로 부드럽게 채워주고 피부표면보다 드레싱이 위로 올라가지 않도록 한다. 패킹 재료는 상처 가장자리 안에 위치하도록 하고 상처 주위 피부에 닿지 않도록 한다. 패드 형태의 거즈는 사용을 피하고, 욕창이 깊은 경우 롤 형태의 거즈를 사용하면 거즈가 사강 내에서 분실되는 것을 예방할 수 있다.

(2) 거즈 드레싱(Gauze dressing)

연고나 크림, 소독제 등 국소치료제를 거즈에 함유하여 감염된 상처에 사용하거나, 패킹하는 것으로, 동굴관(sinus tract) 또는 잠식(undermining)을 가진 상처에 적합하다. 건식 거즈 드레싱(dry gauze dressing)은 건조한 상태의 거즈를 상처 위에 놓고 건조한 상태에서 교환하는데, 이 방법은 손상이나 감염으로부터 상처를 보호하고, 삼출물을 조절한다. 습윤 건조 거즈 드레싱(Wet to dry gauze dressing)은 거즈에 생리식염수를 적신 후 개방된 상처에 놓고 거즈가 건조된 후 떼어낸다. 이때 괴사조직 제거가 다 될 때까지 매 6~8시간마다 반복해야 효과적이다. 습윤 거즈 드레싱(moist gauze dressing)은 괴사조직을 많이 함유하지 않은 욕창에 유용하고, 상처 기저부가 습윤하게 유지되도록 지속적으로 습윤 거즈를 교환한다.

(3) 투명필름 드레싱(Transparent polyurethane film dressing)

투명필름 드레싱은 마찰이 있는 부분의 욕창 예방과 1, 2단계 욕창에 주로 쓰인다. 투명필름 드레싱은 흡수력이 전혀 없으므로 심하게 감염되어 삼출물이 많은 경우나 감염의 위험이 있는 욕창에 사용해서는 안 되며, 제품으로는 OpSite, Tegaderm 등이 있다(표 21-5).

(4) 하이드로콜로이드 드레싱(Hydrocolloid dressing)

2단계와 3단계 욕창에서 상처가 넓으며 편평한 경우 적용할 수 있다. 괴사조직의 자가분해(autolytic debridement)를 도와주지만 다량의 분비물을 모두 흡수하지 못해 오히려 감염의 위험을 높일 수 있으며 감염된 상처에서는 효용성이 낮다. 삼출물 흡수효과가 뛰어나, 보호자와 의료진의 시간을 절약해 주며 제품으로는 DuoDERM, Tegasorb, Replicare 등이 있다. 깊지 않은 궤양에는 하이드로겔(hydrogel) 드레싱을 사용하는 것이 좋다(표 21-5).

표 21-5. **습윤드레싱 종류와 그 사용**

Wound Dressings	흡수력	가피제거	교체주기	Stage
Polyurethane films (테가덤필름)	none	none	1주 이내	I, II
Hydrogels (Dermagauze)	minimal	Autolysis	1주 이내	II, III, IV
Hydrocolloids (듀오덤)			1주 이내	
Alginates (Sorbsan)			매일-3일	
Polyurethane foams (메디폼)	moderate	none	1주 이내	

표 21-6. **욕창 단계별 드레싱의 종류 및 원리**

드레싱의 종류	각 드레싱의 목적
Dry-to-Dry Dressing (마른 거즈 대기)	상처를 보호 드레싱 제거 시 거즈에 흡착된 괴사조직, 삼출물이 제거
Wet-to-Dry Dressing (젖은 거즈 대기)	용액으로 괴사조직을 부드럽게 한 후 거즈가 마르면서 괴사조직이 거즈에 흡착되어 드레싱 제거시 상처의 괴사조직이 제거
Wet-to-Wet Dressing (젖은 거즈를 육아조직에 대기)	괴사조직이나 배액량이 많지 않고 육아조직으로 치유 되어 가는 상처. 상처 표면이 계속 젖어 있으므로 육아조직의 손상을 줄이며 드레싱 제거시 상처의 괴사조직이 떨어져 나간다.
투명 필름(테가덤®)	일1단계, 2단계 욕창 마찰 방지 얕은 찰과상 손상 방지를 위해 접착부위는 정상 조직에 부착 산소와 수증기는 통과하고 물과 세균 침입은 차단. 상처 표면이 호흡할 수 있는 일시적 피부로 작용 ● 금기 : 삼출물이 있는 상처에는 부적합!(삼출물이 안에 고이므로)

하이드로 콜로이드(듀오덤®) 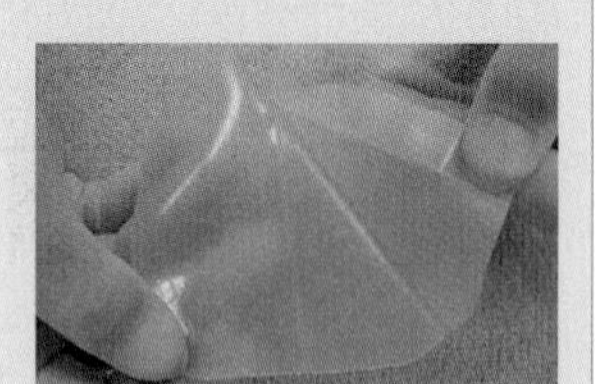	2단계, 3단계, 4단계 욕창 경도나 중등도의 배액(drainage)이 필요한 경우 상처 주위의 피부 통합성(integrity)이 좋은 경우 드레싱을 3~5일간 두어야 할 때 중등도로 깊은 상처 치유를 위해 상처에 습한 환경을 유지 쿠션 효과를 제공. ● 금기 : 감염된 상처에는 부적합!
폼[1] 드레싱(메디폼-F®) 	2단계, 3단계, 4단계 욕창 상처를 잘 수화시킴 분비물의 양이 많은 상처에 상처 흡수제로 사용 ● 금기 : 과도한 삼출액, 마르고 균열이 있는 상처
칼슘 알지네이트(Melgisorb®) 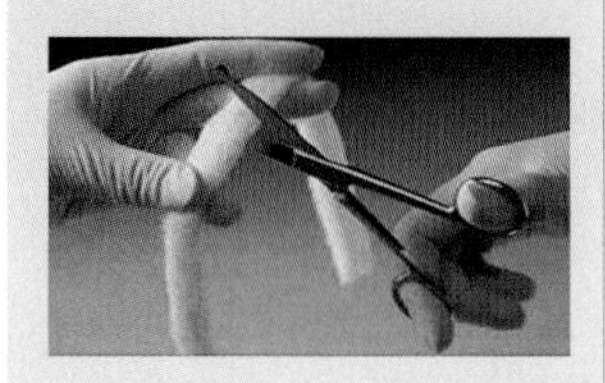	3단계, 4단계 욕창 많은 양의 삼출물을 흡수. 냄새를 조절, 지혈, 통증 완화 상처 packing에 이용 거즈, 하이드로콜로이드, 폼 등의 2차 드레싱으로 덮는다. ● 금기 : 건조하거나 배액이 소량인 상처

5) 개방성 습윤드레싱(OpWD; Open Wet Dressing) = 랩 요법(Wrap therapy)

앞서 언급한 습윤드레싱은 상처 부위를 각종 드레싱으로 폐쇄시키는 폐쇄성 드레싱(Occlusive Dressing Therapy (ODT))라고 할 수 있다. 그런데 일본의 의사인 토리야베 슌이치는 1996년부터 의료용 필름이나 폴리에틸렌 비닐, 심지어는 가정에서 치료받는 환자들을 위해 가정용 랩에 구멍을 내어 상처를 폐쇄하지 않고 삼출물을 배출시키면서 습윤 상태를 유지하는 소위 랩 요법(Wrap therapy)을 개발하여 일본만성기의료협회 주최 연수회 등에서 다양한 증례 보고를 하였고, 2014년 2월에 창원 희연병원의 초청 강의를 통해 우리나라에도 소개되어 지금까지 희연병원 등에서 사용되어 역시 좋은 효과들이 보고되고 있다.

1) Foam; semipermeable polyurethane

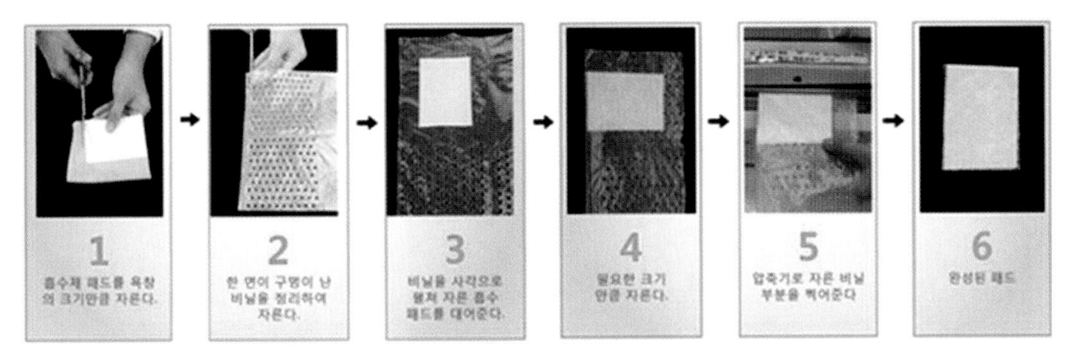

그림 21-8. **랩 요법(OpWD)을 위한 "구멍 뚫린" 드레싱 패드 만들기**(사진 제공: 창원 희연병원)

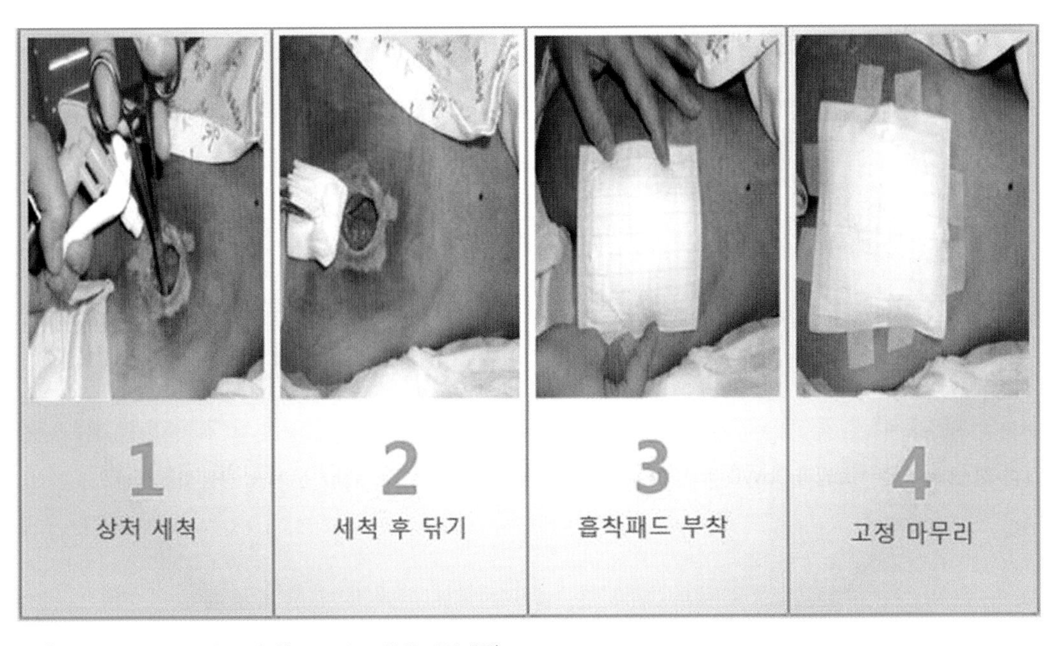

그림 21-9. **OpWD 치료 방법**(사진 제공: 창원 희연병원)

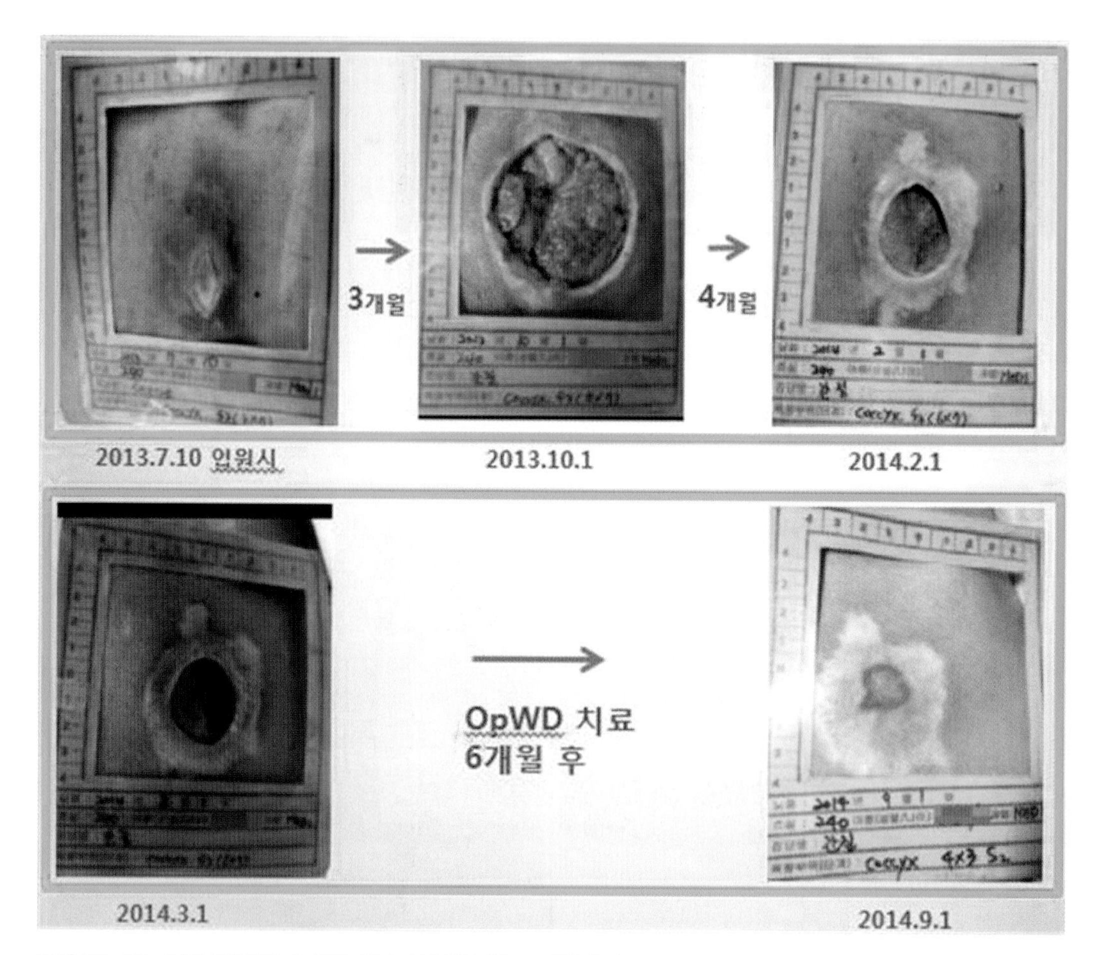

그림 21-10. **기존 치료법과 OpWD 비교: (上)기존 치료 7개월, (下)OpWD 6개월**(사진 제공: 창원 희연병원)

좌측
고관절
부위

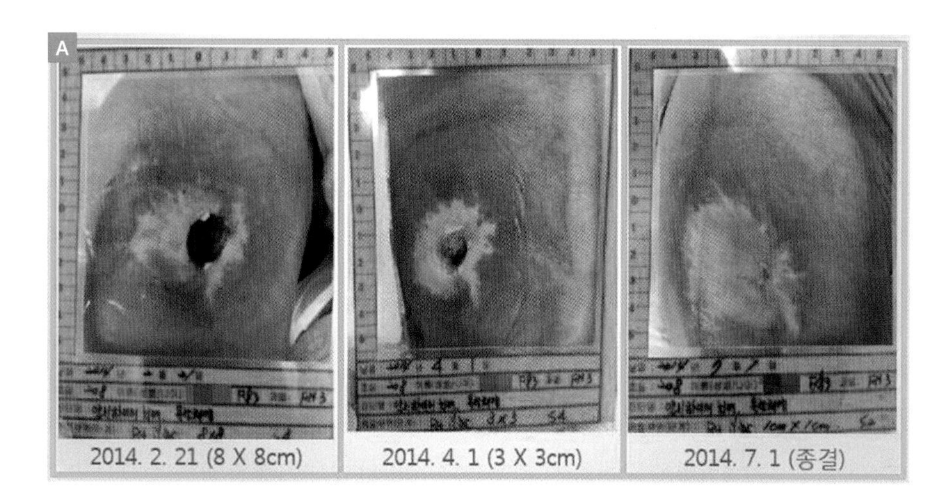

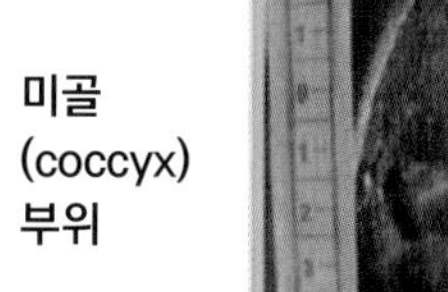

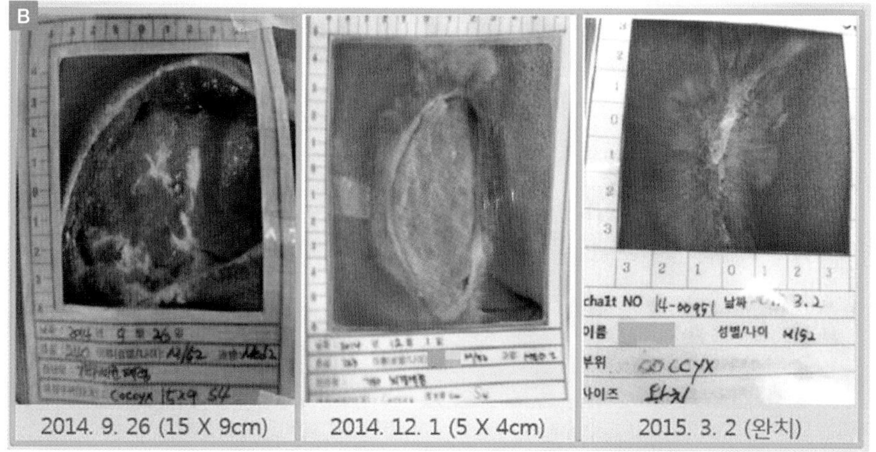

후두부

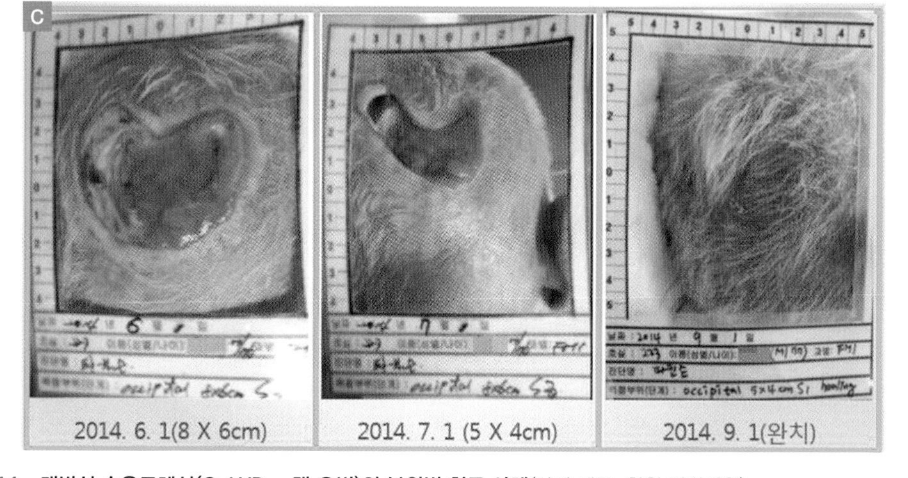

그림 21-11. **개방성 습윤드레싱(OpWD = 랩 요법)의 부위별 치료 사례**(사진 제공: 창원 희연병원)

6) 변연절제(Wound Debridement)

a. 미생물이 자라기 좋은 환경인 죽은 조직을 제거
b. 괴사된 피부, 지방조직, 근육들은 긁어내고, 기능을 잃은 근막이나 건 등은 잘라낸다.
c. 모든 가피(eschar)는 절제되어야 하지만 홍반, 부종, 분비물 등의 염증소견이 없는 안정적인 발꿈치의 건조 가피는 절제할 필요가 없다.
d. 합병증 : 심각한 출혈, 일시적 균혈증(bacteremia)
e. 변연절제 이후 출혈이 있는 경우에는 8~24시간 동안 건조 드레싱(dry dressing)을 하고, 이후 습윤드레싱(moist dressing)으로 교체한다.
f. 통증관리 : 조직제거술과 관련된 모든 통증을 예방하고 관리해야 한다.

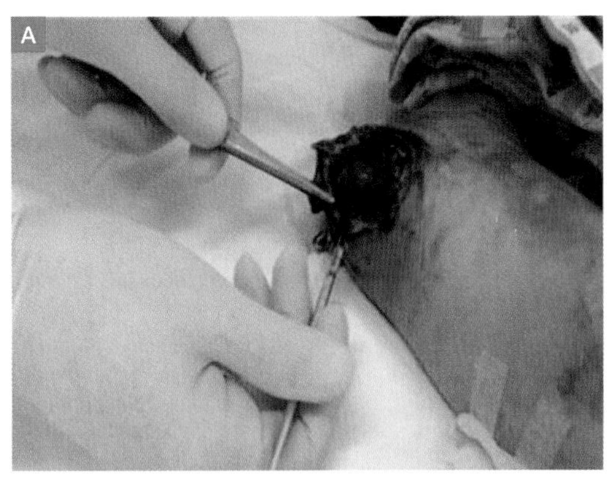

변연절제하는 모습

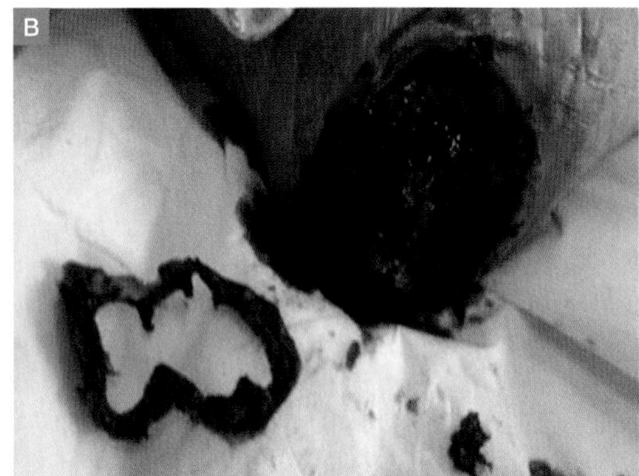

변연절제 후 비교적 깨끗해진 margin

그림 21-12. **발뒤꿈치 욕창 주변 괴사조직의 변연절제**

7) 국소적 항생제

a. 잘 치유되지 않는 청결한 욕창이나, 2~4주 동안의 적절한 치료에도 불구하고 계속해서 삼출액이 나오는 상처에는 silver sulfadiazine (silmazine®) 등의 국소 항생제 2주 시도
b. 주의 : 1,2단계에 povidone iodine(베타딘)은 오히려 섬유아세포에 독성을 나타내며 상처의 치유를 방해

8) 전신적 항생제 투여

- G(−) 호기성 간균이 가장 흔함. 심한 냄새가 나면 혐기성 세균 의심(Bacteroides, Pseudomonas)
- 2, 3, 4단계 욕창은 모두 세균에 감염되어 있기 때문에 swab 배양은 진단적 의미가 없으며, 할 필요가 없다.

a. 패혈증, 봉와직염, 골수염, 심장판막질환 환자에서 창상의 절제가 필요한 경우, 세균성 심내막염 예방을 위해 필요.

골수염 : [X-ray에서 뼈의 이상] + [WBC > 15,000/㎕] + [ESR > 120 ㎜/h] ⇒ 70%의 가능성!

b. 초기 항생제 : ampicillin, sulbactam, imipenem, clindamycin, ciprofloxacin, aminoglycoside

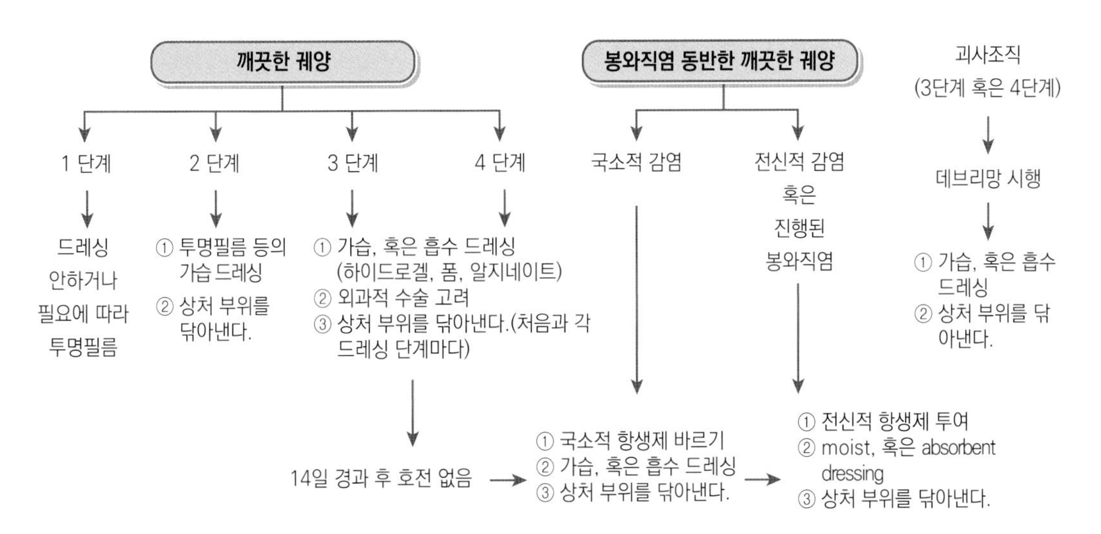

그림 21-13. 욕창의 단계별 치료 출처: Am Fam Physician. 2008 Nov 15;78(10):1186-94.

9) Braden Scale에 의한 욕창 위험성 평가 및 관리 방법

표 21-7. Braden Scale 점수에 따른 욕창 예방법

15-16점(욕창의 위험 있음)	
규칙적 체위 변경, 최대한 움직일 수 있게 한다.	발뒤꿈치 보호
습기, 영양, 마찰력, 전단력 관리	와상, 휠체어 의존 환자 : 압력 감소 장치
* 다른 주요 위험 인자(고령, 고열, 단백질 결핍, 이완기 혈압 < 60 mmHg 등) ⇒ 다음 단계로!	
13-14점(중등도의 욕창 위험성)	
규칙적 체위 변경, 최대한 움직일 수 있게 한다.	측위 유지를 위해 베개를 사용
발뒤꿈치 보호	습기, 영양, 마찰력, 전단력 관리
* 다른 주요 위험 인자 ⇒ 다음 단계로!	
10-12점(높은 욕창 위험성)	
체위 변경을 보다 자주 한다. 조금씩만 이동시켜 준다.	측위 유지를 위해 베개를 사용
발뒤꿈치 보호	습기, 영양, 마찰력, 전단력 관리
9점 이하(매우 높은 욕창 위험성)	
위의 모든 사항 + 심한 통증이나 추가 위험 요인이 있다면 압력 완화 도구 사용	

Adapted from Hospital Council of Nothern & Central California

표 21-8. Braden Scale(욕창 위험 사정표)

욕창 위험 사정표(Braden Scale)

Barbara Braden, PhD, RN, FAAN

환자명	님		
사정일시	월 일 시	합계	점

항목	1점	2점	3점	4점
감각인지 불편감을 주는 압력에 대해 의미있게 반응하는 능력	전혀 없음 의식이 저하되거나 진정제로 인해 통증 자극에 대해 전혀 반응없음. 신체의 대부분에 감각이 떨어짐	매우 제한됨 통증 자극에 대해서만 반응함. 신음하거나 안절부절 못하는 것 외에는 불편감을 호소하지 못함. 또는 신체의 1/2 이상의 감각이 떨어짐	약간 제한됨 구두로 요구를 표현하나 불편감을 느끼거나 몸을 돌릴 필요가 있을 때마다 하는 것은 아님. 또는 하나 둘의 사지에서 감각이 떨어짐	장애 없음 구두로 요구를 표현할 수 있으며, 감각기능 장애가 전혀 없음
습한 정도 피부가 습기에 노출되어 있는 정도	지속적으로 습함 땀, 소변 등으로 피부가 계속 습한 상태임. 돌리거나 움직일 때마다 축축함	습함 항상은 아니나 자주 습한 상태임. 적어도 8시간마다는 린넨을 교환해야 함	때때로 습함 하루에 한 번 정도로 린넨을 교환할 정도로 습한 상태	거의 습하지 않음 피부가 거의 습하지 않음. 정해진 간격으로 린넨을 교환하여도 됨
활동정도 신체활동 정도	침상 안정 계속적으로 침대에 누워 있어야 함	의자에 앉을 수 있음 보행능력이 없거나 매우 제한됨. 몸을 지탱할 수 없거나 의자나 휠체어로 옮길 때 도움이 필요함	때때로 보행 낮동안에는 때때로 걸으나 짧은 거리만 가능함. 대부분을 의자나 침대에서 보냄	정상 적어도 하루에 두 번 정도는 산책할 수 있음
기동력 체위를 변경하고 조절할 수 있는 능력	전혀 없음 도움없이는 몸이나 사지를 전혀 움직이지 못함	매우 제한됨 가끔은 몸이나 사지를 움직이긴 하지만 자주 혹은 혼자서 많이는 아님	약간 제한됨 혼자서 약간씩이나 자주 움직임	정상 도움없이도 자주 자세를 크게 바꿈
영양 상태 평소 음식섭취 양상	불량 제공된 음식의 1/3 이상을 먹지 못함. 또는 금식, 5일 이상 IV	부적절함 보통 제공된 음식의 1/2 정도를 먹음. 또는 적정량 이하의 유동식, 경관 유동식	적절함 대부분 반 이상을 먹거나 적정량의 경관 유동식, TPN	양호 거의 다 먹음
마찰력과 전단력	문제 있음 이동 시 많은 도움이 요구되며, 끌지 않고 드는 것이 불가능함. 종종 침대나 의자에서 미끄러져 자세를 다시 취해야 함. 경직, 경축, 초조가 계속적으로 마찰을 일으킴	잠재적 문제 있음 최소한의 조력으로 움직일 수 있음. 이동 시 시트, 의자, 억제대나 다른 도구에 약간은 끌림. 때때로 미끄러지나 의자나 침대에서 대부분은 좋은 자세를 유지함	문제없음 침대나 의자에서 스스로 움직일 수 있고 움직이는 동안 몸을 들어 올릴 수 있음. 항상 침대나 의자에서 좋은 자세를 유지할 수 있음	

가장 좋은 점수는 23점(4+4+4+4+4+3)이며, 16점 이하부터는 욕창의 위험이 있음.

Modified from Bergstrom N, et al., 1987

10) 압력 감소 장치

a. 물 매트리스, 공기 매트리스 등이 병원 매트리스보다 좋다.
b. 의자, 침대, 휠체어에 푹신한 패드 사용.
c. 도우넛 모양의 쿠션은 중심부에 있는 피부로 가는 혈류를 차단하므로 사용하지 말 것!

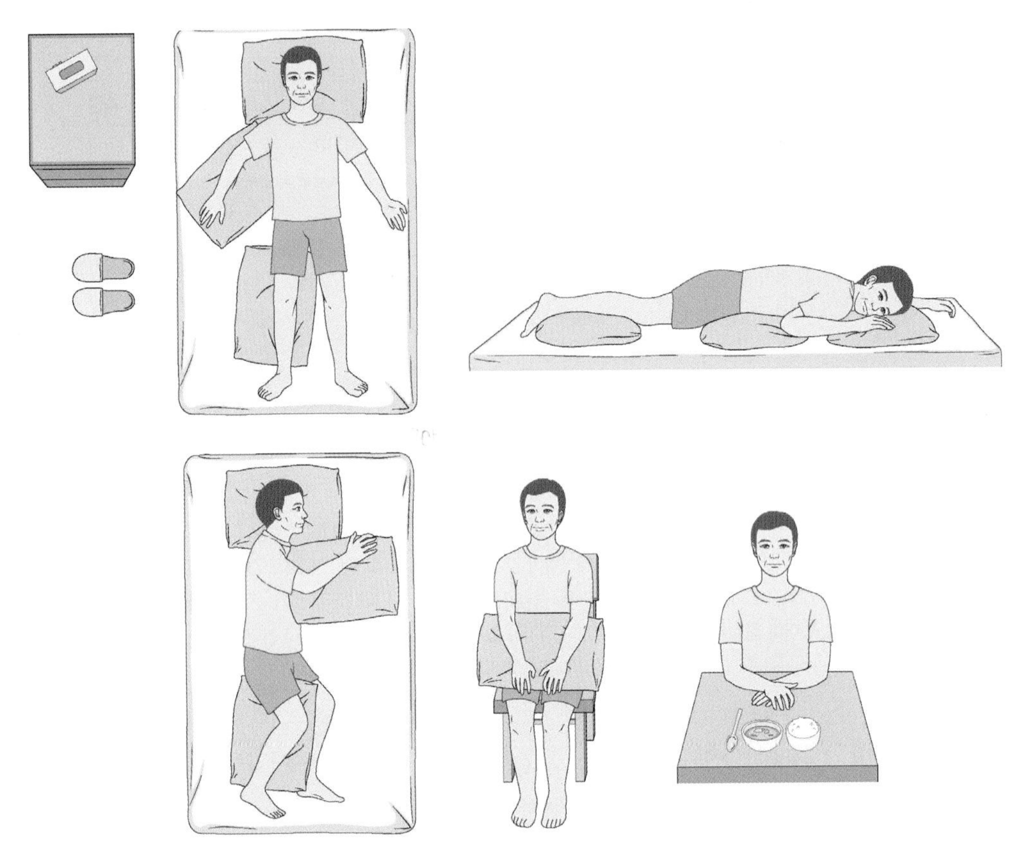

그림 21-14. **자세에 따른 압력 감소 장치의 활용**

그림 21-15. **공기 매트리스**

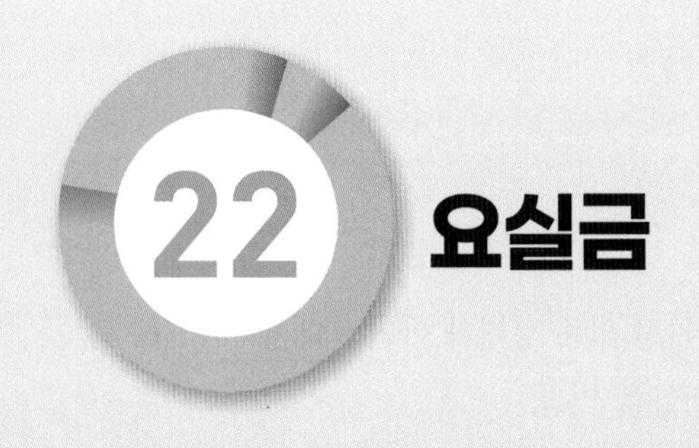

22 요실금

- 84세 여성. MMSE 5점의 심한 치매이며 거동도 불편하여 화장실 가기 전에 소변을 지려서 기저귀 착용 중. 주로 침상 안정 상태이며 3일 전부터 coccyx area에 1x1cm의 2단계 욕창 발견됨. 어떤 조치를 취해야 하나?

– 심한 치매 등에 의해 화장실에 가기 전에 소변을 지리는 "기능성 요실금"
– 요실금에 의한 회음부 습윤 상태로 욕창의 악화 우려가 있어 도뇨관 삽입을 고려한다.

1. 정의

객관적으로 증명될 수 있고, 사회적 또는 위생적으로 문제가 되는 소변의 불수의적인 유출(ICS; International Continence Society)

2. 역학

1) 노인에게 흔함.

2) 여성 > 남성
3) 지역사회 노인 여성의 약 30%, 남성의 약 15%
4) 요양원 거주 노인 : 약 50% 정도
5) 요양병원 입원환자(필자 등의 연구 결과) : ADL이 완전 의존 상태가 아닌 치매환자의 64%
6) 환자의 육체적 건강, 정신적 안녕, 사회적 지위에 영향을 미침.
7) 막대한 의료비 초래
8) 노화에 따른 자연적 섭리라고 간과되고 무시되는 경향이 있음.

3. 분류

표 22-1. **요실금의 분류**

분 류	정 의	흔 한 원 인
진성 요실금	해부학적 이상에 의한 요실금. 예고 없이 소변 흘리며, 지속적이거나 주기적	방광질루, 이소성요관, 방광외번증, 요도상열, 전립선비대증 수술, 출산, 요도괄약근 손상
복압성 요실금 (80~90%)	복압증가(기침, 웃음, 운동)에 따른 불수의적 요실금	출산 후 골반근 약화, 신경인성 방광, 전립선 절제 후 요도괄약근 손상 혹은 약화
절박성 요실금 (20~30%)	요의를 느낀 후 참지 못하고 일어나는 요실금	요로 감염, 방광 내 병변(결석, 종양, 게실), 배뇨근과활동성, 신경학적 질환(뇌졸중, 치매, 파킨슨병, 척수손상), 전립선비대증에 따른 방광출구 폐색
일류성 요실금 (<5%)	과팽창된 방광에서 기계적 압력에 따른 요실금	방광출구폐색(전립선비대증, 요도협착 등), 배뇨근 수축 이상, 신경인성 방광, 약물
기능성 요실금	화장실에 접근하지 못하여 발생하는 요실금	심한 치매, 신경학적 질환, 우울증 등에 따른 신경정신과적 요인, 환경적 요인

Adapted from 김준철

4. 노인의 요실금

요양병원에서의 낙상 관련 유의 사항들

a. 방광이나 요도의 기능 저하
b. 인지기능, 본인의 자발적 의욕, 팔, 다리의 원활한 움직임 등 저하
c. 생리적으로 밤에 소변배출량이 많을 수 있음.

d. 불면증과 어우러져, 자다가도 일어나서 소변을 보는 원인이 되기도 함.
e. 신체에 다른 질환이 발생하면서 요실금 유발
  - 평소 절박뇨가 있던 분이 관절염으로 거동불편 → 절박성 요실금으로 발전
  - 천식, COPD로 잦은 기침 → 복압성 요실금이 악화
  - 노인성 요실금의 30~50%는 일시적 요실금
f. 과민성 방광(OAB; Over-Active Bladder) : 노인성 요실금의 가장 흔한 원인. 절박성 요실금을 호소
  - 뇌질환(뇌졸중, 치매, 파킨슨병), 심한 전립선비대증 등에 의해 발생

1) 원인

a. 일시적 요실금 : 급성 발병. 원인을 없애면 바로 해소되는 요실금
  ① 대부분은 요로 이외의 원인에 의하여 발생
  ② 노인 요실금의 약 1/3을 차지
  ③ 원인을 치료하지 않으면 만성 요실금으로 발전될 수 있다.
  ④ 일시적 요실금의 원인
    - 섬망, 혼돈상태
    - 요로 감염
    - 위축성 요도염, 질염
    - 과량의 요량 : 울혈성 심부전, 고혈당증
    - 움직임의 제한
    - 변비(분변매복)
    - 약물

표 22-2. DRIP - 일시적 요실금의 원인들 (Reversible Causes of Incontinence)

	원인	원인을 알아내는 방법 / 기전
D	Delirium	정신상태 변화, 혼돈
	Drug 부작용	
	이뇨제	배뇨량 증가 : 카페인
	항콜린성 약물	요정체 : TCA, psychotropics, 항히스타민제, Parkinsonians
	진정제	명료함 감퇴 : 알코올, 수면제, 마취제
	알파 교감신경촉진제	괄약근 톤 증가 - 요정체
	알파 교감신경억제제	괄약근 톤 감소
	칼슘채널억제제	요정체
R	Retention of feces	병력 청취, 직장검사
	Restricted mobility	보행 평가
I	Infection, urinary	U/A, culture

	원인	원인을 알아내는 방법 / 기전
I	Inflammation	Genital examination
P	Polyuria	Hyperglycemia, hypercalcemia, peripheral edema (nocturnal)
	Psychogenic	알코올, 우울증

표 22-3. 일시적 요실금을 유발할 수 있는 약물들

약물 종류	배뇨에 미치는 영향
이뇨제	다뇨, 빈뇨, 요절박
항콜린제	요폐, 일류성 요실금, 변비
정신작용제	
- 항우울제	항콜린작용, 진정
- 항정신병약제	항콜린작용, 진정, 기동성 저하
- 안정제, 최면제	진정, 섬망, 기동성 저하, 요도 이완
마약성 진통제	요폐, 변비, 진정, 섬망
알파 교감신경길항제	요도 이완
알파 교감신경촉진제	요폐
ACE 길항제	기침에 의한 복압성 요실금
베타 교감신경촉진제	요폐
칼슘통로 차단제	요폐
알코올	다뇨, 빈뇨, 요절박, 진정, 섬망, 기동성 저하
카페인	다뇨, 방광 자극

Adapted from 김준철

b. 확립된(established) 요실금

① 하부 요로에 기인한 경우

- 배뇨근 과활동성(detrusor overactivity) : 가장 흔함(=Overactive Bladder; OAB)
- 복압성 요실금 : 여성 노인에서 2번째로 흔한 원인
- 방광출구 폐색 : 남성 노인에서 2번째로 흔한 원인
- 배뇨근 저활동성(detrusor underactivity) : 노인의 약 10%

② 하부 요로와 무관한 경우(기능성 요실금)

◆ **과민성 방광(OAB: Over-Active Bladder)**

1. 정의 : 요절박(Urgency; 소변을 참기 힘듦), 절박성 요실금(소변이 마려울 때 참지 못하여 소변이 새어 나오는 증상), 빈뇨(하루 8회 이상), 야간빈뇨 등의 증상군.
2. 요절박 : OAB의 가장 핵심적인 증상으로서, 환자들은 다음과 같이 증상을 표현한다.
   - ✓ 소변이 마려운 느낌이 들면 화장실에 급하게 가야 한다.
   - ✓ 어느 정도까지는 소변을 참을 수 있으나, 갑자기 소변이 마려우면 참을 수 없다 (아랫배가 뻐근하기도 하고 소변을 지리기도 한다)
   - ✓ 절박요실금을 경험한 이후에는 습관적으로 화장실에 자주 간다.
   - ✓ 스트레스를 받거나 몸이 피곤하면 소변을 더 자주 본다.
   - ✓ 낯선 곳에 가면 화장실을 먼저 확인한다(Toilet mapping).
   - ✓ 일에 열중하면 2~3시간은 참을 수 있으나, 밖에 나가면 1시간마다 소변을 보아야 한다.
   - ✓ 설거지하기 전에 화장실을 먼저 간다.
   - ✓ 하루에 소변을 12번 보지만 "요 절박은 없다"고 하기도 한다.
   - ✓ 소변이 차면 불두덩이(자궁/아랫배/사타구니)가 뻐근해서 화장실에 간다.
   - ✓ 참으면 괴롭다.
3. OAB의 치료
   1) 생활습관 개선
      ① 금연 : 만성적인 기침 예방
      ② 체중 조절 : 골반근육에 대한 불필요한 압력 감소
      ③ 자극적 음식 금지 : 카페인, 알코올, 매운 음식, 인공 감미료
   2) 행동치료 : 골반근육운동
   3) 약물치료
      ① 방광배뇨근의 수축을 억제
      ② 빈뇨, 절박뇨, 절박성 요실금의 증상들을 호전(18~56%).
      ③ 부작용 : 입 마름, 변비, 어지럼증(39~78%).
      ④ 추천 약물 (3rd International Consultation Meeting on Incontinence, 2004)
         A. Antimuscarinic
            i. Solifenacin (베시케어ⓒ)
            ii. Tolterodine (디트루시톨ⓒ)
            iii. Trospium (상투스ⓒ, 유로맥스ⓒ) : BBB 통과하지 않음 (어지럼증 방지)
            iv. Darifenacin
         B. Drugs with mixed action (antimuscarinic + 칼슘채널억제)
            i. Oxybutynin (디트로판ⓒ, 옥시부틴ⓒ)
            ii. Propiverine (클라베린ⓒ, 유베린ⓒ, 큐어베린ⓒ)
   4) 비뇨기과 전문의에게 환자를 의뢰해야 하는 경우
      ① 신경학적, 대사질환 (설명되지 않는)
      ② 요실금 수술에 실패
      ③ 잔뇨 증가
      ④ 전립선비대증과 동반
      ⑤ Radical pelvic surgery와 연관

(Abrams P et al. The Overactive Bladder-A widespread and Treatable Condition, 1998.)

2) 진단

a. 우선 일시적 원인에 의한 요실금을 확인한 후 요실금의 형태를 구분

b. 배뇨일기(Voiding diary) : 24시간 동안 정상 배뇨 및 요실금의 횟수와 양을 기록

표 22-4. **배뇨일기**

배뇨일기

소변을 볼 때마다 시간과 양을 기록합니다. 요실금이 있었던 경우는 그 시간대에 ✓ 표시를 하십시오.
그리고, 소변이 마려울 때 급박감(요절박)이 있었는지를 기록하여 주십시오.

이름 :

항목	년 월 일			년 월 일			년 월 일		
	배뇨량(㎖)	요실금	급박감	배뇨량(㎖)	요실금	급박감	배뇨량(㎖)	요실금	급박감
오전 6시									
7시									
8시									
9시									
10시									
11시									
정오 12시									
오후 1시									
2시									
3시									
4시									
5시									
6시									
7시									
8시									
9시									
10시									
11시									
자정 12시									
새벽 1시									
2시									
3시									
4시									
5시									
취침시간									

Adapted from 김준철

표 22-5. IPSS(국제 전립선 증상 점수표)

IPSS (Internatinal Prostate Symptom Score) by American Urological Association						
(최근 한달 간 ~)	0	1	2	3	4	5
배뇨 후 시원치 않고 소변이 남아있는 느낌이 얼마나 자주 있었습니까?						
배뇨 후 2시간 이내에 다시 소변을 보는 경우가 얼마나 자주 있었습니까?						
한번 소변볼 때마다 소변 줄기가 여러 번 끊어진 경우가 얼마나 자주 있었습니까?						
소변이 마려울 때 참기 어려운 경우가 얼마나 자주 있었습니까?						
소변 줄기가 약하다고 느낀 경우가 얼마나 자주 있었습니까?						
소변을 볼 때 금방 나오지 않아 힘을 주어야 하는 경우가 얼마나 자주 있었습니까?						
밤에 잠을 자다가 소변을 보기 위해 몇 번이나 일어나십니까?						
숫자의 의미 - 0: 전혀 없음, 1: 5회 중 1회 이하, 2: 2회 중 1회 이하, 3: 절반 정도, 4: 절반 이상, 5: 거의 항상						
합계 0~7점(경한 증상), 8~19점(중등도 증상), 20~35(심한 증상)						

3) 치료

a. 원인 제거

b. 과활동성 방광(절박성 요실금)

① 빈뇨 시 방광 훈련

- 배뇨 간격이 1시간 정도라면, 1주 단위로 배뇨 간격을 30분씩 연장하여 4시간까지 연장시킴.
- 훈련기간 중에는 요의를 느끼더라도 예정된 배뇨시간까지 의도적으로 소변을 참도록 함.
- 인지기능 장애자 : 배뇨 훈련이 어렵고, 이 때는 요실금이 있기 전에 소변을 보게 도와준다.

② 약물치료

- Tolterodine(디트루시톨), Oxybutynin HCl(디트로판), Trospium, Propiverine 등
  → 절박성 요실금 증상에 효과 좋음.
  → 부작용 : 입 마름, 변비, 소변 정체, 두통 등 ⇒ 입 마름에는 신맛 나는 비타민 C(레몬 등)의 복용이 좋다.

c. 복압성 요실금

@ 노인은 요실금 치료제의 항콜린성 부작용에 주의할 것!

항무스카린 제제 = 무스카린 수용체 길항제	
대표적 약물들	oxybutinin(디트로판), tolterodine(디트루시톨), trospium(유로맥스), solifenacin(베시케어, 솔리페나신), darifenacin
기전	아세틸콜린을 배뇨근의 무스카린 수용체에 결합하지 못하게 하여 방광의 수축을 감소시킴. 아세틸콜린(=콜린)을 방해하여 '항콜린성 부작용' 생김.
항콜린성 부작용	입 마름, 변비, 인지기능 장애, 빈맥, 시야 흐림
주의할 대상	치매환자(그렇잖아도 아세틸콜린 작용이 저하되어 있음), 협우각녹내장, 배뇨 후 잔뇨가 많은 경우, 위저류가 있는 자, 위식도역류, 변비

① 골반근육 운동

- 10~20%의 환자들에게서만 성과를 볼 수 있다. 우측에 골반근육 운동의 한 예인 Bridge 운동을 소개하였다. 이는 소변이나 대변을 참는 느낌으로 골반근육을 수축한 다음 엉덩이를 들어서 무릎부터 어깨가 일직선이 되게 한다. 그 자세로 10초간 유지한 후 엉덩이를 내린다. 이 동작을 5-10번 반복한다(그림 22-1).

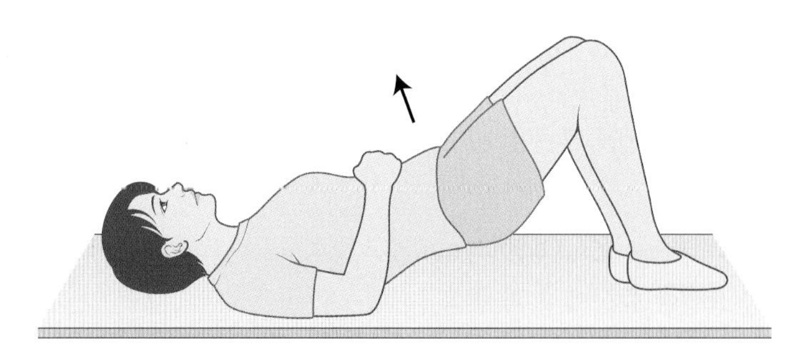

그림 22-1. Bridge 운동

② 약물치료

- Phenylpropranolamine 등 알파 교감신경촉진제
- (폐경 후 여성) 에스트로겐제제
- Imipramine은 방광과 방광출구에 동시에 작용하므로, 복압성 요실금과 절박성 요실금이 같이 있는 경우 효과적

③ 수술

- 방광경부의 과이동성에 의한 경우 방광경부현수술(bladder neck suspension)을, ISD (intrinsic sphincter deficiency)가 있는 요실금의 경우 중부요도 슬링수술을 시행

d. 방광 출구 폐쇄(일류성 요실금)

① 약물치료

- 알파교감신경 차단제 : 방광경부 평활근의 긴장을 억제한다. Doxazosin, Terazosin, Prazosin 등

② 배뇨 훈련 및 도뇨

- 소변을 다 보고 나서 다시 배뇨를 하게 하여 잔뇨를 줄임.
- 규칙적인 간헐적 도뇨(Nelatone catheterization)로 잔뇨를 배출시킴.
  → 도뇨 간격 : 하루 4회(아침 기상 시 – 점심 – 저녁식사 전 – 잠자기 전)
  → 간헐적 도뇨의 이점과 입증된 실용성에도 불구, 대부분의 환자들은 Foley catheterization을 선호
- 간헐적 도뇨가 어려우면 Foley catheter or suprapubic cystostomy

23 변실금

• 87세 치매 여성. 현재 당뇨약 복용 중. 원래 요실금 있던 환자인데, 2~3개월 전부터는 묽은 변을 기저귀에 지리는 일이 자주 발생 함. 환자의 가족이 환자의 예후에 대해 질문함.

– "어린 아이가 대변을 먼저 가리고 이어서 소변을 나중에 가리는 것처럼, 치매 노인의 경우에도 소변을 먼저 지리고 대변을 나중에 지리는 것이 일반적입니다. 특히 대소변을 모두 못 가리시는 치매 노인의 경우는 6개월 정도만 지나도 전반적인 일상생활 능력이 급격히 나빠질 수 있습니다."라고 대답함.

1. 정의

1) 변실금(Fecal incontinence) : 고형 또는 액체 상태의 대변을 의도하지 않는 상태에서 1개월 이상 항문 밖으로 배출하는 증상

2) 항문실금(Anal incontinence) : 변실금 + 방귀(가스유출)

2. 역학

1) 여성 노인에서 많이 발생
2) 미국에서 요양원 입소 사유 중 2번째 원인
3) 우리나라 : 지역사회 노인의 15.5%
4) 요양원 입소자의 약 45%
5) 우리나라 요양병원에 입원한 ADL이 완전 의존상태가 아닌 치매환자 중 약 60%(필자 등의 연구결과)

3. 위험 인자 및 연관 인자들(대부분은 연관 인자일 뿐, 원인이 아님)

1) 여성
2) 노인
3) 신경과적 질환이나 우울증
4) 뇌졸중
5) 당뇨
6) 비만
7) 요실금
8) 인지기능 저하
9) 만성 설사, 과민성 장 증후군
10) 건강상의 문제가 많은 자나 스스로 건강하지 못하다고 느끼는 자
11) 시설 입소 증가
12) 사망률 증가
13) 일상생활수행능력(ADL) 저하의 위험 요인 : 필자 등의 연구 – 우리나라 3개 요양병원에 치매로 입원해 있는 163명의 환자들을 대상으로 6개월 후 ADL의 저하에 미치는 영향을 조사한 연구 결과, 변실금, 요실금, 낮은 K-MMSE 점수가 6개월 후 ADL 저하의 위험 인자로 밝혀졌다. 즉, 요양병원에 치매로 입원하고 계신 분들 중 "대소변을 못 가리고 K-MMSE 점수가 낮은 분들"은 향후 일상생활능력의 급격한 저하가 예상되는 환자들이라고 할 수 있겠다.

4. 변실금의 흔한 원인

노인 변실금의 가장 흔한 원인

요양시설/급성기 병원 : 분변매복(fecal impaction)
지역사회 노인 : 직장괄약근 기능이상(rectosphincter dysfunction)
근육이완 혹은 당뇨병성 신경병증

1) 분변매복(fecal impaction)

- 원인: 다약제 복용, 장기간의 변비완화제 사용, 마약진통제 사용, 수분 섭취 감소
- 진단: 복부 사진, 직장 수지 검사. 직장 수지 검사에서 매복된 분변이 없을 수도 있다.
- 치료 : 1단계) 손가락으로 파내거나 오일 관장; 오일 관장은 2, 3일 지속
  2단계) 경구용 polyethylene glycol(1~2 L) 복용으로 변이 새로 쌓이는 것 막음(단, 대장 이완이나 폐쇄 있으면 금기)
  3단계) 유지 치료 - 섬유질 공급, 변 완화제, 변비 유발 약물 제한(섬유질 공급이나 bulking agent는 급성기 분변매복에서는 금기)

2) 직장의 괄약근 기능 이상

- Pudendal nerve 손상(배변시 장기간 과도하게 힘주기, 출산시 손상, 당뇨병 등에 의한 다발신경병증), 직장 괄약근 손상, 직장 감각 감소
- 척수 손상, 중추신경계질환, 말초 및 자율신경 손상, 직장 탈루, 산부인과적 외상
- 자신도 모르게 변실금(passive incontinence)
- 치료 : Biofeedback, 배변습관 훈련, Bulk-forming agents손상에 의한 경우나 다른 치료법 반응이 없는 경우는 수술

3) 저장성 변실금(Reservoir incontinence)

- 장의 허혈, 감염, 궤양 등으로 인해 직장벽의 탄성 감소
- 잦은 배변, 절박 배변 등이 동반되면서 변실금
- 치료 : fecal bulking agent나 섬유질 공급을 피하고 loperamide나 opiates제제 사용

5. 변실금에 대한 사회적 편견

1) 인간으로서의 존엄성 상실의 의미로 받아들여 짐.
2) 환자는 수치심, 자괴감, 당혹감 경험 → 사회적 생활 위축 → 사회와 격리
3) 환자도 말하지 않고, 의료인도 먼저 묻지 않는다.

6. 변실금의 예방과 비약물적 치료

1) 특히 치매환자들은 매일 정해진 시간에 배변하도록 훈련을 시킨다.
2) 항문 주위 피부 위생을 한다.
3) 대변의 양을 증가시키고 묽은 변을 줄이기 위해 섬유질이 많은 음식을 섭취시킨다.
   - 사과, 고구마, 아보카도, 호밀빵, 우엉, 말린 자두, 곶감, 콩류, 버섯, 해조류
4) 카페인이나 알코올은 설사와 그로 인한 변실금 증상을 악화시키므로 삼간다.
5) 케겔운동(항문조임 운동)
6) 성인용 기저귀를 사용한다. 자주 갈아주는 것이 중요하다.

표 23-1. **성인용 기저귀의 종류**

팬티형	가장 흔히 사용하며, 테이프로 고정시킴. 사이즈는 소형~특대형까지 있으며 자신의 몸에 맞고 활동하기 부자연스럽지 않은 것으로 선택함.	
속옷형	속옷처럼 입는 방식. 가벼운 변실금이나 요실금이 있을 때 사용. 착용할 때 불편함이나 표시가 나지 않도록 얇게 제작.	
일자형 (속기저귀)	접착테이프 등이 없이 사용되며 주토 팬티형 기저귀와 병행해서 리필용으로 사용되기도 하며 기저귀 커버 등으로 고정을 하여 사용. 가격은 저렴하나 고정장치가 없어 개별적으로 사용하기에는 불편함.	

7. 변실금의 약물치료

1) 약물치료의 목적은 배변 횟수를 줄이거나 대변 굳기를 무르지 않게 하는 것.
2) 대변량이 적고 무른 변 때문에 변실금이 생기는 경우 부피형성완화제(예 : 차전자)를 사용해 볼 수 있으나, 식이섬유를 필요 이상으로 많이 먹으면 대변의 양을 증가시켜서 자주 변을 보게 되므로 주의해서 사용.
3) 지사제
   - Loperamide : 장 운동을 느리게 하여 대변을 굳게 하고 배변 횟수를 줄임. 하루 한 알로 대부분 조절이 되나 호전 없으면 증량.
   - 비스무스 제제
   - 담즙결합제제(콜레스티라민)
4) 아미트립틸린(에나폰) : 장 운동을 느리게 하여 변실금 호전 기대.
5) 여성호르몬(에스트로겐) : 폐경 후 여성에게 도움이 될 수 있음.

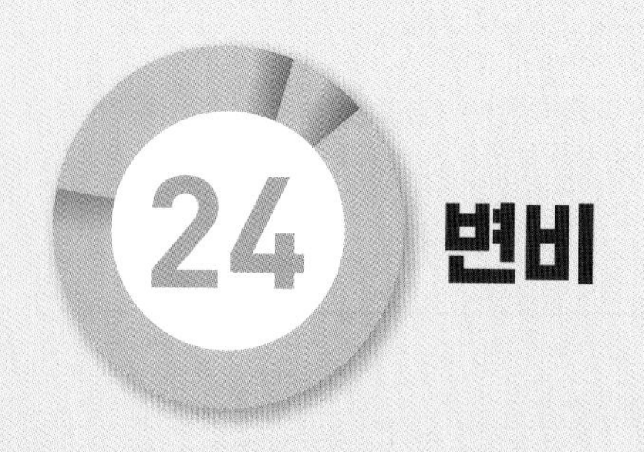

변비

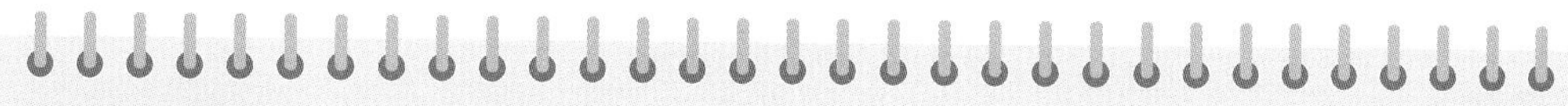

- 74세 여성. 5년 전 치매진단을 받은 후 치매 주간보호센터 다니시며 주로 아드님이 치매 약을 처방 받기 위해 외래 방문하심. 3개월 전부터 변비 및 복통을 호소하셔서 Lactulose 15 cc씩 필요시 경구 복용하도록 처방 중이었음. 최근 건강 검진에서 Barium Enema 시행 후 대장암 발견하여 수술.

– 단순한 장 기능 저하에 의한 만성 변비로 오해했던 대장암

1. 역학

1) 외래, 입원, 요양원 거주 노인들에서 매우 흔히 볼 수 있음.

2) 변비를 주소로 의사를 찾는 사람들의 대부분이 노인

3) 핀란드 연구

a. 노인 거주시설 여성 57%, 남성 64%

b. 요양원 거주 여성 79%, 남성 81%

c. 노인장기요양시설 거주 노인의 50~74%는 매일 하제를 복용

2. 정의

표 24-1. ROME II 기준에 의한 변비의 정의

자가보고형변비	환자들이 평상시 배변 습관이 변비라고 하는 경우
기능성변비	지난 12개월 안에 최소한 12주 이상, 다음 중 2가지 이상에 해당 - 1주일에 배변 횟수가 2회 이하이다. - 배변 시 1/4 이상에서 힘주기를 해야 한다. - 1/4 이상에서 대변이 단단하고 딱딱하다. - 1/4 이상에서 불완전한 배변감을 느낀다.
직장출구지연형	최소한 1/4 이상에서 항문에서 막히는 느낌과 함께 다음 중 하나가 동반 - 배변 시간 지연(10분 이상) - 어떤 경우든지 배변을 하기 위해 손가락으로 항문 주위를 누르거나 집어넣어야 할 때
분변매복	직장 수지 검사상 직장 내에 다량의 분변이 발견될 경우 복부 X-선 검사상 대장 내에 다량의 분변 저류가 관찰될 경우

3. 노인 변비의 원인

1) 노인 변비의 원인

a. 기능성 변비

① 약물
- 항콜린성 약물(항우울제, 항파킨슨제제, 항구토제, 방광배뇨근 과민증 치료제)
- 진통제(NSAIDs, 아편 양 제제)
- 항고혈압제(칼슘길항제, 이뇨제)
- 제산제
- 칼슘제제
- 철분제제

② 거동 불능

③ 신경계질환
- 파킨슨병, 뇌졸중, 척수 손상, 치매, 다발성 경화증

④ 탈수

⑤ 저 섬유소 식이

⑥ 대사성 질환
 –갑상선기능저하증, 고칼슘혈증, 저칼륨혈증, 저마그네슘혈증, 부갑상선기능항진증, 당뇨
⑦ 기계적 장폐색 : 종양 등

b. 직장출구지연
 ① 치매
 ② 우울증
 ③ 편안하고 프라이버시 유지가 가능한 화장실 부족
 ④ 항문직장 질환 또는 과거의 수술력
 ⑤ 골반과 복근 약화
 ⑥ 직장 배변 곤란(Rectal dyschezia)

c. 자가보고형 변비
 ① 정상 배변 습관에 대한 잘못된 개념
 ② 불안증/우울증

4. 변비 환자의 병력 청취

1) 노쇠한 노인에서 변비가 과소평가되는 이유들
 a. 인지 장애, 의사소통 장애로 인해 장 관련 증상 호소가 불가능할 수 있다.
 b. 직장 배변 곤란과 직장 감각 감소로 직장 내 다량의 분변이 있어도 인지 못할 수 있다.
 c. 매일 배변을 해도 직장이나 대장에 분변매복이 있을 수 있다.
 d. 심한 분변매복과 관련하여 비특이적 증상(섬망, 백혈구증가증, 식욕부진, 기능 감소)만을 나타낼 수 있다.
2) 환자들은 대개 배변 횟수를 실제보다 적게 보고하는 경향이 있다.
3) 변실금 : 요양원의 변비 노인에서 38% 정도가 동반
4) 과민성대장증후군을 감별
5) 최근에 발생한 배변 습관 변화 : 유발인자(약물, 뇌졸중) 여부를 조사, 잘 설명되지 않으면 대장암에 대한 검사 고려
6) 배변 기록을 작성하는 것이 중요

5. 변비 환자의 신체 검사 및 검사

1) 배변 관련 병력(Bowel History)

a. 1주 동안의 배변 운동 횟수
b. 대변의 경도
c. 직장 출구지연 시 힘주기
d. 변비의 기간
e. 변실금 또는 요실금
f. 과민성대장증후군의 증상(복통, 부글거림, 점액변)
g. 직장 통증이나 출혈
h. 현재 또는 이전의 하제 이용

2) 일반적 병력(General History)

a. 기분/인지기능
b. 전신질환의 증상(체중 감소, 빈혈)
c. 동반 질환(당뇨, 신경계질환 등)
d. 운동성
e. 식이
f. 투약력

3) 특이신체검사

a. 직장수지검사−직장 내 분변매복
b. 항문 주위 감각/피부 항문검사
c. 골반저 하강/직장 탈출증
d. 복부 촉진/청진
e. 신경계 검사, 인지기능 검사, 기능 검사

4) 검사

a. 복부 X-ray(적응증)
- 변비 의심되나 직장에 변이 없을 때
- 분변매복의 평가
- 직장 분변매복 없이 지속되는 변실금

- 복부 팽만, 복통의 평가(염전 등)

b. 장내시경 또는 대장 조영술(적응증)
- 전신질환(체중 감소, 빈혈 등)
- 위험 인자 없이 최근의 배변습관 변화

6. 노인 변비의 합병증

1) 노인 변비의 합병증

a. 대변 힘주기 또는 변실금
b. 분변매복
c. 숙변에 의한 장파열
d. 요 저류
e. S자 결장 염전(Sigmoid volvulus)
f. 직장 탈출
g. 삶의 질 저하

7. 변비의 비약물적 치료

1) 신체 활동

a. 각 개인의 가능 한도 내에서 규칙적인 운동을 한다.
b. 휠체어에 앉아 생활하는 환자라도 침상에서 매일 운동하고 복부마사지를 하면 비록 장관 통과 시간은 변함이 없다 할지라도 하제와 관장의 이용 횟수가 줄어든다.

2) 수분 섭취

a. 대변이 딱딱해지는 것을 막는다.
b. 매일 최소 1,500~2,000 ㎖ 섭취
c. 특히, 이뇨제 사용 등에서는 보다 많은 수분 섭취가 필요

3) 식이 요법

a. 특히 섬유질 보충이 중요 : 신선한 야채나 과일

4) 정신적인 치료

a. 심한 우울증이나 불안 상태, 정신과 과거 병력이 있으면 치료 받도록 한다.

8. 변비의 약물치료

1) 만성 변비에서의 국소 치료법 : 관장과 좌약 삽입

만성 변비에서 간헐적으로 발생하는 배변막힘의 치료와 예방에 효과적일 수 있다. 배변막힘은 고령의 환자 혹은 요양병원이나 요양원에 입원 중인 환자에서 주로 발생하고 거동이 불편하여 움직임이 적거나 감각저하로 직장 내 대변이 있음을 잘 느끼지 못하는 것이 원인으로 작용한다. 만성 변비 환자에서 수일 이상 배변하지 못하면 지속적으로 수분이 흡수되어 변이 단단해지고 직장 감각이 저하되어 있는 경우에는 배변막힘이 더욱 진행되어 단단한 덩어리를 형성하게 된다. 크고 단단해진 변이 좁은 항문관을 통과하는 것이 통증 때문에 더욱 어려워지고 배변반사가 이루어지지 않아 배변막힘은 더욱 악화될 수 있다. 이 때 관장과 좌약을 고려한다.

표 24-2. **관장과 좌약의 기전**

관장	1. 관장액이 결장이나 직장을 팽창시킴으로써 연동운동을 촉진시킴 2. 장점막을 자극시켜 반사작용으로 장 수축을 일으킴 3. 단순한 윤활작용
좌약	1. 점막 분비를 늘림. 2. 장내 신경에 작용하여 장 운동 촉진 3. 항문으로의 삽입에 의한 자극으로 배변반사 유발

2) 노인에서 하제와 관장의 이용과 남용

a. 여러 연구 결과 : 노인의 하제 이용 증가와 장 운동, 또는 힘주기 횟수와는 관련 없음.
b. 노인에서 하제는 진통제 다음으로 많이 사용되는 일반 의약품
c. 그 부작용이 무시되고 있다.
d. 입원 노인의 76%, 요양원 노인의 74%가 하제 사용

3) 노인에서 근거에 입각한 하제, 좌약, 관장의 이용법

a. 아직 강력한 증거에 기반한 지침은 없는 것이 현실
b. 1997년의 한 체계적 고찰(systematic review) 결과
- lactulose와 함께 자극성 하제를 쓴 경우에 장 운동 횟수의 유의할만한 호전 있었음.
- lactulose와 팽창성 하제(차전자피 ; psyllium)를 함께 쓴 경우, 개인에 따라 대변 경도와 관련 증상의 호전을 보였음.

표 24-3. 노인 변비의 약물치료제

하제의 종류	용량	작용시간	작용기전, 효과, 부작용
팽창성 하제(Bulk laxatives)			
차전자피(뮤타실®)	1P qd~tid (공복, 냉수와)	12~72 hrs	- 친수성 섬유질 - 대변량 증가 및 연화작용 - 연동 운동 촉진 S/E) 부글거림, 방귀 - 와상, 탈수 환자에게는 사용 안 함.
자극성 하제(Stimulant laxatives)			
Senna(아락실®)	10~30 mg hs *노인에서는 간헐적으로만!	8-12 hrs	- 근원신경총에 의해 직접 자극 - 용량에 따른 복통, 설사 가능 - 장관 통과시간 단축 S/E) 장기 사용 시 melanosis coli
Bisacodyl(둘코락스®) 좌약	10 mg hs supp. (2~3회/주) *아침식사 후에 삽입.	5~45 min	- 부피 증가에 따른 직장 수축 유발직장 배출 지연, 지속적 힘주기, 재발성 직장매복에 효과적 S/E) 직장 화상 및 점막 손상, PUBS*

하제의 종류	용량	작용시간	작용기전, 효과, 부작용
삼투성 하제(Osmotic laxatives)			
Mg-hydroxide (마그밀®, 미란타®)	5~30 ㎖ qd, bid	0.5~3 hrs	- 하제 전체의 12%를 차지 - 결장 운동↑, 장관 내 수분↑
Lactulose(듀파락® 시럽)	15~30 ㎖ qd~qid	24~48 hrs	비 흡수성 이당류. 분해되어 장관 내에서 삼투적으로 수분을 끌어당김.
Polyethylene glycol (마이락스산®)	8~16 oz qd	30~60 min	흡수되지 않으므로 신부전 시 사용
대변 완화제(Stool softeners)			
Docusate Na(둘코락스 에스® 정)	50~500 mg/d		요양원에서 가장 많이 복용되는 약
관장(Enema)			
수돗물(Tap water)	50~500 ㎖	2~15 min	급성매복 치료 및 매복 예방에 효과
글리세린(Glycerin)	50 ㎖	2~15 min	직장 출구 지연, 지속적 힘주기, 재발성 직장매복에 효과적

* PUBS : Purple Urine Bag Syndrome

Adapted from 이은주, 2005

4) 근거 기반 및 전문가 의견에 의거한 노인 변비의 약물적 치료 지침

a. 기능성 변비

- 거동 가능한 노인에서는 팽창성 하제를 하루에 1~3회를 충분한 물과 함께 복용
- 수분 섭취를 잘 못하거나 팽창성 하제를 못 견디면 senna 1~3정 hs
- 증상이 지속되면 일주일에 3회 이상 규칙적이고, 편안한 배변을 할 때까지 lactulose 15㎖로 시작한 후에 용량을 조절하여 매일 필요한 만큼 사용한다.
- 고위험군(와상, 신경계질환, 분변매복력) : senna 2~3T hs + lactulose 30 ㎖/d 를 장기 복용

b. 대장 분변매복

- 매일 arachis oil retention enema를 폐색이 풀릴 때까지 한다.
- 이후 매일 수돗물 관장을 더 이상 변이 안 나올 때까지 하고, polyethylene glycol 0.5~2 L와 물을 섭취하거나, senna 3T hs 또는 lactulose 30 ㎖ bid를 섭취
- 분변매복이 해결되면 기능성 변비 치료 방침으로 전환

c. 직장 출구 지연

- 필요하면 finger enema를 하고, 직장매복이 완전 제거될 때까지 phosphate enema 시행
- 2주간 아침식사 후에 glycerin supp.를 하루 한 번 사용하고, 다음엔 증상이 있을 때만
- 반복적인 직장 분변매복이 있거나, 실금이 있을 때에는 bisacodyl suppository를 사용
- 대변이 딱딱하면 기능성 변비에서처럼 매일 하제를 사용한다.

9. 변비의 예방

1) 정상적인 배변을 위하여 지켜야 할 사항들

a. 섬유질 많은 음식을 섭취하고 규칙적으로 식사한다.
b. 과일, 야채 주스 등을 포함한 많은 양의 수분을 섭취한다.
c. 술과 카페인은 삼가한다.–변을 딱딱하게 만든다.
d. 산책, 자전거, 조깅, 수영의 운동을 매일 20~30분씩 한다.
e. 변의를 느낄 때에는 지체하지 않고 즉시 배변을 시도한다.
f. 잘못된 배변 자세 및 습관을 교정한다.
g. 배변 시 과다한 힘을 주지 말아야 하며 자연 배변을 유도한다.–배변 시 신문이나 책을 보지 않으며, 앉은 자세보다 쭈그려 앉아서 배변을 시도한다.
h. 처방에 따라 하제 및 관장을 하며, 자가처방 및 장기간 투여는 삼간다.

25 영양 장애와 탈수

• 노인의 영양평가를 위하여 몸무게와 키를 잴 때 가장 중요한 것은?

– 넘어지지 않는 것이 가장 중요하다고 생각합니다.

1. 왜 노인에서 영양 결핍이 흔한가?

a. 구강 및 위장관 변화 : 치아, 타액분비↓, 위액분비↓, vit B12, 엽산, 철 흡수↓, 소장융모 길이↓, 대장 운동↓

b. 감각 변화 : 미각↓, 후각↓ ➔ 단맛, 짠맛에 대한 미각 역치↑ ➔ 과다한 양념 사용. 쓴맛, 신맛은 남게 되어 식욕저하를 유발한다.

c. 칼로리 요구량 감소 : 신체적 활동과 신진대사율↓

d. 건강상의 변화 : 퇴행성 질환, 약물, 체액불균형, 암, 치매↑

e. 사회심리적 변화 : 능력 쇠퇴, 은퇴, 가족의 죽음, 경제력↓

2. 노인 영양 결핍의 특징

a. **체중 감소**가 가장 중요한 지표: 5%↓/1개월, 7.5%↓/3개월, 10%↓/6개월

b. 혈액검사 결과 : 혈청알부민↓, 총단백질↓, 혈색소(Hb)↓

c. 근육약화, 의식장애가 가능하다.

d. 단백질-열량 영양실조(protein-calorie malnutrition; PCM)이 흔하다.

e. 질병회복 지연, 수명단축, 기능적 능력 감소, 삶의 질 감소 등을 유발한다.

f. 우리나라 노인의 영양 결핍 상태(1998년 국민 건강 영양조사)

- 65세 이상 : 단백질 54%, 칼슘 80%, 비타민A 77%에서 영양권장량의 75% 미만 섭취
- 70세 이상 남자노인의 18%가 저체중

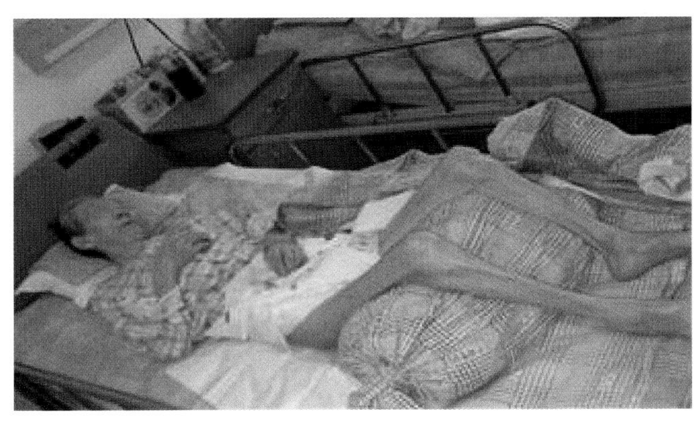

그림 25-1. 오랜 와상 상태에 의한 육체 활동 저하로 근감소증의 소견을 보이는 노인환자. 다리가 길어 보인다.

3. 영양 장애 위험 요소 찾아내기

1) 환자 스스로 하는 영양자가점검

자가점검항목들	예
나는 식이량이나 종류를 변화시키는 질병에 걸렸거나 그런 상태이다.	2
나는 하루에 2회 이하의 식사를 한다.	3
나는 과일, 야채, 유제품을 거의 먹지 않는다.	2
나는 거의 매일 술(포도주 또는 맥주)을 3잔 이상 마신다.	2
나는 식사를 곤란하게 하는 구강 또는 치아 문제를 가지고 있다.	2
나는 항상 필요한 음식을 살 돈이 충분하지 않다.	4
나는 대부분 혼자 식사를 한다.	1
나는 하루에 3종류 이상의 약물을 복용한다.	1
나는 지난 6개월동안 10파운드(4.53KG)의 체중이 늘었거나 줄었다.	2
나는 신체적 문제로 인해 혼자 구매, 조리, 또는 식사하기 어렵다.	2
총 점	

0~2점(양호: 6개월 후 재조사) / 3~5점(중등도 위험: 3개월 후 재조사) / 6점 이상(고위험: 전문적 치료 필요)

출처: Nutrition Screening Initiative, a project of the American Academy of Family Physicians, the American Dietetic Association, and the National Council on the Aging.

2) 의료인이 하는 영양 장애 위험평가

– DETERMINE 평가를 통해 위험 요소 파악하고 혹시 영양 장애가 없는지 의심해 보아야 한다.

Ⅰ. 기본정보	
Disease	혼란, 섬망, 치매, 우울증
Eating poorly	너무 많이 먹는 것도 문제, 알코올, 채소 부족
Tooth loss/Mouth Pain	빠지거나 흔들리는 치아, 충치, 틀니 불량
Ecomonic hardship	적절한 식품 구매를 위한 경제력 부족
Reduced social contact	독거 노인의 증가
Multiple medicines	식욕 감소, 입맛의 변화, 변비, 쇠약, 기면, 설사, 오심 유발, 과량의 비타민도 해로울 수 있음
Involuntary weight loss/gain	과체중이나 저체중 모두 위험
Needs assistance in self care	보행, 쇼핑, 구매, 요리 등의 어려움
Elder years above age 80	나이가 들면서 쇠약해지고 건강문제 증가

출처: The Nutrition Screening Initiative, 1994

4. 노인의 영양불량 진단하기

1) CNST 영양불량 선별검사(다음의 2가지 질문에 모두 '예'이면 영양불량 위험)

CNST(Canadian Nutrition ScreeningTool) – 캐나다 식품영양학회 권장

질문	네	아니오
지난 6개월 사이에 체중이 감소하셨나요?		
지난 8일 이상, 평소보다 적게 식사를 하시고 계신가요?		
2가지 질문 모두 '네'이면 영양불량 위험자로 분류		

– 환자 본인이 대답하지 못하면 환자에 대해 잘 알고 있는 자가 대답한다.

– 만일 정보가 정확하지 않다면, 현재 평소 입던 옷이 지나치게 느슨해져 있는지 질문.

2) 영양 초기평가

– 다음과 같은 방법으로 초기평가를 하고 영양 장애가 의심되면 간이영양평가(MNA)를 시행한다.

영양 초기평가 (영양 장애의 위험 요소들도 동시에 찾아내기)

- 병력이 가장 중요하다.
- 검사실 소견 : 혈청 알부민 < 3.5 mg/dL, Hb < 12 g/dL, 총콜레스테롤 < 160 mg/dL
- 신체기능 : 일상생활, 장보기, 식사준비, 식사하기에 도움 필요?
- 임상증세 : 체중 감소(가장 예민!), 입마름증
- 정신기능 : 집중력, 기억력, 신경증, 수면장애, 무관심, 사회적 고립
- 사회경제적 상태 : 경제적 어려움

Adapted from Beth E, et al. The Nurse Practitioner 2001;26:52–65.

3) 노인환자의 안전한 신체 계측법

노인환자의 몸무게와 키를 잴 때 가장 중요한 요소는 안전이다. 시력, 근력, 균형감각 등이 저하된 노인들이 특히 입원 초기 평가시에 몸무게와 키를 재는 과정에서 낙상을 하는 일이 종종 발생한다. 따라서 노인환자의 신체 계측에서 가장 중요한 것은 "넘어지지 않도록 재는 것"이다.

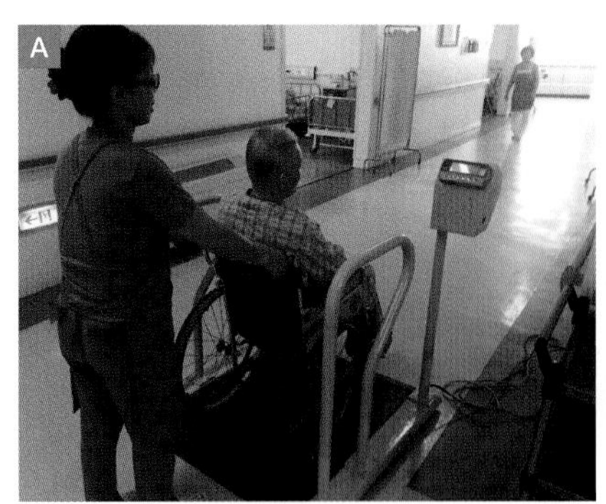

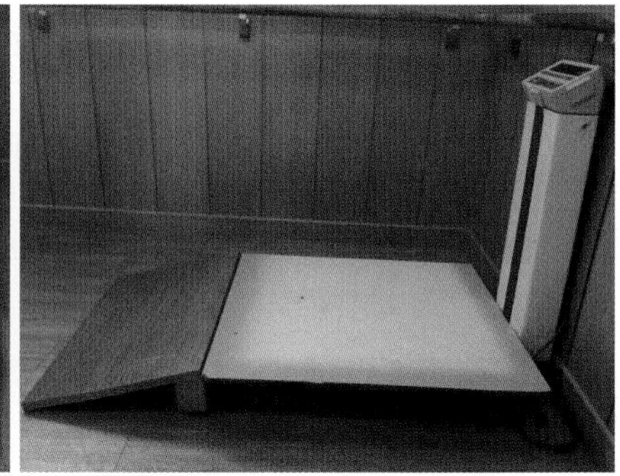

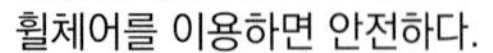
휠체어를 이용하면 안전하다.

일반 저울을 휠체어용 저울로 개조한 사례

(개조 저울 사진출처: 박인수. 네이버카페 요양병원실무자모임)

그림 25-2. **안전하게 체중 재기.**

4) 노인환자의 팔 길이를 이용한 신장 측정법

다음의 공식에 따라 팔 길이와 성별, 나이를 통해 키를 추정한다. 이 방법을 통해 위험하지 않게 키를 측정한다.

신장 예측치(cm) = 87.985 + 1.775 × 팔 길이(cm) - 0.151 × 나이 - 6.787 × 성별(남성은 1, 여성은 2)

와상 환자의 팔 길이를 이용한 신장 측정법

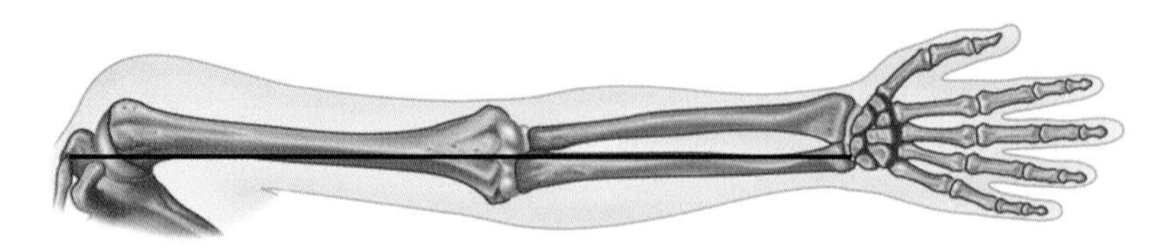

팔 길이 = **견봉돌기 끝**(acromial process tip) ~
척골 경돌기 끝(styloid process of ulna)

그림 25-3. **와상 환자의 팔 길이를 이용해서 키를 추정하는 방법**

전체 팔 길이(팔)와 나이에 따른 키(신장) (cm)

(나이는 가장 근접한 나이를 적용한다)

팔 (cm)	남자						여자					
	60세	65세	70세	75세	80세	85세	60세	65세	70세	75세	80세	85세
45	152	151	151	150	149	148	145	144	144	143	142	141
46	154	153	152	152	151	150	147	146	145	145	144	143
47	156	155	154	153	153	152	149	148	147	147	146	145
48	157	157	156	155	154	154	151	150	149	148	148	147
49	159	158	158	157	156	155	152	152	151	150	149	149
50	161	160	159	159	158	157	154	153	153	152	151	150
51	163	162	161	160	160	159	156	155	154	154	153	152
52	164	164	163	162	161	161	158	157	156	155	155	154
53	166	165	165	164	163	162	159	159	158	157	156	156
54	168	167	166	166	165	164	161	160	160	159	158	157
55	170	169	168	167	167	166	163	162	161	161	160	159
56	172	171	170	169	169	168	165	164	163	162	162	161
57	173	173	172	171	170	170	167	166	165	164	164	163
58	175	174	174	173	172	171	168	168	167	166	165	165
59	177	176	175	175	174	173	170	169	169	168	167	166
60	179	178	177	176	176	175	172	171	170	170	169	168
61	180	180	179	178	177	177	174	173	172	171	171	170
62	182	181	181	180	179	178	175	175	174	173	172	172
63	184	183	182	182	181	180	177	176	176	175	174	173
64	186	185	184	183	183	182	179	178	177	177	176	175
65	188	187	186	185	184	184	181	180	179	178	178	177

인천은혜병원 가혁 제작

그림 25-4. **환자의 팔 길이를 통해 키를 추정하기 위한 표. 예를 들어, 77세 여성의 팔 길이가 53 cm라면, 이 환자의 키는 157 cm로 추정한다.**

5) 간이영양평가(MNA; Mini Nutritional Assessment)를 통한 본격적인 영양불량 정도 파악

- MNA는 건강한 노인보다는 노쇠한 노인들에게 적합한 것으로 알려져 있다. 따라서 요양병원 환자들에게 적합한 영양평가도구이다.

간이영양평가(Mini Nutritional Assessment)

선별 질문

A. 지난 3개월 동안에 밥맛이 없거나, 소화가 잘 안되거나, 씹고 삼키는 것이 어려워서 식사량이 줄었습니까?
0 = 예전 보다 많이 줄었다.
1 = 예전 보다 조금 줄었다.
2 = 변화 없다.

B. 지난 3개월 동안 몸무게가 줄어들었습니까?
0 = 3 kg 이상의 체중 감소
1 = 모르겠다.
2 = 1 kg에서 3 kg 사이의 체중 감소
3 = 줄지 않았다.

C. 집밖으로 외출할 수 있습니까?
0 = 외출할 수도 없고, 집안에서도 주로 앉거나 누워서 생활한다.
1 = 외출할 수는 없지만 집에서는 활동을 할 수 있다.
2 = 외출할 수 있다.

D. 지난 3개월 동안 많이 괴로운 일이 있었거나, 심하게 아팠던 적이 있습니까?
0 = 예
2 = 아니오

E. 신경 정신과적 문제
0 = 중증 치매나 우울증
1 = 경증 치매
2 = 특별한 증상 없음

F. 체질량지수(BMI) = {몸무게(kg)/신장()}
0 = BMI < 19
1 = 19 ≤BMI < 21
2 = 21 ≤ BMI < 23
3 = BMI ≥ 23

중간점수 I (A-F) 합계:
12점이상: 보통, 위험도 없음, 평가 불필요
11점이하: 영양불량 위험군, 평가 필수

평가
(보다 심도 있는 평가를 위해 G-R로 계속 진행하십시오.)

G. 평소에 본인의 집에서 생활하십니까?
0 = 예
1 = 아니오

H. 매일 3종류 이상의 약을 드십니까?
0 = 예
1 = 아니오

I. 피부에 욕창이나 궤양이 있습니까?
0 = 예
1 = 아니오

J. 하루에 몇 끼의 식사를 하십니까?
0 = 1끼
1 = 2끼
2 = 3끼

K. 단백질 식품의 섭취량
- 우유나 떠먹는 요구르트, 유산균 요구르트 중에서 매일 한 개 드시는 것이 있습니까? (예/아니오)
- 콩으로 만든 음식(두부포함)이나 달걀을 일주일에 2번 이상 드십니까? (예/아니오)
- 생선이나 육고기를 매일 드십니까? (예/아니오)

0.0 = 0 또는 1개 '예'
0.5 = 2개 '예'
1.0 = 3개 '예'

L. 매일 3번 이상 과일이나 채소를 드십니까?
0 = 아니오
1 = 예

M. 하루 동안에 몇 컵의 물이나 음료수, 차를 드십니까?
0.0 = 3컵 이하
0.5 = 3컵에서 5컵 사이
1.0 = 5컵 이상

N. 혼자서 식사할 수 있습니까?
0 = 다른 사람의 도움이 항상 필요
1 = 혼자서 먹을 수 있으나 약간의 도움 필요
2 = 도움 없이 식사할 수 있음

O. 본인의 영양 상태에 대해 어떻게 생각하십니까?
0 = 좋지 않은 편이다.
1 = 모르겠다.
2 = 좋은 편이다.

P. 비슷한 연령의 사람들과 비교해봤을 때, 본인의 건강상태가 어떻습니까?
0.0 = 나쁘다
0.5 = 모르겠다
1.0 = 비슷하다
2.0 = 자신이 더 좋다

Q. 상완위 둘레(MAC) (cm)
0.0 = MAC < 21
0.5 = 21 ≤ MAC < 22
1.0 = MAC ≥ 22

R. 종아리 둘레(CC)(cm)
0 = CC < 31
1 = CC ≥ 31

중간점수 II (G-R) 합계:
총 점수 합계:
1 = 24점 이상(정상)
2 = 17 ~ 23.5점(영양불량 위험)
3 = 16.6점 이하(영양불량)

<u>**간이영양평가-축약형 (Mini Nutritional Assessment - Short form)**</u>

항목	점수
A. 지난 3개월동안 밥맛이 없거나, 소화가 잘 안되거나, 씹고 삼키는 것이 어려워서 식사량이 줄었습니까?	0 = 많이 줄었다 1 = 조금 줄었다 2 = 변화 없다 ☐
B. 지난 3개월동안 몸무게가 줄었습니까?	0 = 3 kg 이상 감소 1 = 모르겠다 2 = 1~3 kg 감소 3 = 변화 없다 ☐
C. 거동능력은 어떠하십니까?	0 = 외출불가, 침대나 의자에서만 생활 가능 1 = 외출불가, 집에서만 활동가능 2 = 외출가능, 활동제약 없음 ☐
D. 지난 3개월동안 정신적 스트레스를 경험했거나 급성질환을 앓았던 적이 있습니까?	0 = 예 2 = 아니오 ☐
E. 신경정신과적 문제가 있습니까?	0 = 중증 치매자 우울증 1 = 경증 치매 2 = 없음 ☐
F1. 체질량 지수(Body Mass Index)= kg 체중/(m 높이)^2	0 = BMI < 19 1 = 19 ≤ BMI < 21 2 = 21 ≤ BMI < 23 3 = BMI ≥ 23 ☐
F2. 종아리 둘레 (CC, Calf Circumference) 체질량지수 측정이 어려운 경우에는 대신 종아리둘레를 이용한다.	0 = CC < 31 cm 1 = CC ≥ 31 cm ☐
선별 점수 ☐☐ / 총 14점	12-14점 ☐ 정상 8-11점 ☐ 영양불량 위험 있음 0-7점 ☐ 영양불량

5. 영양불량환자에 대한 접근

1) 노인영양관리의 일반 원칙

- 가능한 한 신체 활동을 지속시킨다 ➔ 위장관 운동↑, 가동력↑ ➔ 식욕↑, 영양소 흡수↑
- 대상자의 자존감과 삶의 질에 관심
  - 스스로 식사할 수 있도록 도와주고, 도움이 필요한 경우에도 자존심을 지켜줄 수 있는 방법 고려

- 노인도 식품피라미드에 제시된 모든 식품을 포함한 균형식이가 필요
- 노인의 하루 권장식품 단위[1)]
  - 빵, 곡식 군(6~11회)
  - 야채군(3~5회), 과일군(2~4회)
  - 우유, 요구르트, 치즈군(2~3회)
  - 육류, 생선, 달걀, 콩류(2~3회)
  - 지방, 설탕류(필요한 경우 가끔, 가급적 제한)

2) 한국영양학회에서 권고한 노인의 1일당 식품단위(2005)

- 2000 kcal(남) / 1,600 kcal(여)
- 단백질 50 g(남) / 40 g(여)
  - 불포화지방산 많은 식물성 지방 < 300 mg/d
  - 탄수화물: 55~60% 정도를 빵, 국수 같은 복합당질에서 섭취
  - 채소, 과일 같은 식이 섬유소 : 동맥경화, 당뇨, 변비 예방
  - 짜게 먹지 않기 : 김치, 국
  - Vit.B(곡류위주 식사), C(항산화, 감기예방?), D(실내생활자)

3) 못 먹는 노인을 위한 실질적 전략 (Johnson LE, 2004)

- 과자나 간식, 심지어 사탕 등 고열량, 고단백질 음식을 자주 조금씩 먹도록 격려.
- 주변에 음식물을 보이도록 비치.
- 불필요한 식단 소설은 중단.
- 먹고 싶을 때 먹도록 한다.
- 체중을 지속적으로 관찰.
- 가능한 한 약물 투여를 줄인다.
- 매일 종합비타민과 무기질 보충제를 먹는다.

1) 다음의 양을 각 식품군 1단위라고 한다. 우유군 1단위는 우유 200 ml, 채소군 1단위는 김치 70 g(양파 중간크기 1개 분량), 과일군 1단위는 귤 중간크기 1개, 수박 크게 자른 것 1쪽, 저지방 어육류 1단위는 조기나 닭고기 가슴살 작은 것 한토막, 곡류군 1단위는 밥 1/3공기

4) 노인환자에게 사용할만한 식욕촉진제들

a. 운동 : 가장 권장할만한 식욕촉진제

b. Megestrol acetate(메게이스®)

- 농도: 40 mg/mL.
- 노인환자에서 식욕을 자극하고 체중 증가를 가져옴.
- 용량: 하루 400~800 mg으로 노인의 pre-albumin 농도를 증가시킴(Reuben DB et al. JAGS, 2005).
- 부작용: 심부전, 섬방, 심부혈전증, 부종, megacolon(Castle S. JAGS, 1995) 등.

c. Anabolic steroid

- Oxandrolone(옥산드롤정®) : AIDS 및 알코올성 간염 환자에게서 좋은 효과(Berger AIDS, 1996; Mendenhall CL, Hematology, 1993)
- Nandrolone(나데칸주®) : 신부전 환자의 영양 상태 호전(Johansen KL et al. JAMA, 1999)

d. 항우울제(Morley JE et al. Ann Intern Med, 1995)

- 우울증 의심될 때 고려
- Mirtazapine(레메론정®) : SSRI 계통으로, 식욕을 15% 증진시킴.
- Nortriptyline(센시발정®) : TCA 계통. 항콜린성 부작용이 있어 노인에서는 주의.

e. Cyanocobalamine 등 복합체

- 트레스탄 캅셀® : 1일 2회 복용. 항콜린성 부작용으로 노인에서는 주의.

5) 급성기 영양결핍 노인의 응급 영양보충

a. 노인은 신속하고 적절한 영양공급을 하지 않으면 쉽게 중증 상태로 된다.

b. 특히 중증 에너지-단백질 영양불량은 장점막 방어벽 기능 저하, GDR 감소, 심장기능 저하 유발

c. 결국 상처(욕창 등) 회복 지연, 감염성 합병증, 사망률 증가.

d. IV가 힘든 탈수 노인은 복부 등에 피하주사로 수액공급(hypodermoclysis)

e. 정맥영양(TPN)을 고려할 상황: 장폐색, 심한 위장관계 출혈, 심한 설사, 흡수장애, 복막염 등

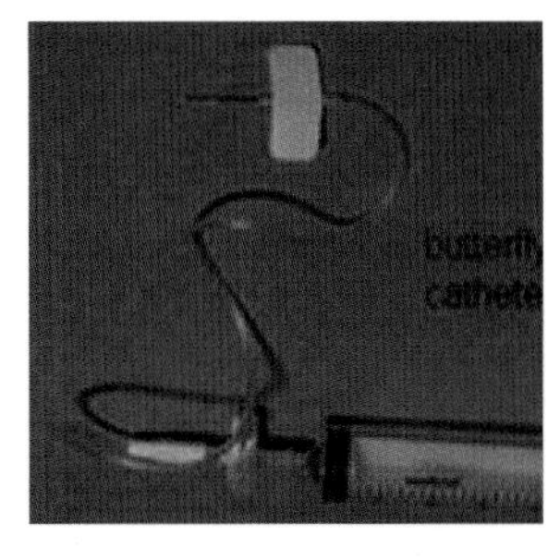

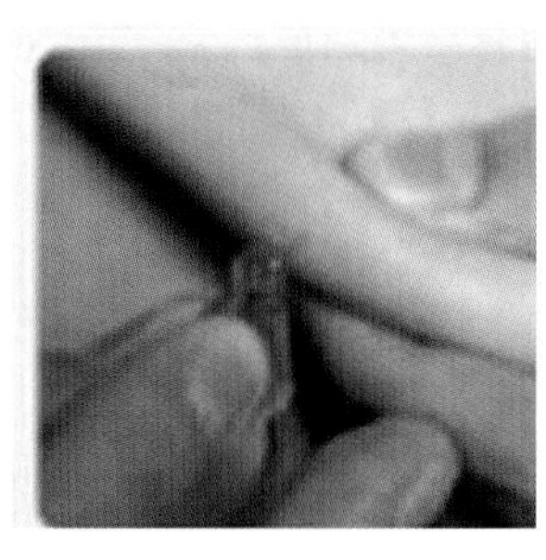
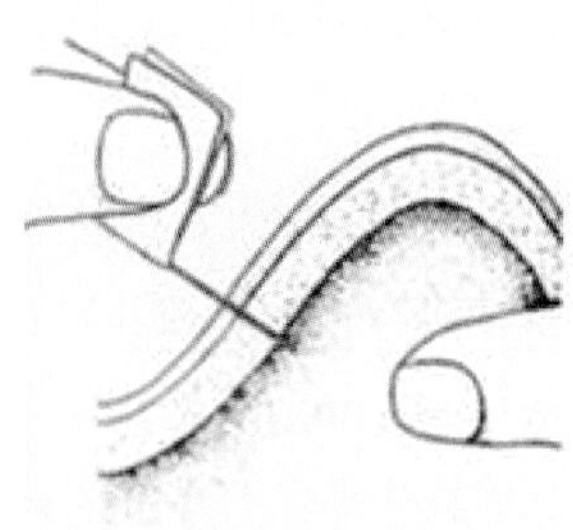

그림 25-5. **피하수액공급(hyopdermoclysis).** 23~25게이지 나비바늘로 30~45도 각도로 피부를 찌른다. 이 상태로 7~14일을 유 지할 수 있다.

6) 노쇠를 막기 위한 단백질 보충

a. 노인에서 단백질의 섭취는 근감소증과 노쇠를 예방한다.

b. 한국노인노쇠코호트 자료로 한양대 식품영양학과의 박용순 교수팀 연구 결과 다음과 같이 하루 1.5 g/kg의 단백질 섭취가 권고됨.

연구방법 : 12주 이중맹검법. CHS frailty criteria 1가지 이상 해당되는 70-85세의 우리나라 노인 120명을 대상으로 하루 단백질 보충제를 각각 0.8 g/kg, 1.2 g/kg, 1.5 g/kg 섭취.

결론 : 하루 1.5 g/kg의 단백질 섭취 노인이 0.8 g/kg, 1.2 g/kg 군에 비해 근감소증과 노쇠 예방에 효과적이었다.

7) 노인에서의 비타민과 미네랄

a. 노인에서 짚고 넘어갈 비타민과 미네랄

영양소	노화와의 연관성
비타민 D	노인은 활동량 감소로 햇빛 노출량 감소, 피부 합성 감소, 신장 합성 감소, 낙상 위험.
엽산	혈중 호모시스테인 농도 감소시킴. 대장암, 유방암 예방
비타민 B12	노인에서 흔한 위축성 위염에 의한 흡수 불량. 비타민 B12 부족에 의한 인지기능저하가 노인성치매로 오인.
비타민 B6	인지능력, 면역력과 관련. 부족시 말초신경장애
철분	폐경 이후 여성에서는 하루 12 mg만 권장(젊은 여성은 15 mg). 노인에게 철분 부족이 확인되지 않은 이상 과다 철분 공급은 피한다.

영양소	노화와의 연관성
칼슘	우리나라 모든 연령대에서 가장 부족한 영양소.
아연	상처 회복, 면역력, 입맛과 후각의 변화와 연관. 육류, 달걀, 생선에서 용이하게 흡수 이용되므로 질 좋은 동물성 단백질 필수.

b. 독이 될 수도 있는 비타민?

- ATBC 암 예방 연구 : 베타카로틴 보충제가 폐암의 발병을 높임.
- CARET trial : 베타카로틴+비타민A가 흡연자에서 폐암의 발병과 사망률을 높임.
- 이미 암이 있는 환자 대상 연구 : 다량의 비타민 C와 베타카로틴이 마치 정상 세포를 보호하듯 암세포를 보호하는 것으로 보이는 등의 연구 결과도 있었음.

표 25-1. **비타민의 각종 부작용들**

VIt.A		Vit.B6	Vit.C	Vit.D
구토, 피로, 변비, 뼈의 통증, 탈모, 손톱손상, 태아기형		손,발 저림, 보행장애, 작은 물건 집는 능력 저하	신장결석, 담석	복통, 오심, 구토, 칼슘 침착(간, 신장, 폐 조직)
엽산	Vit.B12	Vit.K	니아신	Vit.E
악성빈혈, 신장 손생	설사, 붓기, 다리 혈전	빈혈	피부 홍조, 오심, 설사, 간 손상	두통, 피로, 복시, 설사, Vit.A,D,K 결핍

출처: Definition of Vitamin Toxicity in the Medical dictionary - Free Online Medical Dictionary, Thesaurus and Encyclopedia. Medical Dictionary. Retrieved June 11, 2013

6. 탈수 환자 접근

1) 탈수의 임상 증상

a. 탈수 환자 선별하기

임상에서 유용한 탈수 증상 파악법 (3R2D)
Reduced axillary sweating (겨드랑이 땀의 감소)
Reduced skin turgor (피부 팽창력 감소)
Recent change in consciousness (최근의 의식 변화)
Darker urine (짙어진 소변 색)
Dry oral mucosa (구강점막 건조)

b. 탈수의 정도 파악하기

탈수의 정도	증상	
경증	입술과 구강 건조. 갈증을 느낌. 소변량 감소: 진한 노란색 소변	
중등도		갈증 구강이 매우 건조함. 푹 패인 눈 소변량이 매우 적거나 아예 없음 눈물이 나오지 않음 텐트치기(Tenting) (피부를 들어올려 3초 이상 유지되면 탈수 의미)
심각	빠르고 약한 맥박 빠른 호흡 입술이 파래짐 손, 발이 차가워짐 매우 처짐(lethargic), 혼수상태, 간질발작(가장 심각한 경우)	

2) 탈수 노인 치료

a. 경구 수액공급 : 가능하다면 가장 좋은 방법.
b. 경비위관(L-tube) : 입으로 수액공급이 불충분한 경우에 고려.
c. 피하 수액공급 : IV보다 주입이 쉽다.
d. IV 수액공급 : 심각한 경우에 시도.

표 25-2. 수액의 종류와 구성성분

수액의 종류	Na+	Cl-	당	기타 전해물질 (단위 = mmol/L)
0.45% 식염수	77	77	0	0
0.9% 생리식염수	154	154	0	0
하트만 용액(H/S)	130	109	0	lactate(젖산) = 28, K+ = 4, Ca++ = 3
5% D/S	154	154	278	0
5% D/W	0	0	278	0
10% D/W	0	0	556	0

표 25-3. IV 수액의 종류별 치료의 적응증 및 주의사항

수액의 종류	적응증	주의사항
0.45% 식염수	수분 대체(Water replacement) 당뇨병성 케톤산증(DKA) 고장성(hypertonic) 탈수증 Na, Cl 부족 구토로 인한 gastric loss	두개강내압(ICP) 상승 cardiovascular collapse가능 금기: 외상, 화상, 간질환 환자
0.9% 생리식염수	Shock 저나트륨혈증 수혈시 대사성알칼리증 당뇨병성 케톤산증(DKA) 고칼슘혈증(hypercalcaemia)	심장질환이나 부종, 고나트륨혈증 환자에서 사용 시에 과부하
하트만 용액(H/S)	탈수 화상 설사 급성 출혈 혈량저하증(hypovolaemia)	마그네슘이 포함되지 않음. 고칼륨혈증(hyperkalaemia) 가능. 간질환 환자는 lactate를 대사시키지 못하는 대신 bicarbonate로 전환시켜 alkalosis 악화
5% D/S	저장성(Hypotonic) 탈수증 SIADH Cortisol, aldosterone 급성결핍	심장, 신장 질환자에서 심부전과 폐부종 유발
5% D/W	Fluid loss 탈수 고나트륨혈증	대사되어 hypotonic으로 전환. 고혈당증 유발 심장, 심장질환자에서 과부하 걸리거나, 단백질 분해
10% D/W	수분 대체(Water replacement) 저혈당	고혈당증 유발

26 골다공증과 골절

- 요양병원 입원환자에게 비스포스포네이트(Fosamax®) 처방이 적은 이유?

– 거동이 불편한 환자나 와상 환자가 많은 요양병원에서 장내 흡수율이 낮은 비스포스포네이트 제제의 복용은 식도염 등 부작용을 유발하기 쉽다. 특히 치매 말기에는 삼킴 장애가 흔히 나타나는데, 많은 양의 물을 일시적으로 복용하기가 쉽지 않고 흡인(aspiration)의 우려가 높다.
– 보다 현실적인 이유로는, 일당정액수가제(RUG)가 적용되는 요양병원에서 고가의 비스포스포네이트 제제 처방을 기대하기가 어렵다.

1. 골다공증, 골감소증 진단 기준 (세계보건기구)

T-점수 ≥ -1.0	정상
-2.5 < T-점수 < -1.0	골감소증
T-점수 ≤ -2.5	골다공증
T-점수 ≤ -2.5 + 골절	심한 골다공증

2. 골밀도 측정의 적응증(2010년 NOF 가이드라인)

- 65세 이상의 여성, 70세 이상의 남성
- 임상적으로 골다공증 위험성이 증가된 50세 이후 혹은 폐경 여성
- 50세 이후 골절을 경험한 성인
- 골량의 감소를 초래하는 약제 및 질병을 가지고 있는 성인
- 골다공증 치료를 계획
- 골다공증 치료 중
- 골감소를 확인하여 치료를 시행해야 할 대상
- 여성호르몬 투여를 중단하려는 폐경 여성

3. 노인에서의 골다공증의 2대 원인

1) 폐경에 의한 노인성 골다공증 : 여성호르몬의 감소에 의함.
2) 노인성 골다공증 : 연령의 증가로 인해 칼슘의 흡수가 적어지고, 이로 인한 부갑상선의 증가에 의함.

4. 2차성 골다공증(폐경이나 고령에 의하지 않음)의 원인들

- 성선기능저하증
- 여러 가지 약물들 : 스테로이드, 헤파린, 항간질약(phenytoin, phenobarbital, carbamazepine)
- 갑상선기능항진증 및 갑상선호르몬 복용
- 비타민 D 결핍증
- 당뇨병
- 만성폐쇄성폐질환(COPD)
- 염증성 장질환(크론씨 병, 궤양성대장염)
- 간담도 질환

5. 흔히 사용하는 골다공증 약물들

1) 비스포스포네이트

osteoclasts에 의한 골흡수(bone resorption)을 강력히 억제. 경구 투여 시 장내 흡수율이 매우 낮아 공복 시에 500 mL 이상의 물과 함께 복용하는 것이 좋다. 복용 후 누워 있으면 식도염 유발 가능. 척추, 대퇴골 골절에 대해 가장 좋은 결과

a. 알렌드로네이트(포사맥스) : 10년 연구에서 특히 척추 골절을 감소시킴.
b. 리세드로네이트(악토넬) : 7년 연구에서 특이한 부작용은 발견되지 않음.

◆ **악관절 괴사** : 비스포스포네이트 장기 복용자가 발치나 임플란트 수술을 원한다면?
- 3년 이상 투여하면 발생위험이 증가
- 스테로이드 제제 병합 사용자에게서 더 많이 발생
- 3년 이하 복용자 : 계획된 발치와 치료는 진행. 임플란트 시술도 가능. 그러나 스테로이드 제제 복용 등 위험 인자가 동반된 경우에는 시술 3개월 전부터 복용 중단을 권고.
- 3년 이상 복용자 : 가능한 비수술적 처치를 권장.
- 언제까지 복용? : 5년 이상 복용한 자는 골절 가능성을 확인하고, 1~2년 정도 휴약기를 갖는 것도 고려. (Risedronate 제제는 복용 중단 12개월까지 골대사지표의 급격한 상승이 없고 골절예방효과도 지속됨)

2) 칼시토닌(엘카닌)

비스포스포네이트에 비해 골다공증 예방 및 치료 효과가 떨어진다. 척추 골절 시 통증 감소. 주사제(엘카닌 10단위)는 주당 2회씩 근육주사

3) 랄록시펜(에비스타)

SERM[1] 계통 약물. 4년 후 척추 골절을 36% 감소.
뇌졸중이나 혈전증은 다소 증가. 유방암 위험도 감소

1) Selective estrogen receptor modulator

4) 티볼론(리비알)

에스트로겐, 프로게스테론, 안드로겐의 특성을 동시에 보유. 노인 여성에서 척추, 비 척추 골절을 감소, 유방암 위험도를 감소. 뇌졸중은 증가

5) 부갑상선 호르몬(PTH)

폐경 후 여성에서 18개월 후 척추 골절은 65%, 비척추 골절은 53% 감소, 골생산을 증가시키는 유일한 약물. 척추 골밀도를 증가시킴.

6) 에스트로겐

→ WHI 연구 결과 관상동맥질환, 유방암, 뇌졸중, 정맥혈전색전증 위험성의 증가로 골다공증 예방 및 치료만을 위해서는 사용 안 함. 지속적인 폐경 후 증상을 호소하는 여성에서만 사용을 고려

표 26-1. 현재 국내 시판 중인 골다공증 치료제

• 칼슘 제제	칼디비타(칼슘 600 ㎎ + 콜레칼시페롤 400 IU) 오스칼(칼슘 500 ㎎ + 콜레칼시페롤 125 IU) 애드칼(칼슘 150 ㎎ + 에르고칼시페롤 100 IU) 디카맥스(칼슘 500 ㎎ + 콜레칼시페롤 1000 IU) 칼테오(칼슘 160 ㎎ + 콜레칼시페롤 400 IU)
• 여성호르몬	안젤릭(에스트라디올 1 ㎎ + 드로스피레논 2 ㎎ 액티벨(에스트라디올 1 ㎎ + 노르에티스테론 0.5 ㎎) 프로기노바(에스트라디올 1 ㎎, 2 ㎎) 스로겐 정 0.625 ㎎, 프로베라 정 10 ㎎, 유트로제스탄(micronized progesterone 100 ㎎)
• 선택적 에스트로겐 수용체 조절제(SERM)	에비스타정 60 ㎎(랄록시펜)
• 티볼론	리비알 정 2.5 ㎎, 리브론 정 2.5 ㎎
• 비스포스포네이트	154
- 알렌드로네이트	포사맥스 정 10 ㎎, 70 ㎎ 마빌 정 5 ㎎, 10 ㎎ 아렌드 정 5 ㎎, 10 ㎎, 포사퀸 정 70 ㎎ 테바네이트 정 70 ㎎

- 리세드로네이트 - 파미드로네이트 - 졸레드로네이트 - 이반드로네이트	악토넬 정 5 ㎎, 35 ㎎ 파노린 연질 캡슐 100 ㎎ 파노린 주 15 ㎎/mL 아클라스타 주사액 5 ㎎/100 mL(1년에 1회) 본비바 정 150 ㎎, 본비바 주 3 ㎎/3 mL(3개월에 1회)
• 칼시토닌	메노칼 비강분무액(살카토닌 100 IU/1.4 mL) 엘씨토닌 주(엘카토닌 10 IU/ml, 20 IU/ml) 엘카토닌 주(엘카토닌 40 IU) 칼토닌 비강분무액(살카토닌 1100 IU/mL)
• 활성형 비타민 D제제 - 칼시트리올 - 알파칼시돌	본키 연질캡슐(칼시트리올 0.25 ㎍) 본키 주(칼시트리올 1 ㎍/ml) 칼시오 연질캡슐(칼시트리올 0.25 ㎍) 칼트리올 연질캡슐(칼시트리올 0.25 ㎍) 원알파 정(알파칼시돌 0.5 ㎍) 알파디트리 연질캡슐(알파칼시돌 0.5 ㎍) 알파롤 연질캡슐(알파칼시돌 0.5 ㎍)
• 부갑상선호르몬제(Teriparatide)	포스테오 250 ㎍/㎖, 3 ㎖
• 이프리플라본	데오본정 200 ㎎
• 복합제	맥스마빌 정(알렌드로네이트 5 ㎎ + 칼시트리올 0.5 ㎍) 포사맥스 플러스 정(알렌드로네이트 70 ㎎ + 콜레칼시페롤 2800 IU)
• 비타민 K2	글라케이 연질캡슐(메나테트레논 15 ㎎)

표 26-2. **골다공증치료제의 보험급여 인정기준(보건복지부 고시, 2019)**

세부인정기준 및 방법
1. 허가사항 범위 내에서 아래와 같은 기준으로 투여 시 요양급여를 인정하며, 동 인정기준 이외에는 약값 전액을 환자가 부담토록 함. - 아 래 - 가. 칼슘 및 Estrogen제제 등의 약제 골밀도검사에서 T-score가 -1 이하인 경우(T-score ≤ -1.0) 나. Elcatonin제제, Raloxifene제제, Bazedoxifene제제, 활성형 Vit D3제제 및 Bisphosphonate제제 등의 약제(검사지 등 첨부) 1) 투여대상 가) 중심골[Central bone; 요추, 대퇴(Ward's triangle 제외)]: 이중 에너지 방사선 흡수계측(Dual-Energy X-ray Absorptiometry: DEXA)을 이용하여 골밀도 측정 시 T-score가 -2.5 이하인 경우(T-score ≤ -2.5) 나) 정량적 전산화 단층 골밀도 검사(QCT) : 80 ㎎/㎤ 이하인 경우 다) 상기 가), 나)항 이외: 골밀도 측정시 T-score가 -3.0 이하인 경우(T-score ≤ -3.0) 라) 방사선 촬영 등에서 골다공증성 골절이 확인된 경우 2) 투여기간 가) 투여대상 다)에 해당하는 경우에는 6개월 이내 나) 투여대상 가), 나)에 해당하는 경우에는 1년 이내, 라)에 해당하는 경우에는 3년 이내로 하며, 추적검사에서 T-score 가 -2.5 이하(QCT 80 ㎎/㎤ 이하)로 약제투여가 계속 필요한 경우는 급여토록 함. 다. 단순 X-ray는 골다공증성 골절 확인 진단법으로만 사용할 수 있음
2. 골다공증 치료제에는 호르몬요법(Estrogen, Estrogenderivatives 등)과 비호르몬요법(Bisphosphonate, Elcatonin, 활성형 Vit.D3, Raloxifene 및 Bazedoxifene제제 등)이 있으며, 호르몬요법과 비호르몬요법을 병용투여하거나 비호르몬요법 간 병용투여는 인정하지 아니함. 다만 아래의 경우는 인정 가능함. - 아 래 - 가. 칼슘제제와 호르몬대체요법의 병용 나. 칼슘제제와 그 외 비호르몬요법의 병용 다. Bisphosphonate와 Vit. D 복합경구제(성분: Alendronate + Cholecalciferol 등)를 투여한 경우 라. Bisphosphonate 단일제와 활성형 Vit. D3 단일제 병용 마. SERM과 Vit.D 복합경구제(성분 : Raloxifene + Cholecalciferiol)를 투여한 경우 ※ SERM : Seletive Estrogen Receptor Modulator(선택적 에스트로겐 수용체 조절제)
3. 특정소견 없이 단순히 골다공증 예방목적으로 투여하는 경우에는 비급여 함

6. 노인성 골다공증의 적절한 약물 요법 원칙

1) Calcium & VItamin D 공급

a. 노인에서 비타민 D의 감소 원인
- 비타민 D 섭취 부족
- 햇빛을 쬐는 시간의 감소
- 피부에서 비타민 D3 합성 능력 감소
  * 70세 이후에는 1/4로 감소
- 신장에서 1-alpha-hydroxylase 작용 감소
  * 활성형 비타민 D 생성 감소
- 장에서 활성 비타민 D의 작용 감소
  * 비타민 D 수용체의 수 감소, 친화력 감소

b. 비타민 D 결핍 → 2차적인 부갑상선 기능항진증 → 골소실 증가

c. 적절한 일광욕 및 비타민 D의 투여가 필요

d. 보통 400~600 IU의 비타민 D를 투여, 고령에서는 활성형 비타민 D의 투여를 고려

2) Combination drug Tx.

a. 효과적인 조합
- HRT + Bisphosphonate
- HRT + Calcitonin
- HRT + Androgen
- HRT + Fluoride
- HRT + PTH
- HRT + Vit. D

b. 효과적이지 않은 조합
- PTH + Bisphosphonate
- PTH + Calcitonin
- HRT + SERM

c. 노인에서 고려할 사항 및 입증된 정도
- 약물효과 향상 : ++
- 골절 예방 효과 : ++
- 안전도 향상 : –, ? (multiple organ function 감소)
- 비용 측면 : –
- 약물 상호작용 : –, ?
- 장기간 효과 : ?

3) Cyclic Tx. of [PTH + BIsphophonate]

a. activation of osteoclastic bone resorption, depression of resorption, and a "free–running" synthetic phase, to be repeated.
b. Cyclic Tx. 자체는 도움이 된다(+++).
c. 비용 효과(–)
d. 장기간 효과는 불확실
e. Bone strength 강화 효과도 불확실

4) Formation drug (PTH, strontium 등)

7. 골흡수 표식자, 골형성 표식자

1) D–Pyridinoline

- 콜라겐 사슬 간의 cross–link 역할 ; 콜라겐이 분해되면서 유리됨
- 뼈가 콜라겐이 가장 풍부한 조직이고 다른 결체조직보다 turnover가 월등히 높아서 대부분 뼈에서 유리됨
- pyridinoline은 연골에서도 유리되므로 덜 특이적
- 골흡수와 상관계수 : D–Pyridinoline (0.89), Pyridinoline (0.82)

– 골대사는 밤중에 왕성하므로 아침에 측정(소변) : 실제로 오전 5–8시에 가장 많이 배설

2) Osteocalcin

– 조골세포에서 합성되어 뼈의 기질에 결합하며 일부는 혈액으로 유리
– 아침에 가장 높은 농도
– 성장기, 갑상선기능항진증, 부갑상선기능항진증, 신장기능저하 : 농도 상승
– 골형성 지표(혈액검사)

8. 노인성 골다공증의 관리

1) 정기적인 건강 관리 : 다른 동반 질환의 발견 및 치료
2) 균형 잡힌 영양 관리 : 소화기능 저하 고려
3) 규칙적인 운동 : 근력 강화와 균형 유지
4) 적절한 약물 요법
5) 삶의 질 향상 : 긍정적 생활태도 유지

9. 골다공증성 골절

@ 빈도 : 고관절 골절 > 척추 골절
@ 사망률 : 고관절 골절 1년 후 16%, 척추 골절 1년 후 5% 사망

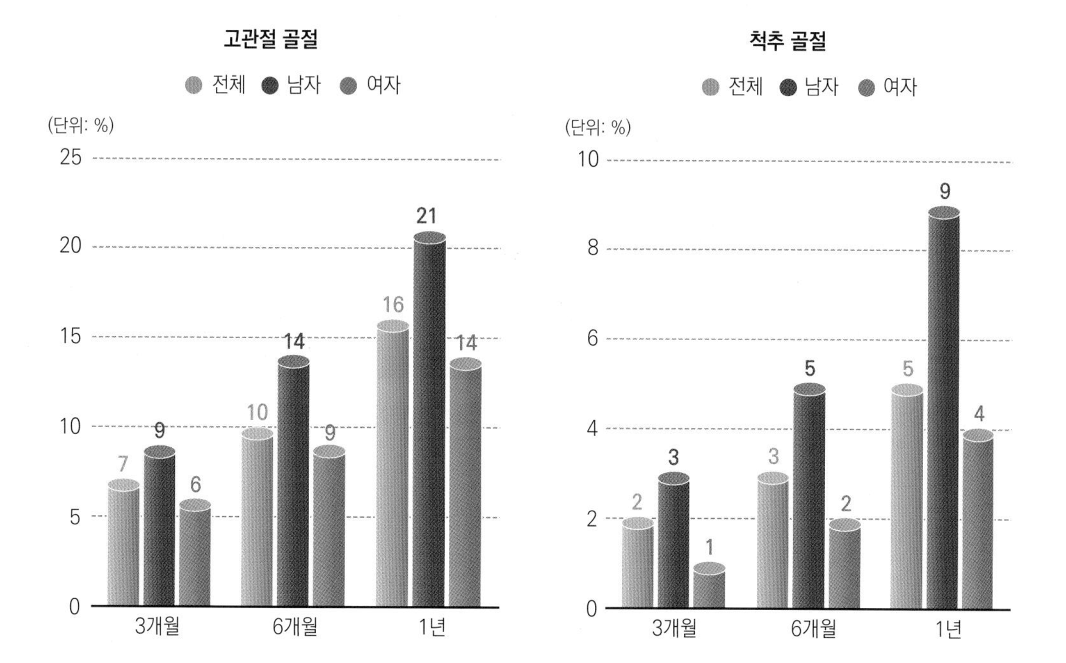

그림 26-1. **골다공증성 골절 후 3개월, 6개월, 1년 이내 사망률**

1) 고관절 골절

- 노인성 골절의 19%
- 원인 : 주로 낙상
- 수술적 치료 : 감입골절의 경우에는 보존적 요법으로 치료하기도 하지만 약 10~15%에서 전위될 위험이 있으므로 3개 이상의 핀 삽입술(multiple pinning)로 내고정술을 시행하는 것이 좋다. 그 외의 대퇴경부골절은 수술이 원칙이다.
- 재활치료 : 고관절 골절 환자의 치료에서 가장 중요한 것은 조기 거동이다.

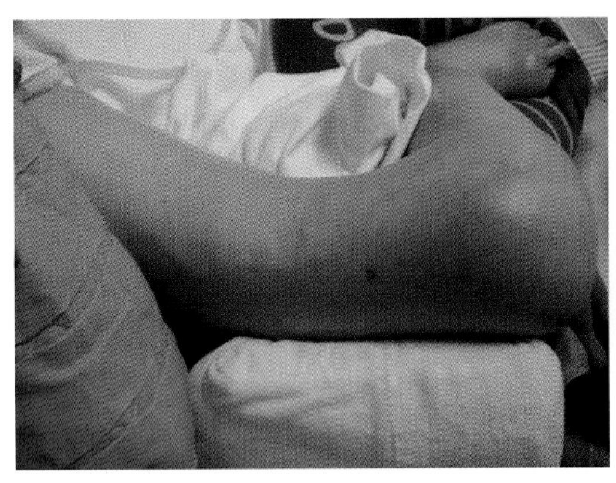

그림 26-2. **와상 상태였던 T-점수 -4.2인 78세 여성의 좌측 대퇴골절에 의한 대퇴부 변형 모습.** 심한 골다공증에서는 체위 변경만으로도 골절이 발생할 수 있다.

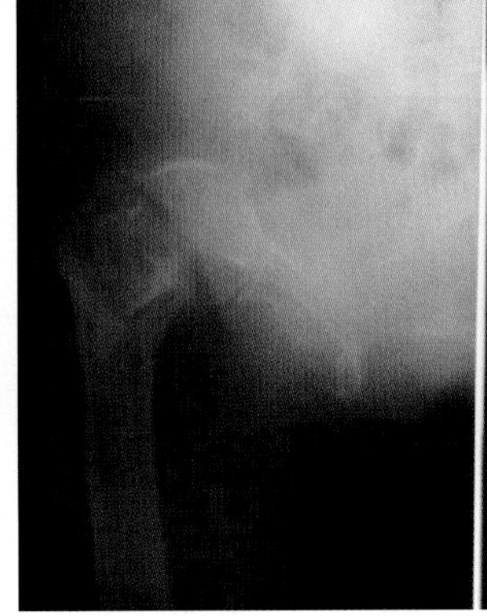

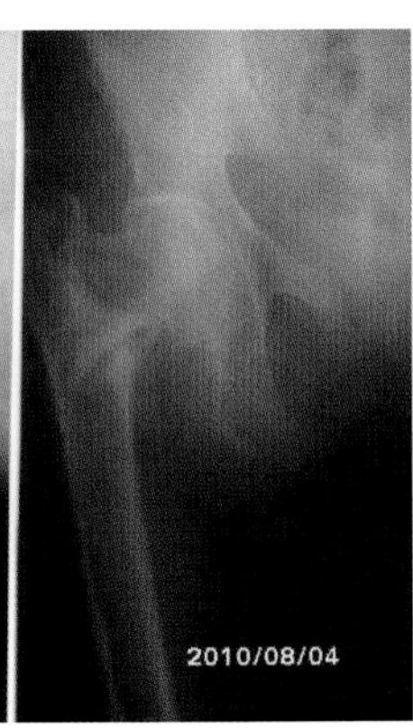

그림 26-3. **낙상 후 발생한 대퇴골 경부골절**

2) 척추 골절

- 원인 : 주로 체중부하에 의한 압박력이 가해지며, 전위가 심하지는 않다.
- 불유합과 혈액순환 장애에 의한 문제는 거의 없으며, 이보다는 신경마비가 문제.
- 치료의 목표 : 신경 손상이 진행되지 않게 하며, 이미 발생한 신경 손상에 대하여는 회복을 도모, 골절된 척추의 변형을 막으면서 조기에 활동을 가능하게 하여 합병증을 방지하는 것.
- 보존적 치료 : 장기 침상 안정보다는 조기 보행이 중요. 약 2~3일 안정 가료로 통증과 장폐쇄 증상이 호전되면 활동을 시작하고, 보조기 착용 고려.
- 수술적 치료 : 흔히 척추성형술과 풍선성형술을 시행. 국소마취 후 골절 부위에 시멘트 주사.

우울증

- 파킨슨병 및 치매로 입원 중인 72세 여성. 회진 시에 환자를 대할 때면 늘 울상인 얼굴에 두통, 속 쓰림, 소화불량, 아랫배가 살살 아프다, 어지럽다, 죽고 싶다는 등의 말씀을 하심 (증상은 매일 조금씩 달라짐). 우울 증상의 조절을 위해 Lexapro 20 mg/d 사용 중이며 최근에는 Alprazolam 0.75 mg/d 도 사용해 보았으나 여러 가지 신체 증상 및 우울 증상은 호전되는 기미가 보이지 않음. 어떠한 대책이 필요한가?

– 파킨슨병의 치료제인 Levodopa가 우울증의 원인일 수도 있다. 약물 조정을 고려해 봄.
– 우울증에 의한 치매 증상인 "가성치매(pseudodementia)"의 가능성도 있다.

1. 요양병원에는 우울한 환자가 많다

노년기 주요 우울증의 유병률은 1%로서 젊은 성인에 비해 낮지만, 기분 부전증과 기분 저하증 등을 포함하면 우울 증상은 노인의 약 27%에서 나타난다고 알려져 있다. 특히 요양시설에 입소 중인 노인이나, 내과 및 신경과적인 신체 질환으로 치료 받는 노인의 경우에는 약 25% 정도가 우울증에 이환되어 있을 정도로 높은 유병률을 보인다.

2. 노인 우울증의 2가지 종류

1) 조발성 우울증 : 청장년 시절부터 가지고 있던 우울 장애가 노년기에 재발하는 경우
2) 만발성 우울증 : 노년기에 첫 우울 삽화(episode)를 보임. 가면성 우울(masked depression)로 나타나는 경우가 많으며, 기질적 원인이 많다.

3. 우울증 병력 청취의 방법

1) 우울의 기간, 우울증 과거력, 가족력, 우울증 치료 반응, 약물이나 알코올 남용 병력, 자살사고나 시도, 신체적 기능 상실 정도 등에 대해 질문.
2) 가족을 포함하여 질문한다.
3) 우울증의 비언어적 증거 : 항상 슬픈 기분, 풀이 죽은 눈, 느린 말투, 눈가의 주름, 눈물을 많이 흘림
4) 자살의도 질문 : "가끔 더 이상 살 가치가 없다고 생각하나요?"와 같이 자살 시도와 구체적인 계획에 대해 묻는 것이 오히려 보통은 환자를 안심시킨다.

4. 간단한 우울증 선별법

1) 다음과 같은 2가지 질문에 대해 모두 '예'라고 대답했을 때 민감도(실제로 우울증인 환자를 우울증이라고 선별하는 확률) 97%, 특이도(실제로 우울증이 아닌 환자를 우울증이 아니라고 선별하는 확률) 67%.

첫 번째 질문	두 번째 질문
지난 한달 간, 기분이 처지거나, 우울하거나, 희망이 없어 괴로운 적이 자주 있으셨나요?	지난 한달 간, 하시는 일에 흥미나 재미가 없어 괴로운 적이 자주 있으셨나요?

출처: Arroll et al. BMJ 2003;327:1144-6

5. 노인 우울증의 진단 방법

1) 나이에 관계 없이 가장 일반적인 우울증 진단도구는 DSM-5의 주요우울장애(Major Depressive Disorder) 진단 기준이다.

표 27-1. DSM-5의 주요우울장애 진단 기준

A. 아래 증상 중 5개 이상이 2주 동안 지속되어 기능의 저하를 초래하고, 1번과 2번 중에 하나는 반드시 포함될 것.

1. 거의 하루종일 우울한 기분이 거의 매일 이어지며, 이는 주관적 느낌 (예컨대 슬픔, 공허감, 아무런 희망이 없음)이나 객관적 관찰 소견(예컨데 자주 눈물을 흘림)으로 확인된다.
2. 거의 하루종일 거의 모든 활동에 대한 흥미나 즐거움 감소된 상태가 거의 매일 이어짐.
3. 체중 또는 식욕의 심한 감소나 증가
4. 거의 매일 반복되는 불면이나 과수면
5. 정신운동의 초조(예: 안절부절 못함) 또는 지체(예: 생각이나 행동이 평소보다 느려짐)
6. 거의 매일 반복되는 피로감 또는 활력 상실
7. 무가치감, 또는 지나치거나 부적절한 죄책감이 거의 매일 지속됨.
8. 사고력 또는 집중력의 감퇴, 결정을 못 내리는 우유부단함이 심해져 거의 매일 지속됨.
9. 죽음에 대한 생각이 되풀이되어 떠오르거나, 특정한 계획이 없는 자살 사고가 반복되거나, 자살을 시도하거나, 구체적인 자살 계획을 세움.

B. 임상적으로 의미있는 고통이나 대인관계, 직업을 포함한 주요 영역의 기능 저하를 일으킴.

C. 약물 등 섭취 물질이나 질병으로 인해 야기된 생리적 효과로 인한 것이 아니어야 함.

* DSM-5의 이전판인 DSM-IV (-TR)에서는 사별에 의한 것이 아니어야 한다고 정의하였으나, DSM-5에서는 삭제됨. 이는 사별 자체가 우울증을 야기하는 매우 중요한 요인이기 때문임. 사별, 경제적 몰락, 자연재해 피해, 중증 질환 등의 심각한 상실(significant loss)이 있은 이후에 명백한 주요우울 증상을 보인다면, 주요우울장애로 진단내릴 수 있음.

2) DMS의 9가지 내용을 응용하여 만든 우울증 선별도구로 PHQ-9(Patient Health Questionnaire-9)가 흔히 사용되는데, 각 문항을 "전혀 방해받지 않았다(0점)", "며칠 동안 방해받았다(1점)", "7일 이상 방해받았다(2점)", "거의 매일 방해받았다(3점)"의 4단계로 나눈 후 합산하는데, 연구에 따라 다르지만 선별검사 시에는 절단점 5점, 주요우울장애 진단을 위한 절단점은 10점 정도이다. 2021년부터 외래 우울증 관련 적정성평가가 예정되어 있으므로 이러한 PHQ-9 도구와 같은 간단한 선별도구를 활용하여 외래에서 우울증 선별 및 진단검사를 시행하면 좋다.

3) 노인에서는 일반적으로 노인우울척도(GDS [Geriatric Depression Scale])를 이용하여 평가한다.

4) 최근에는 15문항으로 이루어진 GDSSF-K(한국판 노인우울척도-단축형)가 널리 이용된다.

표 27-2. **한국판 노인우울척도-단축형(GDSSF-K)**

한국형 노인우울척도-단축형 (GDSSF-K)

다음을 잘 읽고 요즈음 자신에게 적합하다고 느끼는 답을 표시하십시오 (진한 바탕 : 1점씩 더함).

항목	내 용	예	아니오
1	당신은 평소 자신의 생활에 만족하십니까?		
2	당신은 활동과 흥미가 많이 저하되었습니까?		
3	당신은 앞날에 대해서 희망적입니까?		
4	당신은 대부분의 시간을 맑은 정신으로 지냅니까?		
5	당신은 대부분의 시간이 행복하다고 느낍니까?		
6	당신은 지금 살아있다는 것이 아름답다고 생각합니까?		
7	당신은 가끔 낙담하고 우울하다고 느낍니까?		
8	당신은 지금 자신의 인생이 매우 가치가 없다고 느낍니까?		
9	당신은 인생이 매우 흥미롭다고 느낍니까?		
10	당신은 활력이 충만하다고 느낍니까?		
11	당신은 자주 사소한 일에 마음의 동요를 느낍니까?		
12	당신은 자주 울고 싶다고 느낍니까?		
13	당신은 아침에 일어나는 것이 즐겁습니까?		
14	당신은 결정을 내리는 것이 수월합니까?		
15	당신의 마음은 이전처럼 편안합니까?		

0점~5점이면 정상, 6점~10점이면 경증 우울, 11점~15점이면 중증 우울

Adapted from 기백석

6. 노인 우울증의 특성

1) 우울감이나 슬픔 등을 직접적으로 표현하는 경우가 적다.
2) 체중 감소가 흔하다.
3) 다양한 신체 증상(두통, 소화장애 등) 호소가 많다(건강염려증).
4) 수면장애, 불안증상, 초조감이 젊은이의 우울증에서보다 더 흔하다.
5) 주관적인 기억 손실이 많다. 특히 젊은 노인(65~75세)에서는 우울한 기분과 주관적 기억 소실 사이에 연관성이 많다.

6) 신경학적 증상이 동반되는 경우가 많다.
7) 인지기능 저하처럼 보이기도 한다(가성치매 : 우울증 호전과 더불어 인지기능이 좋아짐).
   ⇨ 실제로 치매가 동반되기도 하므로 가성치매와 치매의 구별이 중요!
8) 이전에 보였던 비정상적인 성격이 강화되거나, 늦은 나이에 알코올에 의존하기도 한다.
9) 7-30% 정도는 만성적인 경과를 거친다.

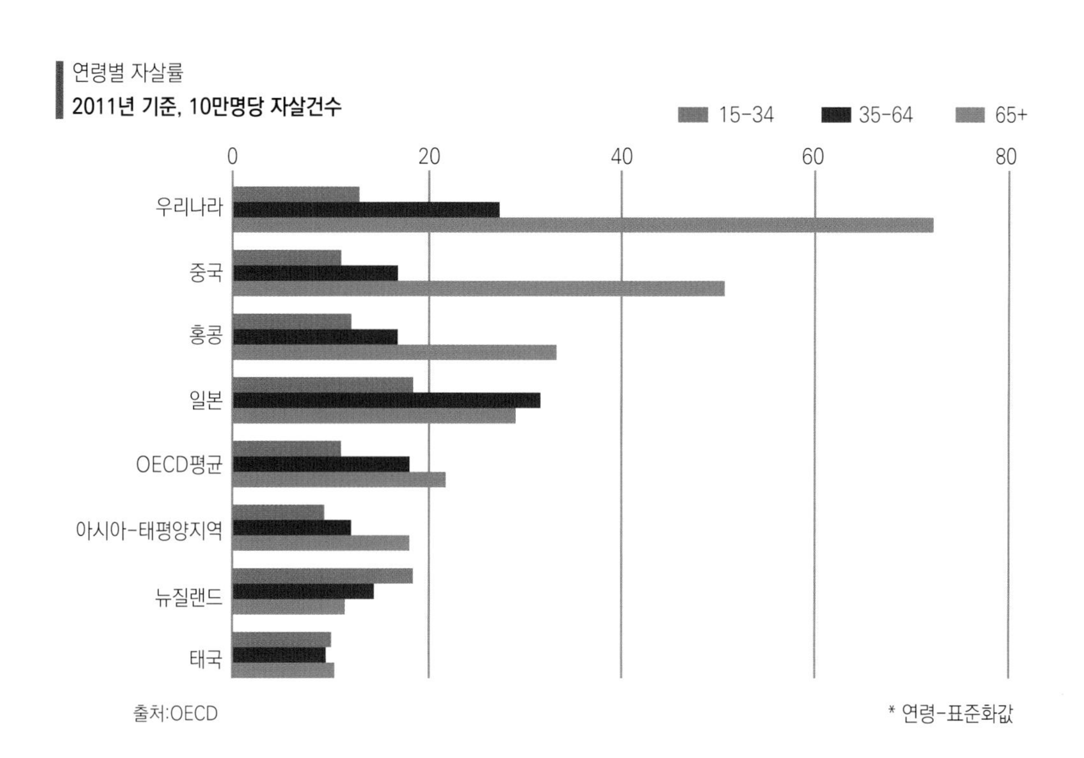

그림 27-1. 아시아 주요국가와 OECD의 2011년 연령대별 자살률(인구 10만명 당). 특히 65세 이상 노인의 자살률은 우리나라가 단연 1위이다. 저자의 최근 연구결과 우리나라 노인들이 일본, 대만에 비해 항우울제 처방을 덜하는 성향을 보였는데, 이러한 점도 고려되어야 하겠다.

7. 노인 우울증을 유발하거나 감별할 상황들

1) 사별(애도반응) : 노년기에는 배우자와의 사별이 발생하므로 반드시 감별해야 한다. 배우자를 잃은 사람들의 약 10~20%가 사별한 후 첫 1년간 우울 증상을 보이며 사별 2년 이후에는 14%에서 주요 우울증이 발병한다고 한다.
2) 양극성장애(Bipolar disorder) : 환자가 이전에 임상적인 조증(들뜨고 민감한 감정, 꼬리를 무는 생각들, 사람간이나 이성간의 부적절한 판단, 돈을 헤프게 쓰기, 과도한 에너지)을 경험하였는가가 중요하다.
3) 갑상선기능저하증 : 무감동, 에너지의 감소
4) 심근경색
5) 치매
6) 뇌혈관 질환
7) 파킨슨병

8. 우울증을 유발하는 약물들

표 27-3. **우울증 유발 약물들**

구분	약물	구분	약물
항고혈압 약물	Reserpine Methyldopa Propranolol Clonidine Hydralazine Guanethidine	심혈관계 약물	Digitalis 이뇨제 리도카인
		혈당강하제	인슐린, 경구혈당강하제
진통제	마약계통 : morphine, codeine, meperidine, pentazocine, propoxyphene 비마약계통 : indomethacin	정신 약물	안정제 : Barbiturates, benzodiazepine, Meprobamate 항정신병약 : CPZ(chloropromazine), haloperidol, thiothixene 수면제 : chloral hydrate, flurazepam
파킨슨약	Levodopa	스테로이드	코티코스테로이드, 에스트로겐
항생제	Sulfonamides Isoniazid	기타	Cimetidine, 암페타민, 코카인, 환각제, 암 치료제, 알코올

9. 치료

1) 심리적 지지 치료

- 지지적 치료 : 노인이 작은 상실이나 스트레스에 적응하도록 도와주는 데에는 지지적인 치료만으로도 충분한 경우가 있다.
- 사회 및 가족의 지지 : 우울 노인환자를 감정적, 재정적으로 지지해 주어야 하는 책임을 지는 보호자(주로 가족)는 가끔 보호자의 역할로부터 휴식을 취하는 것이 필요하고, 의사는 노인 환자의 가족을 격려하고 교육해야 한다.
- BATHE 테크닉 : 일차의료에서 쉽게 접근할 수 있는 방법. 경한 우울증이나 적응장애 환자는 이런 개입만으로도 좋아진다.

표 27-4. BATHE 테크닉

B	ackground	**"어떻게 지내십니까", "그 이후로 어떻게 됐나요?"** ➔ 환자의 일상에 무슨 일이 일어났는지 접근. 이 질문에 대해 환자가 "별일 없어요"라고 하더라도 다음 질문으로 넘어가는 것이 좋다.
A	ffect	**"그때 기분이 어떠셨어요?"** ➔ 환자들이 그들의 느낌을 나타낼 때, '미친','슬픈', '실망한', '좌절한', '죄스러운' 등의 적나라한 수식어를 사용하도록 격려한다.
T	rouble	**"가장 힘든 점이 무엇이죠?"** ➔ 환자가 상황의 의미에 접근하는 것을 돕는 질문. BATHE 질문 중에 가장 중요! 이 질문에 대해 환자들은 "아!"라는 반응을 보이고 지금까지 인식하지 못한 무언가를 깨닫게 된다.
H	andling	**"그래서 어떻게 하셨어요?", "어떻게 하실 수 있었죠?"** ➔ 이미 가지고 있으나 인지하지 못한 대답에 접근하게 해준다. 환자가 전에는 고려하지 못한 해결책에 도달할 수 있는 힘을 줄 수 있다.
E	mpathy	**"참 힘드셨겠네요!"** ➔ 이해와 공감을 표현하는 말로 BATHE의 끝을 맺는 것이 중요.

2) 약물치료

- 노인 우울증 치료의 근간
- 급성 증상을 약물로 치료하면 비교적 효과적으로 합병증 없이 치료된다.
- 노인 우울증 환자의 10~40% 정도에서만 항우울제를 복용한다는 연구 결과도 있다.
- 노인이라 할지라도 충분한 용량으로 충분한 기간 동안 사용해야 함.
- 내과, 신경과적 질환과 병발한 우울증에서도 효과가 있다.

– 사용 기간 : 우울증의 첫 번째 삽화가 관해 된 이후 1년, 두 번째 삽화 관해 후 2년, 세 번째 삽화 관해 후 3년간 유지 치료

*** SSRI (선택적 세로토닌 재흡수억제제)**

– 효과, 안전성, 부작용 측면에서 노인 우울증에 첫 번째 약으로 쓸 수 있다.
– 시작 용량 : 청장년 용량의 절반 정도
– 유지 용량 : 청장년과 거의 같다.
– 부작용 : 오심, 설사, 불면, 두통, 체중 변화, 초조감, 성기능 장애, 간혹 SIADH 발생으로 저나트륨혈증

*** TCA (삼환계 항우울제)**

–전통적 TCA인 에나폰(amitriptyline) 등은 잦은 부작용 때문에 노인에서는 쓰지 않는다.
–노인에서 부작용이 적은 nortriptyline이나 desipramin을 주로 사용한다.

*** Valproic acid(Depakote, Valeptol)**

– 양극성 정동장애 환자의 증상 중 예민해 하거나 지나치게 신경질적인 증상을 보일 때 사용됨.
– 경험적으로 노인에서는 Depakote 250 mg, Valeptol 300 mg 제제를 주로 사용하는데, Depakote 정은 약의 크기가 비교적 크고 냄새가 난다고 호소하는 경우도 있어 Valeptol 처방이 선호된다.

표 27-5. 노인에서의 항우울제 투여 용량 및 진정작용 정도

약물명	초기 용량	유지 용량	진정작용 정도
SSRI			
Escitalopram (Lexapro®)	10 mg am	10~20 mg am	낮음
Fluoxetine (Prozac®)	10 mg am	20~40 mg am	낮음
Paroxetine (Paxil®)	10 mg hs	20~40 mg hs	낮음
Sertraline (Zoloft®)	25 mg am	100~200 mg am	낮음
기타 항우울제			
Nortriptyline (Sensival®)	10~25 mg hs	25~100 mg hs	중간(항콜린성)
Bupropion (Wellbutrin®)	SR: 75 mg qd	SR: 150~300 mg qd	낮음(불면효과)
Duloxetine (Cymbalta®)	20 mg	30~60 mg	낮음
Mirtazapine (Remeron®)	7.5 mg hs	15~45 mg hs	중간~높음
Trazodone (Trittico®)	20~50 mg hs	100~200 mg hs	높음(수면효과)
Venlafaxine (Effexor®)	37.5 mg bid XR: 75 mg qd	75~225 mg qd	낮음(혈압↑)

표 27-6. **항우울제의 부작용 비교**

	항콜린효과	졸림	물수면장애(초조감)	기립성 저혈압	부정맥	체중 증가
Amitriptyline	4+	4+	0	4+	3+	4+
Desipramine	1+	1+	1+	2+	2+	1+
Duloxetine	0	0	2+	0	0	0
Imipramine	3+	3+	1+	4+	3+	3+
Nortriptyline	1+	1+	0	2+	2+	1+
Trazodone	0	4+	0	1+	1+	1+
Bupropion	0	0	2+	0	1+	0
Mirtazapine	1+	4+	0	0	0	3+
Fluoxetine	0	0	2+	0	0	0
Paroxetine	1+	1+	1+	0	0	0
Sertraline	0	0	2+	0	0	0
Fluvoxamine	0	1+	1+	0	0	0
Citalopram	0	0	1+	0	0	0
Escitalopram	0	0	1+	0	0	0
Venlafaxine	0	0	2+	0	0	0
MAOI	1+	1+	2+	2+	0	0

28 수면장애

• 왜 요양병원 환자들은 수면장애 호소가 많을까요?

– 원래 노인들이 수면장애가 많기도 하지만, 요양병원 입원환자 중에는 야간 배회 등의 증상이 입원의 주된 이유인 경우가 많기도 합니다.

1. 수면장애는 왜 노인증후군으로 분류되는가?

1) 노인에서 흔하다

– 노인에서는 중등노~중증 수면장애의 유병률이 20~40%나 된다.

2) 불면증의 원인이 매우 다양하다.

3) 수면장애는 섬망, 치매, 요실금, 우울증과 같은 다른 노인증후군이 원인이 되기도 하고, 수면장애는 낙상, 다약제복용 등의 노인증후군을 일으키기도 한다.

2. 노화에 따른 수면변화

1) 생체리듬을 관장하는 시각교차상핵(suprachiasmatic nucleus)이 노화에 따라 손상되면서 일주기 리듬(circardian rhythm)에 변화.
   ⇨ 밤에 깊은 잠을 못 자고 자주 깨거나 낮에 조는 현상 발생.
2) 생체리듬의 전진(advance)으로 인해 멜라토닌 분비의 최고점이 젊은 성인에 비해 일찍 나타남
   ⇨ 밤에 일찍 자고 아침에 일찍 깬다.
3) 야간 수면 시 잠드는 데 시간이 많이 걸리고 수면효율(자려고 누운 시간 중 실제 잔 시간)이 감소
   ⇨ REM수면 잠복기(잠이 들고 나서 REM수면이 나오는 데까지 걸리는 시간)가 줄어들고, 아침 일찍 깸.

3. 원인들

1) 정신생리적 불면증
   - 전체 불면증의 25% 이상
   - 스트레스와 같은 요인 ⇨ 불면증 ⇨ 불면증에 대한 걱정 ⇨ 교감신경계 자극 ⇨ 불면증...악순환.
2) 정신과적 질환이나 스트레스
   - 우울증이 대표적
   - 치매환자를 돌보는 보호자의 상당수가 수면제를 복용
3) 수면무호흡증
   - 코골이와 함께 나타나는 경우가 흔함
   - 무호흡 반복 : 매일 밤 수면 중에 최소 40회 이상, 10초 이상 지속
   - 수면무호흡증 환자가 수면제나 안정제로 치료받으면 호흡이 억제되어 위험
4) 주기적 사지운동증
   - 나이가 들면서 증가하며, 노인의 1/3 이상에서 있다는 보고도 있다.
   - 밤에는 깨어나고 낮에는 졸리다.
   - 수면 중 약 30초마다 주로 하지의 근육을 수축.
   - 수면무호흡증과 동시에 나타나기도 함.

5) 하지불안증후군
- 휴식 중, 혹은 자려고 할 때 나타나거나 악화되고 움직임에 의해 호전되는 다리 이상감각
- 이상감각 : '피부 안쪽이 가려운', '피부 밑으로 벌레가 기어다니는 것 같은', '바늘이나 뾰족한 것으로 찌르는 것 같은' 느낌.
- 빈혈, 신장질환, 신경계질환과 연관있고, 나이가 들면서 증가.
- 흔히 주기적사지운동증과 동반.
- 야간수면다원검사 필요

6) 치매
- 치매환자의 수면 리듬은 뒤집혀 있다.
- 낮에 자고 밤에 깨어서 돌아다닌다.
- 같은 병실의 치매환자가 시끄럽게 굴어서 잠을 못 자기도 한다.

7) 약물 및 금단증상에 의한 불면증
- 카페인, 메틸페니데이트, 암페타민, 베타차단제, 이뇨제, 교감신경계 항진작용이 있는 약물, 기관지확장제, 일부 파킨슨병 약물, 일부 항우울제
- 수면제 장기간 복용 시 생긴 내성
- 수면제, 진정제를 장기간 사용하다가 갑자기 끊으며 생기는 반동성 불면 증상

8) 신체질환
- 관절염 ⇨ 통증 ⇨ 불면증
- 기침, 호흡곤란, 위식도역류 ⇨ 불면증
- 신체질환으로 복용하는 약물 ⇨ 불면증
- 전립선 이상, 수면무호흡증 ⇨ 불면증

9) 시차에 따른 불면증
- 노인이 젊은이보다 더 힘들어함

4. 요양병원 입원환자들에게서 수면장애가 많은 이유?

1) 원래 노인이 되면 수면장애가 많다.
2) 요양병원 입원환자 중에는 치매, 섬망 환자가 많다.
3) 요실금이나 전립선비대 등으로 인해 야간에 화장실을 가는 경우가 많다.
4) 같은 병실에 치매환자들이 많다.

5) 특히 입원 초기에는 낯선 환경에서 잠을 못 이루는 경우가 많다.
6) 하루 중 대부분을 침상에서 보내므로 수면-각성 리듬이 와해된다.
7) 병원의 특성상, 야간에 소음과 빛에 노출되는 경우가 많다.

5. 치료

1) 비약물적 치료

- 원인 제거(CNS stimulants, 베타차단제, 기관지확장제, 스테로이드 등의 약물 중단)
- 정상수면 기준치를 너무 높게 잡지 말 것("자주 깨고, 아침에 일찍 잠이 깨는 것은 정상 노화입니다")
- 일정한 시각에 자고 일정한 시각에 일어난다.
- 낮잠을 피한다.
- 침실의 소음과 빛을 통제하며, 적절한 온도를 유지
- 늦은 오후나 이른 저녁에 야외에 나간다.
- 폐쇄성 수면무호흡증 : nasal CPAP, 기관절개

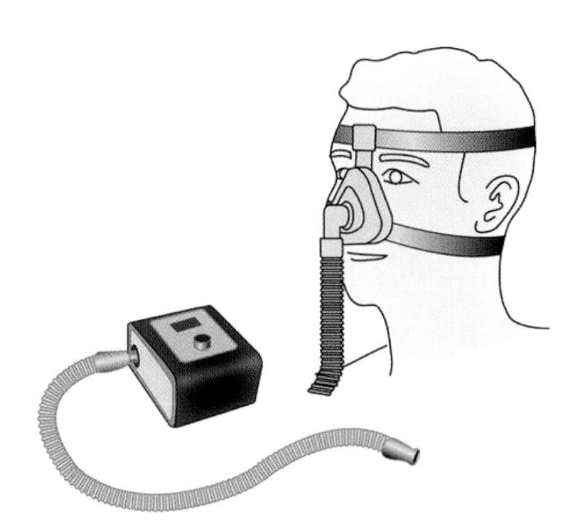

그림 28-1. nasal CPAP : **수면무호흡증 치료제**

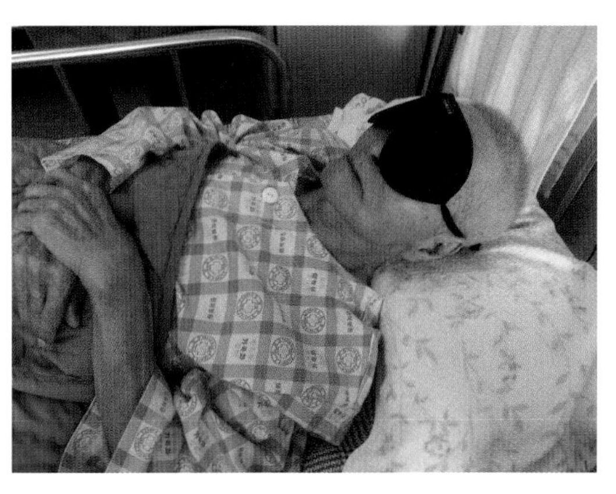

그림 28-2. **수면안대가 있어야 잠을 이루는 환자.** 요양병원 입원환자들은 야간에 간헐적으로 소음이나 빛에 노출이 되므로, 환자의 선호도에 따라 귀마개나 수면안대 착용이 수면유지에 큰 도움이 되기도 한다.

2) 수면제 : 3~4주 미만 단기간 사용하도록 권고됨

수면제의 사용은 노인에서 그 빈도가 높고 만성적으로 복용하는 경우가 많지만 젊은 연령에 비해 그 효과는 낮다. 노인에서의 수면제 사용은 적은 용량에서 시작해야 하며, 약제 간 상호작용, 낮시간 졸림, 인지기능 저하, 낙상 등의 부작용을 일으키는 등 수면제의 사용으로 얻는 효과보다 부작용이 클 수 있음을 명심해야 한다.

약물의 계통	약물명	
벤조디아제핀계	flurazepam(달마돔®)	반감기가 길다(48-120시간)
	triazolam(할시온®)	기억장애, 낮 동안의 흥분 유발 ⇨ 노인에게 권하지 않음
비벤조디아제핀계	zolpidem(스틸녹스®)	반감기 1.5-2.4시간
	zelepon(소나타®)	
항우울제 소량 (우울증이 없더라도)	trazodone	100 mg 이하
	amitriptyline(에나폰®)	50 mg 이하
	mirtazapine(레메론®)	15 mg 이하

3) 주기적사지운동증과 하지불안증후군의 치료제

약물의 계통	약물명	
도파민계 약물	pramipexole(미라펙스®)	0.125~1.0(mg)
벤조디아제핀계	clonazopam(리보트릴®)	0.25~1.5(mg)

29 근감소증과 노쇠

● 걷지 못하면 인생이 바뀝니다.

– 노인이 2~3주만 누워있으면 다시 걷기가 힘들다. 걷지 못하는 상태에서 4주 동안 누워 있으면 약 40%는 다시 걷지 못한다는 연구 결과도 있다. 인천은혜병원 가혁 원장은 "노쇠에서 가장 중요한 순간은 걷지 못하는 것"이라며 "걷지 않으면 근육이 더욱 빨리 감소해 중증 노쇠 상태에 빠지므로 어떤 경우든 다소 억지로 걷게 할 필요가 있다"고 말했다.

출처 : 헬스조선 [100세 시대, 노쇠는 병이다], 2019.

근감소증은 영어로 Sarcopenia(sarx=flesh, penia=loss)라 불리우며 1988년에 Irving Resenberg에 의해 이름이 붙여지고 순수한 '근육의 감소'로 정의되었으나, 2010년에 유럽의 학자들로 구성된 EWGSOP에서 "근육량 감소로 인한 기능(보행속도 혹은 악력)의 실조"로 다시 정의하였다. 근감소증은 21세기 들어 세계 노인의학계의 큰 화두였으며, 드디어 2016년 10월에 ICD-10-CM code에서 독립된 정식 진단명으로 분류되게 되었다. 최근 연구에서는 80세에서 85세 사이의 대상자 197명을 7년 추적 관찰한 결과 근감소증이 있는 환자들은 67.4%가 사망하였고, 근감소증이 없는 환자들은 41.2% 사망하여 통계적으로 유의한 차이를 보였다.

노쇠(Frailty)는 여러 기관(organ)의 생리학적 예비력과 기능이 노화에 따라 감소하여 나타나는 노인증후군이며, 질병, 영양 결핍, 운동 부족 등에 의해 근력이 약해지고 걸음걸이가 느려지며 기운이 없어지는 상태로서, 결국 또 다른 질병으로의 이환율과 사망률의 증가를 가져온다. 요양병원에 입원환 환자들의 상당수는 이미 노쇠의 단계를 지나 장애(Disability)의 단계로 접어든 분들이 많지만, 이 역시 노쇠를 예방한다면 늦출 수 있으므로 노쇠에 관한 지식의 습득한 매우 중요하다.

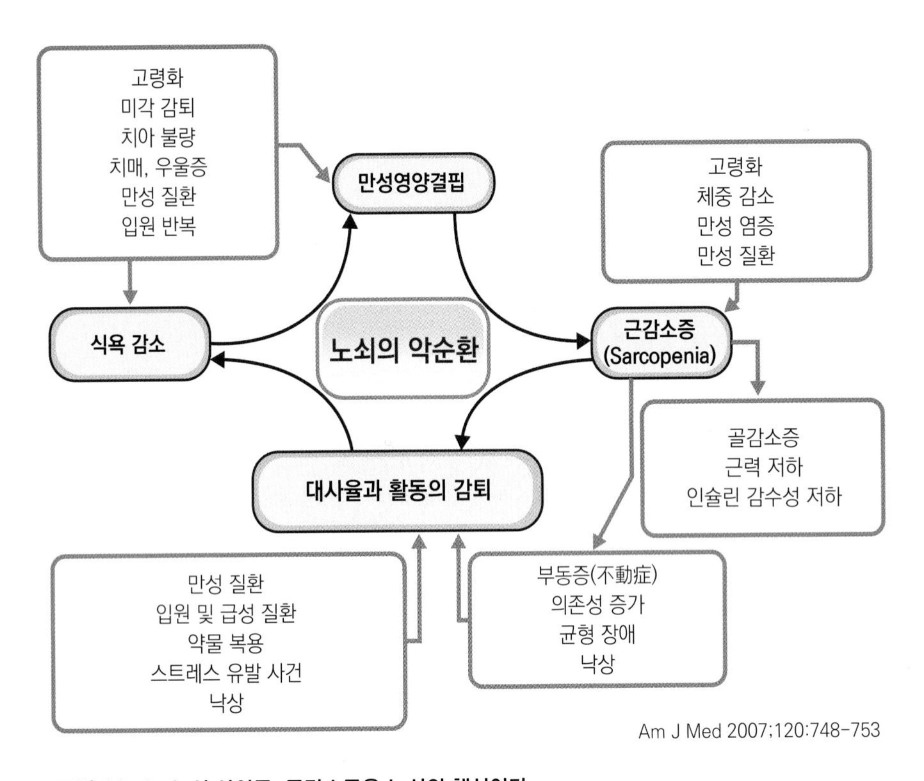

그림 29-1. **노쇠 사이클. 근감소증은 노쇠의 핵심이다**

1. 근감소증(Sarcopenia)

1) 근감소증은 2016년 10월에 ICD-10-CM 등재(코드명 M62.84).
2) 근감소증의 3가지 요소: '근력(악력)', '기능(보행속도나 보행거리)', '근육량' 저하.
   ⇨ 근육량 감소 자체보다는 그로 인한 근력의 감소(dynapenia)가 더 중요한 요소로 인식됨.
3) 근감소증 선별검사 (Screening)
   ① 선별검사 종류
      a. 종아리 둘레 길이
         – 한국인 종아리 (70~84세) : 32 cm 이하 (남,녀 모두)
         – 프랑스인 종아리 (70세 이상) : 31 cm 이하
         – 일본인 종아리 (40~84세) : 남자 34 cm, 여자 33 cm 이하
      b. 손가락-링 테스트

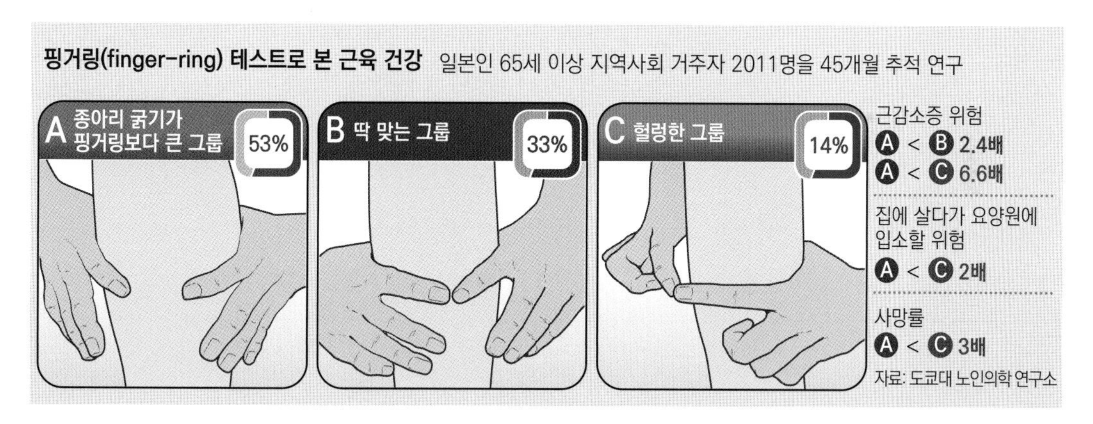

그림 29-2. 손가락-링(finger-ring) 테스트. 지역사회 65세 이상의 일본 노인 2011명을 대상으로 한 도쿄대 노인의학연구소 연구 결과, 자신의 양손 엄지, 검지 손가락으로 링을 만든 후 자신의 종아리의 가장 두꺼운 부분을 다음 그림과 같이 감쌌을 때, 종아리 굵기가 큰 A 그룹에 비해 딱 맞는 B 그룹은 근감소증 위험이 2.4배, 헐렁한 C 그룹은 6.6배 높았다. 특히 C 그룹은 요양원에 입소할 위험이 2배, 사망률이 3.2배였다.

c. SARC-F 선별검사 – 5개의 질문으로 이루어진 10점 만점 설문.

표 29-1. **한국형 SARC-F 선별검사(점수 합계가 4점 이상이면 근감소증을 강하게 의심)**

항목	질문	점수	
근력	무게 4.5 kg(9개들이 배 한 박스)를 들어서 나르는 것이 얼마나 어려운가요?	□ 전혀 어렵지 않다	0
		□ 좀 어렵다	1
		□ 매우 어렵다 / 할 수 없다	2
보행보조	방안 한 쪽 끝에서 다른 쪽 끝까지 걷는 것이 얼마나 어려운가요?	□ 전혀 어렵지 않다	0
		□ 좀 어렵다	1
		□ 매우 어렵다 / 보조기(지팡이 등)를 사용해야 가능/ 할 수 없다	2
의자에서 일어나기	의자(휠체어)에서 일어나 침대(잠자리)로, 혹은 침대(잠자리)에서 일어나 의자(휠체어)로 옮기는 것이 얼마나 어려운가요?	□ 전혀 어렵지 않다	0
		□ 좀 어렵다	1
		□ 매우 어렵다 / 도움 없이는 할 수 없다	2
계단 오르기	10개의 계단을 쉬지 않고 오르는 것이 얼마나 어려운가요?	□ 전혀 어렵지 않다	0
		□ 좀 어렵다	1
		□ 매우 어렵다 / 할 수 없다	2
낙상	지난 1년 동안 몇 번이나 넘어지셨나요?	□ 전혀 없다	0
		□ 1~3회	1
		□ 4회 이상	2
		점수 합계	

d. SARC-CalF 질문 (20점 만점)

- SARC-F 점수(10점 만점)에 종아리 둘레 점수를 더한 값.
- 종아리 둘레는 기준 둘레에 이하인 경우는 0점, 기준 둘레를 넘으면 10점으로 한다.
- SARC-Calf 점수가 11점 이상이면 근감소증의 위험이 높은 것으로 판단.

4) 근감소증 진단

① 유럽인 기준 (EWGSOP2, 2018년) ⇐ 서양인에 적합

1번 만족 = 근감소증 가능

1+2번 만족 = 근감소증으로 진단

1+2+3번 만족 = 심각한 근감소증

1. 근력(악력이나 의자에서 일어나기) 저하
2. 근육량이나 근육의 질 감소 (DXA; BIA, CT, MRI)
3. 신체기능(보행속도, SPPB, TUGT, 400 m 걷기)

[1. 근력 기준]

악력: 남자 < 27 kg, 여자 < 16 kg
의자에서 일어서기 : 5회 일어서는 데 15초 초과

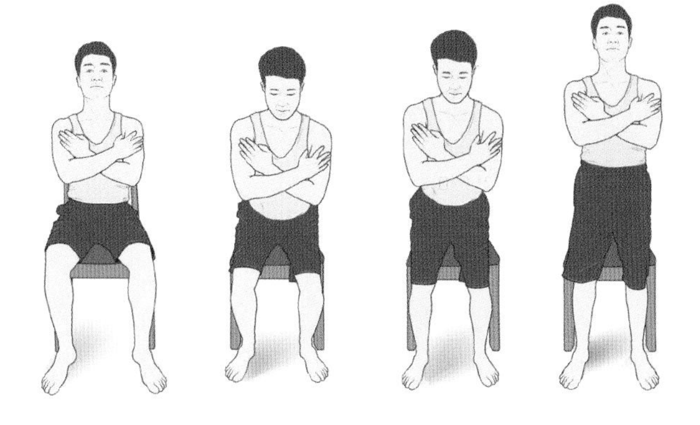

[2. 근육량, 근육의 질 기준]

ASM < 20 kg(남), < 15 kg(여)

ASM/키^2 <7.0 kg/m^2, < 5.5 kg/m^2

[3. 신체기능 기준]

보행속도 : 0.8 m/초 이하

SPPB(12점 만점; 의자에서 일어서기, 균형 테스트, 보행속도 각각 4점 만점) : 8점 이하

TUGT(의자에서 일어나서 3 m 보행 후 돌아와 앉기 검사) : 20초 이상

400 m 걷기 : 6분 이상, 혹은 걷지 못함.

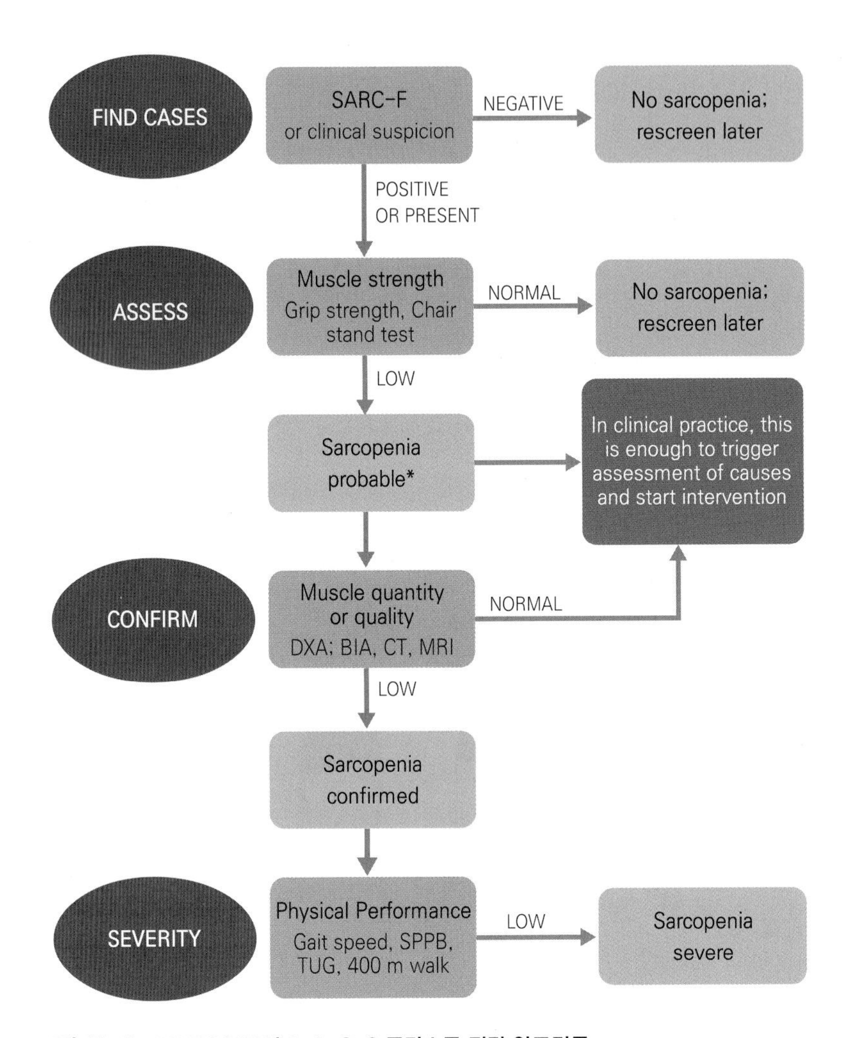

그림 29-3. EWGSOP2의 F-A-C-S 근감소증 진단 알고리듬

② 아시아인 기준 (AWGS2, 2019년) ⇐ 우리나라에 적합

a. 유럽의 EWGSOP2 기준을 아시아인 대상 연구 결과를 바탕으로 변형시켜 만듦.

b. 선별검사 대상

지역사회 거주자	▶ 종아리 둘레 (남자 < 34 cm, 여자 < 33 cm), 혹은 ▶ SARC-F 4점 이상, 혹은 ▶ SARC-CalF 11점 이상 ⇒ **평가(Assessment)** 단계로
병원환자	다음 중 하나: ▶ 최근 기능 감소나 기능적 결함; 체중 감소(>5%/1개월); 우울증; 인지기능 저하; 반복적인 낙상; 영양불량 ▶ 만성 질환(예: 울혈성 심부전, 만성폐쇄성폐질환, 당뇨병, 만성신부전 등) 만일 위의 상황에 해당하지 않는다면: ▶ 종아리 둘레 (남자 < 34 cm, 여자 < 33 cm), 혹은 ▶ SARC-F 4점 이상, 혹은 ▶ SARC-CalF 11점 이상 ⇒ 진단(Diagnosis) 단계로

c. 지역사회 거주자는 선별검사 양성 시 평가(Assessment) 단계로

지역사회 거주자 중 선별검사 양성자의 평가
1번 혹은 2번 만족 = **근감소증 가능(Possible Sarcopenia)** ⇒ 진단 단계로 이동 1. 악력 : 남자 < **28 kg**, 여자 < **18 kg** 2. 의자에서 일어서기 : **5회** 일어서는 데 **12초 이상**

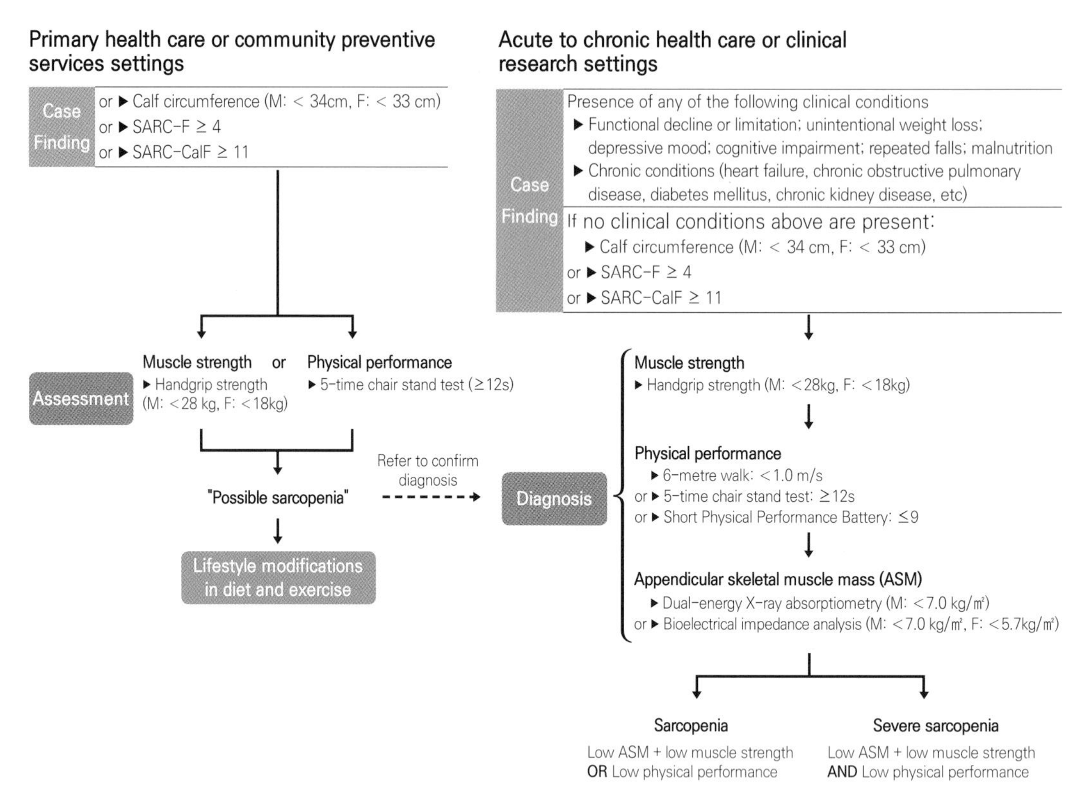

그림 29-4. **아시아 근감소증 워킹그룹(AWGS2)의 2019년 근감소증 선별, 평가, 진단 알고리듬**

그림 29-5. **아시아 근감소증 위원회(Asian Working Group for Sarcopenia, AWGS)의 2015년 회의 모습.** 대만 양밍대학교 고령의학과의 Liang-Kung Chen 교수 주도로 2014년에 설립되어 우리나라, 일본, 대만, 중국, 홍콩, 싱가포르, 태국 등 아시아지역 국가의 노인의학 전문가들로 구성되어 있다.

2. 노인 포괄적 신체기능 평가

특별한 장비 없이 초고령 노인들에 대한 신체기능 평가를 위한 도구들은 다음의 그림과 같다.

나이 [ ] 체중 [ ] 신장 [ ]

1. 약력

Left Hand [ ] Kg
Right Hand [ ] Kg

Comment [ ]

2. SPPB (Short Physical Performance Battery)

총점 [ ]

1) 균형감각각

일반자세
- □ 10초 이상 유지함 (1)
- □ 10초 유지 못함 (0)

반일반자세
- □ 10초 이상 유지함 (1)
- □ 10초 유지 못함 (0)

일렬자세
- □ 10초 이상 유지함 (2)
- □ 3초 이상 유지함 (1)
- □ 3초 이상 유지 못함 (0)

2) 보행속도(4M 걸어가기)

총 시간 [ ] sec
속도 [ ] m/sec
Normalized [ ] m/sec·kg

- □ 4.82초 이내의 경우 (4)
- □ 4.83-6.20초 (3)
- □ 6.21-8.69초 (2)
- □ 8.7초 이상 (1)
- □ 수행하지 못한 경우 (0)

3) 의자일어서기(5회 반복)

총 시간 [ ] sec

- □ 11.19초 이내의 경우 (4)
- □ 11.2-13.69초 (3)
- □ 13.7-16.69초 (2)
- □ 16.7초 이상 (1)
- □ 60초 이상 소요되거나 수행하지 못한 경우 (0)

Comment [ ]

3. Stair Climb Power Test

1) 검사 성공 여부 □ Yes □ No
2) 총 높이 계단 수 [ ] 높이 [ ] m
3) 검사 시간 1회 [ ] sec 평균 시간 [ ] sec
2회 [ ] sec 평균 속도 [ ] m/sec
Normalized [ ] m/sec·kg

Comment [ ]

4. 400M Walking Test

1) 심장박동수 (회) 시작 전 [ ] 시작 후 [ ]
2) 400 m 걷기 성공여부 □ Yes □ No
3) 총 검사 시간 [ ] sec
4) 평균속도 [ ] m/sec Normalized [ ] m/sec·kg
5) 검사 성공하지 못할 시, 중단 시점까지의 거리 [ ] m
6) 검사 중 휴식 여부 □ 1회 □ No rest □ Failed

Comment [ ]

Conclusion [ ]

그림 29-6. 별한 장비 없이 측정 가능한 포괄적 노인 신체활동 평가도구들

악력: 남자 26 kg, 여자 18 kg 기준, Adapted from 도현경, 임재영. 노인병 2015;19:61-70

3. 노쇠(Frailty)의 정의

나이가 들어가면 노쇠해진다는 것은 새로운 개념은 아니지만, 이러한 모호한 개념을 정의하는 것은 쉽지 않다. 일반적으로는 식욕저하, 기력저하, 체중 감소, 보행속도 감소, 영양불량, 근감소증으로 인한 상하지근육 감소, 잦은 감염, 낙상 등의 임상 증상을 보인다. 다음의 그림은 노쇠의 병태생리를 묘사하고 있다.

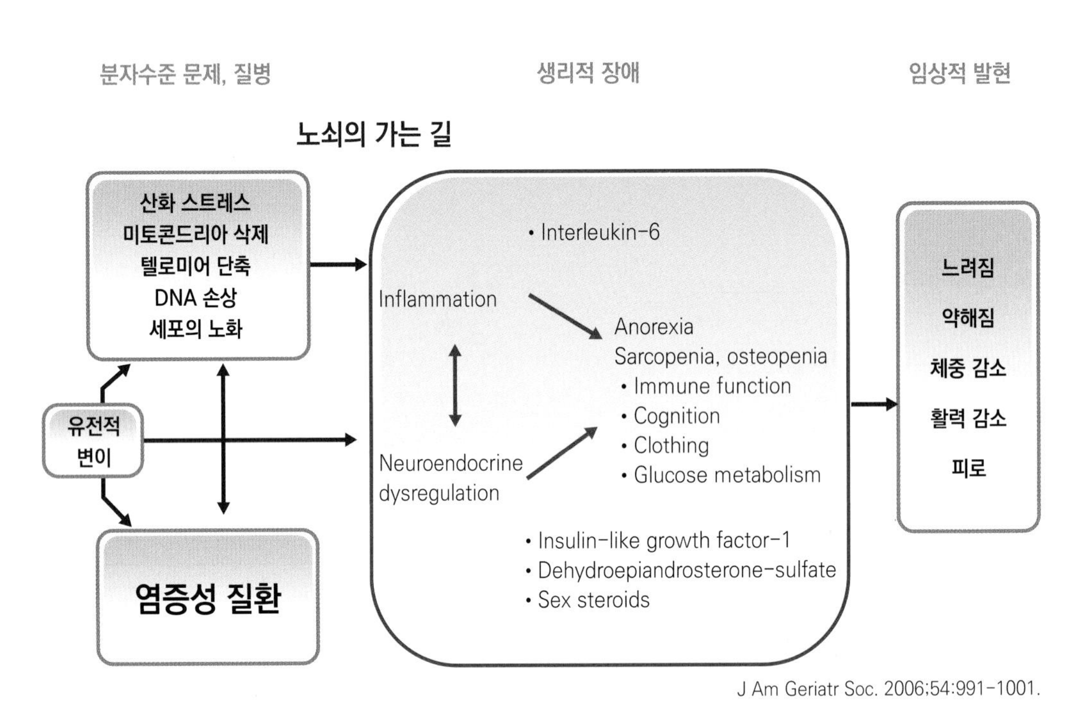

그림 29-7. **노쇠의 병태생리**

노쇠의 진단은 크게 표현형(Phenotype) 정의와 목록방법(Index method) 정의로 나뉜다. 표현형 정의는 외부로 드러난 소견들을 바탕으로 파악하는 방법이고, 목록방법은 존재하는 장애와 질병의 총합을 기준으로 파악하는 방법이다. 노쇠의 중증도에 따라 '노쇠(frailty)' '노쇠 전단계(pre-frailty)' '건강(robust)'으로 구분하는데, 우리나라의 65세 이상 노인에서의 유병률은 노쇠 10%, 노쇠 전단계 50%, 건강은 40% 정도였다.

1). 표현형 정의 (Frailty phenotype)

① Fried의 노쇠 표현형(Frailty phenotype) 모델 ⇐ 고전적 모델(예후를 잘 예측)

◆ 다음 중 3가지 이상이면 노쇠(frailty), 1-2개이면 노쇠 전단계(pre-frailty)
- 체중 감소 : 전년도 대비, 의도하지 않은 4.5kg 이상의 체중 감소
- 탈진: 자가 보고 ("피로하다")
- 허약(악력 저하) : 하위 20%(성별, 체질량지수별)
- 느린 보행: 보행시간/15걸음 하위 20%(성별, 신장별)
- 신체활동 저하 : 하위 20% (남성 383 kcal/주, 여성 270 kcal/주)

② Morley의 FRAIL 선별검사 ⇐ 임상에서 사용하기에 편리(예후를 잘 반영)

◆ 다음 중 3가지 이상이면 노쇠(frailty), 1-2개이면 노쇠 전단계(pre-frailty)
- Fatigue(피로) : 피로합니까?
- Resistance(근육 저항력) : 계단으로 한 층을 오를 수 없나요?
- Aerobic(호기성 운동) : 한 블록 걸을 수 없나요?
- Illnesses(많은 질병) : 5가지 이상의 질병을 가지고 있나요?
- Loss of weight(체중 감소) : 지난 6개월 간 5% 이상 체중 감소가 있었나요?

③ K-FRAIL : Morley의 FRAIL 설문을 한국형으로 번역

◆ 다음 중 3가지 이상이면 노쇠(frailty), 1-2개이면 노쇠 전단계(pre-frailty)
- Fatigue(피로) : 지난 한 달 동안 피곤하다고 느낀 적이 있습니까?
  1=항상 그렇다　2=거의 대부분 그렇다　3=종종 그렇다
  4=가끔씩 그렇다　5=전혀 그렇지 않다
  1,2로 답변하면 점수는 1점, 이외에는 0점
- Resistance(저항) : 도움 없이 혼자서 쉬지 않고 10개의 계단을 오르는데 힘이 듭니까?
  예=1점, 아니오=0점

- Ambulation(이동) : 도움이 없이 300미터를 혼자서 이동하는데 힘이 듭니까?
  예=1점, 아니오=0점
- Illnesses(지병) : 의사에게 다음 질병이 있다고 들은 적이 있습니까?
  (고혈압, 당뇨, 암, 만성 폐 질환, 심근 경색, 심 부전, 협심증, 천식, 관절염, 뇌경색, 신장 질환)
  0-4개는 0점, 5-11개는 1점
- Loss of weight(체중 감소) : 현재와 1년 전의 체중은 몇 kg 이었습니까?
  1년 간 5% 이상 감소 1점,
  5% 미만 감소한 경우에 0점.

④ 한국형 노쇠측정도구 : 대한노인병학회에서 개발한 최초의 한국형 노쇠측정도구
- 노쇠의 Cut-off 점수 : 4.5점[민감도 82.1%, 특이도 86.8%],
- 노쇠 전단계의 Cut-off 점수 : 2.5점[민감도 74.2%, 특이도 63.9%])

번호	항목	0점	1점
1	최근 1년간 병원에 입원한 횟수는?	없다	1회 이상
2	재 본인의 건강이 어떻다고 생각하십니까?	좋다	나쁘다
3	정기적으로 4가지 이상의 약을 계속 드십니까?	아니오	예
4	최근 1년간 옷이 헐렁할 정도로 체중이 감소했습니까?	아니오	예
5	최근 한 달 동안 우울하거나 슬퍼진 적이 있습니까?	아니오	가끔 이상
6	최근 한 달 동안 소변이나 대변이 저절로 나올 때가(지릴 때가) 있습니까?	아니오	가끔 이상
7	Timed Up & Go Test	10초 이하	10초 초과
8	일상생활 중에 소리가 잘 들리지 않거나, 눈이 잘 보이지 않아서 문제가 생긴 적이 있습니까?	정상	이상

⑤ FRAIL-NH : John E Morley 교수가 개발한 장기요양시설(혹은 노인요양병원)용 노쇠 측정도구로서, 비교적 노쇠의 비율이 높은 노인요양시설이나 요양병원 환자들의 노쇠 정도를 보다 세분화하여 사전의료의향서 작성 대상을 가리는 등의 용도로 활용이 가능하다.

요양병원용(요양시설용) FRAIL 도구(FRAIL-NH)

점수	0	1	2
에너지	좋다/훌륭하다.	괜찮은 편이다.	나쁘다
자리 옮기기	도움 없이 침대나 의자로부터 자리를 옮길 수 있다. 기계의 도움을 얻는 것은 허용된다.	침대에서 의자로 자리를 옮길 때에 도움이 필요하거나, 남의 도움이 있어야 완전하게 이동이 완료됨.	침대에서 의자로 자리를 옮길 때에 도움이 필요하거나, 남의 도움이 있어야 완전하게 이동 완료됨. KATZ 점수 < 3
이동하기	밖으로 나간다.	침대/의자로부터 벗어날 수 있으나, 벗어나려고 하지 않는다.	침대, 의자에 국한됨.
요실금, 변실금	배변, 배뇨를 스스로 조절 가능하다.	부분적, 혹은 완전한 실금	부분적, 혹은 완전한 실금이면서 KATZ 점수 < 3
체중 감소 (지난 3개월)	없다.	1-3 kg 감소, 혹은 모름	> 3 kg
음식섭취	도움없이 그릇에서 입으로 음식을 가져간다. 음식의 준비를 다른 사람이 하는 것은 허용된다.	부분적이거나 전적인 도움이 필요하거나 완전히 먹여주는 것이 요구됨.	부분적이거나 전적인 도움이 필요하거나 완전히 먹여주는 것이 요구되면서 KATZ 점수 < 3
옷입기	스스로 옷장이나 서랍에서 옷을 가져와서 입고 외투는 잠금장치(단추 등)로 여민다. 신발끈 묶을 때 도움을 받는 것은 허용된다.	스스로 옷 입을 때에 도움이 필요하거나, 남의 도움이 있어야 완료됨.	스스로 옷 입을 때에 도움이 필요하거나, 남의 도움이 있어야 완료되며 KATZ 점수 < 3
총점 0-14 : 0-1점은 튼튼, 2-5점은 노쇠, 6-14점은 심각한 노쇠			

2) 목록방법

캐나다의 Rockwood 등이 개발한 방법으로, 보통 포괄적 평가를 통해 수십 가지의 리스트 중 각 개인이 몇 가지 결핍되었는가를 파악한다. 이때, 결핍된 항목을 'Index deficit'으로 표현한다. 예를 들어 50개 항목을 측정하여 10개가 결핍되었다면, 이 사람의 Index deficit은 0.20(=10/50)로 정의된다. 즉, 노쇠를 범주화하지 않고 연속변수로 나타낸다.

이를 요양병원 평가에 적용한다면, 매달 평가하는 환자평가표의 다양한 항목과 의사의 진찰소견들 중 리스트를 만들어 적용해볼 수 있을 것이다.

다음의 표는 대만에서 개발한 Frailty Index의 예이다.

표 29-2. **TwFI-SF factors and loading factors by exploratory factor analysis with principal axial factoring and orthogonal varimax rotation.**

Factor Ⅰ: Physical activity		Factor Ⅱ: Life satisfaction & finacial status		Factor Ⅲ: Health status		Factor Ⅳ: Stress		Factor Ⅴ: Cognitive function	
Item (loadng factor)		Item (loadng factor)		Item (loadng factor)		Item (loadng factor)		Item (loadng factor)	
Standing continuously for 15 minutes	(0.64)	Satisfaction of current living situation	(0.52)	Multimorbidity	(0.68)	Stress on one's own finances	(0.52)	Orientation to time (year)	(0.65)
Raising both hands over head	(0.52)	Happy	(0.50)	Subjective rated health	(0.50)	Stress on family member's health	(0.51)	Orientation to time (month)	(0.75)
Grasping or turning objects with fingers	(0.64)	Life goes well	(0.49)	Pain	(0.50)	Stress on family member's finance	(0.55)	Orientation to time (date)	(0.69)
Walking 200–300 meters	(0.55)	Meeting living expenses	(0.51)	Health status evaluated by observers	(0.50)	Stress on family member's job	(0.53)	Orientation to time (day of the week)	(0.51)
Climbing 2–3 flights of stairs	(0.55)	Helpless in dealing with problems of life	(0.50)					Orientation (current President)	(0.58)
Buying personal items	(0.70)	Subjective socioeconomic status	(0.50)					Orientation (former President)	(0.55)
Managing money/paying bills	(0.60)								
Riding bus/train by yourself	(0.57)								
Doing light tasks at home	(0.70)								
Bathing	(0.83)								
Dressing	(0.85)								
Eating	(0.63)								
Getting out of bed/standing up/sitting in chair	(0.88)								
Moving around the house	(0.89)								
Toilet	(0.86)								

TwFI-SF, Taiwan Frailty Index Short-Form

이상의 2가지 진단법은 상호 보완적으로 사용하면 노쇠의 진단에 도움이 될 것이다.

표 29-3. **노쇠의 표현형 정의와 목록방법의 특성 비교. (좌측은 Fried, 우측은 Rockwood)**

Frailty Phenotype (미국의 Fried 교수 제안)	Frailty Index (캐나다 Rockwood 교수 제안)
징후, 증상의 유무	질병, 일상생활수행능력, 임상적 평가의 결과
임상 검사 전에 가능	포괄적 평가 후에만 가능
범주(categrical) 변수	연속(continuous) 변수
진단 기준이 명확	명확한 기준이 정해지지 않음
노쇠 = 장애 이전 단계	노쇠 = 여러 가지 결핍(deficits)이 축적된 결과
장애가 없는 노인들에게만 결과가 의미 있다	기능 상태나 나이와 상관 없이 모든 개인에게 적용 가능

Cesari M, et al. Age and Ageing 43:10-12,2014.

4. 노쇠의 임상 양상

1) 원발성 : 노화 자체에 따른 노쇠
2) 이차성 : HIV 감염, 만성 내과 질환 등 다른 병발증의 존재와 관련된 노쇠
3) 낙상과 기능 감소의 주된 원인.
4) 근육량 감소 → 골량 소실 → 고관절 골절 위험
5) 근감소증 환자에서 심부전, COPD, 신부전 등은 근육량 소실과 근력 감소를 가속화.
6) 그 외 노쇠로 인한 안 좋은 임상결과는 다음의 그림과 같다.

식용감소

우울감 악화

인지기능 저하

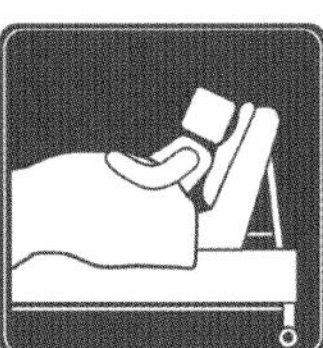
침상 의존

간병인 필요

요양시설 입소

그림 29-8. **노쇠의 안 좋은 결과들.** 출처: KFACS 홍보 브로셔 “노쇠는 막을 수 있습니다”.

5. 노쇠의 치료

1) 치료적 접근의 기본 : [운동 + 포괄적 노인평가 + 치료]
2) 근감소증 기본 치료 : 저항성 운동, 단백질과 비타민 D 보충요법
3) 최근 연구결과들
   - 호기성 운동의 치료 효과가 좋다(LIFE 연구).
   - 비타민 D : 근육 기능 증진.
   - 테스토스테론: 근육량과 근력 증진.

6. 한국 노인 노쇠 코호트 구축 및 중재 연구 (KFACS; Korean Frailty and Aging Cohort Study) 소개

1) 우리나라 최초로 70~84세의 노인을 대상으로 노쇠의 원인과 그로 인한 영향을 찾아내고 분석하기 위해 대상자들을 장기적으로 추적 관찰하는 〈코호트 연구〉와 노쇠한 노인들에게 어떤 영양공급, 운동처방 등이 노쇠 예방에 효과적인지를 임상시험을 통해 증명하는 〈중재연구〉를 동시에 진행함.
2) 총 10개의 병원(보건소)를 중심으로 하여 2년에 걸쳐 3,000명을 모집하고 2년마다 추적조사를 하며, 총 연구기간은 2015년 11월부터 2020년 11월까지이다.
3) 위 연구에서는 이 책의 공동저자인 경희대병원 원장원 교수가 책임연구자이며, 필자(가혁)는 대국민 노쇠홍보 및 교육, 그리고 홈페이지 관리를 담당하고 있다.
4) KFACS 연구 홈페이지(www.kfacs.kr)에 접속하면 관련 정보를 얻을 수 있다.

그림 29-9. KFACS(한국노인노쇠코호트사업단) 홈페이지 초기화면 (www.kfacs.kr)

그림 29-10. KFACS의 세부 연구 계획표. 총 3개의 총괄과제, 11개의 세부과제로 분류되었다.

그림 29-11. KFACS 연도별 연구 흐름도

그림 29-12. 한국노인노쇠코호트(KFACS) 연구진

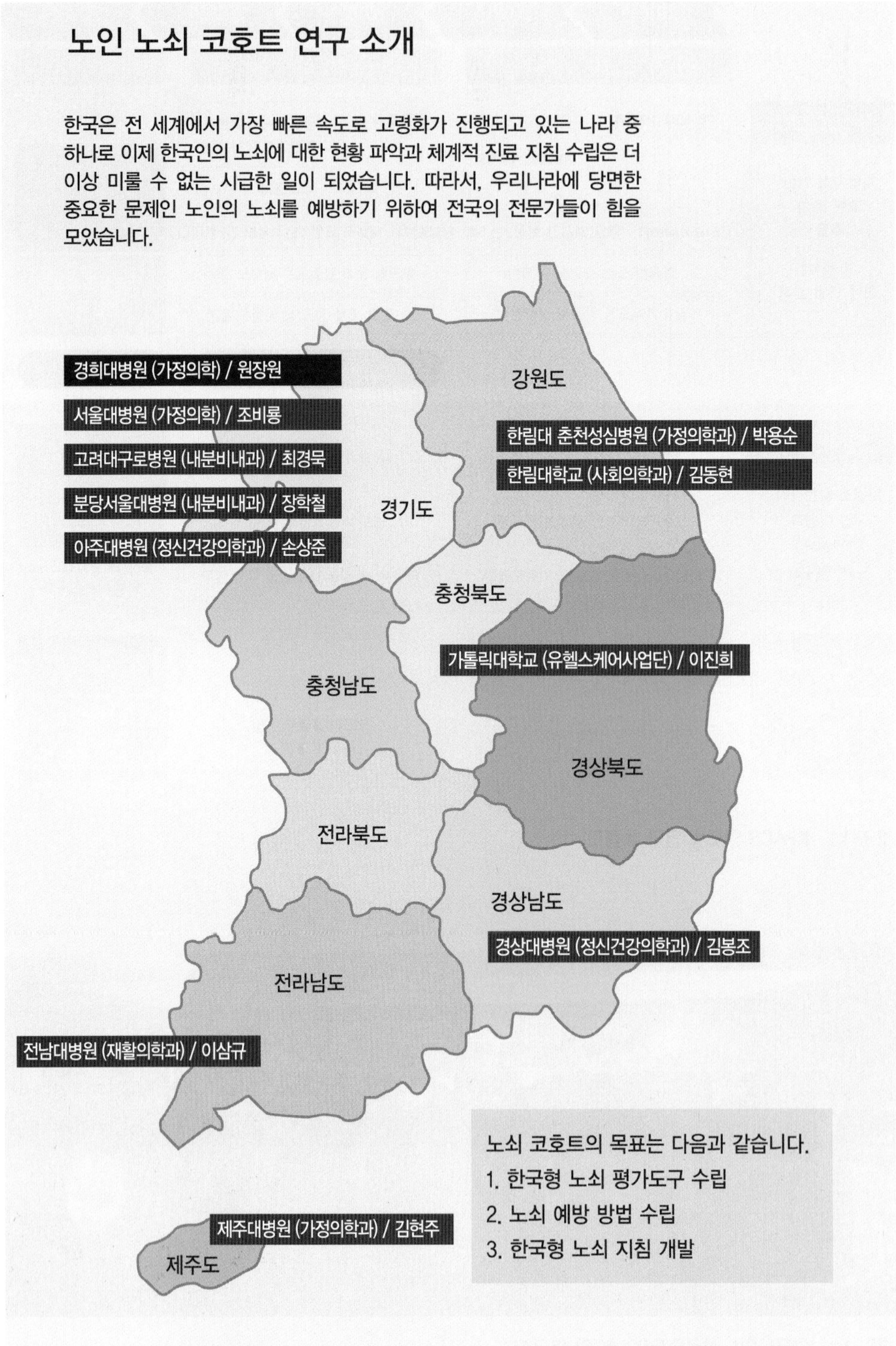

노인 노쇠 코호트 연구 소개

한국은 전 세계에서 가장 빠른 속도로 고령화가 진행되고 있는 나라 중 하나로 이제 한국인의 노쇠에 대한 현황 파악과 체계적 진료 지침 수립은 더 이상 미룰 수 없는 시급한 일이 되었습니다. 따라서, 우리나라에 당면한 중요한 문제인 노인의 노쇠를 예방하기 위하여 전국의 전문가들이 힘을 모았습니다.

경희대병원 (가정의학) / 원장원

서울대병원 (가정의학) / 조비룡

고려대구로병원 (내분비내과) / 최경묵

분당서울대병원 (내분비내과) / 장학철

아주대병원 (정신건강의학과) / 손상준

경기도

강원도

한림대 춘천성심병원 (가정의학과) / 박용순

한림대학교 (사회의학과) / 김동현

충청북도

가톨릭대학교 (유헬스케어사업단) / 이진희

충청남도

경상북도

전라북도

경상남도

경상대병원 (정신건강의학과) / 김봉조

전라남도

전남대병원 (재활의학과) / 이삼규

노쇠 코호트의 목표는 다음과 같습니다.

1. 한국형 노쇠 평가도구 수립
2. 노쇠 예방 방법 수립
3. 한국형 노쇠 지침 개발

제주대병원 (가정의학과) / 김현주

제주도

그림 29-13. KFACS 연구센터

그림 29-14. 대국민 노쇠홍보 교육 및 노쇠연구 지원을 위한 정책포럼(2016년 9월 22일, 국회의원회관)

5) KFACS의 주요 연구결과들 요약

2020년 5월 현재, KFACS 데이터를 이용하여 약 50개 이상의 국내외 저널에 연구 결과를 발표했으며, 그 중 몇 가지 내용을 소개한다(투고 저널 생략).

① 하루 1.5 g/kg의 단백질 섭취 노인이 0.8 g/kg, 1.2 g/kg 군에 비해 근감소증과 노쇠 예방에 효과적이었다.

② 근감소증을 진단해 내는 종아리둘레의 최적 절단값은 남성과 여성 모두에서 32 cm였다.

③ 노인에서의 영양불량은 노쇠와 강력한 상관관계를 보여줌.

④ 본 연구팀에서 개발한 SARC-F 한국어버전은 임상에서 간단히 근감소증을 배제하는데 유용한 도구이다. 또한 신체기능, 인지기능 및 삶의 질과도 연관이 있었다.

⑤ 뇌허혈이나 파킨슨 증이 없는 정상인지기능의 노인에게서 보행변이(gait variabliity)가 높으면 인지기능 저하가 예측된다.

⑥ 한국 노인들에게는 하루 12~13분 이상 3 MET 이상의 강도로 저,중강도 정도의 일상적 신체활동을 유지해야 인지기능 유지가 가능할 것이다. 또한 저녁형 인간은 치매의 유병률이

높았다.

⑦ 지역사회 노인들에게서 노쇠는 3년 후 치사율의 유의한 인자였다. 특히 인지기능 저하는 사망을 예측률을 높였다.

⑧ 요양병원에서 사망한 100명의 환자를 대상으로 관찰한 결과, 요양병원에서의 FRAIL-NH scale은 쉽게 측정할 수 있으며, 노쇠할수록 사망률이 높았다.

⑨ 24주간의 유산소, 근력 운동은 경동맥 내막-중막의 두께를 줄였다.

⑩ 친구와의 사회적 접촉은 노쇠의 발생을 감소시켰다.

⑪ 청력의 소실은 사회적 노쇠와 연관있었다.

⑫ 지역사회 노인에서 나쁜 공기에의 노출은 인지장애와 연관성이 있었다.

7. 노쇠 예방 7대 수칙 – '건강 가화만사성'(PROMISE)

KFACS 3총괄의 아주대학교 이윤환 연구팀은 다양한 연구결과들을 바탕으로 근거 있는 노쇠 예방 7대 수칙인 '건강 가화만사성(PROMISE)'을 만들었다.

1) 건강 가화만사성(국문)

1) 건강하게 마음 다스리기

심리적 어려움은 전문가를 통해 관리하세요.

심리적 어려움은 전문가를 통해 관리하세요.

우울 증상이 많아질수록 노쇠해질 위험이 높아집니다. 우울 증상이 심각하면 노쇠 발생 위험이 2.2배까지 증가합니다. 우울증은 노인에서 흔하고 적절히 관리되지 않을 경우 유병기간이 길어질 수 있습니다. 매사에 흥미가 없고 무관심하거나, 외로움을 심하게 느끼면 노쇠 발생 위험이 1.9배에서 2.9배까지 증가합니다. 심리적 어려움이 있다면 가벼이 여기지 마시고 의사나 전문상담사의 도움을 받는 것이 좋습니다.

긍정적으로 생각하세요.

긍정적인 마음가짐은 노쇠 발생 위험을 8% 줄여줍니다. 매사에 감사하고 나 자신에 대해 칭찬을 아끼지 않는다면 생활에 활력이 생기고 정신적으로 건강한 삶을 살아갈 수 있습니다. 부정적인 마음은 멀리하고 모든 일을 긍정적으로 바라보는 자세가 필요합니다.

2) 강한 치아 만들기

스스로 구강 위생을 관리하세요.

노년기에 보존된 치아가 하나 늘어날 때마다 노쇠 발생 위험이 5%씩 감소합니다. 치아를 소중히 여기고 꾸준히 관리하는 노력이 필요합니다. 하루 세 번 칫솔질을 하여 구강 위생을 철저히 하고, 틀니를 착용하는 경우 매일 깨끗한 물에 세척하여 관리하는 것이 필요합니다.

정기적으로 구강 검진을 받으세요.

노년기에는 구강 관리에 소홀해지기 쉬울 뿐만 아니라 자신의 나빠진 구강 상태를 당연한 노화의 결과로 받아들이는 경우가 많습니다. 하지만 씹는 힘이 약하면 노쇠 발생 위험이 2.8배 증가하고, 잇몸병이 중한 경우 노쇠 발생 위험이 2.1배 증가하여 건강에 미치는 영향이 결코 적다고 할 수 없습니다. 6개월마다 구강 검진과 치석 제거를 받아 구강 건강을 유지하도록 합니다.

3) 가려먹지 말고 충분히 식사하기

다양한 음식을 골고루 드세요.

생선류, 과일류, 채소류, 저지방 우유와 저지방 요구르트를 섭취하는 것은 노쇠 발생 위험을 감소시킵니다. 영양소 측면에서는 단백질과 다양한 비타민(B_6, B_9, D)의 충분한 섭취가 노쇠 발생 위험을 감소시킵니다. 특히, 나이가 들어감에 따라 식습관이 고정되고 음식을 만들기에 어려움이 생기기 때문에 밥과 김치만으로 끼니를 때우거나 인스턴트 식품으로 간단히 해결하는 경우가 많습니다. 이러한 편중된 식사는 노쇠 발생 위험을 높이므로 의식적으로 다양한 음식을 먹으려 노력해야 합니다.

충분한 양의 음식을 드세요.

영양권장량[1] 미만으로 섭취하는 비타민이 많아질 경우 노쇠 발생 위험이 2.8배 증가하고, 저체중의 경우 노쇠 발생 위험이 1.7배 증가합니다. 식품군이나 영양소의 섭취를 어렵게 생각하실 필요가 없습니다. 음식을 가리지 않고 충분히 섭취함으로써 자연스럽게 이루어질 수 있습니다. 하지만 고도 비만인 노인에서는 노쇠 발생 위험이 1.4배에서 4배 증가하므로 비만인 경우 식이조절을 함으로써 노쇠 발생 위험을 줄이는 것이 필요합니다.

4) 화를 높이는 담배를 멀리하기

금연을 시작하세요.

흡연자에게서 노쇠 발생 위험이 1.5배에서 2.9배까지 증가합니다. 금연은 지금 시작하셔도 됩니다. 금연은 노년기에 시작하더라도 긍정적인 효과가 나타납니다. 흡연은 노쇠뿐만 아니라 다양한 질환에도 악영향을 미치는 요인인 만큼 건강한 삶을 위해 담배를 멀리하고 주변에 흡연하는 사람이 있다면 금연하도록 독려하는 것이 좋습니다.

---

1) 비타민 A(μg/day): 남≥1,000, 여≥1800; 비타민 B_1(mg/day): 남≥1, 여≥0.8; 비타민 B_2(mg/day): 남≥1.4, 여≥1.1; 비타민 B_3(mg/day): 남≥16, 여≥12; 비타민 B_6(mg/day): 남≥1.8, 여≥1.6; 비타민 B_9(μg/day): 남녀≥400; 비타민 B_{12}(μg/day): 남녀≥2; 비타민 C(mg/day): 남녀≥60; 비타민 D(μg/day): 남녀≥75백분위수; 비타민 E(mg/day): 남녀≥12.

5) 만성 질환 관리하기

만성 질환을 꾸준히 관리하세요.

고혈압, 당뇨병, 뇌졸중, 만성 폐쇄성 폐질환, 골다공증, 대사증후군, 관절염은 노쇠 위험을 2배 정도 증가시킵니다. 정기적으로 만성 질환을 평가하고 전문가를 통해 적절하게 관리해야 합니다. 그리고 간과하기 쉬운 건강문제로 시력과 청력 저하가 있습니다. 노쇠 또는 전노쇠 발생 위험이 시력 손상에서 2.1배, 청력 손상에서 1.4배 높아지므로 시청각에 이상이 있는 경우 즉시 전문가의 도움을 받는 것이 좋습니다.

복용 약물을 평가 받으세요.

6개 이상 약물을 복용하고 있는 사람에게서 노쇠 발생 위험이 5.6배 증가합니다. 노년기에는 다양한 질환으로 여러 가지 약물을 복용하고 있는 경우가 많습니다. 이러한 경우 전문가에 의한 약물 평가를 정기적으로 시행하여 중복되거나 불필요한 약물을 중단해야 합니다.

6) 사람들과 자주 어울리기

사람들을 자주 만나세요.

사회활동이 줄어들고 사회적 역할이나 관계가 약해지는 경우 노쇠 발생 위험이 3.9배 증가합니다. 사람들과의 만남은 노쇠 예방에서 매우 중요합니다. 가능한 자주 외출할 수 있도록 노력하고 친구와 자주 왕래하도록 합니다. 매일 주변 사람들과 만나 이야기를 나누고, 이것이 어렵다면 전화를 통해서라도 대화하는 것이 좋습니다.

가족끼리 어려움을 나누고 서로 도와드리세요.

가족끼리 어려움을 공유하고 해결을 위해 서로 돕는다면, 노쇠 발생 위험을 줄일 수 있습니다. 특히, 배우자와의 관계가 중요합니다. 배우자의 우울 증상은 본인의 우울 증상 위험을 높이고, 배우자의 노쇠는 본인의 노쇠 발생 위험을 높입니다. 노년기의 노쇠 예방은 자신만 노력하는 것보다는 가족이 함께 노력하는 것이 더욱 효과적일 수 있습니다.

7) 성실하게 운동하기

다양한 운동을 생활화하세요.

근력 운동(저항성 운동)을 꾸준히 한다면, 나이가 들었더라도 시간이 더 많이 걸릴 뿐 젊은 사람과 비슷한 수준까지 근력을 향상시킬 수 있습니다. 일상 동작과 유사한 근력 운동을 하는 것이 좋습니다. 유산소 운동을 지속적으로 하고 좌식 생활을 줄이면, 평균 수명을 증가시키고 기능 저하를 줄일 수 있습니다. 균형 운동을 꾸준히 하면, 낙상에 대한 두려움을 줄이고 보행 능력을 향상시킬 수 있습니다. 이렇게 다양한 영역의 운동을 함께하면 노쇠 발생 위험을 줄일 수 있습니다.

2) 'PROMISE' (영문)

P
Physical activity
R
Resilience
O
Oral health
M
Management of NCDs (non-communicable diseases)
I
Involvement in society
S
Smoking cessation
E
Eating various kinds of food

참고문헌

16 노인의 정의와 임상적 특성

1. Adelman R, Greene MG, Ory MG. Communication between older patients and their physicians. Clin Geriatr Med 2000;16:1-24.
2. 대한노인병학회. 노인병학. 개정판. 서울: 의학출판사;2005.
3. 대한임상노인의학회. 임상노인의학. 서울: 한우리; 2003.
4. Kane RL, Ouslander JG, Abrass IB. Essential of Clinical Geriatrics, 5thed,NY:McGraw-Hillcompanies;2004.
5. 박영임, 노인의 주요 건강문제와 간호중재(I), In: 보건복지가족부. 2009년 맞춤형 방문 건강관리사업 전담인력 교육. 서울: 보건복지가족부; 2009. p. 387-415.
6. 김희자, 노인의 주요 건강문제와 간호중재(II), In: 보건복지가족부. 2009년 맞춤형 방문 건강관리사업 전담인력 교육. 서울: 보건복지가족부; 2009. p. 416-429.
7. Adelman R, Greene MG, Charon R. Issues in physician-elderly patient interaction. Ageing Soc 1991;11:127-148.
8. 장학철. 근감소증-노인증후군과의 관계는? 노인병 2010;14(suppl.1):87-89.

17 노인증후군이란?

1. 조항석. 노인장기요양에서 노인요양병원의 역할. 노인병 2009;13(Suppl.1):25-34.
2. Olde Rikkert MGM, Rigaud AS, van Hoeyweghen RJ, de Graaf J. Geriatric syndromes: medical misnomer or progress in geriatrics? Neth J Med 2003;61:83-7.
3. Inouye SK, Studenski S, Tinetti ME, Kuchel GA. Geriatric syndromes: clinical, research, and policy implications of a core geriatric concept. J Am Geriatr Soc 2007;55:780-91.
4. 유형준. 노인증후군이란? 노인병 2010;14(suppl.1):81-86.
5. Won CW, Yoo HJ, Yu SH, Kim LCI, Dewiasty DE, Rowland J, et al. Lists of geriatric syndromes in the Asian-Pacific geriatric societies. EUR GERIATR MED 5;335-338, 2013.
6. 대한노인병학회 노인증후군연구회. 노인증후군 증례집. 경기도: 군자출판사; 2016.

18 섬망

1. Young J, Inoue SK. Delirium in older people. BMJ 2007;334:842-846.
2. Rudolph JL, Marcantonio ER. Delirium. In: Duthie Jr EH, Karz PR, Malone ML. Practice of Geriatrics, 4th ed. Philadelphia: W.B Saunders; 2007. p. 335-344.
3. American Psychiatric Association. Diagnostic and statistical manual of mental disorders: DSM-IV-TR. 4th ed. Washington D.C.: American Psychiatric Publishing, Inc.; 2000.
4. Inouye SK, van Dyk CH, Alessi CA, Balkin S, Siegal AP, Horwitz RI. Clarifying confusion: The confusion assessment method. A new method for detection of delirium. Ann Intern Med 1990;113:941-948.
5. Inouye SK, Foreman MD, Mion LC, Katz KH, Cooney LM Jr. Nurses' recognition of delirium and its symptoms: comparison of nurse and researcher ratings. Arch Intern Med 2001;161:2467-2473.
6. Inouye SK, Leo-Summers L, Zhang Y, Bogardus ST Jr., Leslie DL, Agostini JV. A chart-based method for identification of delirium: validation compared with interviewer rating using the confusion assessment method. J Am Geriatr Soc 2005;53:312-318.
7. Delirium [Internet]. Oakland: University of California; c2009 [cited 2010 July 25]. Available from http://www.ucop.edu/agrp/docs/la_delirium.pdf.
8. Lipzin B, Levkoff S. An empirical study of delirium subtypes. Br J Psychiatry 1992;161:843-845.
9. 연병길. 섬망(Delirium). 가정의학회지 2005;26(Suppl. Nov):S274-S278.
10. Inouye SK, Bogardus ST Jr, harpentier PA, et al. A multicomponent intervention to prevent delirium in hospitalized older patients. N Engl J Med 1999;340:669-676.
11. Gillis AJ, MacDonald B. Unmasking Delirium. The Canadian Nurse 2006;102:19-24.
12. 이영진. 섬망. In: 대한임상노인의학회. 임상노인의학. 서울: 한우리; 2003. p. 179-184.
13. McCuster J, Cole M, Dendukuri N, Han L, Belzile E. The course of delirium in older medical inpatients: a prospective study. J Gen Intern Med 2003;18:696-704.
14. 민성길. 최신정신의학. 3판. 서울. 일조각; 1995.
15. Are delusions a sign of dementia, delirium, or both? [Internet]. San Mateo: Caring.com; c2008-2010 [cited 2010 Aug 1]. Available from http://www.caring.com/questions/delusions.
16. 이홍수. 섬망, In: 대한임상노인의학회. 노인의학. 개정2판. 서울: 닥터스북; 2018. P.157-162.

19 어지럼증

1. 강지훈. 노인병 2009;13(suppl.1):199-211.
2. 김병건. 두통, 어지럼. In: 대한노인병학회. 노인병학. 개정판. 서울: 의학출판사; 2005. p. 347-359.

20 낙상

1. Kochar J, Bludau J. Falls. In: Cho KH, Michel JP, Bludau J, Dave J, Park SH, editors. Textbook of Geriatric Medicine International. Seoul: Argos; 2010. p. 351-358.
2. 전민호. 낙상. In: 대한노인병학회. 노인병학. 개정판. 서울: 의학출판사; 2005. p. 329-339.
3. Tinetti ME, Speechley M, Ginter SF. Risk factors for falls among elderly persons living in the community. N Engl J Med

198;319:1701-1707.
4. Tinetti ME, Baker DI, McAvay G, Claus EB, Garrett P, Gottschalk M, et al. A multifactorial intervention to reduce the risk of falling among elderly people living in the community. N Engl J Med. 1994;331:821-827.
5. 일본방문치과협회. 노인을 위한 구강 관리. 서울: 군자출판사; 2008.
6. Whedon MB, Shedd P. Prediction and prevention of patient falls. Image J Nurs Sch 1989;21:108-114.
7. Home Safety Checklists [Internet]. Atlanta: National Center for Injury Prevention and Control; [cited 2010 July 30]. Available from http://www.cdc.gov/ncipc/falls/fallprev4.pdf.
8. 정한영, 박진희, 심재진, 김명종, 황미령, 김세현. 한글화된 Berg 균형 검사의 신뢰도 분석. 대한재활의학회지 2006;30:611-618.
9. 이광우, 정희원 역. 임상 신경학. 2판. 서울: 고려의학; 1997. P. 55.
10. 원장원. 노인에서 태극운동(9개 기본형)이 균형 능력에 미치는 영향. 가정의학회지 2001;22:664-673.
11. 신동민 역. 응급의료체계를 위한 노인전문응급처치학. 서울: 한미의학; 2008. p. 110.

21 욕창

1. 최윤호. 압창. In: 대한노인병학회. 노인병학. 개정판. 서울: 의학출판사; 2005. p. 340-346.
2. Trellu LT, Terumalai K, Cheretakis A. Pressure Ulcers. In: Cho KH, Michel JP, Bludau J, Dave J, Park SH. Textbook of Geriatric Medicine. Seoul: Argos; 2010. p. 411-418.
3. Proper Positioning for the Prevention of Pressure Sores and Muscle Contracture [Internet]. Dept. of Health, The Government of the Hong Kong Special Administrative Region; c2006 [cited 2010 Aug 8]. Available from: http://www.info.gov.hk/elderly/english/healthinfo/elderly/prevention_of_pressure_sores-e.htm.
4. 김주희, 곽진상, 김연숙, 김영애, 김정화, 송미순 등. 장기요양 노인간호. 서울: 군자출판사; 2005.
5. 박주성. 욕창. In: 대한임상노인의학회. 임상노인의학. 서울; 한우리; 2003, p. 297-310.
6. Bluestein D, Javaheri A. Pressure ulcers: prevention, evaluation, and management. Am Fam Physician. 2008;78:1186-94.
7. Anthony D, Reynolds T, Russell L. A regression analysis of the Waterlow score in pressure ulcer risk management. Clin Rehabil. 2003;17:216-223.
8. October 23, 2008 - Town Hall Meeting [Internet]. Hospital Council of Nothern & Central California; [cited 2010 Aug 8]. Available from: http://www.hospitalcouncil.net/cgi-bin/default.asp?AID=274.

22 요실금

1. 정희창. 요실금. 노인병 2004;8(Suppl. 1):215-217.
2. 김준철. 요실금. In: 대한노인병학회. 노인병학. 개정판. 서울: 의학출판사; 2005. p. 315-328.
3. Cooper D. Pelvic Bridging Exercise [Internet]. LIVESTRONG.COM; c2010 [cited 2010 Oct 31]. Available from: http://www.livestrong.com/article/29582-pelvic-bridging-exercise/.
4. 배상락, 한준현. 요실금. In: 대한노인요양비뇨의학회. 노인비뇨의학, 제 2판. 서울; 에이플러스기획; 2018.

23 변실금

1. 박영수. 변실금. 노인병 2009(Suppl. 1);13:81-84.
2. Joh HK, Seong MK, Oh SW. Fecal incontinence in elderly Koreans. J Am Geriatr Soc 2010;58:116-121.
3. Goode PS, Burgio KL, Halli AD, Jones RW, Richter HE, Redden DT, et al. Prevalence and correlates of fecal incontinence in community-dwelling older adults. J Am Geriatr Soc 2005;53:629-635.
4. Stevens TK, Soffer EE, Palmer RM. Fecal incontinence in elderly patients: common, treatable, yet often undiagnosed. Cleve Clin J Med 2003;70:441-8.

24 변비

1. 이은주. 노인의 변비. In: 대한노인병학회. 노인병학. 개정판. 서울: 의학출판사; 2005.p.303-314.
2. Kinnunen O. Study of constipation in a geriatric hospital, day hospital, old people's home and at home. Aging 1991;3:161-170.

3. 손승국. 변비. In: 대한임상노인의학회. 임상노인의학. 서울; 한우리; 2003, p.761-775.
4. 이태희, 변비. In: 대한임상노인의학회, 노인의학, 개정2판. 서울: 닥터스북; 2018.

25 영양 장애와 탈수

1. 박영임, 노인의 주요 건강문제와 간호중재(I), In: 보건복지가족부. 2009년 맞춤형 방문 건강관리사업 전담인력 교육. 서울: 보건복지가족부; 2009. p. 387-415.
2. 김희자, 노인의 주요 건강문제와 간호중재(II), In: 보건복지가족부. 2009년 맞춤형 방문 건강관리사업 전담인력 교육. 서울: 보건복지가족부; 2009. p. 416-429.
3. 이수윤, 원장원, 박혜성, 최현림, 김병성. 한국 노인의 신장의 예측 공식 산출. 노인병. 2005;9:266-270.
4. Johnson LE. Nutrition. In: Primary Care Geriatrics. 2002. Burke MM, Laramie JA. Primary Care of the Older Adult, 2nd ed. 2004.
5. Park YS, Cho JE, Hwang HS. Protein Supplementation Improves Muscle Mass and Physical Performance in Undernourished Prefrail and Frail Elderly Subjects: A Randomized, Double-Blind, Placebo-Controlled Trial. Am J Clin Nutr 2018;1;108:1026-1033. doi: 10.1093/ajcn/nqy214.

26 골다공증과 골절

1. 김인주. 노인에서 골다공증의 치료. 노인병 2010;14(Suppl. 1):41-46.
2. 정동진. 흔히 보는 이차성 골다공증. In: 대한골대사학회. 제9회 골다공증 연수강좌. 서울: 대한골대사학회; 2006. p. 191-217.
3. National Osteoporosis Foundation. Clinician' s Guide to Prevention and Treatment of Osteoporosis. Washington DC: National Osteoporosis Foundation; 2010.
4. Rossouw JE, Anderson GL, Prentice RL, LaCroix AZ, Kooperberg C, Stefanick ML, et al. Risks and benefits of estrogen plus progestin in healthy postmenopausal women: principal results from the Women's Health Initiative randomized controlled trial. JAMA 2002;288:321-333.
5. 변동원. 노인성 골다공증 치료의 적절한 약물 선택. In: 대한골대사학회. 제9회 골다공증 연수강좌. 서울: 대한골대사학회; 2006. p. 163-189.
6. 오한진. 노인성 골다공증과 골절. In: 대한가정의학회. 노인의학 Core Review. 서울: 대한가정의학회; 2016. p.85-91.
7. 하용찬. 골다공증성 골절: 고관절, 척추. In: 대한노인병학회. 노인병학. 서울: 범문에듀케이션; 2015. p. 501-515.

27 우울증

1. 한명일. 노인 우울증의 치료. 노인병 2009;13(Suppl.1);247-250.
2. 정인과. 한국형 노인우울검사(Korean Form of Geriatric Depression Scale : KGDS) 표준화에 대한 예비연구. 신경정신의학 1998;143:340-351.
3. 기백석. 한국판 노인 우울 척도 단축형의 표준화 예비연구. 신경정신의학 1996;35:298-307.
4. 신정호. 기분장애. In: 민성길. 최신정신의학. 제3판. 서울: 일조각; 1997. p. 199-221.
5. 황환식. 노년기 우울증. In:대한가정의학회. 2015년 대한가정의학회 춘계학술대회 노인의학 Core Review. 서울:대한가정의학회;2016.p.37-44.
6. Marian RS, Joseph AL III. Starting with the BATHE technique. In: The fifteen minutes hour: Therapeutic talk in primary care. Radcliffe Publishing Ltd. 2008. p.61-78.

28 수면장애

1. 최현림. 노인에서의 불면증. In:대한가정의학회. 2015년 대한가정의학회 추계학술대회 노인의학 Core Review. 서울: 대한가정의학회; 2015. p.72-79.
2. 윤인영. 수면장애. In:대한노인병학회. 노인병학. 서울: 대한노인병학회; 2015. p.189-193.

29 근감소증과 노쇠

1. Cao L, Morley JE. Sarcopenia Is Recognized as an Independent Condition by an International Classification of Disease, Tenth Revision, Clinical Modification(ICD-10-CM) Code. J Am Med Dir Assoc. 2016;17:675-7.
2. Fried LP, Xue Q-L, Cappola AR, et al. Nonlinear multisystem physiological dysregulation associated with frailty in older women: implications for etiology and treatment. J Gerontol A Biol Sci Med Sci. 2009;64:1049-1057.
3. 이삼규. 노쇠와 근감소증. In: 대한노인병학회. 노인병학. 제3판. 서울:범문에듀케이션; 2015.p.119-124.
4. Cruz-Jentoft AJ, Baeyens JP, Bauer JM, Boirie Y, Cederholm T, Landi F, et al. Sarcopenia: European consensus on definition and diagnosis. Report of the European Working Group on Sarcopenia in Older People. Age and Ageing 2010;39:412-3.
5. Landi F, Cruz-Jentoft AJ, Liperoti R, Russo A, Goivannini S, Tosato M, et al. Sarcopenia and mortality risk in frail older persons aged 80 years and older: results from iLSIRENTE study. Age Ageing 2013;42:203-9.
6. 김경민, 임수, 최경묵, 김정희, 유성훈, 김태년 등. 한국인에서의 근감소증: 유병률 및 임상적 의미. 노인병 2015;19:1-8.
7. 도현경, 임재영. 초고령 노인의 신체기능장애와 재활 전략. 노인병 2015;19:61-70.
8. Fried LP, Tangen C, Walston J, et al. Frailty in older adults " evidence for a phenotype. J Gerontol A Biiol Sci Med Sci. 2001;56A:M1-M11.
9. Morley JE, Vellas B, Abellan van KG, Anker SD, Bauer JM, et al. Frailty consensus: a call to action. J Am Med Dir Assoc. 2013;14(6):392-397.
10. Jung HW, Yoo HJ, Park SY, Kim SW, Choi JY, Yoon SJ, et al. The Korean version of the FRAIL scale: clinical feasibility and validity of assessing the frailty status of Korean elderly. Korean J Intern Med 2016;31:594-600.
11. Hwang HS, Kwon IS, Park BJ, Cho B, Yoon JL, Won CW. J Korean Geriatr Soc 2010;14:191-202.
12. Kim S, Kim M, Lee Y, Kim B, Yoon TY, Won CW. Cal Circumference as a Simple Screening Marker for Diagnosing Sarcopenia in Older Korean Adults: the Korean Frailty and Aging Cohort Study(KFACS). J Korean Med Sci 2018;14:22:e151.
13. Kim S, Kim M, Won CW. Validation of the Korean Version of the SARC-F Questionnaire to Assess Sarcopenia: Korean Frailty and Aging Cohort Study. J Am Med Dir Assoc 2018;19:40-45.
14. Cruz-Jentoft AJ, Bahat G, Bauer J, Boirie Y, Bruyere O, Cederholm T, et al. Sarcopenia: revised European consensus on definition and diagnosis. Age and Ageing 2019;48:16-31.
15. Chen LK, Woo J, Assantachai P, Auyeung T, Chou M, Lijima K, et al. Asian Working Group for Sarcopenia: 2019 Consensus Update on Sarcopenia Diagnosis and Treatment. J Am Med Dir Assoc 2019;21:300-307.

V

치매환자 돌보기

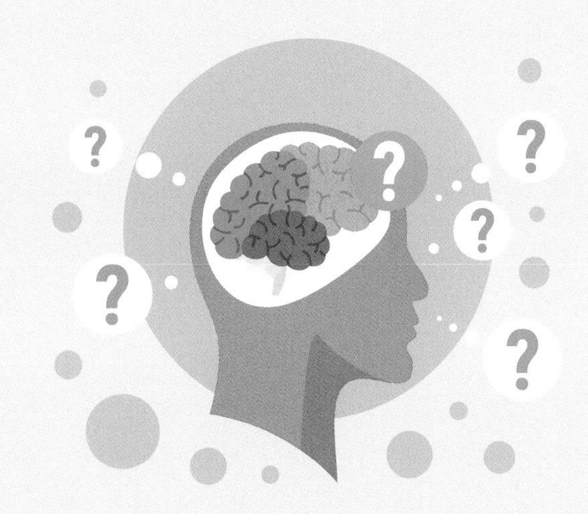

30 치매에 대한 ABCD 접근법

- 요양병원에서 가장 많이 보는 환자가 치매환자라는데 저는 치매환자를 실제로 진료해 본 경험이 없어서 좀 막막합니다. 특히 초진 시에 어떤 식으로 접근해야 효율적이며, 치매와 감별할 질환들은 어떤 것들이 있을까요?

– "ABCD 접근법"에 따라 진찰하면 효율적입니다. 치매가 의심된다며 외래를 방문하시는 분들 중 상당수는 건망증, 섬망, 우울증이므로 각각의 질환과의 감별 포인트도 찾으세요.

치매는 진단명이 아니라 증상 군이다. 치매의 원인은 70여 가지 이상으로 알려져 있으며, 이들 중 가장 대표적인 것은 알츠하이머병과 혈관성 치매로, 전체 치매의 약 70~80%를 차지하고 있다. 우리나라에서 실시한 역학 조사에서는 65세 이상 지역사회 노인의 치매 유병률이 9.5~13%로서 외국의 2.2~8.4%와 비교하면 치매의 위험이 상대적으로 높다고 할 수 있다. 유병률 조사 당시 치매환자의 대부분이 요양시설에 입소한 선진국에 비해 가정에서 모시는 경우가 많은 우리나라 문화의 영향도 높은 유병률에 기여했을 것이며, 우리나라 노인의 교육 수준이 상대적으로 낮았던 것도 그 이유로 제시되고 있다.

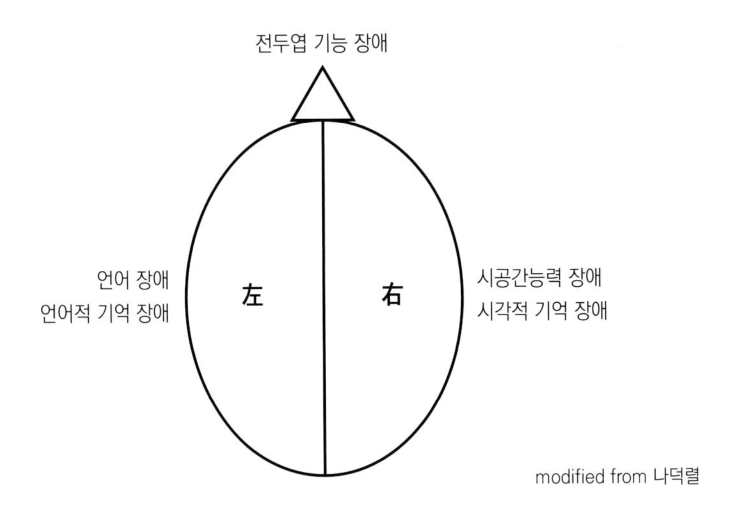

그림 30-1. **치매 = [한가지 이상의 인지장애] + [일상생활에 지장 초래]**

1. 치매의 진단 기준

DSM-5 진단 기준 (DSM-5의 알츠하이머병과 혈관성 치매 기준 중 공통 항목)

A. 하나 이상의 인지 영역(복합적 주의, 집행기능, 학습과 기억, 언어, 지각-운동 또는 사회 인지)에서 인지 저하가 이전의 수행 수준에 비해 현저하다는 증거는 다음에 근거한다.
  1. 환자, 환자를 잘 아는 정보 제공자 또는 임상의가 현저한 인지 지능 저하를 걱정
  2. 인지 수행의 현저한 손상이 가급적이면 표준화된 신경심리 검사에 의해, 또는 그것이 없다면 다른 정량적 임상 평가에 의해 입증

B. 인지 결손은 일상활동에서 독립성을 방해한다(즉, 최소한 계산서 지불이나 치료약물 관리와 같은 일상생활의 복잡한 도구적 활동에서 도움을 필요로 함).

C. 인지 결손은 오직 섬망이 있는 상황에서만 발생하는 것이 아니다.

D. 인지 결손은 다른 정신질환(예, 주요우울장애, 조현병)으로 더 잘 설명되지 않는다.

adapted from American Psychiatric Association, 2013

즉, 치매란 인지기능 저하와 그로 인한 기능의 심각한 손상으로 정의되며, 섬망이나 주요우울장애, 조현병(정신분열병) 만으로 설명이 안 되는 경우를 말한다. 간단히 다음과 같은 '치매공식'으로 암기하면 이해하기 쉽다.

D = C+A

Dementia(치매) Cognition(인지 저하) ADL(기능 저하)

섬망, 주요우울장애, 조현병만으로는 설명되지 않음

그림 30-2. **치매공식.** (출처) 이상현(대한가정의학회 노인의학 Core Review 강의내용 변형)

2. 치매의 원인 질환들

1. 퇴행성 질환 - 알츠하이머병, 루이소체치매, 전측두엽변성치매, Corticobasal degeneration, 진행성핵상마비, 파킨슨병, 헌팅톤병 등
2. 혈관성 치매
3. 대사성 질환 - 저산소증, 저혈당, 간성뇌병증, 윌슨병, 요독증, 갑상선기능저하증, 뇌하수체기능저하증 등
4. 감염성 질환 - AIDS, 바이러스성뇌염, 신경매독, 만성뇌수막염, 크립토콕쿠스증, Progressive multifocal leukoencephalitis 등
5. 중독성 질환 - 알코올 중독, 중금속 중독, 일산화탄소 중독, 약물 중독 등
6. 결핍성 질환 - Wernicke-Korsakoff 증후군(Thiamine 결핍), 비타민 B12 결핍, 엽산결핍, 아연결핍 등
7. 기타 - 뇌외상, 뇌종양, 뇌농양, 정상압수두증, 만성경막하혈종, 다발성경화증, Creuzfeldt-Jakob Disease, Paraneoplastic limbic encephalitis, 사립체 질환 등

Adapted from 최성혜

3. 우리나라 노인의 치매 유병률

우리나라에서 2012년에 시행한 전국치매역학조사 결과, 65세 이상 노인의 치매 유병률은 9.18%였고, 치매환자 수는 540,775명(남성 155,955명, 여성 384,800명)으로 추정되었다.

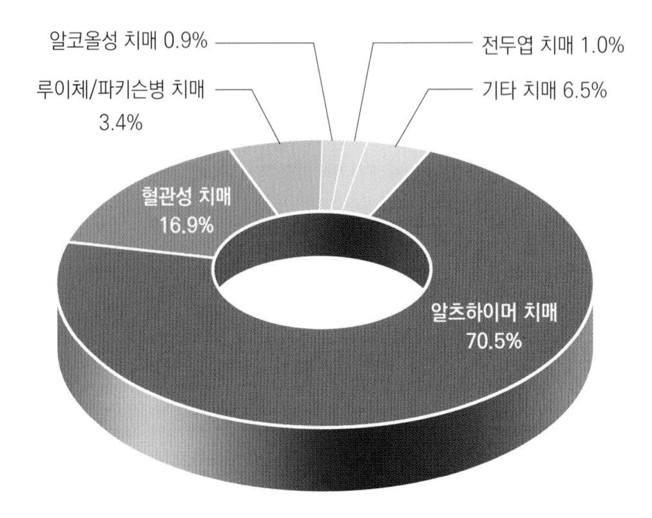

그림 30-3. **치매 유형별 분포(2012년 전국치매역학조사)**

연령별 치매 유병률 치매의 표본유병률은 65세를 기준으로 5세가 증가할 때 마다 거의 2배씩 증가하여, 65~69세 사이는 1.3%이었지만, 85세 이상에서는 33.9%로 급격히 증가하였다.

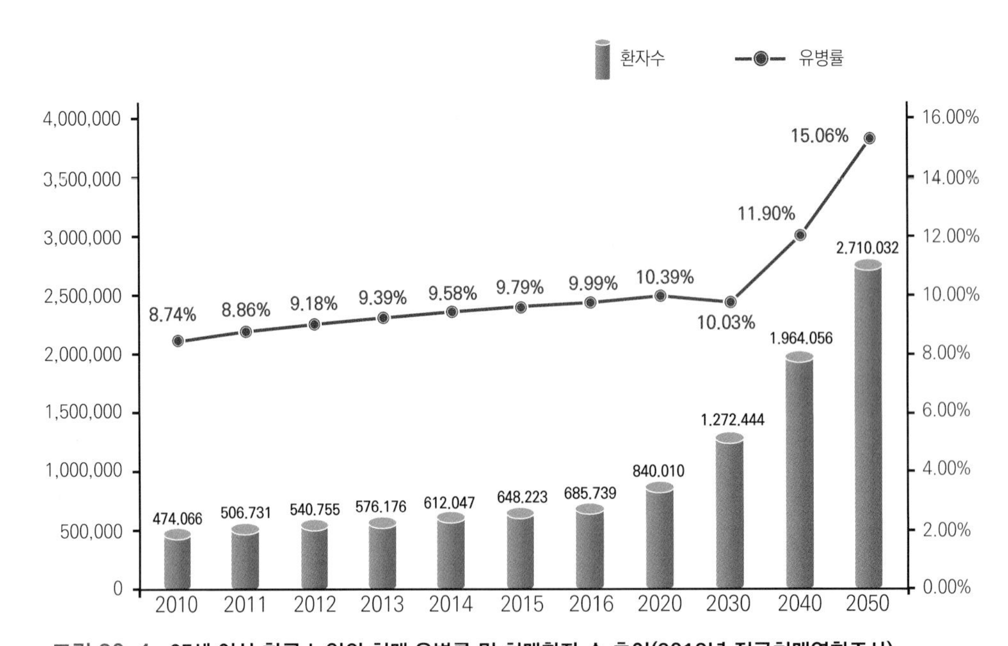

그림 30-4. **65세 이상 한국 노인의 치매 유병률 및 치매환자 수 추이(2012년 전국치매역학조사)**

4. 치매 유형별 임상적 특성

표 30-1. **흔한 치매의 유형**

치매의 종류	특징
알츠하이머병	주로 60세 이후 발생. 최근 기억부터 저하. 언어기능 장애, 공간감각 저하, 성격변화 동반할 수 있다.
혈관성 치매	뇌졸중으로 인해 발생하는 국소 신경학적 증상 및 뇌영상 소견이 있어야 함.
루이체 치매	심한 인지기능 기복 + 반복적 환시 + 파킨슨 증상 치매가 파킨슨 증상보다 먼저 발생했거나, 파킨슨 증상 발생 1년 이내에 치매가 발생한 경우 의심
전두측두 치매	45-65세의 젊은 연령에서 발병. 초기에 판단이나 성격변화.

1) 알츠하이머병(알츠하이머 치매)

- 기억저하로 시작, 최근 기억장애 나타남
- 서서히 발병, 서서히 진행됨
- 말기 전까지는 신경학적 이상(보행, 대소변 조절장애 등)이 없음
- 의식의 변화는 없음
- 단어 찾기 장애, 길 찾기 장애가 초기에 발생함
- 판단장애와 전두엽기능 장애는 치매가 진행되어야 나타남
- 뇌 MRI 소견에서 해마의 위축, 두정엽 위축이 보임

2) 혈관성 치매

- 환자의 증상
  - 팔다리에 마비 / 움직임이 부드럽지 못함 / 발음 장애, 목소리가 작아짐
  - 삼키는 기능이 떨어짐 / 대소변 조절 장애
  - 걸음걸이가 늦고, 좁은 보폭 / 중심잡기 힘들어 함
- 행동 장애
  - 의욕 저하 / 우울증

3) 루이체 치매(=레비소체치매=Lewy body dementia)

(1) 중심양상(Central features) : 인지기능 저하로 인한 사회 활동이나 직업생활 지장(치매)

(2) 핵심양상(Core features) : 다음의 증상들 중 2가지 이상이 있으면 probable(가능), 1가지만 있으면 possible(추정) 루이체 치매에 해당

① 집중력과 의식수준의 변화가 심함

② 구체적이고 생생한 환시가 반복적으로 생김(환자의 80%)

③ 파킨슨씨병에서 보이는 운동 장애(약에 대한 치료 반응이 낮고 부작용이 자주 나타남)

(3) 루이체 치매의 기타 임상양상

① 자주 넘어짐, 졸도(1/3)

② 일시적인 의식의 소실−(아세틸콜린의 저하 때문)

③ 자율신경계 이상

④ 신경이완제에 대한 예민한 반응(60%) 「알츠하이머병은 15%」

⑤ 체계화된 망상

⑥ 환시를 제외한 다른 환각증세

⑦ 측두엽의 위축이 약함

'죽은 시인의 사회'의 배우 로빈 윌리엄스는 왜 자살했을까?

◆ 그는 왜 자살을 했을까? 평생동안 우울했을까? 다른 사람들을 웃게 만들면서 속으로는 우울했던 것일까?

◆ 그는 단순히 우울증을 앓고 있던 게 아니었다.

◆ 그는 루이체 치매를 앓고 있었다. 루이체 치매의 증상을 이해한다면, 로빈 윌리엄스의 심정을 이해할 수도 있다.

"지난 1년간 남편이 자살한 진짜 이유를 찾기 위해 노력해 왔어요. 고인이 자살한 결정적 원인은 종래에 알려진 것처럼 우울증이나 파킨슨병이 아니라, 루이체 치매(Dementia with Lewy Bodies, DLB)였어요"

출처: 로빈 윌리엄스의 부인 수잔의 인터뷰, People, 2015,

루이체 치매, 알츠하이머에 이어 치매 발병률 '2순위'

한 헐리우드 스타의 죽음을 계기로 대중의 관심을 받게 된 루이체 치매. 그러나 인지도가 낮다고 해서 유병률마저 낮은 것은 아니다.

대한치매학회 김상윤 이사장(분당서울대병원 신경과)은 루이체 치매와 전두측두치매(Frontotemporal Dementia)를 가리켜 'most common rare disease'라고 지칭한다. 말 그대로 '흔하지만 진단이 되지 않아 제대로 된 치료가 이뤄지지 못하는 질환'이란 의미다.

현재 치매의 원인으로 알려진 80~90여 개 질환 가운데 알츠하이머병, 혈관성 치매와 함께 가장 중요한 3대 원인질환으로 꼽히는데, 전 세계 알츠하이머병의 치료, 지원 및 연구 분야를 선도하고 있는 알츠하이머협회(Alzheimer's Association)는 "루이체 치매가 전체 치매환자의 10~25% 가량을 차지한다"고 추정했다.

국내에서도 정확한 유병률이 보고된 바는 없지만 대략 병원에서 치매진단을 받는 환자 10명 중 1~2명 쯤으로 생각된다는 게 전문가들의 견해다. 퇴행성 뇌질환으로 유발되는 치매 중에서는 알츠하이머병 다음 순위로 전두측두치매보다도 많다.

메디칼업저버(http://www.monews.co.kr)

4) 전두측두치매(행동변이형)의 주요 행동 장애들

- 서서히 발병하여 서서히 진행함
- 대인관계, 사회관계의 조기 이상
- 자제력의 소실
- 사고의 경직과 융통성 부족
- 음식을 과도하게 먹거나 물건을 입에 넣는 행동
- 획일적이고 반복적인 행동
- 물건을 의미 없이 만지거나 사용하려는 행동
- 산만하고 지속성이 없음
- 경우에 맞지 않는 행동

5. 치매환자 진료하기

표 30-2. 치매진단에서 고려해야 할 ABCD(중요도 순으로 C-A-B-D)

평가 항목		방법
C (Cognition)	인지기능 평가	문진, 신경심리검사
A (ADL)	일상생활능력 평가	문진, 보호자 설문지 또는 인터뷰
B (Behavior)	이상행동 또는 문제행동	문진, 보호자 설문지 또는 인터뷰
D (DDx)	치매의 원인질환	문진, 신경학적 검사, 혈액검사, 뇌 촬영 등

Adapted from 나덕렬

* 먼저 보호자와만 따로 면담 후, 환자를 나중에 면담하며 체크해 봄.

㉮ "며칠 전 동네 안과에서 진료, 당시에 버스를 타고, 약 2시경에 병원에 도착."

1) C (Cognition) : 인지기능 평가

a. 기억장애

- 언제 : "조금이라도 기억력이 떨어진 시기를 최대한도로 잡으면 어떻게 됩니까?"
- 속도 : "서서히, 아니면 갑자기?" – 퇴행성 치매는 서서히, 혈관성 치매나 뇌 외상이면 갑자기
- 경과 : "계속 진행하는지, 아니면 중간에 호전이 있는지, 아니면 비슷하게 가는지?"–퇴행성치매는 계속 진행, 혈관성 치매는 굴곡이 있으며 중간에 일시적 호전, 뇌외상(교통사고 등)에 의한 기억장애라면 서서히 좋아지거나 서서히 좋아지다가 멈춤.
- 내용 : "구체적인 예를 들어주세요"
- 정도 : 다음의 4단계로 나누어 볼 수 있다.

표 30-3. 기억장애의 정도

건망증 수준	최근 몇 주 동안 있었던 사건 중 중요한 사건만 기억 자세하거나 사소한 것은 잊음. 그러나 힌트를 주면 기억해냄.
초기 치매 정도	최근 몇 주 동안 중요한 사건(여행, 결혼식, 장례식 참석 등)도 잊고, 힌트를 주어도 다 기억해내지 못함. 중요한 물건을 어디에 두고 찾는 일이 많아짐. 이 정도 되면 주위 사람들에게 눈에 띄게 됨.
중기 치매 정도	오전에 있었던 일을 오후에 대부분 기억 못함. 수 분 전의 일을 전혀 기억하지 못하기도 함. 그러나 오랜 기억(배우자, 직업, 본인 출생지 등)은 비교적 기억
말기 치매 정도	수 분 전의 일을 까맣게 잊고, 오래된 기억도 거의 없어지는 단계

- 병식 : "어디가 불편하십니까?"라고 질문 했을 때 환자가 먼저 기억장애가 있다고 언급하는지, 아니면 김사자가 "기억장애가 있습니까?"라고 질문을 했을 때에만 "기억장애가 있다"라고 대답하는지 살핀다. 또한 자기의 기억장애를 심각하게 받아들이고 있는지, 부정하는지를 살핀다.
  - 치매환자 : 일반적으로 자신의 기억장애를 부정하거나 대수롭지 않게 생각
  - 불안 신경증 환자 : 실제 자신의 기억장애보다 더 과장되게 표현하는 경우가 많다.

b. 언어장애

- 하고 싶은 표현이 금방 나오지 않거나, 물건 이름을 금방 대지 못하여 머뭇거림
- 읽기, 쓰기 장애
- 환자의 말수가 갈수록 감소하는 증상

c. 시공간능력 저하
- 방향 감각이 떨어짐.
- 처음에는 익숙하지 않은 곳에게 길을 잃음.
- 좀 더 심해지면 동네에서 길을 잃거나, 아파트에서 자기 동이나 호수를 찾지 못함.
- 더 심해지면 집 안에서 화장실을 찾지 못함.

d. 계산능력의 감소
- 돈 관리에 실수
- 계산을 기피함.
- 잔돈 주고 받는데 실수

e. 전두엽 집행기능 저하
- 성격 변화
- 의욕적이던 사람이 만사를 귀찮아하고 하루 종일 잠만 자기
- 활동적, 사교적이던 사람이 모임에 나가는 것을 싫어하거나 남과의 대화를 회피
- 전혀 화를 내지 않던 사람이 쉽게 화를 냄.
- 판단력이 떨어지고 결정을 못하므로 우유부단해지고 고집이 세질 수 있음.

※ 보호자 설문지(SDQ 등)를 이용하면 더 많은 정보를 얻으며, 시간 절약도 된다.

※ 신경심리검사(SNSB 등)를 통해 여러 인지 영역을 포괄적으로 검사할 수 있다.

그림 30-5. **인지기능 평가 전에 인사 나누기.** 환자가 긴장할 수 있으므로 검사 전에 검사자와 환자 및 보호자 간에 친밀해지는 것이 중요하다.

2) A(ADL) : 일상생활능력 평가

a. 인지장애로 인한 것만을 의미함.

b. 하루 일과에 대해 물어보는 것이 좋다.

c. 직업을 가지고 있다면 직장 동료에게 전화하여 직장생활에 대해 자세하게 물어볼 수도 있다.

d. 우리나라 노인들의 경우는(특히 남성) 집에서 하는 일이 거의 없으므로 일상생활에서 멀쩡해 보이는 경우가 상당히 많다. ⇒ 보호자에게 "만약 이런 일을 한다면 혼자서 하실 수 있겠습니까?"라고 물어보는 것도 한 방법이다.

e. 흔히 쓰는 ADL 측정 도구로는 Barthel Index, Katz Index, K-ADL 등이 있고, IADL 도구로는 Lawton&Brody IADL, K-IADL 등이 있는데, 요양병원 입원환자의 경우에는 '요양병원 환자평가표 D.신체기능' 항목으로 평가하면 된다.

표 30-4. **치매는 다시 아기가 되는 병**

<table>
<tr><th>소아 가능 연령</th><th>능력</th><th>알츠하이머병 단계</th></tr>
<tr><td>12세 이상</td><td>취업</td><td>3 - 경도 인지장애</td></tr>
<tr><td>8~12세</td><td>단순한 재정적 판단</td><td>4 - 경도 치매</td></tr>
<tr><td>5~7세</td><td>적절한 옷 선택</td><td>5 - 중등도 치매</td></tr>
<tr><td>5세</td><td>혼자 옷 입기</td><td rowspan="4">6 - 중고도 치매</td></tr>
<tr><td>4세</td><td>혼자 몸 씻기</td></tr>
<tr><td>3~4세</td><td>소변 가리기</td></tr>
<tr><td>2~3세</td><td>대변 가리기</td></tr>
<tr><td>15개월</td><td>5~6 단어 말한다.</td><td rowspan="4">7 - 고도 치매</td></tr>
<tr><td>1세</td><td>혼자 걷는다.</td></tr>
<tr><td>6~7개월</td><td>혼자 앉는다.</td></tr>
<tr><td>3~4개월</td><td>목을 가눈다.</td></tr>
</table>

Modified from 이영민, 2010

3) B(Behavior) : 이상행동에 대한 평가

a. 치매환자에서 이상행동의 중요성

- 드물지 않게 이상행동이 인지기능 장애보다 먼저 나타난다.
- 보호자 고통 부담의 주원인

- 병원, 요양원 등에 입원하게 되는 주된 이유 → 보호자에게 심적, 경제적 부담
- 약물로 많은 도움을 받을 수 있다.

b. 문진해야 할 항목(보호자에게 문진)
- 망상, 환각, 초조/공격성, 우울증, 불안, 다행감, 무감동, 탈 억제, 쉽게 화냄, 반복적인 행동, 수면장애, 식습관의 변화 등

4) D(DDx) : 치매의 원인질환에 대한 평가

a. 우선 알츠하이머병과 혈관성 치매를 감별
b. 인지기능장애, 보행장애, 소변실금(2가지만 있어도) → 수두증 의심
c. 약물(diazepam, amitriptyline 등)
d. 검사실 검사 : VDRL, FTA-ABS or TPHA, TFT, Vit.B12, folate
e. 뇌수막염에 의한 치매 의심 시 뇌척수액 검사
f. CT or MRI 검사는 필수–뇌종양, 뇌출혈, 수두증 등 감별

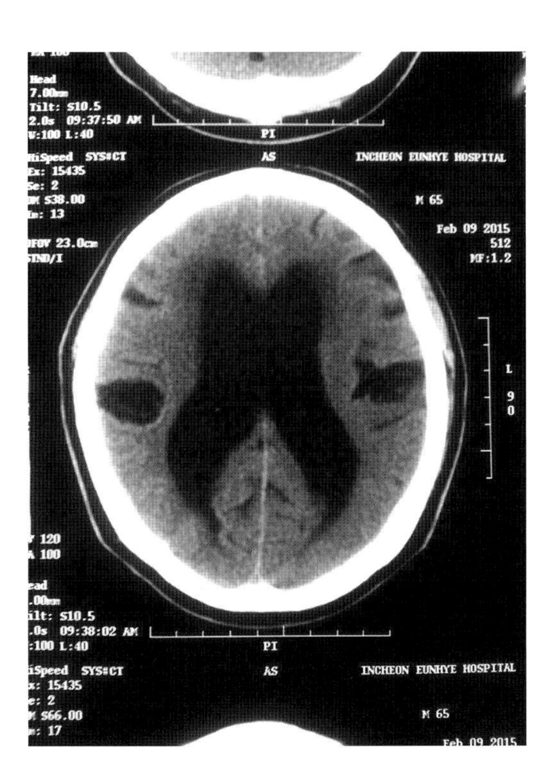

그림 30-6. 2년 전부터 자주 넘어지고, 최근에 인지기능 저하가 심해져서 내원한 65세 남성의 Brain CT 촬영 결과 뇌실(ventricle)의 확장이 관찰되어 수두증으로 진단됨.

@ 뇌 MRI 검사의 요양급여 기준

1. 뇌, 뇌혈관, 경부혈관 자기공명영상진단(MRI) 기본 및 특수검사는 다음의 경우 요양급여함.

- 다 음 -

가. 급여대상

1) 아래 상병 등의 뇌질환이 있거나, 이를 의심할만한 신경학적 이상 증상이 있는 경우 또는 신경학적검사 등 타 검사 상 이상소견이 있는 경우

- 아 래 -

가) 원발성 뇌종양, 전이성 뇌종양, 두개골종양
나) 뇌혈관 질환
다) 중추신경계 탈수초성질환
라) 중추신경계 감염성 및 염증성 질환
마) 중추신경계 자가면역(면역이상) 질환
바) 이상운동질환 및 중추신경계 퇴행성 질환
사) 신경계의 기타 선천 기형
아) 치매
자) 뇌전증
차) 뇌성마비
카) 두부손상(저산소성 뇌손상 포함)
타) 기타 : 수두증, 자간증 및 전자간증, 안면경련, 삼차신경통, 두개골조기유합증, 성장호르몬 결핍증(뇌하수체기능저하증), 중추성조발사춘기, 중추성 요붕증

2) 상기 1)에도 불구하고 아래 가)~마)는 각 호의 조건을 만족하는 경우 인정

- 아 래 -

가) 두통, 어지럼
- 아래 중 하나에 해당하여 나610나 신경학적검사(일반검사)를 실시하고 그 결과를 기록한 경우

- 아 래 -

(1) 갑자기 혹은 급격히 발생한 지속적인 심한 두통(벼락두통)
(2) 발열, 울렁거림(또는 구토), 어지럼 중 2가지 이상을 동반하는 지속적인 두통
(3) 발살바(기침, 힘주기) 또는 성행위로 유발 혹은 악화되는 두통
(4) 군발두통 또는 전조를 동반하는 편두통으로 뇌 이상 여부의 확인이 필요한 경우
(5) 소아에서 새로운 형태의 심한 두통 또는 수개월동안 강도가 심해지는 두통
(6) 암 또는 면역억제상태 환자에서 새롭게 발생한 두통
(7) 중추성 어지럼

나. 급여횟수: 상기 가.의 급여대상에 해당하는 경우

1) 진단 시: 1회. 단, 정확한 진단을 위해 특수촬영 등의 다른 촬영기법이 필요한 경우 추가 1회

6. 치매 선별 검사

1) K-MMSE

표 30-5. **한국형 MMSE의 일종인 K-MMSE**

성 명		(♂ · ♀)	연 령	
검사일			검사자	
I. 시간지남력(5)	년 월 일 요일 계절			
II. 장소지남력(5)	나라 시/도 현재 장소 몇 층 무얼 하는곳			
III. 기억등록(3)	비행기 연필 소나무			
IV. 주의집중과 계산(5)	00-7 = ( ) -7 = ( )-7 = ( )-7 = ( )-7 = ( )			
V. 기억회상(3)	비행기 연필 소나무			
VI. 언 어(8)	이름대기 : 시계, 볼펜 명령시행 : (1) 종이를 뒤집고, (1) 반을 접은 다음(1) 제게 주세요. 따라말하기 : "백문이 불여일견" 읽고 그대로 하기 : "눈을 감으세요" 쓰기 : 오늘 날씨나 기분에 대해 써보세요.			
VII. 시각적 구성(1)	보고 그리기(겹쳐진 오각형)			
Total score	(24 이상 : 정상 / 13~23 : 치매의심 / 12이하 : 치매)			
Mental	Alert Vigilant Lethargic Stupor Coma Uncertain			

Adapted from 강연욱 등

2) Clinical Dementia Rating (CDR)

표 30-6. Clinical Dementia Rating(CDR)

	CDR 0	CDR 0.5	CDR 1	CDR 2	CDR 3
기억력 Memory (M)	기억장애가 전혀 없거나 경미한 건망증이 때때로 나타남	경한 건망증이 지속적으로 있거나 사건의 부분적인 회상만이 가능: 양성건망증	중등도의 기억장애로서 최근 것에 대한 기억장애가 더 심함. 일상생활에 지장이 있음.	심한 기억장애. 과거에 반복적으로 많이 학습한 것만 기억하고 새로운 정보는 금방 잊음.	심한 기억장애. 부분적이고 단편적인 사실만 보존됨
지남력 Orientation (O)	정상	시간에 대한 장애가 약간 있는 것 이외에는 정상	시간에 대한 약간 장애가 있음. 사람과 장소에 대해서는 검사상으로는 정상이나 실생활에서 방향 감각이 떨어질 수 있음	시간에 대한 지남력은 상실되어 있고, 장소에 대한 지남력 역시 자주 손상됨	사람에 대한 지남력만 유지되고 있음
판단력과 문제해결 능력 Judgement and Problem Solving (JPS)	일상생활의 문제를 잘 해결함. 판단력이 과거와 비교하여 볼 때 양호한 수준을 유지함	문제해결 능력, 유사성, 상이성 해석에 대한 장애가 의심스러운 정도	복잡한 문제를 다루는 데에는 중등도의 어려움이 있음. 사회생활에서의 판단력이 손상됨	문제해결, 유사성, 상이성 해석에 심한 장애가 있으며, 사회생활에서의 판단력이 손상됨	판단이나 문제해결이 불가능함
사회활동 Community Affairs (CA)	직장생활(사업), 물건사기, 금전적인 업무(은행업무), 사회적 활동에서 보통 수준의 독립적인 기능이 가능함	이와 같은 활동에 있어서의 장애가 의심되거나 야간의 장애가 있음	이와 같은 활동의 일부에 아직 참여하고 있고 얼핏 보기에는 정상활동을 수행하는 것처럼 보이나 사실상 독립적인 수행이 불가능함.	집밖에서는 독립적인 활동을 할 수 없음 외견상으로는 집밖에서도 기능을 잘 할 수 있어 보임	외견상으로도 집밖에서 정상적인 기능을 할 수 없어 보임
집안 생활과 취미 Home and Hobbies (HH)	집안생활, 취미생활, 지적인 관심이 잘 유지되고 있음	집안생활, 취미생활, 지적인 관심이 다소 손상되어 있음	안생활에 경미하지만 분명한 장애가 있고 어려운 집안일은 포기된 상태임. 복잡한 취미나 흥미(예를 들어 바둑)는 포기됨	아주 간단한 집안일만 할 수 있고, 관심이나 흥미가 매우 제한됨	집안에 있더라도 자기방 밖에서는 집안일을 포함한 어떤 기능도 하지 못함
위생 및 몸치장 Personal Care (PC)	혼자서 충분히 해결		가끔 개인 위생에 대한 권고가 필요함	옷입기, 개인위생, 개인 소지품의 유지에 도움이 필요함	개인위생, 몸치장의 유지에 많은 도움이 필요하며, 자주 대소변의 실금이 있음

기억력 점수가 0인 경우	CDR=0 : 다른 항목도 전부 0이거나 0.5인 경우 CDR=0.5 : 위의 사항에 해당되지 않는 모든 경우
기억력 점수가 0.5인 경우	CDR=0.5 : 아래의 사항에 해당하지 않는 경우 CDR=1 : 위생 및 몸치장을 제외한 나머지 항목 중 적어도 3가지가 CDR 1 이상 되어야 한다.
기억력 점수가 1, 2, 3인 경우	6항목 중 3가지 이상 공통되는 항목인 점수를 CDR점수로 하고 흩어져 있는 경우에는 기억력 점수를 기준으로 한다.

Adapted from Hughes CP, et al. 1982

– 6개의 영역(1) 기억력, 2) 지남력, 3) 판단력과 문제해결 능력, 4) 사회활동, 5) 집안 생활과 취미, 6) 위생 및 몸치장)으로 되어 있으며 각 항목의 점수를 더해서 시간적인 변화를 평가하는데 사용하기도 한다(총점 18점).
– 의사나 간호사가 환자 및 보호자와 자세한 면담을 통하여 이 여섯 가지 영역의 기능을 평가한다.

a. 점수산정 방법

ㄱ. 여섯 영역의 점수를 모두 합산한 "Sum of Boxes (CDR-SB)" 계산

혹은

ㄴ. 기억력 검사를 기준으로 "전체 CDR 점수(Global score)" 결정Global score는 전산화된 프로그램을 이용해 자동으로 할 수 있다 (http://www.biostat.wustl.edu/~adrc/cdrpgm/index.html참조). 또한 CDR 평가에 대한 교육을 http://alzheimer.wustl.edu/cdr/default.htm에서 무료로 받을 수 있다.

3) Global Deterioration Scale (GDS)

표 30-7. 기억장애의 정도

검사일 : 년 월 일

1	인지장애 없음 (no cognitive decline)	임상적으로 정상, 주관적으로 기억장애를 호소하지 않음. 임상 면담에서도 기억장애가 나타나지 않음
2	매우 경미한 인지장애 (very mild cognitive decline)	다음과 같은 주관적 기억장애를 주로 호소함 (1) 물건을 둔 곳을 잊음 (2) 전부터 잘 알고 있던 사람이름 또는 물건이름이 생각나지 않음. 임상 면담에서 기억장애의 객관적인 증거는 없음. 직장이나 사회생활에 문제없음. 이러한 자신의 증상에 적절한 관심을 보임
3	경미한 인지장애 (mild cognitive decline)	(1) 분명한 장애를 보이는 가장 기초 단계. 그러나 숙련된 임상가의 자세한 면담에 의해서만 객관적인 기억장애가 드러남 (2) 새로이 소개받은 사람의 이름이 금방 떠오르지 않는 것을 주위에서 알아차리기도 함 (3) 귀중품을 엉뚱한 곳에 두거나 잃어버린 적이 있을 수 있음 (4) 낯선 곳에서 길을 잃은 적이 있을 수 있음 (5) 임상 검사에서는 주의력의 감퇴가 보일 수 있음 (6) 직업이나 사회생활에서 수행 능력이 감퇴함. 동료나 환자의 일 수행 능력이 떨어짐을 느낌 환자는 이와 같은 사실을 부인할 수 있음. 경하거나 중등도의 불안증이 동반될 수 있음 현재 상태로는 더 이상 해결할 수 없는 힘든 사회적 요구에 직면하면 불안증이 증가됨

4	중등도의 인지장애 (moderate cognitive decline)	자세한 임상 면담 결과 분명한 인지장애. 다음 영역에서 분명한 장애가 있음 (1) 자신의 생활의 최근 사건과 최근 시사 문제들을 잘 기억하지 못함 (2) 자신의 중요한 과거사를 잊기도 함 (3) 순차적 빼기(㉾ 100-7, 93-7…)에서 집중력 장애가 관찰됨 (4) 혼자서 외출하는 것과 금전 관리에 지장이 있음 그러나, 대개 다음 영역에서는 장애가 없음 (1) 시간이나 사람에 대한 지남력 (2) 잘 아는 사람과 낯선 사람을 구분하는 것 (3) 익숙한 길 다니기 더 이상 복잡한 일을 효율적이고 정확하게 수행할 수 없음. 자신의 문제를 부정하려고함. 감정이 무뎌지고 도전적인 상황을 피하려고 함
5	약간 심한 정도의 인지장애 (moderately severe cognitive decline)	다른 사람의 도움 없이는 더 이상 지낼 수 없음 (1) 자신의 현재 일상생활과 관련된 주요한 사항들을 기억하지 못함(예를 들면, 집 주소나 전화번호, 손자와 같은 가까운 친지의 이름 또는 자신이 졸업한 학교의 이름을 기억하기 어려움) (2) 시간(날짜, 요일, 계절 등)이나 장소에 대한 지남력이 자주 상실됨. 교육을 받은 사람이 40에서 4씩 또는 20에서 2씩 거꾸로 빼나가는 것을 하지 못하기도 함 (3) 이 단계의 환자들은 대개 자신이나 타인에 관한 중요한 정보는 간직하고 있음. 자신의 이름을 알고 있고 대개 배우자와 자녀의 이름도 알고 있음. 화장실 사용이나 식사에 도움을 필요로 하지는 않으나 적절한 옷을 선택하거나 옷을 입는 데는 문제가 있을 수 있음(예를 들면 신을 좌우 바꿔 신음)
6	심한 정도의 인지장애 (severe cognitive decline)	환자가 전적으로 의존하고 있는 배우자의 이름을 종종 잊음. 최근의 사건들이나 경험들을 거의 기억하지 못함. 오래된 일은 일부 기억하기도 하나 매우 피상적임. 일반적으로는 주변상황, 년도, 계절을 알지 못함. '1-10' 또는 '10-1'까지 세는데 어려움이 있을 수 있음 일상생활에 상당한 도움을 필요로 함(예를 들면 대소변 실수가 있음). 또는 외출 시 도움이 필요하나 때때로 익숙한 곳에 혼자 가기도 함. 낮과 밤의 리듬이 자주 깨짐 그러나 거의 항상 자신의 이름은 기억함. 잘 아는 사람과 낯선 사람을 대개 구분할 수 있음 성격 및 감정의 변하가 아타나고 기복이 심함 (1) 망상적인 행동(㉾ 자신의 배우자가 부정하다고 믿음. 주위에 마치 사람이 있는 것처럼 이야기하거나 거울에 비친 자신과 이야기 함) (2) 강박적 증상(㉾ 단순히 바닥을 쓸어내는 행동을 반복함) (3) 불안증, 초조, 과거에 없었던 난폭한 행동이 나타남 (4) 무의지증, 즉 목적있는 행동을 결정할 만큼 충분히 길게 생각할 수 없기 때문에 나타나는 의지의 상실임
7	아주 심한 인지장애 (very severe cognitive decline)	모든 언어 구사 능력이 상실됨. 흔히 말은 없고 단순히 알아들을 수 없는 소리만 냄. 요실금이 있고 화장실 사용과 식사에도 도움이 필요함. 기본적인 정신운동능력이 상실됨(㉾ 걷기). 뇌는 더 이상 신체에 무엇을 하라고 명령하는 것 같지 않음 전반적인 피질성 또는 국소적인 신경학적 증후나 증상들이 자주 나타남

GDS 검사의 실무 팁	
GDS 1: 임상에거 거의 볼 수 없다.	GDS 2: "나 좀 깜박깜박 해"라고 하면 일단 2단계 이상.
GDS 3: MCI(경도인지장애)	GDS 4: 중요한 과거사 잊음.
GDS 5: 혼자 살 수 있으면 5단계 미만	GDS 6: BPSD가 심함 & 대소변 못 가린다면 6단계 이상
GDS 7: 말 못하고 걷지 못함.	

출처: 연세의대 김우정 교수 강의자료, 2020 대한노인병학회 춘계학술대회.

7. 치매의 정밀검사 : 신경인지기능검사총집

치매의 인지기능 선별검사로 MMSE가 있다면, 치매의 정밀검사는 신경인지기능검사총집이라고 하며, CERAD-NP (Consortium to Establish a Register for Alzheimers' Disease-Neuropsychological Assessment battery), SNSB (Seoul Neuropsychological Screening Battery), K-DRS (Dementia Rating Scale), K-M AS (Memory Assessment Scales) 등이 있다. 이러한 검사들은 1시간~2시간 정도 소요되며 피검자의 피로감의 영향을 많이 받는 검사이므로 예약 검사가 원칙이다. 이 중 가장 널리 쓰이고 있는 CERAD-NP와 SNSB의 검사 항목은 다음과 같다.

표 30-8. CERAD-NP와 SNSB의 검사항목들

Cognitive Domain	CERAD-NP	SNSB
1. 인지기능	MMSE-KC	K-MMSE
2. 집중력	TMT A	Digit span, Letter cancellation
3. 언어	Boston naming test	Boston naming test Calculation
4. 시공간 파악능력	Rosen-copy	RCFT-copy
5. 기억력	KVLT(10ea) -recall, recognition Rosen-recall, recognition	SVLT(12ea) -recall, recognition RCFT -recall, recognition
6. 전두엽 집행기능	TMT A, b Word fluency - semantic	Stroop - word, color Word fluency - phonemic, semantic Contrasting program, Go no go Fist edge palm, Alternating H. M. Luria loop, Square & Triangle

8. K-ADL

원래는 K-IADL도 있으나, 요양병원 입원환자 수준에서는 기본적인 ADL만 파악하는 것이 일반적이다.

한국형 일상생활활동 측정도구(K-ADL)

※ 조사원에게 :
이 도구의 목적은 노인 분들이 생활하는데 주변 사람들의 도움이 얼마나 필요한가를 평가하는 것입니다. 환자에 대한 정보는 환자, 가족, 친척, 친구 혹은 간병인으로부터 얻으시면 됩니다. 조사의 시점은 최근 1주간의 활동을 기준으로 합니다.

※ 다음의 각 기능 영역에 대해 환자분에게 해당되는 보기에 표시해 주십시오.

1. 옷 입기 - 내복, 외투를 포함한 모든 옷을 옷장이나 서랍, 옷걸이에서 꺼내 챙겨 입고 단추나 지퍼, 벨트를 채우는 것
질문 : 어르신께서는 옷을 챙겨 입을 때 다른 사람의 도움 없이 혼자 하십니까?

□ ① 도움 없이 혼자서 옷을 옷장에서 꺼내어 입을 수 있다.[1)]
□ ② 부분적으로 다른 사람의 도움을 받아 옷을 입을 수 있다.[2)]
□ ③ 전적으로 다른 사람의 도움에 의존한다.

1) 단추를 채우고 지퍼를 올리고 벨트를 채우는 일도 도움 없이 한다.
2) 옷을 꺼내주고 준비해 주면 혼자 입을 수 있거나, 단추, 벨트. 혹은 지퍼를 잠그는데 도움을 받는 것도 ②에 해당된다.

2. 세수하기 - 세수하기
질문 : 어르신께서는 세수나 양치질을 하고, 머리를 감을 때 다른 사람의 도움 없이 혼자서 하십니까?

□ ① 세 가지 모두 도움 없이 혼자 할 수 있다.
□ ② 세수와 양치질은 혼자 하지만 머리감기는 도움이 필요하다.
□ ③ 다른 사람의 도움을 받지 않고는 머리감기 뿐 아니라 세수나 양치질을 할 수 없다.

* 세수는 얼굴에 물을 묻히는 정도도 괜찮음

3. 목욕 - 욕조에 들어가서 목욕하거나, 욕조에 들어가지 않고 물수건으로 때 밀기, 샤워(물 뿌리기) 등을 모두 포함
질문 : 어르신께서는 목욕을 하실 때 다른 사람의 도움을 받지 않고 혼자서 하십니까?

□ ① 도움 없이 혼자서 때 밀기와 샤워를 한다.[1)]
□ ② 샤워는 혼자 하나. 때는 혼자 밀지 못한다.또는 몸의 일부 부위를(등 제외) 닦을 때만 도움을 받는다.[2)]
□ ③ 전적으로 다른 사람의 도움에 의존한다.

1) 등은 혼자 닦지 못해도 무관하며, 욕조에서 목욕할 경우에는 욕조에 들어가고 나올 때 혼자서 한다.
2) 혼자 목욕을 할 수는 있어도 목욕을 하기 위해서는 욕조에 들어가야 하고 이를 위해 도움이 필요하다면 ②에 해당됨

4. 식사하기 - 음식이 차려져 있을 때 혼자서 식사할 수 있는 능력

질문 : 어르신께서는 음식을 차려주면 남의 도움 없이 혼자서 식사를 하십니까?

□ ① 도움 없이 식사할 수 있다.[1]
□ ② 생선을 발라먹거나 음식을 잘라먹을 때는 도움이 필요하다.
□ ③ 식사를 할 때 다른 사람의 도움이 항상 필요하거나, 튜브나 경정맥수액을 통해 부분적으로 혹은 전적으로 영양분을 공급받는다.[2]

1) 젓가락은 사용하지 못하나 숟가락이나 포크를 이용해서라도 혼자 식사할 수 있는 경우에는 ①에 해당
2) 손가락이나 포크를 사용해도 음식을 대부분 흘리는 사람은 ③에 해당

5. 이동 - 잠자리(침상)에서 벗어나 방문을 열고 밖으로 나오는 것

질문 : 어르신께서는 이부자리에 누웠다가 일어나 방문 밖으로 나올 때 다른 사람의 도움 없이 혼자서 하십니까?

□ ① 도움 없이 혼자서 방 밖으로 나올 수 있다.[1]
□ ② 방 밖으로 나오는데 다른 사람의 도움이나 부축이 필요하다.
□ ③ 들것에 실리거나 업혀야 방 밖으로 나올 수 있다.

1) 무언가를 잡고 나오거나 지팡이, 휠체어 등의 보조 기구를 사용해도 무관하며, 기어서 나오더라도 방 밖으로 혼자서 나오면 이에 해당

6. 화장실 사용 - 대소변을 보기 위해 화장실에 가는 것과 대소변을 본 후에 닦고 옷을 추려 입는 것

질문 : 어르신께서는 대소변을 보기 위해 화장실 출입할 때 남의 도움 없이 혼자서 하십니까?

□ ① 도움 없이 혼자서 화장실에 가고 대소변 후에 닦고 옷을 입는다.[1]
□ ② 화장실에 가거나 변기 위에 앉는 일, 대소변 후에 닦는 일이나 대소변 후에 옷을 입는 일, 또는 실내용 변기(혹은 요강)를 사용하고 비우는 일에 다른 사람의 도움을 받는다.
□ ③ 다른 사람의 도움을 받아도 화장실 출입을 못하거나 실내용 변기(혹은 요강)를 이용해 대소변을 볼 수 없다.

1) 지팡이, 보행기 혹은 휠체어를 이용해도 되며, 실내용 변기(혹은 요강)를 사용해도 되지만, 스스로 실내용 변기를 비울 수 있어야 한다.

7. 대소변 조절 - 대변이나 소변보기를 참거나 조절하는 능력

질문 : 어르신께서는 대변이나 소변을 지리거나 흘리지 않고 잘 보십니까?

□ ① 대변과 소변을 본인 스스로 조절한다.[1]
□ ② 대변이나 소변 조절을 가끔 실패할 때가 있다.[2]
□ ③ 대변이나 소변을 전혀 조절하지 못한다.

1) 화장실 가기에 문제가 있어서 실내에서 보더라도 대소변을 잘 가리거나, 카테터(도관), 장루(腸瘻)를 본인이 도움 없이 완벽하게 사용하면 이에 해당
2) 소변 조절 실패가 하루 1회 정도이거나, 대변 조절 실패가 주 1회 정도인 경우에 해당

Adapted from 원장원 등, 2002

9. 치매의 치료제

1) 치료 흐름도

a. 우선 콜린분해효소억제제(ChEIs)를 4주 간격으로 최대 용량까지 늘림.
b. 6개월 후에 반응이 없으면 다른 계통의 ChEIs로 바꿔 보거나, 메만틴 추가

2) 치매치료제의 보험 기준(고시 제2019-21호 기준)

표 30-9. **치매 약 보험 기준 요약**

약물기전	구분	치매의 유형		MMSE	CDR	GDS
					CDR이나 GDS 기준 중 하나	
콜린분해효소억제제 (Cholinesterase Inhibitors; ChEIs)	Donepezil(아리셉트) 5 mg/10 mg	알츠하이머 치매 (뇌혈관 질환을 동반해도 인정)	혈관성 치매 일부[1]	0~26	1~3	3~7
	Donepezil(아리셉트) 23 mg			0~20	2~3	4~7
	Rivastigmine(엑셀론) 패취제		파킨슨병 관련 치매[2]	0~26	1~3	3~7
	Rivastigmine(엑셀론) 캡슐제		파킨슨병 관련 치매	10~26	1~2	3~5
	Galantamine(레미닐)			10~26	1~2	3~5
NMDA 수용체차단제	Memantine(에빅사)			0~20	2~3	4~7

1) 혈관성 치매 중 전략적 뇌경색(Strategic cerebral infarction) 치매와 피질의 큰 뇌경색 후 발생한 혈관성 치매나, 급성기 뇌졸중 이후 3개월이 지나지 않아 평가한 MMSE, CDR, GDS 점수에 의한 혈관성 치매는 요양급여 불인정.
2) 파킨슨병 관련 치매의 투여대상은 MMSE 10-26점이고, CDR 1-2 또는 GDS 3-5.

▷ 재평가 간격 :
최대 12개월 간격
MMSE 10점 미만이고 CDR 3 (또는 GDS 6-7)인 중증 치매는 최대 36개월 간격
노인장기요양보험 1등급자는 유효기간까지 검사 불필요(노인장기요양보험법 제17조의 장기요양인정서 제시)
▷ 재평가 시에 MMSE 점수가 기준보다 좋아지더라도 요양급여 인정함.(예: Donepezil 5 mg 복용 중이던 자의 재평가 시 MMSE 28점)
▷ 콜린분해효소억제제와 NMDA수용체차단제 병용 - 중등도, 중증 치매증상 있으면 요양급여 인정. 그러나 Ginkgo biloba extract제제를 병용 시에는 각 약제의 허가사항 범위 내에서 투약비용이 저렴한 1종의 약값 전액을 환자가 부담토록 함

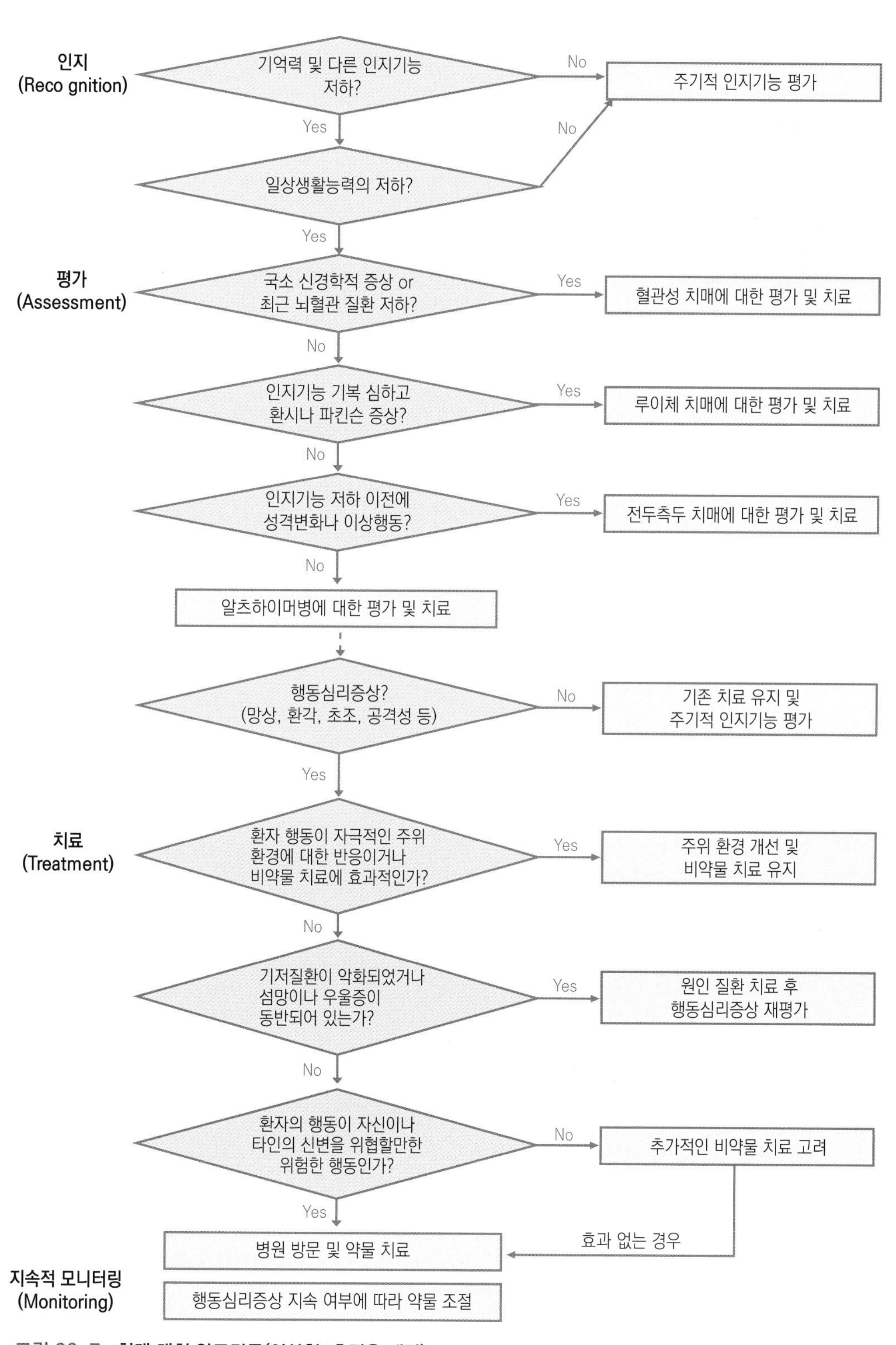

그림 30-7. **치매 대처 알고리듬(이상현, 추정은 제작)**

"9초 치매 할머니" - 치매환자와의 대화법!	
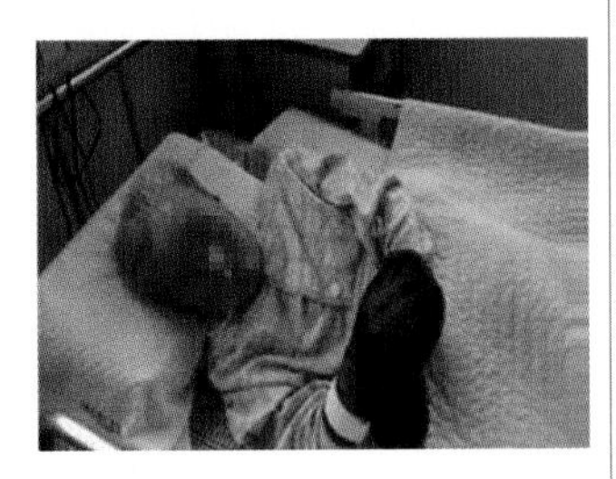	85세 중증치매 여성의 50대 아드님은 매우 바쁜 분이다. 간혹 병원을 방문하여 어머니를 만나기는 하지만 거의 대화를 나눠 본 적이 없다. 어머니는 아들을 멀뚱멀뚱 바라만 볼 뿐 아들이 묻는 말에 대답해본 적이 없다. 그러나, 이는 오해였다. 비록 중증의 인지기능 장애가 있지만 질문자가 간단한 질문을 하고 느긋하게 기다리면 결국은 대답을 하신다. 단지 퇴화된 뇌기능으로 인해 정보를 얻고 해석하여 입으로 표현하기까지 시간이 걸릴 뿐이다.
"9초 치매 할머니" : 속으로 여덟까지만 세면 답을 하신다.	주치의인 나는 "여기가 어디에요?"하고 묻고 속으로 "하나-둘-셋... ... 여덟"까지 센다. 그러면 아홉을 세는 순간에 "물러~"하고 답을 하신다. 그래서 이 할머니는 "9초 치매 할머니". 한편 필자는 최근에는 15초 치매 할머니를 돌보고 있다.

31 치매의 행동심리증상 (BPSD)

- 알츠하이머병으로 입원 중인 84세 여성. 척추전만증으로 보행이 원만치 못하지만 식사도 잘하고 부분적인 의사소통도 가능하다. 1주일 전에 체크한 K-MMSE는 10점이었다. 약 10일 전부터 간혹 욕설과 함께 고함을 지르시며 때때로 손뼉을 쉬지 않고 치시는 행동을 보이신다.

– 이 환자의 공격성, 반복 행동을 치료하기 위해 약물 투여를 시작하는 것이 좋겠는가?
– 약물 투여를 한다면 그 목적은 무엇인가? 환자가 힘들어해서? 혹은 직원들이 힘들어해서?

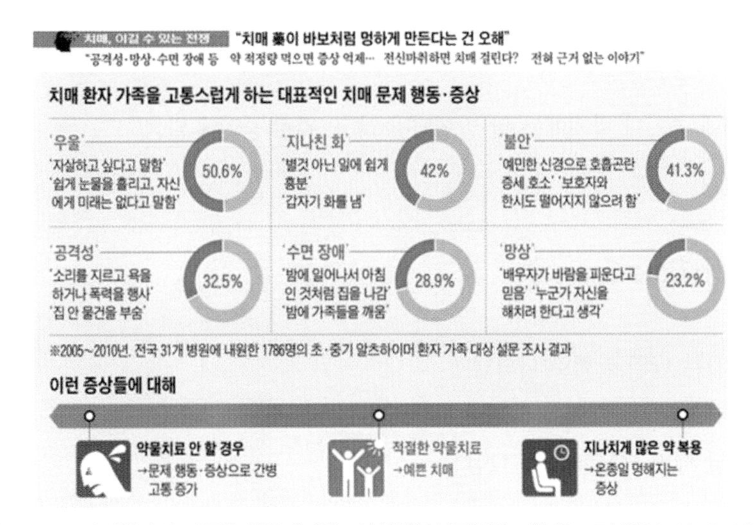

그림 31-1. **치매환자의 가족을 힘들게 하는 이상행동심리증상.** (출처 : 조선일보. 2013-12-23)

표 31-1. BPSD(Behavioral & Psychological Symptoms of Dementia)의 빈도 및 고통 정도에 따른 분류

	1군 most common & distressing	2군 moderately common & distressing	3군 less common & distressing
심리 증상	망상, 환각, 우울증, 불면증, 불안	착오	
행동 증상	공격성, 배회, 안절부절	초조, 탈억제, 고함, 문화적으로 부적절한 행동	울음, 욕설, 의욕상실, 반복 질문, 따라다니기

Adapted from Luxenberg JS, 2000

표 31-2. BPSD의 종류

심리 증상		행동 증상
		공격성 aggression
망상 delusion	환각 hallucination	배회 wandering
편집증 paranoia	우울증 depression	수면장애 sleep disturbance
무감동 apathy	불안 anxiety	부적절한 식사 행동 inappropriate eating behavior
반복 reduplication	착오 misidentification	부적절한 성적 행동 inappropriate sexual behavior
		분노 반응 rage reaction

Adapted from 한일우

1. BPSD는 기억장애 혹은 인지장애로 인한 2차적 문제가 아니라 독자적으로 발생

← BPSD가 치매 초기나 말기에는 잘 발생되지 않고, 주로 중기에 발생

1) 시간적 양상(Time Course)

a. 86%의 BPSD는 단일 삽화로 나타남.

b. 치매진단 후 평균 5년 후에 나타남(4.3~7.3년).

c. BPSD 나타날 때의 MMSE : 5~12점

d. BPSD 사라질 때의 MMSE : 0~6점

e. 전체적인 BPSD 기간 : 12~24개월

f. 각 삽화의 기간 : 9~19개월

2. BPSD가 임상적으로 왜 중요할까?

a. 치매환자를 보호시설(병원, 요양원)에 조기 수용하는 가장 큰 이유가 된다.
b. 환자 및 가족들의 삶의 질을 떨어뜨리고, 환자의 장애를 더욱 악화시킨다.
c. 환자를 돌보는데 드는 비용을 증가시킨다.
d. 인지장애 증상에 비해, 약물치료나 비약물적 개입을 통해 완화시킬 수 있다.

3. BPSD 각 증상의 특징들

1) 망상
- 현실과는 동떨어진 생각
- 치매의 망상은 정교하지 않고 구체적이지 못하며 내용이 자주 바뀐다.
- 알츠하이머병의 50% 정도에서 발생
- 도둑 망상(가장 흔함), 유기(버려짐) 망상, 부정(간통) 망상

표 31-3. BPSD(Behavioral & Psychological Symptoms of Dementia)의 빈도 및 고통 정도에 따른 분류

Fregoli 망상	친밀한 사람이 다른 외모로 변장했다고 믿음
변형 망상	외모뿐만 아니라 본질까지도 완전히 다른 사람으로 변했다고 믿음
주관적 닮은 꼴	자신과 똑같은 모습을 가진 다른 사람이 존재한다고 믿음
Capgras 증후군	친근한 사람을 본래의 사람과 닮거나 비슷한 다른 사람, 혹은 본래의 사람을 사칭한 협잡꾼으로 믿음
'이 집이 내 집이 아니다' 망상	자신의 집이 아니라고 착각하여 자기 집에 가겠다고 나가려고 함으로써 돌보는 사람들을 곤혹스럽게 함
Phantom border	낯선 사람이 집에 들어와 있거나 살고 있다고 믿음
Picture sign	TV에서 방영되는 내용이 그 시간대에 실제로 일어나고 있다고 믿음
Mirror sign	거울에 비친 자신의 모습이 반대쪽에 있는 다른 사람이라고 믿음

* 중기 알츠하이머병의 27~34%에서 발생
* 알츠하이머병에서 phantom border는 17%, Capgras 증후군은 12%, picture sign은 6%, mirror sign은 4%에서 발생

2) 환각

- 12~49%에서 발생
- 감별질환 : 안과 질환이나 시야결손 혹은 시각실인증

3) 우울증

- 약 30%에서 발생
- 알츠하이머병보다는 다발성경색치매에서 더 많이 발생

4) 무감동

- 가장 흔한 BPSD 중의 하나(알츠하이머병의 72%라는 보고도 있음)
- 동기 상실과 목표지향적 행동의 감소

5) 불안

- "서성거리기", "노래 부르기", "반복적으로 치는 행동" 등은 내면에 깔린 불안으로 인해 발생할 수 있다.
- "Godot 증후군(반복적으로 끊임없이 다가올 일에 대해 묻기)"의 원인이 되기도

6) 과민성(irritability), 공격성

- 알츠하이머병의 30~50%
- 환자를 돌보는 사람들이 가장 많이 하소연하는 증상 중의 하나

7) 배회

- 알츠하이머병의 53%
- 환자에게 위험을 초래할 수 있는 증상

8) 반복행동

- 걷기, 박수 치기, 세탁물을 접었다 폈다 하는 행동
- 마치 목직을 가지고 있는 듯하나, 환자에게 물어보면 대답을 못 힘.
- 감별진단 : 정좌불능증(akathisia), 강박행위, 환청

9) 부적절한 식사 행동

- 알츠하이머병의 10%에서 폭식, 6%에서 과구강증(hyperorality; 먹을 수 없는 물건들을 입에 집어넣는 행위)

10) 부적절한 성행동

- 알츠하이머병의 7%
- 시설에 수용된 알츠하이머병 남자 환자의 20~30%에서 여성 간병인을 당혹하게 하는 성적 행동을 보였다는 보고가 있음.

11) 분노 반응

- 자신들이 추진하던 일이 실패하거나 기대에 미치지 못할 경우 갑작스러운 심한 감정 반응을 보이거나 신체적 혹은 언어적 공격 행동을 보임.

4. BPSD에 대한 비약물적 치료 ☞ 약물 치료와 상호 협조적 관계

1) 무엇을 치료해야 하는가?

a. BPSD 자체가 치료 대상이 아니라 BPSD가 주는 영향이 치료 대상

㉮ 큰 문제를 일으키지도 않는 욕설하기에 대해 항정신병약을 줄 필요는 없다.

b. 치료 대상 : 보호자의 부담을 덜어주고, 환자의 행동을 제어

표 31-4. BPSD에 대한 약물반응 정도: 특히 약물에 반응이 적은 증상은 비약물적 치료가 중요하다!

약물에 반응하는 증상	약물에 반응이 적은 증상
불안, 초조증	배회
우울증	반복적 질문
무감동, 거부증	습관적 행동
퇴행적 행동	방해 행위(intrusiveness)
불면, 과다 행동	이상한 옷을 걸치거나 옷을 벗음
욕설	다식증
망상, 피해 사고	자해
환각	

Adapted from 박건우

2) 비약물적 치료 요법들의 실제

a. 주변 환경의 정비
- 적절한(은은한) 조명
- 야간조명 사용
- 지남력을 제시하는 도구들 설치
- 근무복 지양, 치료진의 일상복 착용
- 적절한 배경 음악(민요, 트로트, 클래식)
- 전화벨 볼륨 낮추기
- 밖으로 나가려는 환자 : 문의 손잡이를 가리거나, 문을 벽과 구분 못하도록 위장.
- 다른 병실로 들어가려는 환자 : 복도 벽을 사진, 그림, 화초 등으로 꾸미고 조용한 음악을 틀어줌 ⇒ 치료진들도 만족시킴.

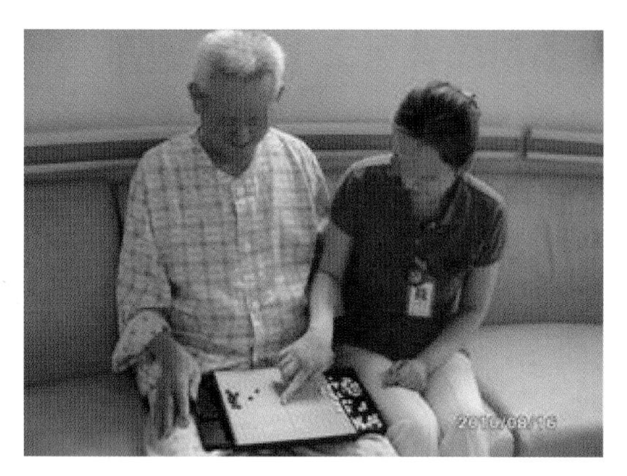

그림 31-2. **티셔츠 형태의 일상복을 착용한 치료진**

그림 31-3. **엘리베이터 버튼에 '고장' 표시하고 잠금**

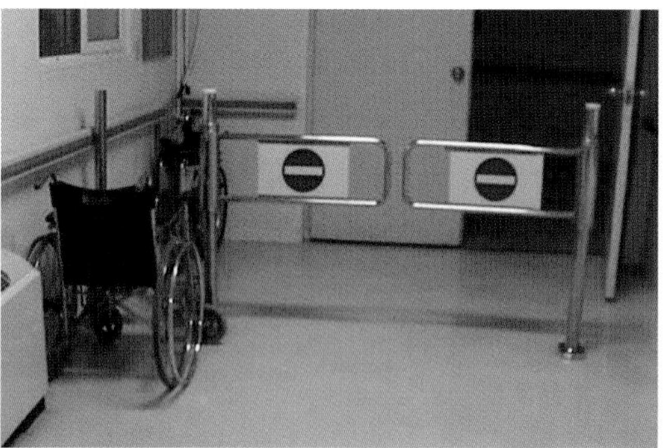

그림 31-4. **출입문 앞의 One-way barrier**

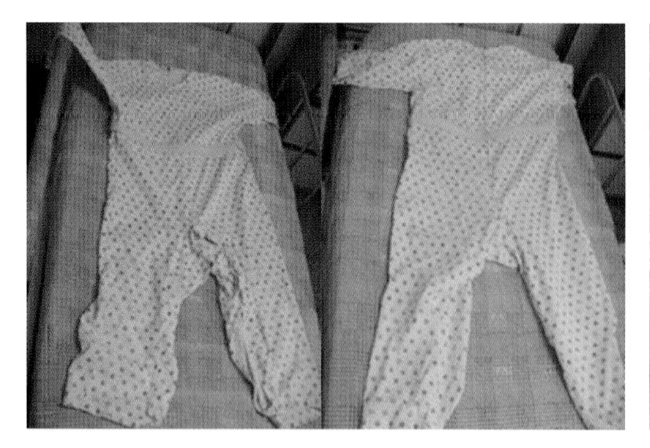

그림 31-5. **BPSD로 기저귀를 뜯거나 옷을 벗거나 피부를 긁는 분을 위해 제작된 원피스.** 지퍼가 뒤에 달림(앞, 뒤)

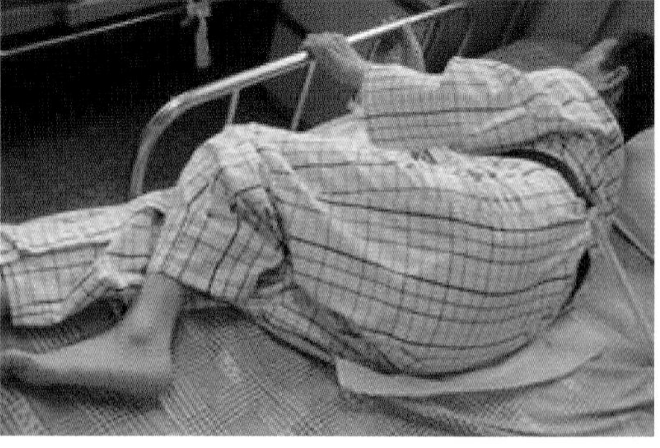

그림 31-6. 실제로 원피스 환자복을 입고 계신 환자분 보호자가 태권도 띠(파란색)를 환자복에 꿰매어 뒤쪽에서 억제대를 묶을 수 있도록 해주심(환자가 억제대에 신경을 쓰지 않게 됨).

b. 활동 프로그램과 음악
- 기분을 전환시키는 유희, 신체 자극 및 운동이 불안과 초조 감소에 도움
- 고함치기, 공격성 : 환자가 좋아하는 음악, 가족 비디오 보여주기
- 배회 증상 : 손을 잡고 산책 함께 하기
- 공격성 : 몸을 긁어 주고 운동 시켜주기

c. 행동 치료
- 소리 지르는 환자
  - 조용히 하면 → 좋아하는 음식 주기
  - 소리 지르면 → 관심을 주지 않기. 적절한 음악, 대화, 접촉 유지하기

그림 31-7. 뽁뽁이 비닐 활동을 통해 관심을 다른 곳으로 돌림.

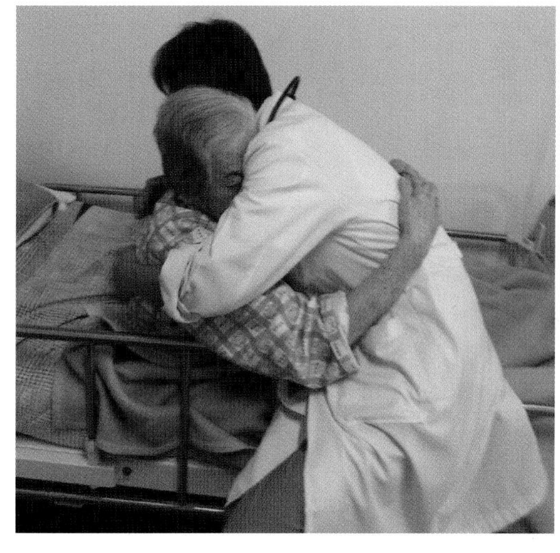

그림 31-8. 접촉 유지하기. 늘 소리 지르고 간호케어에 저항하는 81세 여성. 매일 회진 시에 주치의가 안아주면 다소 누그러든다.

d. 회상 치료 및 현실 지남력 치료
- 회상 치료 : 사진, 비디오 등을 이용하여 다른 사람들 앞에서 발표하는 방법
- 현실 지남력 치료 : 시간, 장소, 사람에 대해 지남력을 자꾸 일깨워 주기

e. 광치료, 아로마 요법 및 마사지
- 초조 증상에 효과적

f. 동물매개치료 (Animal Assisted Therapy)
- 공격적이거나 우울증, 외로움을 타는 환자들에게 좋은 반응을 보임.

g. 보호자 교육

– 보호자 대상으로 BPSD에 대한 교육과 대처 방안을 교육

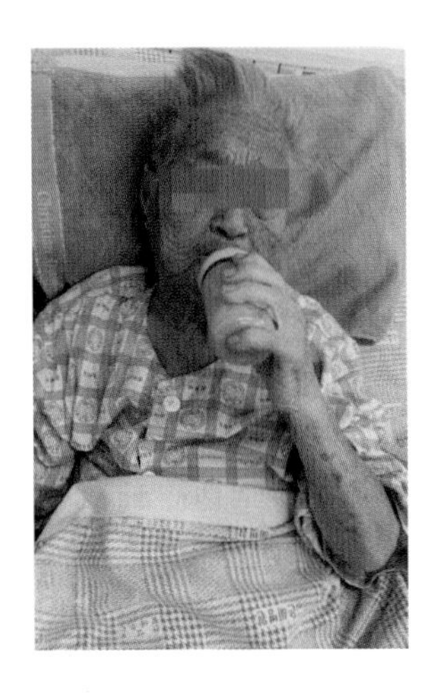

그림 31-9. **식사를 거부하고 경비위관도 거부하시던 96세 치매 여성.** 담당 간호사의 아이디어로 젖병에 유동식을 넣어 드렸더니 식사를 드시기 시작한 사례임.

그림 31-10. **배회증상이 심한 치매환자들을 위한 건물 구조.** 동그란 띠 모양의 복도로 되어 있어 외부로 탈출할 위험이 적고 끊임 없이 걸을 수 있다(경기도 분당 헤리티지 너싱홈 제공).

5. BPSD에 대한 약물 치료

표 31-5. 표적 증상에 따른 약물 적응증

의심증, 망상, 환각, 난폭한 행동, 공격성, 다툼, 항우울제에 반응 없는 초조	항정신병약
단순 초조성 행동, 수면장애	항우울제
불안, 비공격성 초조 행동, 수면장애	벤조디아제핀
급성 초조성 행동, 탈억제 행동, 잦은 다툼, 폭발적인 분노 및 기분의 변화가 심한 경우	Carbamazepine, valproate, lithium, clonazepam, propranolol

표 31-6. BPSD에 흔히 사용하는 약물들의 시작 용량 및 유지 용량

항정신병약			항우울제		
종류	시작(mg)	유지(mg)	종류	시작(mg)	유지(mg)
Haloperidol	0.25~0,5	0.25~3	Nortriptyline	10~20	10~50
Risperidone	0.25~0,5	0.25~3	Trazodone	12.5~25	25~200
Quetiapine	12.5~25	25~100	Fluoxetine	10	10~40
Chlorpromazine		30~100	Sertraline	25	50~200
Olanzapine	2.5	2.5~7.5	Paroxetine	10	10~40
Clozapine	6.25~12.5	12.5~100	Escitalopram	10	20
벤조디아제핀			Citalopram	10	10~40
종류	시작(mg)	유지(mg)	Venlafaxine	12.5	200
Lorazepam	0.5	0.5~4	Mirtazapine	7.5	15~30
Alprazolam	0.25	0.25~2	Nefazodone	50	50~200
Clonazepam	0.125	0.25~2			

표 31-7. BPSD에 흔히 사용하는 약물들의 부작용

약물	진정작용	항콜린	추체외 증상	기립성 저혈압	체중증가	당뇨	지질증가
Clozapine(禁!!)	+++	++	+/-	+++	+++	+	+
Chlorpromazine	++++	+++	+	+++	++	?	?
Risperidone	+	+	++	+++	++	?	?
Quetiapine	+++	+	+/-	++	++	?	?
Olanzapine	+	+	+	+	++	+	+
Haloperidol	+	+	+++	+	?	?	?
Aripiprazole	+/-	-	+/-	-	?	?	?

* 노인환자에서는 부작용 적은 **비전형적 항정신병 약물**을 우선 사용하는 것이 바람직하다. (**Quetiapine**, **Risperidone** 등)

Adapted from Atri A, et al.

◆ BPSD는 이상 반응인가, 정상 반응인가?

- 65세 이상 인구의 치매 발병율은 약 10%를 육박한다. 이 글을 읽으실 분들이 1천명이라면 그 중 나이 들어 치매가 되실 분들은 약 100명 정도 된다는 의미이다. 만일, 그 10%에 내가 포함된다면 어떻게 될까? 내가 치매가 되는 순간, 나에게는 어떠한 일들이 일어날까? 상상해보자.

  우선, 언제부터인지 모르게 오늘이 며칠인지 깜박 잊게 되고, 이어서 여기가 어디인지, 이 낯선 사람은 누구인지 모르게 될 것이다. 결국 밖에서 헤매이다 길을 잃는 일이 반복되던 어느 날, 나는 요양병원에 입원을 하고 있는 환자였다. 물론 나는 이 사실을 모르고 있고, 이 곳을 얼마전까지 다니던 주간보호센터로 오해하여 저녁 무렵에 집으로 가고자 한다. 그런데, 지금 입고 있는 이 이상한 잠옷(환자복)을 입고는 밖에 나가기가 부끄럽다. 그래서 옆에 온 흰 옷 입은 사람에게 집에 갈 수 있게 바지 좀 하나 얻어달라고 부탁한다.

"엉뚱한 옷을 걸친 BPSD 환자"??

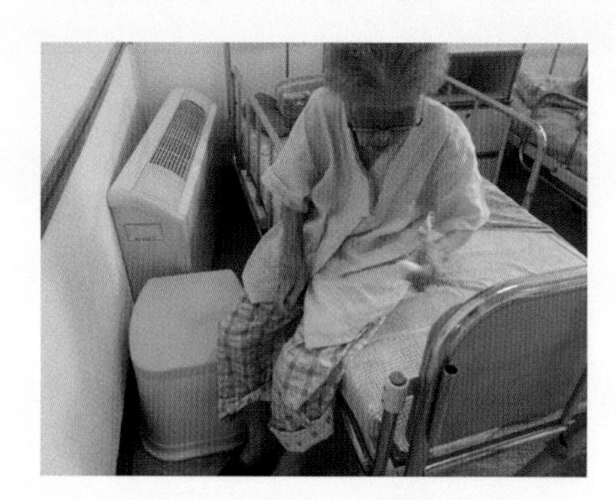

나도 이 할머니가 될 수 있다.
내가 이런 상황이라면 어떨까?

화가 나지 않을까? (공격성)
우울하지 않을까? (우울감)
가족 곁으로 가고 싶지 않을까? (배회)
이 때, 밖에 있던 직원이 '목욕할 시간입니다'라고
한다면 따르고 싶을까? (케어에 대한 저항)

혹시 우리는 너무나 정상적인 감정 반응을 BPSD라는 왜곡된 시각으로 바라보고 있는 것은 아닐까?

32 치매환자의 부적절한 성적 행동(ISB)

- 69세 남성, 약 30~40년 전 뇌 손상 입은 후 뇌 병변 장애(3급) 있었다고 하며, 수년 전부터 평상시에 빨간 모자, 빨간 양복, 빨간 신발과 빨간 가방을 들고 중얼거리면서 돌아다니시던 분이었는데, 첫 번째 방문 2주 전에 갑자기 본인 소유의 빨간색 물건들을 버리심. 그 이후 같이 사시는 며느리를 이성으로 대하며 몸을 만지려고 하고, 하의를 벗는 등의 증상을 보임. 특히 아드님이 있을 때에는 그러지 않다가 아드님이 출근하고 나면 그러한 증상을 보임. 최근 B-MRI 검사 상 lacunar infarcts 관찰. K-MMSE 17점, CDR 1, GDS 3. 검사를 담당했던 남자 사회복지사가 며느리와 이야기를 나누는 것을 본 후 "간통죄로 신고하겠다"며 화내심. "왕관을 만들러 가야 한다"고 하셔서 그 이유를 물었더니 "내가 왕인데 왕관이 없잖아"라고 하심.

– 진단 : 혈관성 치매에 따른 BPSD (→ ISB 증상 포함)
– 처방 : Seroquel 12.5mg bid + Cimetidine 2T tid PO

부적절한 성적 행동(ISB ; Inappropriate Sexual behavior)은 BPSD의 일종으로 치매환자의 7%~25%에서 발생한다고 추정되는데, ISB는 주변 사람에게 지장을 주고, 괴로움을 주며, 결국 그 환자를 돌보는 데에 방해가 된다. 그러나 환자의 성적인 행동이 과연 부적절한 것인지, 아니면 적절한 범주의 것인지를 명확히 구분하는 것은 쉽지 않다.

1. ISB 환자의 평가

a. 우선 성적 문제를 포함한 포괄적인 병력 청취부터 시행한다.
b. 정신상태(MMSE)와 이학적 검사
c. '섬망'과 같은 기저의 의학적 원인들을 감별하기 위해 검사실 검사와 neuroimaging이 필요

2. 어떠한 사람에게서 ISB가 잘 생기는가?

a. 인지기능 저하가 더 심각한 사람
b. 남성
c. 치매의 종류는 무관

3. ISB의 3가지 유형

a. 성적인 이야기 하기(Sex talk)
  – 가장 흔한 유형
  – 환자의 병전 성격과 어울리지 않는 부적절한 언어 사용
b. 성적인 행동(Sexual acts)
  – 만지기(touching), 움켜잡기(grabbing), 노출하기(exposing), 자위하기(masturbating)
  – 사적(private) 혹은 공적(public) 공간에서...
c. 은연중 일어나는 성적 행동(Implied sexual acts)
  – 공개적으로 음란한 잡지를 읽거나, 불필요하게 간병인에게 성기의 케어를 요구하기

4. ISB와 관련된 것으로 알려진 신경생물학적 물질들

serotonin, dopamine, prolactin, 시상하부에 있는 neuropeptide들, 남성호르몬, testosterone 및 testosterone의 수용체 등

5. 치료

a. 우선은 비약물적 치료
- 우선 환자에게 잘못 이해되는 사회적 신호(social cue)를 바로 잡는다.
- 지지적 정신치료 : 주치의가 환자에게 증상을 이겨나갈 방법을 구체적으로 제시하고 힘든 부분에 대한 감정적 지지를 적극적으로 함.

b. 안되면 약물치료 고려 : "Start low, go slow"

표 32-1. **부적절한 성적 행동(ISB)에서 효과를 보이는 약물들**

약물	용량	보고된 사례	투여 목적(증상)	흔한 부작용
간질 치료제				
Carbamazepine	200 mg/d	1	Masturbation	Sedation, dizziness, ataxia, nausea vomiting, anticholinergic effects, skin rash, worsening of congestive heart failure, hypertension, hypotension
Gabapentin	300-900 mg/d	4	Exposing, grabbing, masturbation	Somnolence, fatigue, dizziness, ataxia, peripheral edema, depression, weight gain, tremor
항우울제				
Citalopram	20 mg/d	1	Inappropriate disrobing	Gastrointestinal disturbance, sweating, tremors, dizziness, anxiety, headache, somnolence
Clomipramine	150~200 mg/d	2	Exposing, public masturbation, repeated touching	Sedation, gastrointestinal disturbance, weight changes, anxiety, tremors, sweating
Paroxetine	20 mg/d	1	Disinhibition	Gastrointestinal disturbance, asthenia, sweating, tremors, dizziness, anxiety, headache, sedation
Trazodone	100~500 mg/d	4	Hypersexuality	Sedation, orthostatic hypotension, dizziness, headache, gastrointestinal disturbance, priapism
고혈압 치료제				
Pindolol	40 mg/d	1	Verbal comments, hugging, kissing	Bradycardia, congestive heart failure, hypotension, lightheadedness, depression, nausea, vomiting

약물	용량	보고된 사례	투여 목적(증상)	흔한 부작용
항정신병약				
Haloperidol	1.5~3 mg/d	1	Masturbation	Parkinsonism, tardive dyskinesia, akathisia, drowsiness
Quetiapine	25 mg/d	1	Repeated masturbation	Sedation, orthostatic hypotension, headache, dizziness, constipation
H-2 receptor blocker				
Cimetidine	600~1600 mg/d	20	Masturbating, fondling, exposing, sexual hallucination	Gastrointestinal disturbance, confusion, increased serum transaminases, rash, blood dyscrasias
호르몬제				
Diethylstilbestrol	1 mg/d	1	Forcing penis into the mouth of another resident	Weight changes, abdominal pain, dizziness, nausea, depression, insomnia, pelvic pain, breast pain, edema
Estrogen	0.625 mg/d; 0.05~0.10 mg/d(patch)	39	Hypersexuality	Weight changes, abdominal pain, dizziness, nausea, depression, insomnia, pelvic pain, breast pain, edema
Leuprolide actate	7.5 mg/mo (IM)	2	Hypresexuality, exhibitionism,	Weight changes, abdominal pain, dizziness, nausea, depression, insomnia, pelvic pain, breast pain, edema
Medroxyprogester-one acetate (MPA)	100-300 mg/wk every 2wk (IM)	11	Masturbation, exposure, fondling, attempting to have sex with others	Weight changes, abdominal pain, dizziness, nausea, depression, insomnia, pelvic pain, breast pain, edema

* 약자 : MPA, medroxyprogesterone acetate; IM, intramuscular.

Adapted from Ozkan B et al. Am J Alzheimers Dis Other Demen 2008;23:344-54.

요양병원에서 비교적 처방하기 용이한 약물들

◇ Carbamazepine(카바민, Tegretol) : 200 ㎎/d
◇ Trazodone : 100~500 ㎎/d
◇ Quetiapine(쎄로켈) : 25 ㎎/d
◇ Estrogen : 0.625 ㎎/d
◇ Gabapentin : 900 ㎎/d
◇ Haloperidol : 1.5~3 ㎎/d
◇ Cimetidine : 600~1600 ㎎/d - antiandrogenic effect
◇ Medroxyprogesterone acetate(MPA) : 100~300 ㎎/d, IM q2wk

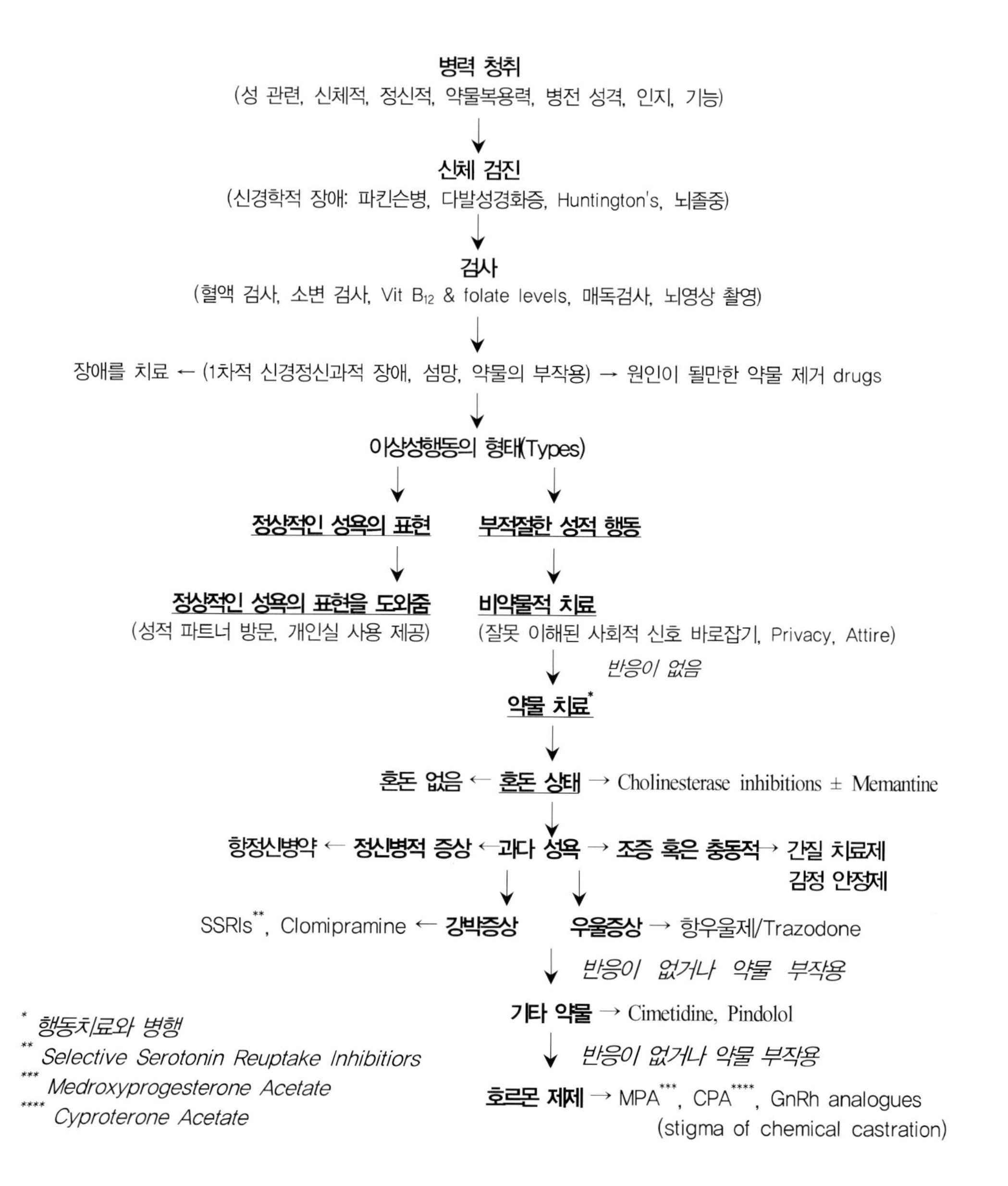

그림 32-1. **부적절한 성적 행동을 보이는 환자에 대한 치료 흐름도.** Adapted from Ozkan B et al.

33 치매 예방 생활수칙

- 67세 여성이 최근에 기억력이 떨어졌다며 치매 검사를 받기 위해 혼자 외래에 내원했다. 치매 검사 상 K-MMSE = 27점, CDR = 0.5로 정상 범주에 속했다. 남편이 치매를 앓다가 돌아가셨다며, 치매 예방약이 있다면 먹고 싶다고 하였다. 의뢰인은 술, 담배는 전혀 하고 있지 않으시고, 매일 오전 근처 스포츠센터에서 수영을 하고 계시고, 오후에는 주로 복지관에 다니시면서 컴퓨터도 배우고 단소도 배우고 계신다고 한다. 고기는 싫어하지만 생선, 과일, 우유를 즐겨 드신단다.

– [진인사대천명 3GO!]의 모든 항목을 잘 실천하고 계십니다.

1. 진인사대천명 3GO! 생활수칙

표 33-1. **진인사대천명(盡人事待天命) 3GO!**

진	땀나게 운동하고
인	정사정 없이 담배 끊고
사	회 활동
대	뇌 활동
천	박하게 술 마시지 말고
명	을 연장하는 식사를 할 것.
3GO	고혈압, 고지혈증, 고혈당 관리할 것

modified from 이윤환

진인사대천명 3GO! 생활수칙

진땀나게

규칙적으로 운동을 합니다.

- 걷기와 같은 적은 운동량도 규칙적으로 하면 좋다. 가능하면 많이 걷기
- 숨차고 땀나는 운동을 1주일에 3회 이상
- 다양한 스포츠 즐기기

인정사정 없이

금연합니다.

- 매일 한 갑씩 40년 이상 피운 사람은 알츠하이머병에 걸릴 위험이 3배
- 지금 금연해도 늦지 않다 : 금연 후 6년이 지나면 인지 장애 확률이 40% 감소

사회활동

사회활동을 활발히 합니다.

- 사람을 많이 만나십시오(친구를 사귀고, 친척과 한 달에 한 번 이상 만나기).
- 여가 생활을 즐기십시오(영화, 연극, 전시회, 여행, 외식 → 치매 위험 40% 감소).
- 여러 가지 활동(손자녀 돌보기, 친목단체활동, 여행, 정원 가꾸기, 뜨개질 등을 2가지 이상하면 치매 위험이 60%, 3가지 이상하면 80% 감소)

대뇌활동

적극적인 두뇌활동을 합니다.

- 머리를 많이 쓰는 활동을 적극적으로 하십시오(독서, 오락, 게임, 글쓰기, 창작활동).
- 배움에는 정년이 없습니다(컴퓨터, 악기, 외국어 배우기, 박물관 관람 등).

천박하지 않게

절주합니다.

- 과음과 폭음은 인지장애의 확률을 1.7배 높입니다.
- 중년기부터 많은 음주를 하면 노년기에 인지장애를 보일 확률이 2.6배 높습니다.
- 음주를 하신다면 술은 적당히 드십시오(한 번에 1~2잔, 일주일에 3회 이하로).

명을 늘리는

뇌 건강 식사를 합니다.

- 생선을 섭취하십시오.
- 채소와 과일을 매일 섭취하십시오.
- 우유를 즐겨 드십시오.

고혈압, 고지혈증, 고혈당

3(쓰리)고를 관리합니다.

- 정기적 검진을 받습니다.
- 병원에서 처방받은 약을 꾸준히 복용한다.

그림 33-1. 치매 예방을 위한 “진인사대천명3GO” 생활 수칙

최근에는 지역 별로 다양한 치매안심센터를 설립하여 지역사회 노인들의 치매예방 사업을 돕고 있는데, 아래에 인천서구치매안심센터의 활동을 일부 소개한다. 이를 통해 ‘진인사대천명3GO’를 실천하고 있다.

A 하루일과표

시간	월	화	수	목	금
9:00~10:00	아침송영 및 입실, 어르신과의 인사				
10:00~10:30	활력징후 측정 및 오전 간식				
10:30~11:00	화상요법(아침을 여는 이야기) 및 아침 체조				
11:00~12:00	종교활동	음악요법	종이접기	미술치료	보드게임
12:00~13:00	점심식사, 양치질, 개인별 휴식				
13:00~14:00	투약관리, 공기압 마사지, 운동기구를 이용한 근력강화 운동				
14:00~15:00	원예치료 발마사지 원예치료 발마사지	건강백세 운동교실	서예교실 웃음치료 및 공연 서예교실 메타기억	건강백세 운동교실	작업치료 생활체조 작업치료 생활체조
15:00~15:30	간식시간				
15:30~16:00	기억력향상훈련				
16:10~17:30	저녁송영				

B

태블릿 PC를 이용한 두뇌회전 게임

C

서예 수업

D

치매까페 ‘봄날’. 치매환자와 지역사회 주민들이 자유롭게 드나들며 휴식 공간으로서의 역할, 치매 관련 정보도 제공하고, 치매 노인들의 작품 전시회 개최 등의 행사를 개최한다.

그림 33-2. 인천서구치매안심센터의 치매예방 프로그램

2. 치매예방 10계명

보건복지부지정 노인성치매임상연구센터에서는 다음과 같은 치매 예방 10계명을 제시하였다. '진인사대천명'의 원칙을 따르되, 치매 의심 시 진단, 치료, 관리의 개념을 추가한 것이 특징이다.

1. 손과 입을 바쁘게 움직여라.	손과 입은 가장 효율적으로 뇌를 자극할 수 있는 장치이다. 손놀림을 많이 하고, 음식을 꼭꼭 많이 씹자.
2. 머리를 써라.	활발한 두뇌활동은 치매 발병과 진행을 늦추고, 증상을 호전시킨다. 두뇌가 활발히 움직이도록 기억하고 배우는 습관을 가지자.
3. 담배는 당신의 뇌도 태운다.	흡연은 만병의 근원으로 뇌 건강에 해롭다. 담배를 피우면 치매에 걸릴 위험이 안 피우는 경우에 비해 1.5배나 높다.
4. 과도한 음주는 당신의 뇌를 삼킨다.	과도한 음주는 뇌세포를 파괴시켜 기억력을 감퇴시키고, 치매의 원인인 고혈압, 당뇨병 등의 발생 위험을 높인다.
5. 건강한 식습관이 건강한 뇌를 만든다.	짜고 매운 음식은 치매의 원인이 되는 고혈압, 당뇨병 등의 발생 위험을 높인다. 현대인들의 입맛은 짜고 매운 음식에 길들여져 있으므로 조금 싱겁게 먹는 습관을 가지자. 신선한 야채와 과일, 특히 호두, 잣 등 견과류는 뇌기능에 좋으므로 이러한 식품을 적당히 섭취하자.
6. 몸을 움직여야 뇌도 건강하다.	적절한 운동은 신체적·정신적 건강에 좋다. 적절한 운동은 치매의 원인이 되는 고혈압, 당뇨병, 고지혈증 등을 예방하고 증상을 호전시킨다. 일주일에 2회 이상, 30분이 넘게 땀이 날 정도로 운동을 하자.
7. 사람들과 만나고 어울리자.	우울증이 있으면 치매에 걸릴 위험이 3배나 높아진다. 봉사활동이나 취미활동 등에 적극적으로 참여하고, 혼자 있지 말고 사람들과 어울려 우울증과 외로움을 피하자.
8. 치매가 의심되면 보건소에 가자.	60세 이상 노인은 보건소에서 무료로 치매조기검진을 받을 수 있다. 치매가 의심되면 가까운 보건소에 가서 상담을 받자.
9. 치매에 걸리면 가능한 빨리 치료를 시작하자.	치매 초기에는 치료 가능성이 높고, 중증으로 가는 것을 방지할 수 있다. 따라서 치매는 가능한 빨리 발견하여 치료하는 것이 중요하다.
10. 치매 치료·관리는 꾸준히 하자.	치매 치료의 효과가 금방 눈에 안 보인다 할지라도 치료·관리를 안하고 방치하면 뇌가 망가져 돌이킬 수 없다. 꾸준히 관리하자.

그림 33-3. **치매예방 10계명(노인성치매임상연구센터)**

3. 잠을 충분히 자자!

1) 미국 캘리포니아대 크리스틴 야페 교수팀 연구

치매 없는 노인 여성 298명 대상 2년 연구 결과, 수면무호흡증이 있는 그룹의 44.8%에서 인지장애나 치매가 나타났고, 수면무호흡증이 없는 그룹은 31.1%에서만 나타남. 다음과 같은 가설이 제시되었다.

a. 깊이 잠들지 못하고 자다가 뇌가 깨면 정보 정리가 제대로 진행되지 않음.
b. 특히, 수면무호흡증이 있으면 체내 산소 농도가 떨어져서 뇌세포가 손생되어 기억력이 떨어질 수 있다고도 함.

4. 수녀처럼 생활하라!

NUN Study(수녀 연구) : 75세 이상 678명의 수녀 대상 연구

1) 건전한 생활습관이 치매를 예방할 수 있었다!

a. 자원한 수녀 모두 사후 뇌를 기증.
b. 부검 결과 알츠하이머병의 특징인 뇌의 심한 위축과 신경섬유매듭(Neurofibrillary tangles)이나 아밀로이드 반점이 뇌에 축적되더라도 인지기능이 정상 범위로 유지될 수 있음이 입증됨.

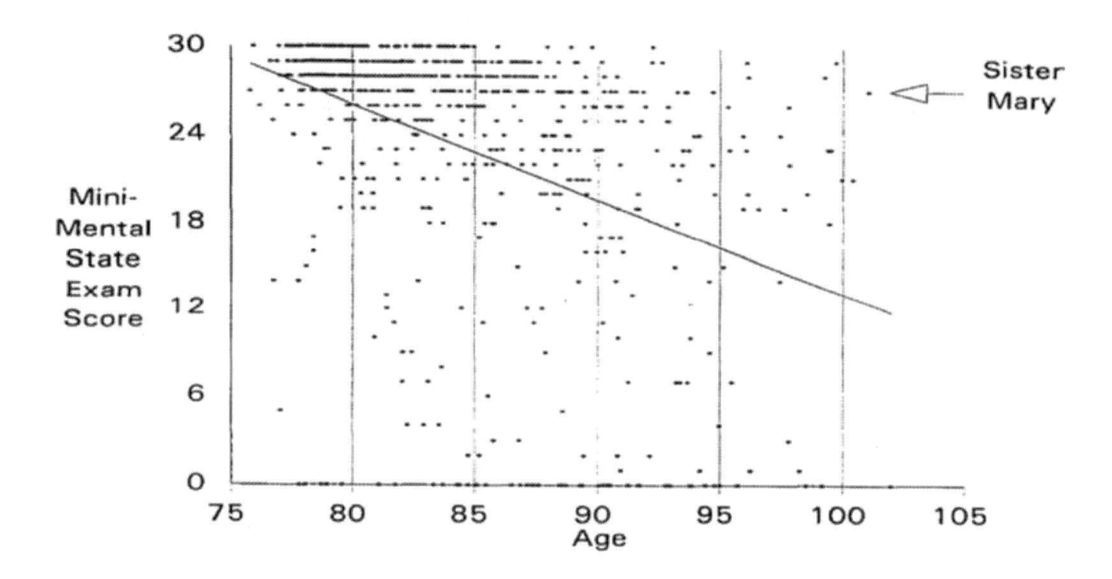

그림 33-4. Nun Study 참여자인 마리아 수녀(Sister Mary): 사망 수개월 전에 측정한 MMSE 점수가 27점이었다.

표 33-2. 부검 결과, 놀랍게도 마리아 수녀의 뇌의 무게는 870 gm밖에 안 되었고, 다른 수녀님들보다 신경섬유매듭(Neurofibirillary tangles)이나 아밀로이드 반점(Plaques)이 뇌에 많이 쌓여있었다.

	Neurofibrillary Tangles in Neocortex	Neurofibrillary Tangles in Hippocampus	Neuritic Plaques in Neocortex	Neuritic Plaques in Hippocampus	Diffuse Plaques in Neocortex	Diffuse Plaques in Hippocampus	Brain Weight in Grams
Sister Mary's actual value	1	57	3	6	179	32	870
Unadjusted mean in other sisters	11	20	15	3	92	7	1120
Sister Mary's predicted value based on the other sisters	14	22	10	1	55	4	1007
P-value for difference between actual and predicted values	0.59	0.14	0.60	0.42	0.02	0.001	0.24

* *Note* : Predicted values were adjusted for age at death and attained education. *P*-value was based on the Student test, and was a test of the hypothesis that Sister Mary's values were different from those predicted based on the values of the other sisters who died. Means were based on 110 to 116 sisters (since lesion counts were not possible in some sisters because a brain infarction had obliterated a specific brain region, and brain weight was unavailable for one sister).

마리아 수녀님은 어떠한 보상도 원하지 않았어요.
유명인이 되고 싶어하지도 않았어요.
그저, 언젠가 나이가 들게 될 젊은이들에게 자신이 도움이 될 수 있기를 원했어요.
유일한 요구사항은 자신을 '마리아수녀(Sister Mary)'라고 불러주기를 바랐던 것 뿐이에요.

- NUN Study 책임연구자: 데이빗 스노우돈 -

34 치매 노인들을 위한 활동프로그램

표 34-1. 인천은혜병원의 활동프로그램 시간표

월	화	수	목	금	토
			1 시청각교육	2 치료 레크리에이션	3 가족지지모임
5 독서요법	6 산책요법	7 인지요법	8 시청각교육	9 미술요법	10 가족지지모임
12 노래요법	13 산책요법	14 치료요법	15 시청각교육	16 인지요법	17 가족지지모임
19 독서요법	20 산책요법	21 요리요법	22 시청각교육	23 창작공예요법	24 가족지지모임
26 노래요법	27 산책요법	28 미술요법	29 시청각교육	30 치료 레크리에이션	31 가족지지모임

1. 활동(Activity)

1) 정의

개인적, 사회적 욕구를 충족시킬 수 있는 기술과 자원을 필요로 하는 목표 지향적인 작업으로 일과 놀이의 연속선상에 있는 것

2) 핵심 요소

a. 기술 : 신체적, 감각적, 인지적, 정서적, 사회적 요인들로 구분
㉑ 책 읽는 활동 – 신체적(앉고, 책을 잡고, 책장을 넘김), 감각적(시력), 인지적(주의집중, 기억), 사회적(책을 구입하거나 도서관에서 빌림) 기술이 필요. 이들 기술 중 한 가지만 문제여도 읽기는 어려워짐.

b. 자원 : 활동을 지원하거나 제한하는 환경적 요인
㉑ 돈, 접근성, 가능성, 사회적 지지

c. 목표지향적 활동 : 개인적 가치, 흥미 또는 욕구를 반영
㉑ 혼수상태의 환자가 침상에서 떨고 있는 것은 목표가 없으므로 활동이 아니다.

3) 일상생활 동작의 중요성("Use it or lose it")

a. 일상적 활동은 적절하게 우리의 신체와 정신을 자극함으로써 건강을 유지시켜 줌.

b. 젊은 대학생들이라도 자극이 결여된 환경에 있게 되면 체중과 힘, 정신 능력을 잃게 된다는 연구 결과도 있다.

c. 노화 자체가 활동 수준과 활동 내용의 선택에 영향을 미치며, 시설 입소는 활동에 더 큰 영향을 미친다.
㉑ 식사시간, 음식 종류, 수면시간 등이 개인의 요구보다는 기관의 요구에 따라 결정됨.

4) 활동프로그램의 원칙

a. 일상적 작업이나 활동을 독립적으로 수행하지 못하는 사람들의 삶을 확장시키고 풍요롭게 한다.

b. 활동프로그램은 때로 "바쁘게 하는 것"으로 잘못 이해되기도 함.
㉑ 참여자 동의 없는 파티나 빙고게임, 노래 부르기 등의 활동에는 오히려 참여율이 낮은 경우를 볼 수 있다.

c. 계획에서 수행 단계에 이르기까지 모든 단계마다 참여자를 포함시켜야 한다.

d. 일과 놀이의 연속선상에 따라 제공해야 한다.

e. 환경은 편안하게 하며, 의무적으로 하는 것이 아니라 자유롭게 활동하는 느낌을 갖도록 하는 것이 중요하다.

f. 지도자는 예술과 과학을 함께 적용함으로써 전문적으로 이끌 수 있다.

넓은 창문으로 인해 프로그램실 내부가 잘 보인다(부천가은병원).

벽은 강한 충격도 흡수하는 쿠션으로 되어 있고, 간호사실과 통한 유리창을 통해 외부에서 의료진이 환자를 관찰하기 쉽게 디자인되어 있다(대만 타이페이 Veterans General Hospital).

그림 34-1. **활동프로그램을 위한 다목적실**

5) 활동프로그램의 연속성

a. 양로원이나 복지관에서의 프로그램 – 예방적
b. 노인 낮 병원 프로그램 – 보다 손상된 노인의 안전이나 의학적 문제를 고려
c. 장기요양노인시설 및 요양병원 – 총체적인 환자 간호, 재활 및 사회적 서비스도 활동프로그램과 같이 제공

6) 활동프로그램의 7단계 과정

a. 요구, 강점, 가정의 규명
b. 목표 설정
c. 분석과 활동 선택
d. 계획 수립
e. 계획 수행
f. 결과 평가
g. 기록

7) 활동프로그램 개발 및 적용 시 고려할 사항

a. 노인의 활동상태 파악
– 신체적, 사회적, 인지적 활동 수준, 지각 능력, 과거 및 현재 활동과 관심사항 등
b. 비용분석

표 34-2. **활동 프로그램 준비시에 고려할 사항**

영역	구체적 내용
활동 명	프로그램 명 제시
활동 기술	활동내용과 목표를 기술
참가자 수	적합한 참여자 수
개인적 필요조건	활동에 참여하는데 필요한 개인적인 조건, 기술
업무별 직원 또는 참여자	계획 및 조정, 재료 준비, 방 준비, 이동, 활동 수행, 정리에 필요한 인력
물품	필요한 물품, 구입할 물품 기록
도구	필요한 도구, 구입할 도구 기록
총 물품과 도구의 가격	
가장 적은 비용으로 가장 큰 이익을 얻을 수 있는 활동으로 결정하는 것이 필요	

Adapted from 김주희 등

8) 치매 노인의 활동 선택 시 주의점

a. 단순성 : 활동은 짧고 단순하여 언어적인 설명보다는 행동을 보여줌이 효과적
b. 지속성 : 주의집중력이 저하되어 있으므로 최적의 시간은 20~30분 정도이다.
c. 융통성 : 치매 노인이 활동을 행하지 못해 절망하고 당황하면 다른 방법을 시도하거나 정지시킨다.
d. 활동의 수준 : 가능한 한 성인 수준의 활동을 유지하나, 질병 진행에 따라 어린이 그림책이나 게임 등을 응용한다.

2. 미술요법

1) 기대 효과

a. 심신의 어려움을 겪고 있는 사람들을 대상으로 하여 그들의 미술작품(작업)을 통해서 심리를 진단하고 치료한다.
b. 우울한 노인의 자아존중감을 증가시키고 의사소통능력을 향상시키고 자아정체감을 강화하고 안정시킴.
c. 치매노인들의 이상행동 호전

2) 집단미술치료법 운영 시 지침(캘리포니아 주간보호센터)

a. 참여자를 어린아이로 취급하지 말라

b. 인내를 배워라. 당신뿐 아니라 참여자들도 자신의 느림에 짜증이 난다.

c. 주의력을 가져라.

d. 초점이 되어라. 반달형의 자리 배치가 좋다.

e. 칠판에 쓰고 이야기 하는 방식과 같이 적어도 두 가지 감각을 이용하여 환자들과 연결한다.

f. 사회 현실감을 갖도록 돕는다. 그들이 집단 안에 있다는 것을 상기시킨다.

g. 그들이 할 수 있는 것에 주의를 기울여라. 그들의 잃어버린 기능에 의존하는 활동을 피하라. 그래야 자신을 존중하게 된다.

3) 프로그램의 예

a. 벽화 만들기
- 각자에게 맞는 작업을 주고 완성작을 미리 벽에 붙여둔 전지에 붙인다.

b. 달력 만들기
- 스케치북 크기의 종이에 반은 그림을 그려 색칠하게 하고, 나머지 반은 그 달의 숫자를 적어 넣을 빈 칸을 만든다.

c. 조화 만들기
- 색 끈으로 반복되는 작업으로 장미를 만들어 나감.

d. 서예
- 각자의 수준에 맞게 표본을 나눠주고 그대로 연습하게 한다.

e. 종이 찢기
- 종이 찰흙을 만들기 위해서 신문지를 찢어 달라고 치매노인들에게 인식시킨 후 작업을 진행

f. 색칠하기
- 두 아이가 바닷가에서 모래성을 쌓고 노는 모습이 그려진 그림을 각자에게 나누어 주고 그것을 색칠하게 함. 동시에 어린 시절을 회상하게 하면 더 효과적이다.

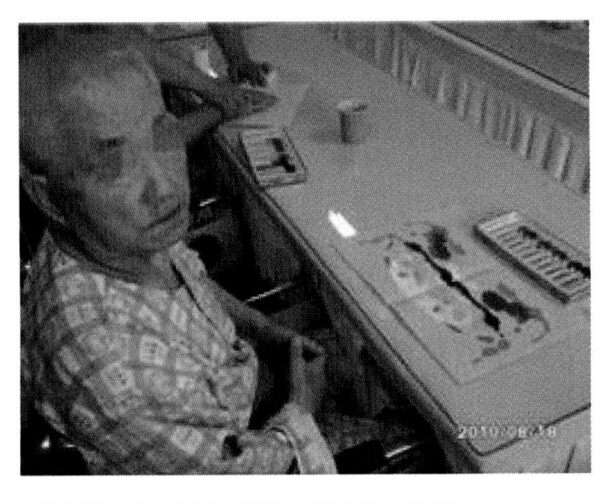

그림 34-2. 미술 요법 : "데칼코마니"

3. 음악요법

1) 대상 : 치매, 우울증, 신경증, 분별력 장애, 건망증 등
2) 치매환자에서의 효과
   a. 우울증 등 부정적인 정서를 감소시킴.
   b. 배회 행동의 감소
   c. 현실감 증가
   d. 인지기능 증가
   e. 집중력 향상
   f. 비애감과 상실감 감소
   g. 밤과 낮의 역전현상 감소
3) 종류 : 기억 회상, 선호 곡 듣기, 노래 따라 부르기, 악기 연주, 율동

그림 34-3. 음악 요법 : "실로폰 치기"

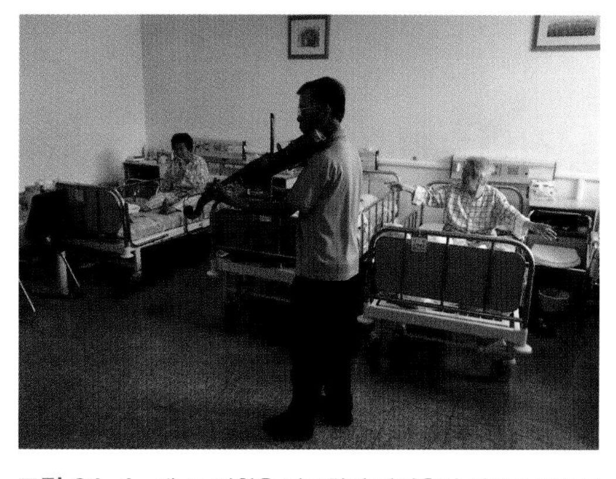

그림 34-4. 매 주 병원을 방문하여 바이올린 연주를 해주시는 자원봉사자. 연주에 맞추어 춤을 추시는 환자.

4. 운동요법

1) 걷기 : 굽이 낮고 바닥이 푹신한 신발을 신고 산책하는 기분으로 왕복 30분 정도의 거리를 느긋하게 걷는다. 걷는 동안 주변의 상황을 설명 해준다.
2) 춤추기 : 환자가 평소에 춤추기를 좋아한다면 권장
3) 균형을 잡을 수 없는 환자라면 앉아서 하는 운동을 권장
4) 신체를 움직일 수 없는 환자의 경우, 근육과 관절의 경축을 예방하기 위해 수동적 관절 운동을 주기적으로 시행

그림 34-5. **산책요법에 적합한 장소인 병원 내 숲길**

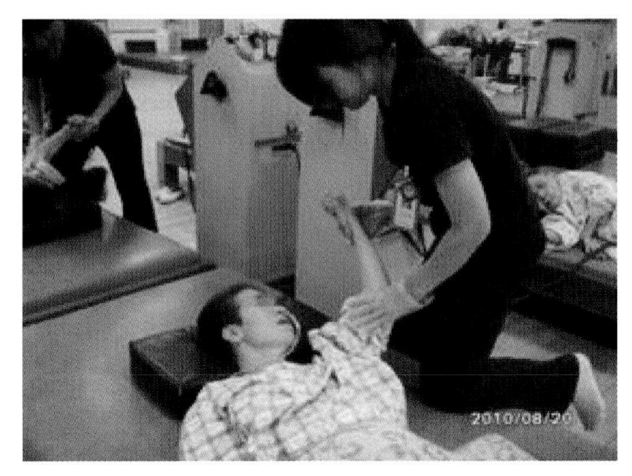

그림 34-6. **수동적 관절 운동 시행 모습**

5. 작업요법

1) 원칙

a. 간단한 것일수록 좋다.
b. 집중력을 유지할 수 있는 시간(20분~30분) 내에 할 수 있는 것이 좋다.
c. 잘 안될 때에는 기분 전환을 시도
d. 치료자는 유연성을 갖고 환자를 대한다.
e. 작업은 가능한 한 어른 수준에서 시작하여 치매의 진행에 따라 유아 수준으로 낮춰간다.

2) 종류

a. 지지적 작업치료 : 정신과적 작업치료 또는 오락적 작업치료
b. 기능적 작업치료 : 일상생활, 가정생활 및 작업 등을 최대한 독립적으로 할 수 있도록 기능을 회복시키는 것
c. 직업중심적 작업치료 : 가사활동 훈련과 직업 복귀를 위한 훈련 포함

그림 34-7. **작업치료실에서의 작업 요법**

6. 인지요법

* 기억력 향상을 위한 일반적인 원칙

a. 연상 : 기억하고자 하는 것을 본인이 이미 알고 있는 것과 연관 짓는다.

b. 시각화 : 머릿속으로 기억하고자 하는 것의 그림을 그려본다.

c. 능동적인 관찰 : 기억하고자 하는 것을 적극적으로 관찰하고 생각해 본다.

d. 설명 : 기억하고자 하는 것의 세부사항을 설명한다.

1) 인지력 향상을 위한 프로그램

a. 낱말 만들기 – 자음과 모음이 각각 적혀 있는 카드를 준비. 지도자가 단어를 부르면 참여자는 단어를 만들고 큰 소리로 읽으면 승리한다.

b. 빙고 게임

그림 34-8. 인지력 향상을 위한 “빙고 게임”

2) 능동적 관찰 기억 훈련

예술, 자연, 도시 정경, 여행을 담은 그림을 사용할 수 있다.

㉯ 호수 주변에 있는 사람들의 풍경이 담긴 그림을 보여주고 30초 후에 그림을 가린 다음, 다음의 질문들을 한다.

- 그림 속에 사람들이 몇 명 있는가?
- 나이는 어느 정도로 보이는가?
- 하루 중 어느 때인가?
- 날씨는 어떤가?
- 호수에 배가 있는가?
- 무엇을 입고 있는가?
- 어떤 얼굴 표정인가?
- 어느 계절인가?
- 물 색깔은 하늘 색깔과 비교해 어떠한가?
- 사람들이 무엇을 하고 있는가?

* 그림을 다시 보여주면서 놓쳤던 부분들을 언급한다.

그림 34-9. **능동적 관찰 기억 훈련 : "같은 그림 찾기 게임"**

3) 집중력을 위한 프로그램

a. 고리던지기 : 일반인은 2 m 정도의 거리가 적당하나, 치매노인의 경우 보폭으로 "한 발짝 반" 정도의 거리에 목표물을 둔다.

b. 조각게임 : 술래는 눈을 가리고 포즈를 취하고 있는 사람의 몸을 더듬어 그 동작을 기억하여 자기 팀에게 동작을 전달해 주는 게임

c. 모양 맞추기 : 플라스틱 또는 나무 모양의 도형의 판 안의 구멍에 같은 도형끼리 맞추는 게임. 모양과 색깔 등에 대해 이야기한다.

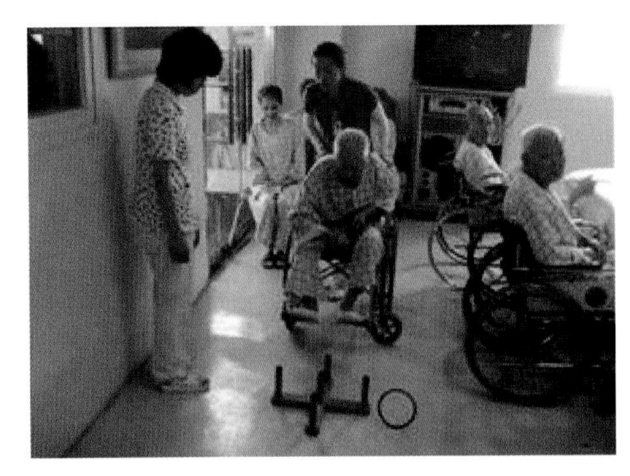

그림 34-10. **집중력을 위한 프로그램 : 고리 던지기**

4) 혼자 하는 활동들

a. 독서

- 환자가 읽는 것이 가능한 경우, 활자가 큰 책과 잡지 제공
- 너무 길거나 복잡한 것은 안 된다.
- 단순하고 혼란스럽지 않은 그림책이나 인기 있는 어린이 책

b. TV 시청

- 성격 변화가 나타나는 치매 노인에게 액션 프로그램은 가장 피해야 하는 프로그램이다.

c. 뜨개질

- 오래 된 뜨개옷을 푸는 것도 노인들이 즐거움을 느낀다.

d. 분류, 구분하기

- 크기, 색깔 또는 모양에 따라 단추를 분류하고 그것들을 자루 안에 넣기 등

e. 배합 활동(Matching)

- 하나의 사물을 2~4등분하여 배합 활동을 통해 맞추는 것
- 두꺼운 마분지에 그림을 그리고 반으로 나누어 서로가 연결된 단순한 대상들끼리 짝짓기
  ㉮ 수화기가 있는 전화, 자동차, 물고기 등

f. 판에 못박기 작업

- 운동 신경의 조절을 돕는다.
- 어느 정도 박은 후 정지할 수 있도록 감독

그림 34-11. 독서 : 시력 저하 노인을 위해 활자가 큰 책 구비

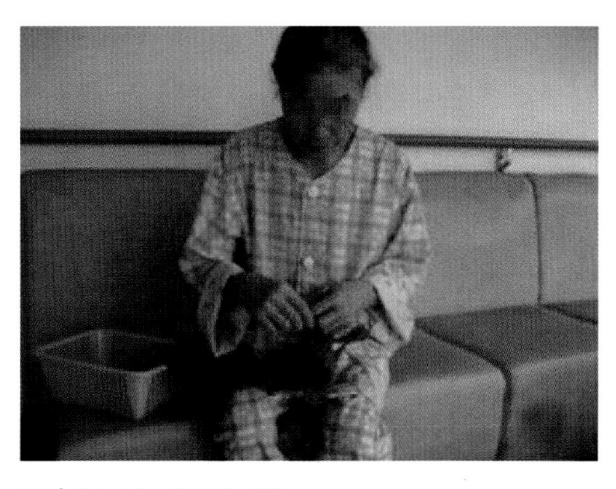

그림 34-12. 뜨개질 하기

7. 원예요법

1) 정의

식물체를 이용한 자연 친화적 환경 조성을 통하여 심신의 안정을 도모하고 건강을 증진시키는 간호 중재의 한 접근법

2) 핵심

a. 독립된 삶과 자기 간호
b. 육체적 건강증진, 유지
c. 인지기능 유지
d. 나이에 맞는 여가
e. 정서적, 사회적 관계 증진
f. 원예요법을 위한 정원모임 등을 통해 외로움 해소

그림 34-13. **휴게실 화초에 물을 주고 있는 치매환자**

8. 아로마요법

- 치매환자의 수면장애, 이상행동 등의 조절에 효과적이란 일부 보고들이 있음.
- 진정작용이 있는 라벤더, 레몬밤 등을 주로 사용
- 주로 오일 마사지 방법을 많이 사용

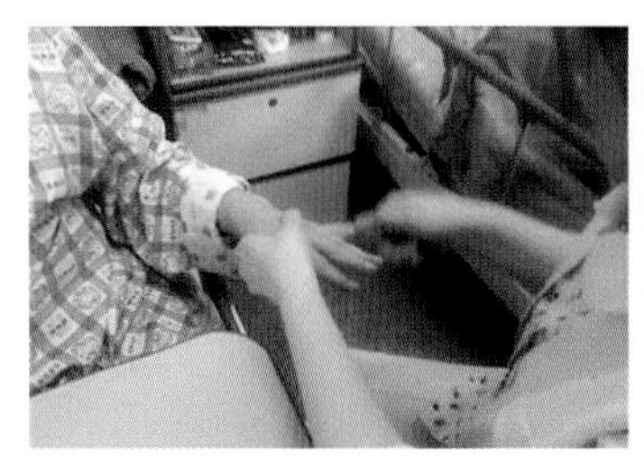
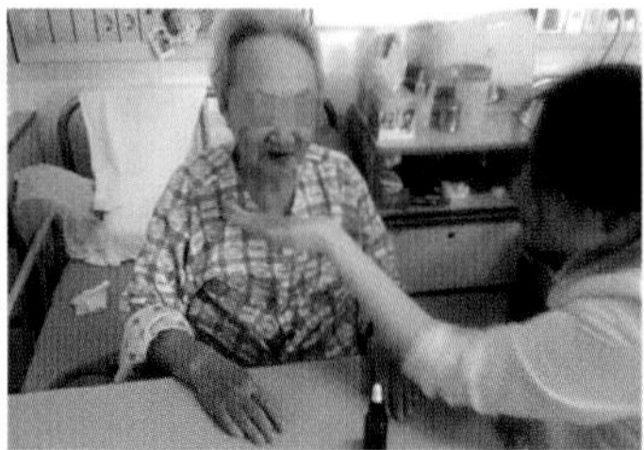
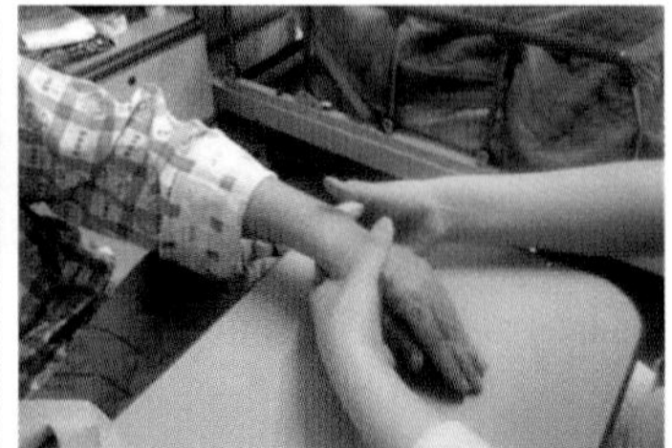

그림 34-14. **아로마 손마사지.** 아로마 요법은 특히 우울증이나 공격성을 가진 노인환자들에게 여러 가지 잇점이 있는데, 직원과의 피부접촉과 아로마 향기 자체가 심적인 안정을 갖도록 도와주며, 짧은 시간이나마 직원-환자 간에 자연스러운 대화를 나눌 수 있다는 점이 좋다.

9. 동물매개치료(AAT: Animal Assisted Therapy)

아직 치매환자들에게서 명확한 효과를 보여 준 연구 결과들은 없으나, 작은 규모의 연구들에서 '개'가 초조, 공격성을 줄여주고 사회적 행동을 증진시킨다고 알려짐.

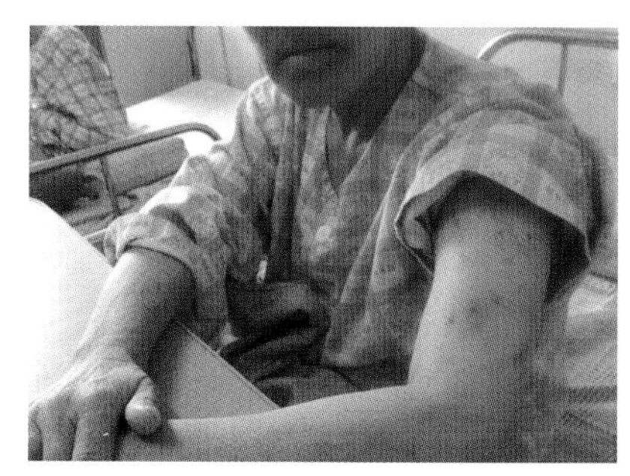

그림 34-15. **동물매개치료 사례1.** 반복적으로 피부를 긁던 치매환자가 동물매개치료를 받으면서 만난 개를 쓰다듬는 동작을 하면서 자신의 피부를 긁던 횟수가 줄어들었다.

그림 34-16. **동물매개치료 사례2.** 평상시에 욕설을 하시고 매우 공격적이던 68세 치매 남성. 동물 친구들을 만난 후에 천진난만한 아이와 같이 장난을 치고 있는 모습. 사진을 잘 보면 환자의 무릎이 다른 개의 위에 얹어져 있다.

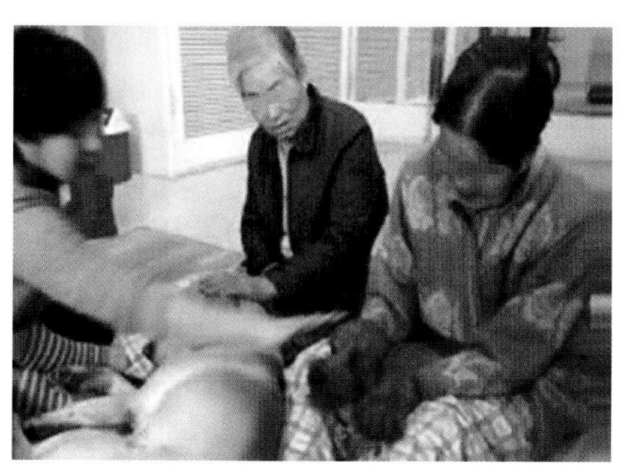

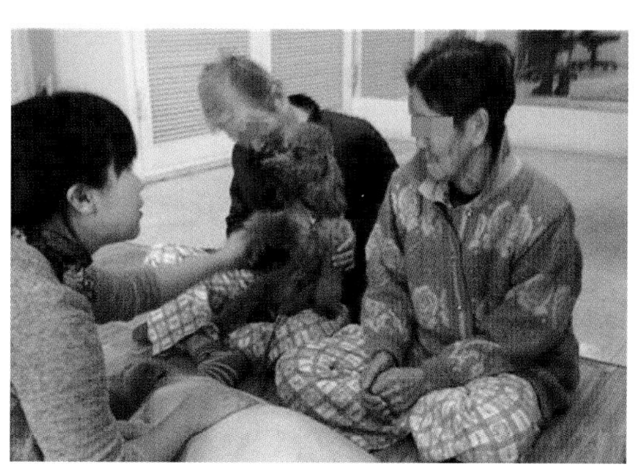

그림 34-17. **동물매개치료 사례3.** 우울감을 호소하던 78세 여성. 강아지와 친구가 된 후 웃음을 되찾으심.

10. 아동과 함께 하는 프로그램

그림 34-18. 어린이들과의 미술활동 장면.
경미한 치매환자들의 학습 수준에서 어린이들은 매우 적합한 학습 동반자가 되며, 우울 증상 개선에도 큰 도움이 될 것으로 추정된다.

11. 프로그램 기록지의 작성 사례들

표 34-3. **프로그램 기록지의 예(인지요법)**

<table>
<tr><th colspan="5">집단치료평가서</th></tr>
<tr><td>일 시</td><td colspan="4">2010년 8월 4일</td></tr>
<tr><td>활동명</td><td colspan="4">인지요법(8월 달력 만들기)</td></tr>
<tr><td>참석자</td><td colspan="4">유XX, 홍XX, 이XX, 김XX, 양XX, 문XX, 이XX, 조XX</td></tr>
<tr><td>진행자</td><td colspan="4">권XX 외 2명</td></tr>
<tr><td>준비물</td><td colspan="2">달력종이, 크레파스</td><td>장 소</td><td>8층 요법실</td></tr>
<tr><td rowspan="4">활동내용</td><td>목 적</td><td colspan="3">1. 날짜감각을 익힌다.
2. 요일에 대한 인지능력을 향상시킨다.
3. 여름에 관한 그림을 그리고 색칠함으로써 색깔인지능력을 향상시킨다.</td></tr>
<tr><td>도 입</td><td colspan="3">1. 진행자 소개 및 성원들간 인사하기
2. 스트레칭을 통해 위축된 신체를 이완시킨다.
3. 년도, 월, 일, 요일을 이야기하며 지남력 훈련을 한다.</td></tr>
<tr><td>진 행</td><td colspan="3">1. 오늘의 프로그램에 대해 설명한다.
2. 숫자, 요일에 공백을 만들어 놓은 달력종이를 배부한 후 크레파스를 이용하여 날짜, 요일의 공백을 채우도록 한다.
3. 달력종이에 공백을 채운 후 여름과 관련된 그림을 그리고 색칠하도록 한다.ex) 과일, 부채 등
4. 완성된 달력을 서로 보여주며 이야기한다.</td></tr>
<tr><td>종 료</td><td colspan="3">1. 오늘의 프로그램에 대해 이야기하고 격려함으로써 활동에 대한 만족감을 얻도록 한다.
2. 강화물을 제공하고 손뼉 치며 마무리한다.</td></tr>
<tr><td>평 가</td><td colspan="4">진행될 달력 만들기에 도움이 될 수 있도록 년도, 월, 일, 요일, 계절을 반복적으로 이야기하고 정보를 제공하여 지남력 훈련을 실시하였다. 큰 어려움은 없었으나 대체적으로 1~31까지의 날짜 공백을 채우지 못하고 반복적으로 쓰는 몇몇 성원들이 있어 개별보조를 실시함으로써 만족감을 얻도록 하였다. 모두 달력이 완성된 후 만족감을 표현하였고 날짜, 요일, 그림을 그리고 색칠함으로써 인지능력이 향상되는데 도움이 되었으리라 평가된다.</td></tr>
</table>

작성자: 권XX (인)

인천은혜병원 의료사회사업과

표 34-4. **프로그램 기록지의 예(요리요법)**

<table>
<tr><th colspan="5">집 단 치 료 평 가 서</th></tr>
<tr><td>일 시</td><td colspan="4">2010년 8월 6일</td></tr>
<tr><td>활 동 명</td><td colspan="4">요리요법(수박화채 만들기)</td></tr>
<tr><td>참 석 자</td><td colspan="4">유XX, 홍XX, 이XX, 이XX, 이XX, 조XX, 문XX, 양XX, 김XX</td></tr>
<tr><td>진 행 자</td><td colspan="4">권XX 외 2명</td></tr>
<tr><td>준 비 물</td><td colspan="2">여름 과일, 우유, 수박 즙, 그릇, 플라스틱 칼</td><td>장 소</td><td>8층 요법실</td></tr>
<tr><td rowspan="4">활동내용</td><td>목 적</td><td colspan="3">1. 공동체 활동 통한 사회적 기능 유지시키고 무료한 병동생활에 활력을 부여한다.
2. 주의 집중력, 손의 운동기능 향상 및 활성화</td></tr>
<tr><td>도 입</td><td colspan="3">1. 인사하기, 자기소개하기
2. 스트레칭을 통해 위축된 신체를 이완
3. warming up program : 손뼉 치기, 노래 부르기</td></tr>
<tr><td>진 행</td><td colspan="3">1. 여름 하면 생각나는 과일에 대해 이야기하는 시간을 갖는다.
2. 오늘 할 요법에 대한 설명
3. 준비된 과일을 각자 알맞은 크기로 자른다.
4. 자른 과일을 그릇에 담는다.
5. 우유와 수박 즙을 부어 먹는다.</td></tr>
<tr><td>종 료</td><td colspan="3">1. 오늘 한 요법에 대한 소감을 이야기한다.
2. "다음에 또 만나요"라는 멘트와 박수로 프로그램을 종료한다.</td></tr>
<tr><td>평 가</td><td colspan="4">유XX, 문XX : 요법 내내 진행자의 안내에 따라 가장 적극적인 참여모습을 보였다.
이XX : 요법 내내 웃으며 참여하였다. 가장 먼저 노래를 불렀다.
양XX : 요법 내용과 전혀 상관없는 이야기를 끊임없이 하며 혼자 웃었다.
홍XX : 칼을 드려도 전혀 자르려 하지 않고 과일을 입에만 넣으려고 하였다.
이XX : 요법 내내 묵묵히 참여하는 모습을 보였다.
이XX : 준비된 과일을 잘게 잘라 계속 먹기만 하였다. 요법 내용엔 전혀 관심 없어 보임.
김XX : 칼로 과일을 계속 자르기만 하여 칼을 치우자 그제서야 진행내용을 따라 참여하였다.
요리요법이었기에 다들 다른 요법보다 더 흥미 있어 하며 적극적이었으나, 먹으려고만 하는 대상자가 몇 분 눈에 띄었다.</td></tr>
</table>

작성자: 권XX (인)

인천은혜병원 의료사회사업과

표 34-5. **프로그램 기록지의 예(가족지지 모임)**

집단치료평가서		
일 시	2010년 8월 7일	
활동 명	가족지지모임(Family Meeting)	
참 석 자	2병동(최XX, 이XX, 김XX, 하XX, 조XX, 이XX, 정XX, 김XX)	
진 행 자	권XX	
활동내용	진 행	*201호 최XX : 손주 방문하셔서 안마해드림 *203호 이XX : 제수씨 친구 방문하셔서 휠체어 밀어드림 김XX : 따님이 간식 가지고 오시고 대화 나누심 *205호 하XX : 손주 방문하셔서 함께 점심식사 조XX : 손녀내외 방문하셔서 점심식사 보조 *207호 이XX : 아들내외 방문하셔서 점심식사 보조 정XX : 며느리, 손자 방문하셔서 대화 나눔 *208호 김XX : 남편 방문하셔서 팔 주물러드림
평 가		

작성자 : 권XX (인)

인천은혜병원 의료사회사업과

35 치매환자를 사로잡는 기술

"설득이 아니라 납득을 시켜야 해!"

선배 간호사 : 치매환자의 입장에서 생각하는 습관이 매우 중요해. 약을 드시지 않는 분에게 "병을 치료해야 하니까 드셔야 해요"보다는 "이 약은 삼키기 힘드시지요?"라고 물어보아서 우선 그 이유를 파악하는 거지.

후배 간호사 : 그렇군요! 모든 행동에는 뭔가 이유가 있을텐데 말이지요. 가루약을 싫어한다거나, 타이밍이 나빴다거나…

선배 간호사 : 맞아, 치매환자의 치료는 '설득'하는 것이 아니라, '납득' 시키는 것이 중요해!

- 와시미 유키히코, 치매간호.

1. 치매환자를 대하는 바람직한 마음가짐과 태도

치매환자의 인격을 존중하는 자세로 대해야 원활한 의사소통이 되고 환자를 다루는 것이 쉬워진다. 특히 직원들을 힘들게 하는 치매환자들의 행동심리증상도 환자의 입장에서 생각해보면 인지장애로 인한 자연스러운 행동임을 이해한다면 그들을 대하는 자신의 마음도 달라지게 된다.

말씨가 변하면 마음이 변하고
마음이 변하면 행동이 변하며
행동이 변하면 사람이 변한다

말씨가 가장 중요하고 기본이 된다는 의미이다. '문제행동'이라고 하지 말고 '행동심리증상'이라고 불러야 한다. 사소한 일이지만 맞는 말을 사용하는 자세도 환자의 존엄성을 지키는 것이다. 이렇듯 환자의 입장에서 생각하는 습관은 치료 제공자로서 매우 중요하며, 이러한 마음가짐은 대부분 환자에게 그대로 전달된다. 결국 어려운 치매환자를 대하는 쉬운 요령의 하나는 그들을 이해하려 하는 마음을 갖고, 그에 따라 진심으로 행동하는 것이다.

환자가 불쾌감이나 치료에 저항감을 나타낼 때는 무조건 치매 탓을 하지 말고,
환자를 대하는 **자신의 태도나 말씨를 점검**해야 한다!

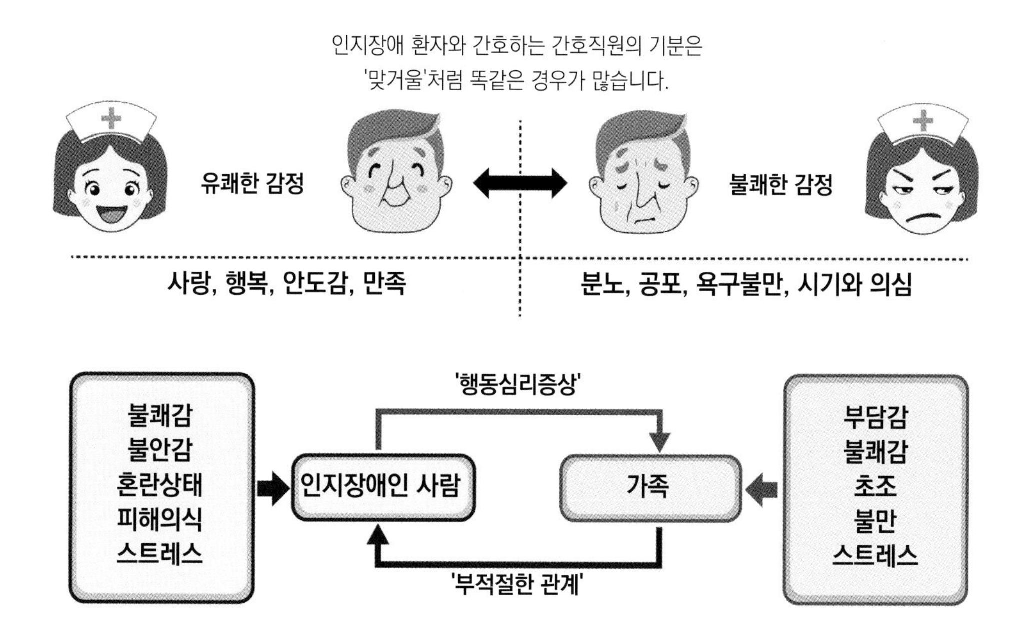

그림 35-1. 치매환자의 얼굴은 나의 거울인 경우가 많다. 즉, 내가 편안하게 대하면 환자도 편안 해지고, 내가 스트레스를 받으면 환자도 스트레스를 받아 행동심리증상을 보이기도 한다. (Adapted from 와시미 유키히코, 치매간호.)

표 35-1. **치매환자의 존엄성을 지키는 행위 vs 존엄성을 훼손시키는 행위**

치매환자의 존엄성을 지켜주는 17가지 행위	치매환자의 존엄성을 훼손시키는 17가지 행위
배려(다정함, 따뜻함)	서두르기
감싸주기	뒷전으로 미루기
긴장 풀기	공포심 주기
존경	어린애 취급하기
받아들이기	이해하려 하지 않기
함께 기뻐하기	바람직하지 않은 구분
존중	모욕
실천	무시
공감하며 이해하기	비난
환자가 할 수 있는 능력 이끌어내기	능력을 제한하기
필요한 지원 하기	거짓말하기(둘러대기)
관계 유지	강요
함께 하기	중단
개성 인정하기	사람 취급하지 않기
함께 있기	차별
일원으로 느낄 수 있게 하기	비웃음
함께 즐기기	따돌림

Adapted from 와시미 유키히코, 치매간호

2. 치매환자를 이해하기 위한 포인트

1) 입소시에 파악해야 할 포인트를 다음과 같이 입소자별로 표로 만들어서 관리하면 좋다.

- ☐ 인지장애의 유무와 정도
- ☐ 행동심리증상(협조거부, 과다행동, 큰소리 등)의 유무
- ☐ 낙상의 위험성 유무
- ☐ 배회, 탈출의 위험성 유무
- ☐ 섬망의 위험성 유무
- ☐ 지시를 따르지 않는다.

2) 치매환자를 관찰, 평가할 때 유의할 점

1. 경미한 표정이나 말의 변화에 따라 신체상황을 신중히 평가한다.
2. 인지저하 점수는 어디까지나 대상자 특성의 일부일 뿐이다.
3. 각 평가척도의 특성을 충분히 파악한 후에 활용한다.
4. 환자의 생활능력, 시간에 따른 경미한 변화에 주목한다.
5. 환자가 하는 말과 행동의 의미를 잘 해석한다.
6. 간호팀 내에서 치매환자의 관찰 결과에 대해 반복하여 의논한다.

3. 의사소통의 포인트

의사소통은 세상 모든 인간관계의 기본이며, 특히 말씨와 표정이 가장 중요하다.

낮은 목소리로 천천히, 부드럽게 이야기한다.
눈을 보고 웃는 얼굴로 이야기한다.
손을 잡는다거나, 부드럽게 몸을 터치한다.
청력 장애가 있는 분들은 큰 글씨로 써서 보여준다든가, 물건을 보여준다든가 한다.
자존심에 상처를 주는 말을 하지 않는다.

표 35-2. **자존심에 상처를 주는 말들의 예**

"제가 한 말 잊어버리셨어요?"
"똑같은 말을 또 하시네요"
"거짓말이지요?"
"안돼요"
"깨끗이 하셔야죠"

4. 4무2탈 존엄케어 운동

<u>4무2탈 존엄케어 운동</u> : 최근에 요양병원을 중심으로 점차 확대되고 있는 노인 인권존중 운동으로서, 현장의 힘든 여건 속에서도 다음과 같은 4가지 무(無), 2가지 탈(脫) 운동을 통해 진정으로 노인을 공경하고 질 높은 서비스를 제공하고자 하는 병원과 시설의 움직임.

5. 사람중심케어(Person-Centered Care)

사람중심케어(PCC: Person-Centered Care)란 1990년대 인간다움과 진정한 의사소통에 중점을 둔 치매케어의 개념으로, 1990년대 영국의 학자인 톰 키트우드가 만들었다.

PCC = V+I+P+S

PCC는 VIPS개념으로 설명되는데, V,I,P,S로 이루어진 4가지 필수적 요소는 다음과 같다.

V (Valuing) = 가치	나이나 인지 손상에 상관없이 모든 사람들의 삶에 있어 절대적 가치를 나타내는 가치 기반
I (Individuals) = 개별적	모든 환자가 개별적으로 고유의 독특한 역사, 정체성, 성격을 가지고 있다고 인정하여 개별적 접근
P (Perspective) = 관점	치매를 가진 사람의 관점에서 세상을 바라보기
S (Social environment) = 사회적 환경	모든 인간들은 관계에 기반을 두고, 심리적 요구를 지지하는 사회적 환경을 제공한다.

'VIPS', 즉 VIP (Very Important Person)들을 대하듯이 치매환자를 대하라는 중의적 표현으로서, 위 요소들은 치매돌봄 제공자에게 지침으로 사용될 수 있고, 치매를 가지고 살아가는 사람들과 그들 가족과의 상호 작용을 반영하도록 한다.

6. 휴머니튜드(Humanitude) 기법

'휴머니튜드(humanitude)'는 프랑스의 이브 지네스트(Yves Gineste)와 로젯 마레스코티(Rosette Marescotti)가 만든 케어 기법이자 치매환자를 '인간다운' 존재로 대하자는 철학적 운동이다.

이브는 체육교사였는데, 40여년 전 프랑스의 한 병원에서 간호사 요통예방 교육을 위해 일하던 중 간호직원들이 직업적으로 치매환자를 돌보는 모습을 목격하고 충격을 받게 되었다. 특히 묵묵히 입을 다문 채로 환자와의 눈맞춤 없이 케어하는 모습을 보며 '치매환자에게도 인간을 대하는 기본적인 자세로 대할 것'을 철학으로 하는 '휴머니튜드 기법'을 개발하게 되었다. 2019년에는 인천광역시의 초청으로 인천광역시를 방문하여 필자의 병원(인천은혜요양병원)에서 위탁 운영하는 인천광역시립제1치매요양병원에서 휴머니튜드 워크숍(국제치매케어 워크숍)을 개최하였다. 한편 본 병원과 인천광역시립제2치매요양병원에서 치매환자를 대상으로 수개월에 걸쳐 적용한 휴머니튜드 기법은 2부작 다큐멘터리로 제작되어 KBS에서 방영되어 큰 반향을 일으킨 바 있다.

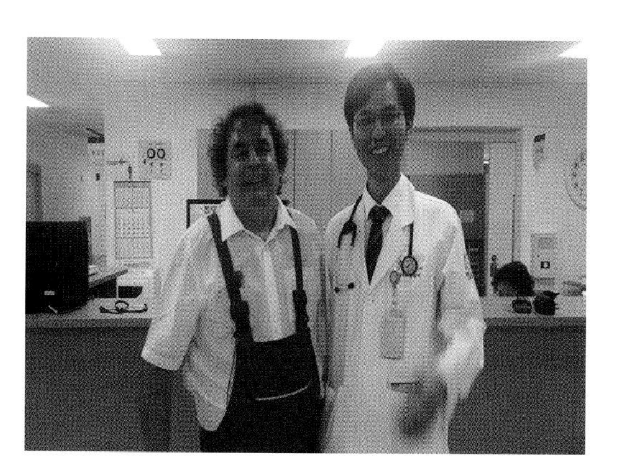

그림 35-2. 휴머니튜드 개발자인 이브 지네스트와 필자의 만남

그림 35-3. 2019년 인천시의 초청으로 인천시립치매요양병원에서 개최된 국제치매케어 워크숍에서 휴머니튜드에 대해 강의하는 이브 지네스트

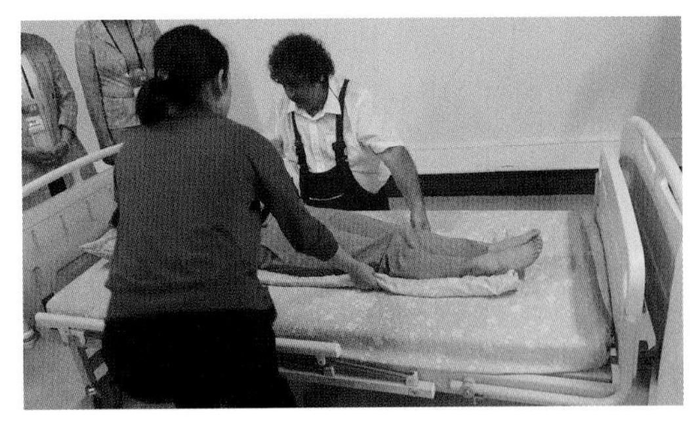
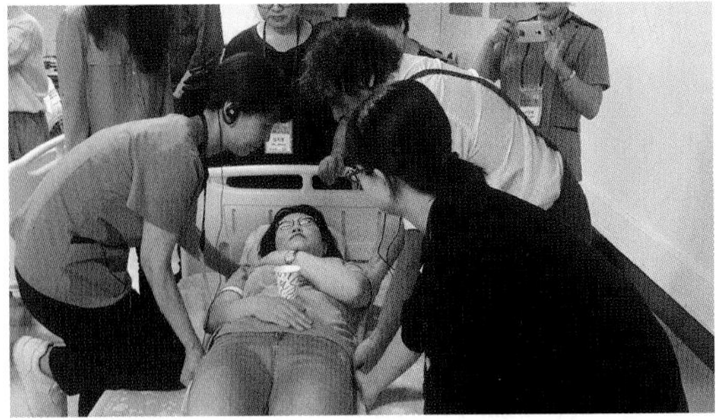

그림 35-4. **누워있는 환자를 환자이동용 시트 활용을 통해 휠체어로 옮기는 휴머니튜드 기법**

1) 휴머니튜드의 4가지 기둥

휴머니튜드의 가장 기본이며 중요한 4가지 행동은 바라보기, 말하기, 접촉하기, 서기이다. 사람과 사람이 친밀한 상호작용할 때에는 누군가를 바라보고(눈맞춤) 말하며(대화) 접촉(악수, 포옹)을 하고, 걸어서(서기) 세상을 본다. 부모라면 자식을 키울 때에 누가 시키지 않아도 사랑의 눈길로 바라보고 정답게 이야기를 나누며 수시로 접촉을 하고 걸음마 아기가 걸을 때에 뿌듯해한 경험이 있을 것이다. 이러한 기쁨을 치매환자를 돌볼 때에도 느낄 수 있다.

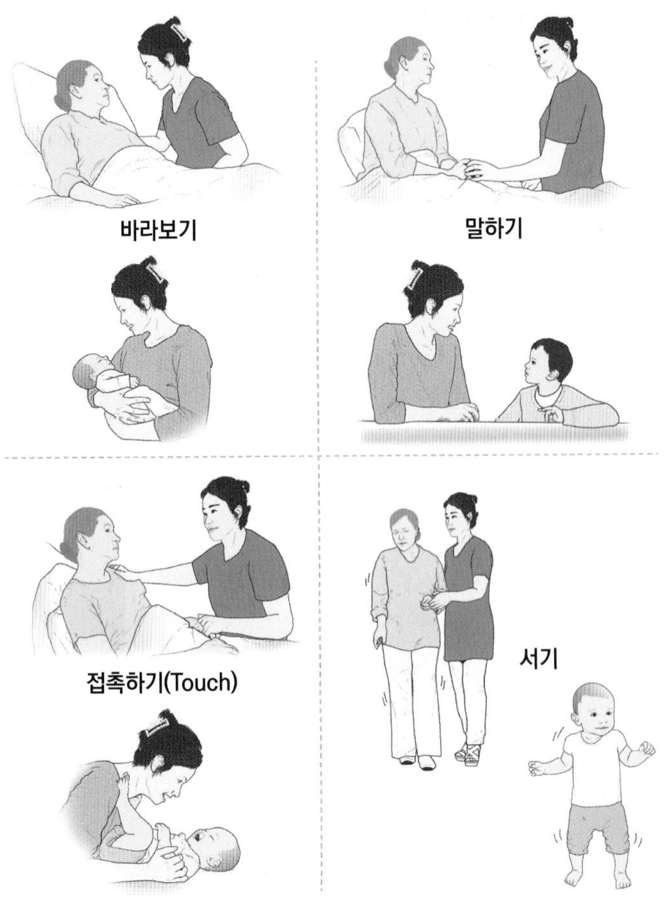

그림 35-5. **휴머니튜드의 4가지 기둥 - 바라보기, 말하기, 접촉하기, 서기**

4가지 기둥의 구체적 방법들 중 몇 가지만 다음의 표에 요약하였다.

표 35-2. **휴머니튜드의 4가지 기둥 응용기술의 예**

바라보기	• 바라볼 것 (보지 않음 = 존재하지 않는다) - 환자의 눈을 바라보지 않고 환자를 닦인다면 세차장에서 차를 세차하는 것과 무엇이 다른가? - 눈맞춤을 회피하면 바라보는 곳으로 가서 눈맞춤을 하도록 한다. - 아래쪽을 쳐다보면 무릎을 굽히고 아래에서 위로 쳐다본다. - 식사를 드릴 때에 스푼을 확실하게 눈 앞으로 보여지게 해서 드시게 한다. • 눈을 맞추거든 2초 이내에 말을 건다. 이 때 가능하면 돌봄 자체에 대한 이야기에 앞서 일상적인 대화(날씨 이야기 등)로 시작한다. • 가까이서 보도록 한다. - 22~25 cm 거리를 두고 바라본다. 그러면 뇌에서 도파민(사랑의 호르몬)이 분비된다고 한다.
말하기	• 말을 할 것 - 치매환자를 돌보는 직원들이 하루 종일 한 사람에게 단 2분만 이야기한다는 연구결과가 있다. - 엄마 말을 알아듣지 못하는 아기에게도 말을 시키지 않는가? • 자동피드백 - 반응이 없는 사람에게도 계속 말을 하면 그 에너지는 그대로 전달된다. 즉, 치매환자가 대답을 못하더라도 계속 말을 시킨다. • 행동을 언어로 표현 - "어른신, 등을 닦겠습니다", "양손을 위로 올려주세요", "아, 손이 따뜻하시네요"...와 같이 본인이 하는 동작을 말로 표현한다.
접촉하기	• 붙잡지 않고 아래서 지지한다. - 손목을 덥석 잡으면 환자는 기분도 안 좋고 '내가 뭘 잘못했나?'라고 생각하기 쉽니다. 손목을 잡아버리면 손을 뿌리치면서 낙상의 위험이 높아진다. • 5살 아이의 힘 이상을 사용하지 않는다. • 닿는 면적을 넓게 하면 압력이 세져서 안전하다.
서기	• 40초만 혼자 설 수 있다면 선 자세에서 케어받도록 한다. • 세우는 기술 ⇒ 인사하기 - 무릎과 발꿈치가 90도가 되는지 확인 - 악수 자세로 환자 손을 잡기 - 팔씨름 자세로 바꾸기 - 아래에서 다른 편 손을 넣어 받치기 - 끼워 넣은 팔을 굽혀 고정하기 - 2인의 직원이 서로 마주본 자세로 세우기 - 무릎이 굽혀지지 않도록 무릎 안쪽으로 확실히 Lock을 건다 - '절하기' 자세로 환자를 앞으로 굽히도록 하기 - 직원은 서로 마주본 상태에서 천천히 걷기

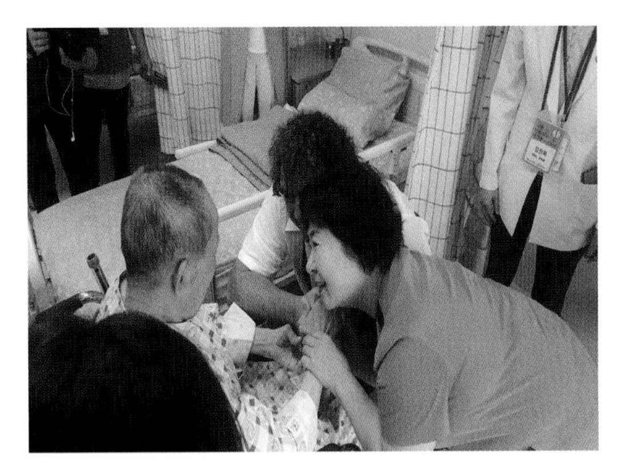

그림 35-6. **치매환자를 가까이서 똑바로 바라보기 실습.** 거리는 22~25 cm를 유지하며 정면을 바라본다.

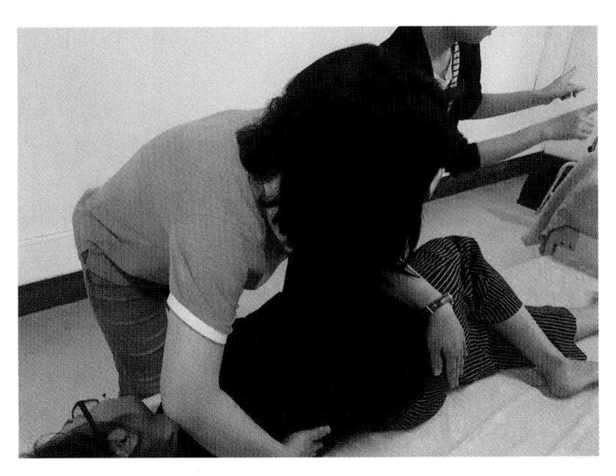

그림 35-7. **체위 변경 등을 할 때에 최대한 환자와의 접촉면을 넓혀서 접촉한다.**

7. 노인이 말하지 않는 것들

2006년에 일본 요미우리신분사 '치매케어 대상' 공로상 수상작인 '노인이 말하지 않는 것들'이라는 책에는 요양시설에서 근무하는 종사자들이 가져야 할 마음가짐 15가지를 소개하고 있다. 이러한 마음가짐을 요양병원 종사자들도 가지기를 바란다.

◆ 요양병원 종사자들이 가져야 할 15가지 마음가짐

1. 환자를 앞에 두고 환자에 관해 직원들끼리 이야기하지 않는다.
2. 의사소통은 당사자로부터 직접 얻은 정보를 가지고 한다.
3. '먹고 싶을 때 먹는 것'이 바로 '가장 맛있는 식사'
4. 배설을 다른 사람에게 의지할 수 밖에 없는 아픔을 가슴에 새겨라.
5. 새로운 일에 대한 도전은 우선 처음에는 한 사람부터 시작하자.
6. 집에서 하던 '보통의 생활'을 지속할 수 있도록 하라.
7. 본인의 결정과 전문성이 균형을 이룬 서비스가 중요하다.
8. 두려움은 무지(無知)에서 나온다. 사전 준비와 정확한 지식이 필요하다.
9. 누구를 위한, 무엇을 위한 서비스인지 항상 생각하자.
10. 비언어적 의사소통을 소중하게 생각하라.
11. 직원이 불안을 느끼면 환자는 더 불안해한다.
12. 치매환자와의 소통은 '설득보다는 납득'을 우선적으로 고려하라.
13. 적절한 용구(의료기기)를 활용하여 서비스하는 사람을 지켜줘야 한다.
14. 좋은 죽음을 맞이하는 것은 좋은 삶을 의미한다.
15. 존엄성을 존중받으면 새로운 힘이 생겨난다.

출처: 노인이 말하지 않는 것들, 2016.

◆ 단추구멍 카네이션

어느 해 5월 8일 어버이날. 필자는 회진을 하다가 누워 계신 환자분과 대화를 나눈다.
필자 : "아, 꽃을 다셨네요? 오늘이 무슨 날인지 아세요?"
환자 : (주무시고 계시다가 깨셔서) "이게 뭐야?"

알고 보니, 이 환자분을 주무시고 계셨고, 그 사이에 직원이 환자의 단추구멍에 카네이션꽃을 달아놓았던 것이다. 어버이날 연례행사이기 때문에..

순간, 필자는 깨달았다. 이 카네이션 꽃을 단 더 중요한 목적은 '우리의 (직업인으로서의) 목적'을 위해서 한 것이다. 이 치매환자를 '사람'으로 보았다면 주무시고 계실 때에 몰래 꽂아놓는 것이 아니라 다음에 깨어계실 때 와서 인사드리고 꽂았어야 했겠지...!

이러한 생각이 바로 '휴머니튜드의 철학'일 것이다.

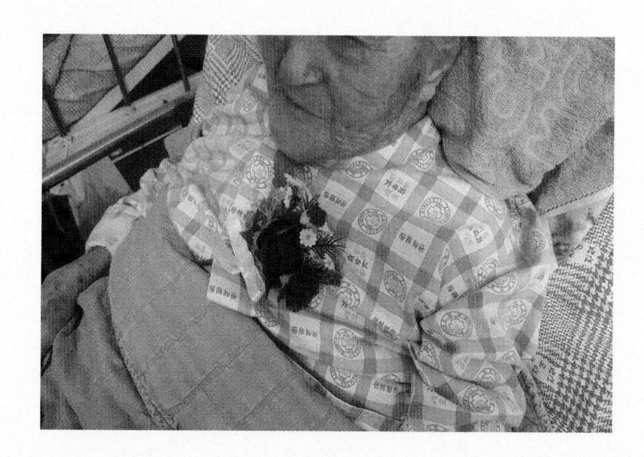

참고문헌

30 치매에 대한 ABCD 접근법

1. 김범생. 치매의 개관. In: 대한치매학회. 치매 임상적 접근. 서울: 아카데미아; 2006. p. 23-39.
2. American Psychiatric Association. Diagnostic and Statistical Manual of Mental Disorders. 4th ed. Washington DC: American Psychiatric Association; 1994.
3. 최성혜. 기타 치매 질환. In: 대한노인병학회. 노인병학. 개정판. 서울: 의학출판사; 2005. p.573-581.
4. 나덕렬. 치매의 임상적 접근. In: 대한치매학회. 치매 임상적 접근. 서울: 아카데미아; 2006. p. 61-71.
5. 이영민. 치매환자 이상 행동 시 대처 요령. 노인병 2010;14(Suppl. 1):63-70.
6. 강연욱, 나덕렬, 한승혜. 치매환자들을 대상으로 한 K-MMSE의 타당도 연구. 대한신경과학회지 1997;15:300-308.
7. 원장원, 노용균, 김수영, 이은주, 윤종률, 조경환 등. 한국형 일상생활활동 측정도구(K-ADL)와 한국형 도구적 일상생활활동 측정도구(K-IADL)의 개발. 노인병 2002;6:107-120.
8. 양동원. 치매의 치료 약물. 노인병 2009;13(Suppl. 1):71-79.
9. Hughes CP, Berg L, Danziger WL, Coben LA, Martin RL. A new clinical scale for the staging of dementia. Br J Psychiatry 1982;140:566-572.
10. 노인성치매임상연구센터. 치매의 유병률과 발병률 [Internet]. 노인성치매임상연구센터; c2013 [cited 2020 May 24]. Available from: http://public.crcd.or.kr/Info/Mechanism/Morbidity.

31 치매의 행동심리증상(BPSD)

1. 한일우. 치매의 행동심리증상. In: 대한치매학회. 치매 임상적 접근. 서울: 아카데미아; 2006. p. 113-133.
2. Luxenberg JS. Clinical issues in the behavioral and psychological symptoms of dementia. Int J Geriatr Psychiatry 2000;15:S5-S8.
3. 이영민. 치매환자 이상 행동시 대처 요령. 노인병 2010;14(Suppl. 1):63-70.
4. 박건우. 치매의 행동신경심리증상에 대한 비약물학적 접근. In: 대한치매학회. 치매 임상적 접근. 서울: 아카데미아; 2006. p. 641-648.
5. 한일우. 치매의 행동심리증상에 대한 약물치료. In: 대한치매학회. 치매 임상적 접근. 서울: 아카데미아; 2006. p. 615-637.
6. Atri A, Verma S, Kim SY. Dementia. In: Cho KH, Michel JP, Bludau J, Dave J, Park SH, editors. Textbook of Geriatric Medicine International. Seoul: Argos; 2010. p. 183-196.

32 치매환자의 부적절한 성적 행동(ISB)

1. Ozkan B, Wilkins K, Muralee S, Tampi RR. Pharmacotherapy for Inappropriate Sexual Behaviors in Dementia: A Systematic Review of Literature. Am J Alzheimers Dis Other Demen 2008;23:344-54.
2. Burns A, Jacoby R ,Levy R. Psychiatric phenomena in Alzheimer's disease. IV: disorders of behaviour. Br J Psychiatry. 1990;157:86-94.
3. Szasz G. Sexual incidents in an extended care unit for aged men. J Am Geriatr Soc 1983;31:407-411.
4. Kamel HK, Hajjar RR. Sexuality in the nursing home, part 2: managing abnormal behavior-legal and ethical issues. J Am Med Dir Assoc 2004;5(suppl. 2):S48-S52.
5. Alagiakrishnan K, Lim D, Brahim A, et al. Sexually inappropriate behavior in demented elderly people. Postgrad Med J. 2005;81:463-466.

33 치매 예방 생활수칙

1. 이윤환. 치매 예방을 위한 생활 수칙: PASCAL. 노인병 2009;13(Suppl. 1):107-120.
2. 노인성치매임상연구센터. 치매의 유병률과 발병률 [Internet]. 노인성치매임상연구센터; c2013 [cited 2020 May 24]. Available from: http://public.crcd.or.kr/Info/CommonSense.
3. Snowdon DA. Aging and Alzheimer' s Disease. The Gerontologist 1997;37;150-156.

34 치매 노인들을 위한 활동프로그램

1. 김주희, 곽진상, 김연숙, 김영애, 김정화, 송미순 등. 장기요양 노인간호. 서울: 군자출판사; 2005.
2. 인천은혜병원 의료사회사업과. 집단치료평가서. 인천: 인천은혜병원; 2010.
3. Nguyen QA, Paton C. The use of aromatherapy to treat behavioural problems in dementia. Int J Geriatr Psychiatry. 2008;23:337-46.
4. Filan SL, Llewellyn-Jones RH. Animal-assisted therapy for dementia: a review of the literature. Int Psychogeriatr. 2006;18:597-611.

35 치매환자를 사로잡는 기술

1. 와시미 유키히코. 치매간호: 당신의 환자가 치매(인지장애)라면 어떻게 하겠습니까? 서울: 군자출판사; 2015.
2. Dawn Brooker, Isabelle Latham. 사람중심 치매케어. 서울:학지사메디컬; 2018.
3. 이브 지네스트, 고젯 마레스코티. 가족을 위한 휴머니튜드. 인천:대광의학; 2019.
4. 종합케어센터 선빌리지. 노인이 말하지 않는 것들. 서울:시니어커뮤니케이션; 2016.

찾아보기

Index

한글

ㄹ

ㅁ

ㅂ

ㅇ

ㅈ

ㅋ

ㅌ

ㅍ

ㅎ

영문

C

H

I J K

L M N

O P

R

기타